Español Lengua Extranjera

CURSO DE LITERATURA

M.ª Ángeles Álvarez Martínez
Myriam Álvarez
Álvaro E. Vento Acosta

Autores

M.ª Ángeles Álvarez Martínez, catedrática de Lengua Española de la Universidad de Alcalá

Myriam Álvarez, profesora titular de Teoría Literaria y Literatura Comparada de la Universidad de La Laguna

Álvaro E. Vento Acosta, doctor en Literatura y profesor de Alcalingua, de la Universidad de Alcalá

Equipo editorial

Coordinación editorial: Milagros Bodas

Edición: Sonia de Pedro

Corrección: Lupe Rodríguez

Edición gráfica: Nuria González

Diseño: Lidia Muñoz Martín

Maquetación: Alfredo Martín y Ricardo Polo

Cubierta: Carolina García

Fotografías

Archivo Anaya (Candel, C.; Cosano, P.; Cruz, M.; Enríquez, S.; Jove, V.R.; Lezama, D.; Liarte Sales, A.; Martin, J.; Martín, J.A., Martínez, C.; Moya, B.H.; Osuna, J.; Ruiz Pastor, L.; Ruiz y Ruiz de Velasco, J.A.; Sánchez, J.; Steel, M.; Vázquez, A.), Eitan Abramovich/AFP Photo/Getty Images, El Deseo S.A./Album, Agencia EFE, © Casa-Museo Pérez Galdós. Cabildo de Gran Canaria, © Residencia de Estudiantes, Madrid, 123RF y colaboradores.

Depósito legal: M-8958-2019

ISBN: 978-84-698-5700-7

ISBN (Italia): 978-84-698-6401-2

Printed in Spain

Las normas ortográficas seguidas en este libro son las establecidas por la Real Academia Española en su última edición de *la Ortografía*.

EL000623/1E1I - 1181511

PRESENTACIÓN

El *Curso de literatura Anayaele* es una forma diferente de estudiar Literatura pensada para alumnos de nivel avanzado. El objetivo es que el estudiante aprenda a **comprender la literatura** a través de una cuidada **selección de textos** literarios originales, a apreciar la literariedad y a debatir desde y con el texto literario. Es un curso destinado a aprender Lengua y Literatura.

Puntos fuertes

- **Presentación digital** secuenciada para el profesor.
- Se trabajan distintos aspectos de la lengua y el lenguaje literario.
- Se promueve la **competencia digital** a través de tareas de investigación.
- Autoevaluaciones para comprobar el **progreso en el aprendizaje.**
- **Actividades colaborativas** en las que se puede medir la recepción, la interacción, la producción y la mediación, tanto cognitiva, como relacional.
- **Contexto histórico y artístico** de la etapa literaria correspondiente.
- **Características básicas.**
- Presentación de los **autores fundamentales a través de textos representativos,** con el siguiente esquema:

  Comprensión lectora.

  Desarrollo de la lengua. Cuestiones sobre ortografía, gramática y léxico.

  Trabajo literario. Preguntas relativas a la métrica, tópicos y figuras literarias.

  Producción literaria. Actividades de producción escrita y de expresión oral a partir del texto.

  Investigación literaria. Tareas de investigación dinámicas para realizar en grupos o en parejas, que fomentan la competencia digital y la capacidad de análisis para saber organizar los datos y presentarlos con coherencia.

  Test de autoevaluación.

En ocasiones, hay autores que se presentan en alguna sección de otro autor, generalmente, dentro de **Investigación literaria,** con el fin de establecer una comparación entre ambos y el debate subsiguiente sobre diversas cuestiones literarias o de otra índole.

Estructura del *Curso de literatura*

Sección digital

- **El despacho del profesor** contiene:
  - **a) Guía docente** con los estándares de aprendizaje, la explicación de cómo llevar al aula la unidad y las soluciones a las actividades planteadas.
  - **b) Recursos para el profesor** (presentación de cada unidad, otros textos literarios, sugerencias de otras lecturas, de vídeos o películas, etc.)
  - **c) Exámenes** de cada unidad.
- **Mi biblioteca** cuenta con la información necesaria para el estudiante: autores, obras relevantes, biografías, contextos histórico y social, etc.

www.anayaele.es

El código que encontrarás al abrir este libro da acceso a los recursos digitales complementarios en la web.

Regístrate en escueladigital.cga.es y activa el código en el apartado Mis recursos.

Con la adopción del manual por parte del centro se dará acceso al **Despacho del Profesor.**

ÍNDICE

HOMENAJE DE LA CIUDAD AL MÁS GRANDE DE SUS ESCRITORES
BORGES
1899|1986
Callan las cuerdas.
La música sabía
lo que yo siento.
Jorge Luis Borges
Buenos Aires Ciudad
Vamos Buenos A

unidad

1

¿Qué es LITERATURA?

Por Literatura se entiende cualquier texto (en prosa o verso; oral o escrito) que manifieste una clara intención artística, esto es, literaria. Así pues, el conjunto de las producciones literarias de un país, de una época o de un género constituyen literatura. Para clasificar un texto como literario, se recurre al concepto abstracto de 'literariedad', que significa que ese texto contiene rasgos artísticos, propios de la Literatura. Dado que la Literatura puede concebirse como el arte de la expresión verbal, hay que decir que se crea con las palabras y su peculiar forma de combinarse, con recursos fónicos y con recursos semánticos.

Comentar un texto literario, por tanto, consiste en desentrañar lo que esconde ese texto, a veces, de manera intencionada y, otras veces, casi inconscientemente por parte de su creador.

Varios son los conceptos que han de tenerse en cuenta para apreciar un texto literario y que deben aplicarse de forma jerárquica, para ir descubriendo todo lo que contiene.

En primer lugar, el **género** al que pertenece. Desde la Antigüedad, se han establecido tres grandes géneros, a saber, la **narrativa**, la **poesía** y el **teatro**. Sin embargo, cada uno de ellos puede subdividirse en otros, a su vez, o combinarse entre sí. Por ejemplo: prosa poética, poema en prosa, etc.

En cuanto al **género narrativo**, hay que decir que puede tener una extensión larga y se denomina **novela**; o desarrollarse en pocas páginas (entre 50 y 60) y se está entonces ante una **novela corta**; o bien, contar solo una anécdota en 5 o 6 páginas, y se tiene un **cuento** (con valor moralizante o no); también se puede hablar de **relato**; o simplemente, desarrollarse en unas pocas líneas, y se tiene entonces un **microrrelato**, subgénero muy actual.

En cuanto al **género poético**, hay que tener presente si se trata de un conjunto de versos largo y estamos ante **poemas épicos** o égloga, o ante un conjunto de versos que constituyen un todo corto, denominado **poesía**, **poema** o **composición poética.**

Estos poemas pueden reflejar la tradición literaria de un mismo tema y (re)crearla, se dice entonces que están inmersos en un tópico literario o en microgénero de la poesía. Según el tipo de estrofa que tengan, se habla de **soneto**, **silva**, **villancico**, etc. (véanse más adelante los tipos de estrofas de arte mayor y arte menor).

Finalmente, en cuanto al teatro, debe tenerse en cuenta que, por tradición, se han distinguido los tres tipos siguientes: la **tragedia**, la **comedia** y el **drama.** Este género surge para ser representado en los escenarios, por lo que ha de reflejar el **diálogo** (también existen los monólogos, tan de moda en la actualidad) y presentar una forma de manifestación escrita que lo hace reconocible de inmediato. Además, a ese diálogo lo acompañan las llamadas *acotaciones,* que consisten en indicaciones precisas de la actuación de los personajes (salidas o entradas, gestos de complicidad con el público, maneras de hacer entender un significado, etc.). Todo lo referente a los textos teatrales (edición de los textos y su representación) pertenece a la **dramaturgia**, género literario al que se adscriben todas las obras cuya finalidad es la representación escénica.

En cuanto a los autores reconocidos por la crítica y la sociedad, hay que decir que constituyen el **canon literario**. En épocas pasadas en las que la sociedad estaba regida por los hombres, las mujeres (aunque escribieran) apenas estaban reconocidas. Sin embargo, en la actualidad la mujer (educada y formada como los hombres en igualdad y libertad) ocupa de pleno derecho su lugar en este canon, sin necesidad de mostrar una literatura diferente.

En segundo lugar, se encuentra el significado de las palabras que conforman el texto literario. No debe olvidarse que el arte denominado literatura se construye con palabras, de igual forma que la pintura se constituye a partir de los colores o el trazo, por ejemplo. Por ese motivo, es muy importante conocer el significado exacto del juego lingüístico que se desarrolla en cada caso. Para ello, se cuenta con dos conceptos fundamentales, que son la **denotación** y la **connotación**.

Por **denotación** se entiende el valor intrínseco de las palabras que lo constituyen, esto es, lo que se halla en los diccionarios. Todo texto muestra denotación, por lo que supone una obviedad hablar de ella. Si está compuesto de palabras, tiene denotación (no necesariamente sentido), pero denotación sí que la hay. Ahora bien, la curiosa combinación de esas palabras que el autor realiza conlleva otros valores, otros significados y otros sentidos. Esos están implícitos y se activan cuando el lector acude a un texto literario. Se está entonces ante la connotación (no siempre reflejada en los diccionarios). La **connotación**, pues, puede definirse como el significado que se añade a un texto, por la peculiar unión de determinadas palabras. Este segundo significado, que surge cuando se lee con detenimiento un texto, depende del conocimiento del mundo que se tenga y de la experiencia vital de cada uno. Si bien la connotación surge de una segunda lectura y en cada persona de una manera distinta, no puede afirmarse que sea subjetiva ni individual. El autor escribe para ser leído por toda la sociedad, no para unas pocas personas (al menos, aspira a eso), por lo que su juego lingüístico ha de ser comprendido por la totalidad. La mayor o menor comprensión del texto literario depende del mayor o menor número de lecturas que haya realizado la persona. Aprender literatura, esto es, aprender a entender un texto literario, consiste en conocer las obras literarias de todas las épocas.

Por consiguiente, denotación y connotación son fundamentales, en tanto que constituyen los dos pilares sobre los que se sustenta cualquier texto, literario o no. Si no se es capaz de captar esos valores, se pierde mucha de la riqueza comunicativa de la lengua (en su manifestación escrita u oral).

Unido a estos dos conceptos de denotación y connotación, se encuentra —especialmente en el texto poético— lo que se denomina **haz de connotación**, líneas imaginarias (aquí marcadas en negrita) que predisponen la mente a desarrollar una idea determinada. Son significados que se «acumulan», casi de forma inconsciente, tras una lectura sosegada del texto, porque la denotación y la connotación de las palabras han actuado en el cerebro.

Para ejemplificar esta afirmación, examinemos el soneto de Blas de Otero «Vivo y mortal».

VIVO Y MORTAL

Sé que hay **estrellas**, luminosos **mares**
de fuego, inhabitados **paraísos**,
cadenas de **planetas**, **cielos** lisos,
montañas que se yerguen como altares.

Sé que el **mundo**, la **Tierra** que yo piso,
tiene vida, la misma que me hace.
Pero sé que se muere si se nace,
y se nace, ¿por qué?, ¿por quién que quiso?

Nadie quiso nacer. Ni nadie quiere
morir. ¿Por qué matar lo que prefiere
vivir? ¿Por qué nacer lo que se ignora?

Solo está el hombre. El **mundo**, inmenso, gira.
Sobre su gozne virginal, suspira
lo que, vivo y mortal, el hombre llora.

En una primera lectura de este soneto, se percibe la idea de 'la soledad del hombre ante la Naturaleza'. Las palabras que permiten esta interpretación son las señaladas en negrita, que constituyen el primer haz de connotación. También se advierte una segunda idea (otro haz de connotación) que es 'la inevitabilidad de la muerte'. Las palabras que nos llevan a esta interpretación están señaladas en negrita.

VIVO Y MORTAL

Sé que hay estrellas, luminosos mares
de fuego, inhabitados paraísos,
cadenas de planetas, cielos lisos,
montañas que se yerguen como altares.

Sé que el mundo, la Tierra que yo piso,
tiene **vida**, la misma que me hace.
Pero sé que **se muere si se nace**,
y se nace, ¿por qué?, ¿por quién que quiso?

Nadie quiso nacer. Ni **nadie quiere**
morir. ¿Por qué matar lo que prefiere
vivir? ¿Por qué nacer lo que se ignora?

Solo está el hombre. El mundo, inmenso, gira.
Sobre su gozne virginal, suspira
lo que, **vivo y mortal**, el **hombre llora**.

En este texto, además, se puede añadir una idea subsidiaria que también surge al hilo de la interpretación que se ha hecho. Se trata de 'la reminiscencia católica de Dios y la creación' (no hay que olvidar en qué momento histórico y social se ha creado este soneto).

VIVO Y MORTAL

Sé que hay estrellas, luminosos mares
de fuego, inhabitados **paraísos**,
cadenas de planetas, **cielos** lisos,
montañas que se yerguen como **altares**.

Sé que el mundo, la Tierra que yo piso,
tiene vida, la misma que me hace.
Pero sé que se muere si se nace,
y se nace, ¿por qué?, **¿por quién que quiso?**

Nadie quiso nacer. Ni nadie quiere
morir. **¿Por qué matar lo que prefiere**
vivir? ¿Por qué nacer lo que se ignora?

Solo está el hombre. El mundo, inmenso, gira.
Sobre su gozne **virginal**, suspira
lo que, vivo y mortal, el hombre llora.

Sumado a todas estas cuestiones de **intratextualidad**, hay que indicar un último concepto, que también influye, sobre manera, en la lectura de un texto literario. Se trata de la **intertextualidad**, concebida como las diversas relaciones que mantiene cualquier texto con otros de autores, épocas e incluso lenguas diferentes. La intertextualidad puede dotar a cualquier texto de nuevos significados al compararlo con otros que lo han precedido en el tiempo o que son coetáneos, permite engarzarlo en una corriente determinada o mostrar la evolución de un género o microgénero.

¿Cómo comentar un texto literario?

Tras la lectura detenida de un texto, para entender lo que dice, se deben seguir los siguientes pasos:

1) Clasificar el texto por géneros.

2) Establecer la denotación y connotaciones del texto, a saber, las ideas principales y secundarias, mediante los haces de connotación.

3) Conocer al autor y su época (el contexto histórico, social y artístico dan pistas para comprender en su totalidad el significado del texto literario, aunque los autores no siempre se ajustan a las modas y las épocas; en ocasiones, su propia creatividad puede obtener hallazgos novedosos que no responden sino a la propia idiosincrasia).

4) Relacionar el texto y al autor con otros textos literarios que lo han precedido. Ningún autor literario se sustrae a la tradición que lo ha rodeado.

Por consiguiente, conocer la Historia de la Literatura (autores, obras, tendencias) es importante, pero aún más fundamental es dominar la lengua en la que se ha escrito el texto literario. Sin ese dominio de las palabras, no es posible la comprensión de las ideas que se presentan ante nuestro entendimiento.

Como ejemplo de estas afirmaciones, puede valorarse la evolución de un microgénero muy fecundo en la literatura en español. Se trata del tópico de Jorge Manrique, constituido por una doble metáfora, de la igualdad de la *vida* con los *ríos* y del *mar* con la *muerte*.

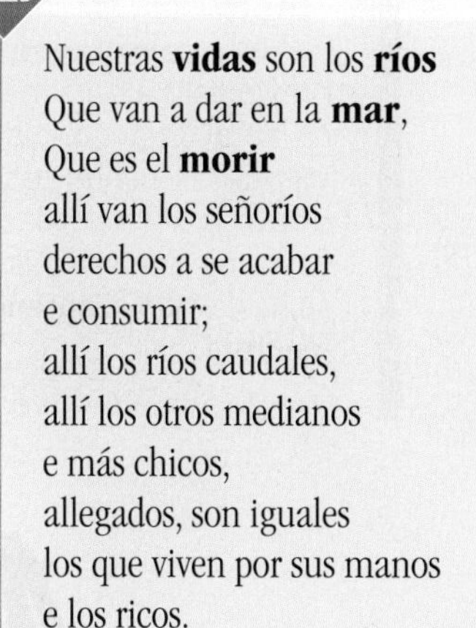

Nuestras **vidas** son los **ríos**
Que van a dar en la **mar**,
Que es el **morir**
allí van los señoríos
derechos a se acabar
e consumir;
allí los ríos caudales,
allí los otros medianos
e más chicos,
allegados, son iguales
los que viven por sus manos
e los ricos.

Manrique, poeta medieval, asume la muerte como algo natural e inevitable. De ahí que en su copla tercera establezca la metáfora mediante el verbo *ser*, verbo sin carga semántica que simplemente iguala las *vidas* con los *ríos*. De idéntica forma, se hacen equivaler *mar* y *morir*. Esta idea —que se convertirá en tópico literario por su frecuente uso— muestra una realidad, que se aclara en los versos que le siguen (da igual que sea caudaloso o no, que sea rico o no, todos van al final de la misma manera). Unas cuantas décadas más tarde un poeta renacentista, cercano ya al Barroco (periodo denominado manierismo), Andrés Fernández de Andrada, reescribe el tópico de la manera siguiente:

Como los *ríos* que, ***en veloz corrida***,
se llevan a la *mar*, tal ***soy llevado***
al último suspiro de mi vida.

En este caso, además de mantener la doble metáfora manriqueña mediante una comparación, le añade 'la fugacidad de la vida' en esa expresión de ***en veloz corrida,*** junto con la resignación, pero no por gusto, ante la inevitabilidad de la muerte (***soy llevado***; 'yo no quiero ir'). A su vez, el colectivo *nuestras vidas* de Manrique se convierte en el *yo* (el individuo, propio del Renacimiento). Por último, a la *muerte* se le denomina con el eufemismo *último suspiro de mi vida,* lo que implica seguir con vida hasta el mismo final. A pesar de todo ello, el tópico manriqueño se mantiene. Esto implica una simple variación (recreación literaria) de la tercera copla de Manrique.

De igual forma, varias décadas posteriores, Francisco de Quevedo retoma el tópico de Manrique.

Antes que sepa andar ***el pie***, se mueve
camino de la **muerte**, donde envío
mi vida oscura, pobre y turbio río,
que ***negro mar*** con ***altas ondas bebe***.

Se mantiene la doble imagen manriqueña, pero desaparece el colectivo *nuestras vidas,* para dar paso al ***mi vida*** y a la sinécdoque del ***pie,*** por el individuo. A su vez, la forma de igualar los términos **vida** y **río** es, en este caso, mediante una aposición, donde los términos se presentan no como comparados o equiparados, sino como simples sinónimos referenciales. La aposición es la forma lingüística que mejor identifica dos elementos. En esta aposición, además, hace un pequeño guiño, porque en el interior sitúa el adjetivo ***pobre*** que, según su posición con el sustantivo (antepuesto o pospuesto) tiene una significación diferente. Quevedo añade también, además de la fugacidad, la brevedad de la vida, ***Antes que sepa andar el pie, se mueve camino de la muerte*** (cuna/sepultura), así como la visión barroca de **vida oscura, pobre y turbia** (porque se encuentra al final), unido a un **mar** que no recibe sereno al **río**, sino que es ***negro*** y engulle vorazmente (***con altas ondas bebe***).

Siglos más tarde, la imagen de Manrique se transforma gracias al ingenio de un poeta del siglo xx, Blas de Otero.

Pero viene un ***mal viento***, un golpe frío
de las manos de Dios, y ***nos derriba***.
Y ***el hombre***, que ***era*** un árbol, ya ***es*** un ***río***.
Un ***río echado, sin rumor, vacío***,
mientras la Tierra sigue ***a la deriva***,
¡oh ***Capitán***, mi Capitán, Dios mío!

La *muerte* manriqueña se convierte en un ***mal viento*** o en ***un golpe frío*** y sin piedad, que *nos derriba* (el hombre está en pie y lo tumba). Aunque usa el verbo *ser*, como Manrique, juega con el pasado y el presente para expresar el paso del tiempo (*era/es*). Además, añade un tópico clásico de la literatura española, el *hombre* como *árbol* (enhiesto y vertical), para desplazar al *río* en la comparación con la *muerte* (***Un río echado, sin rumor, vacío***). Mantiene la doble metáfora manriqueña, pero cambia los elementos de lugar. El *mar* desaparece de esta ecuación, aunque se sigue refiriendo a él, mediante ***a la deriva*** y ***Capitán***, términos tradicionalmente marineros. Se está, pues, ante una transformación del tópico de Manrique.

Unos pocos años después, otro poeta del siglo xx, Ángel González, transformará aún más el tópico manriqueño. Estos son los versos:

cosas que son y que no son,
como este **río**
distinto cada instante
a su inmediato próximo pasado,
fluvial cadáver que en la mar descansa.

Para empezar, la vida se cosifica y se entrelaza con la máxima del filósofo griego Heráclito que dijo que *nadie se baña dos veces en las mismas aguas de un río*, porque son las mismas y son distintas. Las ***cosas que son y que no son*** se comparan mediante un símil, con el **río**, también ***distinto a cada instante***. Hasta aquí solo tendríamos una recreación del tópico manriqueño, pero añade un verso más en el que está **fluvial cadáver que en la mar descansa.**

Aparte de llevar al extremo máximo la brevedad de la vida de Quevedo, realmente se plantea que estamos muertos en vida, se es ***fluvial*** (adjetivo que correspondería a la primera metáfora de Manrique, *vida = río*) ***cadáver*** (sustantivo que responde a la segunda metáfora de Manrique, *morir = mar*).

Se ha roto la doble metáfora para convertirse en una sola. Se está, pues, ante otra transformación del tópico de Manrique.

La interpretación (comprensión exacta) de los poemas del siglo xx de Blas de Otero y de Ángel González es posible porque se ha leído (entendido) plenamente a Manrique, a Fernández de Andrada y a Quevedo (y a otros muchos poetas más que usaron el tópico manriqueño). Ello implica que para estudiar literatura hay que leer literatura.

No basta con conocer metros, estrofas, tipos de poemas, autores, obras o tendencias. Hay que leer el texto y entenderlo, porque es fundamental.

Por consiguiente, aprender a leer no significa saber silabear o conocer las grafías y sus sonidos, sino que significa aprender a entender, con todo lo que conlleva la denotación y connotación de las palabras

Eso permitirá aprender a interpretar, que es el primer paso (y no paso breve) para alcanzar aprender a disfrutar. Cuando se disfruta leyendo literatura, cuando se sabe cómo buscar la «literariedad» de los textos, se ha logrado el máximo galardón, se ha llegado al **aprender a vivir en plenitud.**

FIGURAS LITERARIAS

Las **figuras literarias** son recursos del lenguaje con el fin de embellecer la palabra escrita o hablada. De esta forma, se otorga mayor expresividad a lo que se dice.

- **Aliteración**: repetición de sonidos similares y muy cercanos para dar expresividad.

  Lo**s** **s**u**s**piro**s** **s**e e**s**capan de **s**u boca de fre**s**a.

  Rubén Darío, «Sonatina»

- **Anadiplosis**: repetición de la última palabra de un verso al principio del siguiente.

  Ideas sin **palabras**,
  palabras sin sentido.

  Gustavo Adolfo Bécquer, *Rimas*

  Cuando se suceden varias anadiplosis seguidas, nos encontramos ante una **concatenación**.

  La plaza tiene una **torre**,
  la **torre** tiene un **balcón**,
  el **balcón** tiene una **dama**,
  la **dama** una blanca flor.

  Antonio Machado, *Los complementarios*

  Y cuando se repiten las palabras dentro de un mismo verso o frase, estaremos ante una **reduplicación**.

  Rosas, rosas, rosas a mis dedos crecen.

  Juana de Ibarbourou, «El dulce milagro»

- **Anáfora**: repetición de una misma palabra o sintagma al inicio de cada frase para marcar su sentido.

  Sueña el rico en su riqueza,
  que más cuidados le ofrece;
  sueña el pobre que padece
  su miseria y su pobreza;
  sueña el que a medrar empieza,
  sueña el que afana y pretende,
  sueña el que agravia y ofende.

  Calderón de la Barca, *La vida es sueño*

- **Antítesis**: contraposición de dos palabras antónimas o dos ideas contrarias.

  Es tan corto el amor y **es tan largo** el olvido.

  Pablo Neruda, *Veinte poemas de amor y una canción desesperada*

  Cuando la antítesis es entre términos opuestos cuyo contacto desafía a la lógica, se denominará **oxímoron**.

  ¡Oh, **dulce olvido**!

  Fray Luis de León, Oda III

- **Apóstrofe**: apelación o llamamiento a una persona o ser determinado dentro del poema, similar al uso lingüístico del vocativo.

  Olas gigantes que os rompéis bramando [...]
  ¡llevadme con vosotras!

  Gustavo Adolfo Bécquer, *Rimas*

- **Asíndeton**: eliminación de las conjunciones para dotar de expresividad al texto.

  En tierra**,** en humo**,** en polvo**,** en sombra**,** en nada.

  Luis de Góngora, «Mientras por competir con tu cabello»

- **Calambur**: juego de palabras en el que se reagrupan diferentes sílabas o palabras que suenan igual para darle un sentido diferente a la frase.

  Con dados ganan **condados**

  Luis de Góngora, «Dineros son calidad»

  En caso de que estas palabras sean muy parecidas en sus sonidos, pero no del todo iguales, estamos ante una **paronomasia**.

  Le **puso** el **piso** en que **posa**
  y ya sin coser se **pasa**
  hondo hastío; no es la **casa**
  la que **quiso**... es otra **cosa**.

  Miguel de Unamuno, *Cancionero*

  El muerto al **hoyo** y el vivo al **bollo.**

  Refrán popular

- **Comparación** o **símil**: relación entre dos elementos diferentes que poseen alguna similitud o semejanza.

  Unos cuerpos son **como** flores,
  otros **como** puñales.

  Luis Cernuda, *Los placeres prohibidos*

◆ **Enumeración**: expresión de una serie de elementos o componentes de un todo.

Inútil es la huida y el gemido.
Hay que luchar, rugir, sincronizarse
con el compás terrible de los hechos.

Ángela Figuera Aymerich, *Los días duros*

Si la enumeración es de elementos que dan una impresión ascendente (clímax) o descendente (anticlímax) se denomina **gradación**:

La cuenta de las **horas** y los **días**,
de **semanas** y **meses** los engaños,
de los **años** y **siglos** las porfías,
no te han de mejorar los desengaños;
porque no han de vencer las ansias mías
horas, días, semanas, meses y años.

Calderón de la Barca, *Sonetos*

◆ **Epanadiplosis**: repetición de una palabra o sintagma al principio y final de una misma frase o verso para enmarcarlo, darle fuerza y expresividad.

Verde que te quiero **verde**

Federico García Lorca, *Romancero gitano*

◆ **Epíteto**: adjetivo innecesario, pues denota una cualidad que ya se presupone.

Los **fieros tigres**

Garcilaso de la Vega, Soneto XV

◆ **Hipérbaton**: alteración del orden habitual de las palabras en una oración.

Del salón en el ángulo oscuro, / de su dueña tal vez olvidada, /silenciosa y cubierta de polvo, / veíase el arpa.
El arpa se veía silenciosa y cubierta de polvo en el ángulo oscuro del salón, tal vez olvidada de su dueña

Gustavo Adolfo Bécquer, «Rima VII»

◆ **Hipérbole**: exageración.

Érase un hombre a una nariz pegado,
érase una nariz superlativa, [...]
érase un elefante boca arriba, [...]
érase una pirámide de Egipto

Francisco de Quevedo, *Parnaso español*

◆ **Lítote**: sirve para expresar lo contrario a lo que realmente se quiere decir, como un método de disminución de expresividad, de ironía o de eufemismo.

Que **no me digan** a mí
que el canto de la cigüeña
no es bueno para dormir.

Rafael Alberti, «Nana de la cigüeña»

◆ **Metáfora**: identificar un elemento real con otro figurado con el que tiene algún tipo de relación o comparación. Es la figura literaria más usada en el español.

Ondeábale el viento que corría
el oro fino con error galano [el oro fino — el pelo rubio]

Luis de Góngora, «Al tramontar del sol»

¿Y aún, **vieja encina**, resististe?, ¿aún late,
Mujer, tu corazón? [vieja encina — mujer]

Rosalía de Castro, *En las orillas del Sar*

Si una metáfora o varias se continúan a lo largo del texto, identificando el mundo imaginativo con el real, se denominará **alegoría**.

Veíale en las manos un **dardo de oro** largo, y al fin del hierro me parecía tener un poco de fuego [alegoría del amor de Dios].

Santa Teresa de Jesús, *Libro de la vida*

◆ **Metonimia**: designar un elemento o idea con el nombre de otra con la que guarda alguna relación directa, pudiendo ser esta de causa y efecto, de signo y significado, de autor y obra, de continente y contenido, etc.

Cuando el famoso caballero don Quijote de la Mancha, dejando **las ociosas plumas**, subió sobre su famoso caballo Rocinante
[Las ociosas plumas como representación de la cama hecha de plumas].

Miguel de Cervantes, *Don Quijote de La Mancha*

Cuando la metonimia se produce al nombrar una parte por el todo o viceversa, se denominará **sinécdoque**.

Te ganarás **el pan** con el sudor de tu frente [pan equivale a la comida].

Génesis, La Biblia

◆ **Onomatopeya**: palabra que representa un sonido real. Aunque no siempre, se suele utilizar para designar los sonidos de los animales: el **quiquiriquí** del gallo, el **cuac, cuac, cuac** del pato, el **cric, cric, cric** del grillo, pero también el **¡bang!** de la pistola, el **tictac** del reloj, el **crac** del palo al partirse, el **toc, toc, toc** en la puerta, etc.

◆ **Paradoja**: expresión contradictoria o contraria a la lógica.

¡Oh, **muerte** que **das vida**

Fray Luis de León, Oda III

Vivo sin vivir en mí
y tan alta vida espero
que **muero porque no muero**

Santa Teresa de Jesús, «Vivo sin vivir en mí»

◆ **Paralelismo**: repetición de una misma estructura sintáctica a lo largo de dos o más versos o frases.

> **Volver**án las oscuras **golondrinas**
> en tu balcón **sus nidos** a colgar [...]
> **Volver**án las tupidas **madreselvas**
> de tu jardín **las tapias** a escalar.
>
> Gustavo Adolfo Bécquer, *Rimas*

◆ **Personificación** o **prosopopeya**: atribuir cualidades humanas a seres u objetos que no lo son.

> **Sedientas** las **arenas**, en la playa
> **sienten** del sol los besos abrasados [...]
> **Pobres arenas**, de mi suerte imagen [...]
> pues como yo **sufrís**, secas y mudas.
>
> Rosalía de Castro, *En las orillas del Sar*

◆ **Pleonasmo**: repetición innecesaria y redundante de palabras para dar mayor expresividad.

> Ya ejecuté, gran señor,
> tu **justicia justa y recta.**
>
> Tirso de Molina, *El burlador de Sevilla*

◆ **Polisíndeton**: repetición de las conjunciones para dotar de expresividad al texto.

> no puedes hacer nada,
> **ni** dar cuerda al reloj,
> **ni** despeinarte
> **ni** ordenar los papeles...
>
> Gloria Fuertes, «Ante un muerto en su cama»

◆ **Quiasmo**: paralelismo cruzado, es decir, la repetición de una misma estructura sintáctica, pero cruzando los elementos gramaticales.

> **Fieros** tigres y peñascos **fríos**
>
> Garcilaso de la Vega, Soneto XV

◆ **Retruécano**: repetición de varias palabras o sintagmas invirtiendo su estructura para crear una sensación de contraste o antítesis.

> ¿Siempre se ha de **sentir** lo que se **dice**?
> ¿Nunca se ha de **decir** lo que se **siente**?
>
> Francisco de Quevedo, «Epístola satírica y censoria»

◆ **Símbolo**: utilizar una palabra para evocar otra cosa o para aludir a otra realidad más profunda o espiritual, complicada de explicar por sí misma. Tiene mucha relación con la **metáfora** y la **alegoría** y puede ser propio de un artista (símbolo de la Luna para Lorca) o pertenecer a la cultura y la literatura en general (el río como fluir de la vida, el laurel como imagen de los poetas o de la victoria, la paloma blanca como muestra de la paz, el invierno como la muerte, etc.).

◆ **Sinestesia**: unir dos imágenes que el ser humano percibe por dos sentidos diferentes.

> ¡Qué **tranquilidad violeta**!
> La **dulce brisa** del río
>
> Juan Ramón Jiménez, «El poeta a caballo»

◆ **Sinonimia**: repetición de una idea mediante sinónimos para reforzar su expresividad.

> ¡Mentira! No tengo ni **dudas**, ni **celos**,
> ni **inquietud**, ni **angustias**, ni **penas**, ni **anhelos**
>
> Juana de Ibarbourou, «Despecho»

TÓPICOS LITERARIOS

Los **tópicos literarios** son temas o enfoques utilizados con frecuencia en la creación literaria a lo largo de la historia. Suelen identificarse a través de una frase breve, usualmente en latín, que resume el sentido general de cada uno.

- ***Amor post mortem*** (amor más allá de la muerte): el amor es un sentimiento tan fuerte que puede superar a la mismísima muerte.

  Su cuerpo dejará, no su cuidado;
  serán ceniza, mas tendrá sentido;
  polvo serán, mas polvo enamorado.

  Francisco de Quevedo, «Amor constante más allá de la muerte»

- ***Aurea mediocritas*** (dorada mediocridad): conformarse con lo que se tiene, no irse a ningún extremo ni aspirar lo que no se tiene, manteniéndose en el justo medio.

  Mi infancia son recuerdos de un patio de Sevilla,
  y un huerto claro donde madura el limonero;
  mi juventud, veinte años en tierras de Castilla;
  mi historia, algunos casos que recordar no quiero.
  Ni un seductor Mañara, ni un Bradomín he sido [...]

  Antonio Machado, «Retrato»

- ***Beatus ille*** (feliz aquel): no darle importancia a los bienes materiales para encontrar la felicidad en la vida sencilla, alejada de lo material y lo social.

  ¡Qué descansada vida
  la del que huye del mundanal ruido,
  y sigue la escondida
  senda, por donde han ido
  los pocos sabios que en el mundo han sido!

  Fray Luis de León, Oda I

- ***Carpe diem*** (aprovecha el día): hay que aprovechar lo que se tiene en el presente, en el momento actual, ya que en cualquier momento lo podemos perder. Tiene relación con el tópico de ***pulvis sumus***: polvo somos, en referencia al versículo del Génesis, 3, 19: «Polvo somos y en polvo nos convertiremos».

  Tómame ahora que aún es temprano
  y que llevo dalias nuevas en la mano.
  Tómame ahora que aún es sombría
  esta taciturna cabellera mía. [...]
  Después..., ¡ah, yo sé
  que ya nada de eso más tarde tendré!

  Juana de Ibarbourou, «La hora»

- ***Collige, virgo, rosas*** (coge, virgen, las rosas): se advierte a la mujer que la vejez llegará en algún momento y, por ello, debe disfrutar de la juventud que todavía tiene. Tiene mucha relación con *carpe diem* y con *tempus fugit*.

  En tanto que de rosa y azucena
  se muestra la color en vuestro gesto,
  y que vuestro mirar ardiente, honesto,
  enciende al corazón y lo refrena; [...]
  coged de vuestra alegre primavera
  el dulce fruto, antes que el tiempo airado
  cubra de nieve la hermosa cumbre.

  Garcilaso de la Vega, Soneto XXIII

- ***Descriptio puellae*** (descripción de la joven): una descripción femenina, normalmente de la amada, como si fuese un objeto artístico de admiración. Se puede tratar a la dama como un todo único, dividirla en secciones o describir únicamente una parte (cabello, ojos, boca, cuello, manos, etc.).

  Ojos de mayor gracia y hermosura,
  que han dado envidia al sol, color al cielo
  si es al zafiro natural el hielo,
  ¿cómo encendéis con vuestra lumbre pura?

  Lope de Vega, «Ojos de mayor gracia y hermosura»

- ***Donna angelicata*** (mujer angelical): la amada es vista como un ser divino y distante, casi como una intermediaria entre el mundo de Dios y el poeta. Durante una gran parte de la historia de la literatura y del arte, la *donna angelicata* se instauró como canon de belleza femenino, representado en *El nacimiento de Venus* de Botticelli o en esta descripción de Dulcinea dada por don Quijote:

  Su nombre es Dulcinea; su patria, el Toboso [...] su hermosura, sobrehumana, pues en ella se vienen a hacer verdaderos todos los imposibles y quiméricos atributos de belleza que los poetas dan a sus damas: que sus cabellos son oro, su frente campos elíseos, sus cejas arcos del cielo, sus ojos soles, sus mejillas rosas, sus labios corales, perlas sus dientes, alabastro su cuello, mármol su pecho, marfil sus manos, su blancura nieve...

  Miguel de Cervantes, *Don Quijote de La Mancha*

◆ ***Homo viator*** (hombre viajero): representación de la vida como el viaje de un peregrino, como un tránsito de descubrimiento.

Caminante, no hay camino,
se hace camino al andar.
Al andar se hace el camino,
y al volver la vista atrás
se ve la senda que nunca
se ha de volver a pisar.

Antonio Machado, *Proverbios y cantares*

◆ ***Locus amoenus*** (lugar ameno): un paisaje idealizado, un espacio de confort y armonía donde se desarrollan los hechos. Suele estar adscrito a la literatura bucólica o pastoril.

Corrientes aguas puras, cristalinas,
árboles que os estáis mirando en ellas,
verde prado de fresca sombra lleno,
aves que aquí sembráis vuestras querellas,
hiedra que por los árboles caminas,
torciendo el paso por su verde seno

Garcilaso de la Vega, Égloga I

◆ ***Memento mori*** (recuerda que has de morir): similar a *carpe diem* y *tempus fugit,* pero con la idea de la muerte mucho más marcada. Aprovecha el momento, porque la vida es tan fugaz que vas a acabar irremediablemente muriendo.

Miré los muros de la patria mía,
si un tiempo fuertes ya desmoronados [...]
Vencida de la edad sentí mi espada,
y no hallé cosa en que poner los ojos
que no fuese recuerdo de la muerte.

Francisco de Quevedo, «Miré los muros de la patria mía»

◆ ***Tempus fugit*** (tiempo fugaz): muy relacionado con *carpe diem*, este tópico se centra en la fugacidad de la vida, en cómo el tiempo avanza imparable.

Hoy como ayer, mañana como hoy,
¡y siempre igual! [...]
Así van deslizándose los días,
unos de otros en pos;
hoy lo mismo que ayer...; y todos ellos,
sin gozo ni dolor.

Gustavo Adolfo Bécquer, *Rimas*

◆ ***Theatrum mundi*** (el teatro del mundo): relacionado con la metaliteratura o el metateatro, se ve la vida, la sociedad o el mundo como una obra de teatro donde los seres humanos somos actores que debemos interpretar un papel. Se puede relacionar con la idea de la *vida como un sueño*, explotada por Calderón de la Barca.

AUTOR. Seremos, yo el Autor, en un instante,
tú el teatro, y el hombre el recitante.
MUNDO. Autor generoso mío, [...]
yo, el gran Teatro del mundo,
para que en mí representen
los hombres, y cada uno
halle en mí la prevención
que le impone al papel suyo.

Calderón de la Barca, *El gran teatro del mundo*

◆ ***Ubi sunt?*** (¿dónde están?): se plantea a dónde han ido a parar aquellos que han muerto, relacionándolo con qué hay más allá de la muerte.

¿Vuelve el polvo al polvo?
¿Vuela el alma al cielo?
¿Todo es sin espíritu,
podredumbre y cieno?
No sé; pero hay algo
que explicar no puedo.

Gustavo Adolfo Bécquer, *Rimas*

◆ ***Vanitas vanitatum*** (vanidad de vanidades): los placeres mundanos y materiales son todos inútiles frente a la idea de la muerte. Tiene relación con *tempus fugit, carpe diem* e, incluso, con *memento mori.*

No os dejéis lisonjear
de la juventud lozana,
porque de caducas flores
teje el tiempo sus guirnaldas.

Luis de Góngora, «Que se nos va la Pascua, mozas»

◆ ***Vita flumen*** (la vida es un río): imagen de la vida como un río que va fluyendo impasible hacia la muerte, por ello en algunos poemas *el mar* puede ser un símbolo de la muerte.

Nuestras vidas son los ríos
que van a dar en la mar,
que es el morir

Jorge Manrique, *Coplas por la muerte de su padre*

MÉTRICA

En la literatura en español encontramos dos tipos de versos: los versos de arte menor y los de arte mayor, siendo el punto de división las ocho sílabas.

- Versos de **arte menor**: todos aquellos versos de menos de ocho sílabas (de 4 sílabas o tetrasílabos; de 5 sílabas o pentasílabos; de 6 sílabas o hexasílabos; de 7 sílabas o heptasílabos; y de 8 sílabas u octosílabos).
- Versos de **arte mayor**: todos aquellos versos que superan las ocho sílabas. Los más usados en español son el endecasílabo, de 11 sílabas, y el alejandrino, de 14 sílabas, aunque también los hay de 9, 10, 12 o 13 sílabas.

Para saber ante qué tipo de verso nos hallamos, debemos **medirlo:**

Vol-ve-rán-las-os-cu-ras-go-lon-dri-nas = 11 sílabas
Es un verso de arte mayor, endecasílabo.

Para medir un verso tenemos que contar sus sílabas métricas que, en el ejemplo, coinciden con las sílabas gramaticales (las que forman la palabra), pero no siempre tiene que ser así. Por este motivo, conviene estar atentos al acento de la última palabra y a las licencias poéticas:

- **El acento**: si la última palabra del verso es un monosílabo o es aguda, se debe contar una sílaba más. En cambio, si es esdrújula, se descontará una sílaba y en caso de que sea llana, no se altera su cantidad.

  en-tu-bal-cón-sus-ni-dos-a-col-**gar** = 10 sílabas + 1 (aguda) = 11 sílabas.

- **Las licencias poéticas**: hay una serie de infracciones que el poeta puede realizar con las sílabas gramaticales para poder adaptar la cantidad de sílabas métricas en un verso; las más comunes son las siguientes: la sinalefa, la sinéresis, la dialefa y la diéresis.

- **La sinalefa y la sinéresis** consisten en la unión de dos sílabas gramaticales en una misma sílaba métrica al unir sus vocales, que deberían estar en hiato, siendo la sinalefa entre dos palabras independientes (cuan-**does**-tu-dio) y la sinéresis, dentro de la palabra (au-**reo**-la).

Por el contrario, **la dialefa y la diéresis** consisten en separar en dos sílabas métricas una misma sílaba gramatical, siendo la dialefa entre dos palabras (**la-o**-la) y la diéresis, dentro de una palabra (in-sa-**cï-a**-ble).

yo-tra-vez-a-la-tar-**deaún**-más-her-mo-sas = 11 sílabas
Sinalefa en «y otra» / Sinalefa en «de aún» / Sinéresis en «aún»

Asimismo, en la poesía española encontramos dos clases de rima: la consonante y la asonante.

- **Rima consonante**: se da cuando coinciden todos los sonidos a partir de la última sílaba tónica.

  ...**llano** / ...m**ano** / ...gal**ano** / ...loz**ano**

- **Rima asonante**: sucede cuando coinciden las vocales a partir de la última sílaba tónica, pero las consonantes no tienen por qué coincidir.

  ...olvid**ada** / ...**arpa** / ...r**ama**s / ...**alma**

También existe la rima libre, llamada rima blanca, propia del verso libre y que consiste en la carencia de rima.

Por último, hay que saber que la rima entre los versos se representa mediante las letras del abecedario a partir de la A, utilizando letras mayúsculas para los versos de arte mayor y minúsculas, para los de arte menor.

De esta forma, se puede indicar fácilmente qué versos riman entre sí o la estructura que un poema sigue: si es de rima continua (AAAAA...), rima abrazada (ABBA), rima cruzada (ABAB) o rima encadenada (ABA BCB CDC...).

Sa-be, si al-gu-na vez tus la-bios **ro-jos**	**A** (11 sílabas)
que-ma in-vi-si-ble at-mós-fe-ra a-bra-**sa-da**,	**B** (11 sílabas)
que el al-ma que ha-blar pue-de con los **o-jos**	**A** (11 sílabas)
tam-bién pue-de be-sar con la mi-**ra-da**.	**B** (11 sílabas)

Este poema está formado por cuatro versos de arte mayor endecasílabos, cuya rima es consonante, cruzada en forma ABAB y tiene varias sinalefas.

LISTADO DE ESTROFAS Y POEMAS PRINCIPALES

Dos versos

- **Pareado**: dos versos de arte mayor o menor que riman entre sí.

Cuando entre la sombra oscura	8a
perdida una voz murmura.	8a

Gustavo Adolfo Bécquer, *Rimas*

Tres versos

- **Terceto**: tres versos de arte mayor con rima consonante en los que rima el primero con el tercero, quedando suelto el segundo (ABA), que se puede encadenar a otros tercetos (ABA BCB CDC. . .). Junto al cuarteto, forma parte del soneto. (Ver Soneto).
- **Soleá**: tres versos de arte menor con rima asonante en los que riman el primero con el tercero y queda suelto el segundo (a – a). Siguiendo la misma estructura, pero con rima consonante, se denominará **tercerilla**.

Vestida con mantos negros	8a
piensa que el mundo es chiquito	8-
y el corazón es inmenso.	8a

Federico García Lorca, «La soleá»

Cuatro versos

- **Cuarteto**: cuatro versos de arte mayor con rima consonante en los que rima el primero con el cuarto y el segundo con el tercero (ABBA). Junto al terceto, forma parte del soneto. (Ver Soneto).
- **Redondilla**: cuarteto de arte menor. Dos redondillas juntas forman una **octavilla**.

Hombres necios que acusáis	(7+1=) 8a
a la mujer sin razón,	(7+1=) 8b
sin ver que sois la ocasión	(7+1=) 8b
de lo mismo que culpáis.	(7+1=) 8a

Sor Juana Inés de la Cruz, «Arguye de inconsecuente el gusto. . .»

- **Serventesio**: estrofa similar al cuarteto, pero rimando el primero con el tercero y el segundo, con el cuarto (ABAB).

Era un aire suave, de pausados giros;	12A
el hada Harmonía ritmaba sus vuelos;	12B
e iban frases vagas y tenues suspiros	12A
entre los sollozos de los violoncelos.	12B

Rubén Darío, «Era un aire suave»

- **Cuarteta**: serventesio de arte menor.

Luz del alma, luz divina,	8a
faro, antorcha, estrella, sol...	(7+1=) 8b
Un hombre a tientas camina;	8a
lleva a la espalda un farol.	8b

Antonio Machado, *Proverbios y cantares*

- **Seguidilla**: es una estrofa muy antigua con algunas variantes. La **seguidilla simple** consta de cuatro versos de arte menor en los que riman en asonante los pares pentasílabos y quedan libres los impares heptasílabos. También existe la **seguidilla gitana**, que sigue la misma estructura de rima, pero, en este caso, el tercer verso es endecasílabo y el resto es hexasílabo. Otra variante sería la **estrofa sáfica**, en la que los tres primeros versos son endecasílabos y el último, pentasílabo o heptasílabo.

Pues andáis en las palmas,	7-
ángeles santos,	5a
que se duerme mi Niño,	7-
tened los ramos.	5a

Lope de Vega, «Pues andáis en las palmas»

- **Cuaderna vía**: cuatro versos alejandrinos de rima consonante, separados en dos hemistiquios (partes) a través de una cesura (pausa).

Amigos y vasallos de Dios omnipotente,	14A
si escucharme quisierais de grado atentamente	14A
yo os querría contar un suceso excelente:	14A
al cabo lo veréis tal, verdaderamente.	14A

Gonzalo de Berceo, *Milagros de Nuestra Señora*

Cinco versos

- **Quinteto**: estrofa de cinco versos de arte mayor con rima consonante en la que no se puede repetir la misma rima en tres versos consecutivos y los dos últimos no pueden ser un pareado (ABABA, ABAAB, ABBAB).

Ese vago clamor que rasga el viento	11A
es la voz funeral de una campana;	11B
vano remedo del postrer lamento	11A
de un cadáver sombrío y macilento	11A
que en sucio polvo dormirá mañana.	11B

José Zorrilla, «A la memoria desgraciada del joven literato José de Larra»

- **Quintilla**: quinteto de arte menor.

Mi vida es un erial,	(7+1=) 8a
flor que toco se deshoja;	8b
que en mi camino fatal	(7+1=) 8a
alguien va sembrando el mal	(7+1=) 8a
para que yo lo recoja.	8b

Gustavo Adolfo Bécquer, *Rimas*

- **Lira**: cinco versos endecasílabos y heptasílabos de rima consonante con un esquema muy característico: 7a 11B 7a 7b 11B.

Si de mi baja lira	7a
tanto pudiese el son que en un momento	11B
aplacase la ira	7a
del animoso viento	7b
y la furia del mar y el movimiento.	11B

Garcilaso de la Vega, Canción V

Seis versos

- **Sexteto**: seis versos de arte mayor con rima variable tanto en su estructura como en su tipo.

La princesa está triste... ¿Qué tendrá la princesa?	14A
Los suspiros se escapan de su boca de fresa,	14A
que ha perdido la risa, que ha perdido el color.	14B
La princesa está pálida en su silla de oro,	14C
está mudo el teclado de su clave sonoro,	14C
y en un vaso, olvidada, se desmaya una flor.	14B

Rubén Darío, «Sonatina»

- **Sexta rima**: sexteto de rima consonante ABABCC y versos que suelen ser endecasílabos.

Amor amor obesidad hermana	11A
soplo de fuelle hasta abombar las horas	11B
y encontrarse al salir una mañana	11A
que Dios es Dios sin colaboradoras	11B
y que es azul la mano del grumete	11C
—amor amor amor— de seis a siete.	11C

Gerardo Diego, «Amor: Góngora 1927»

- **Sexteto-Lira** (sexta lira): lira de seis versos. Seis versos endecasílabos y heptasílabos con rima consonante dispuesta a gusto del autor, aunque es común mantener la estructura de la sexta rima según el siguiente esquema: 7a 11B 7a 11B 7c 11C.

Tus cuerdas de oro en vibración sonora	11A
vuelve a agitar, ¡oh lira!,	7b
que en este ambiente, que aromado gira,	11B
su inercia sacudiendo abrumadora	11A
la mente creadora,	7a
de nuevo el fuego de entusiasmo aspira.	11B

G. Gómez de Avellaneda, «Al árbol de Guernica»

- **Sextilla de pie quebrado** (copla manriqueña): seis versos octosílabos con rima consonante que cada tres versos contiene un verso «quebrado» (con la mitad de sílabas). Su esquema sería: 8a 8b 4c 8a 8b 4c.

Nuestras vidas son los ríos	8a
que van a dar en la mar,	8b
que es el morir;	4c
allí van los señoríos	8a
derechos a se acabar	8b
y consumir.	4c

Jorge Manrique, *Coplas por la muerte de su padre*

Siete versos

- **Séptima**: estrofa muy poco común en literatura española, formada por siete versos de arte mayor con rima consonante dispuesta como quiera el autor, salvo que no puede repetir la misma rima en tres versos consecutivos.

En tanto, en las rodillas cansadas de la abuela	14-
con movimiento rítmico se balancea el niño,	14A
y entrambos agitados y trémulos están...	14B
La abuela le sonríe con maternal cariño,	14A
mas cruza por su espíritu como un temor extraño,	14C
por lo que en el futuro, de angustia y desengaño,	14C
los días ignorados del nieto guardarán...	14B

José Asunción Silva

- **Seguidilla con bordón**: estrofa formada por una seguidilla de cuatro versos a la que se le añade un bordón, es decir, tres versos adicionales.

La cebolla es escarcha	7-
cerrada y pobre.	5a
Escarcha de tus días	7-
y de mis noches.	5a
Hambre y cebolla,	5b
hielo negro y escarcha	7-
grande y redonda.	5b

Miguel Hernández, *Nanas de la cebolla*

Ocho versos

- **Octava real**: ocho versos endecasílabos con rima consonante y cruzada en los seis primeros y un pareado al final (ABABABCC).

¡Pobre Teresa! Cuando ya tus ojos	11A
Áridos ni una lágrima brotaban;	11B
Cuando ya su color tus labios rojos	11A
En cárdenos matices se cambiaban;	11B
Cuando de tu dolor tristes despojos	11A
La vida y su ilusión te abandonaban,	11B
Y consumía lenta calentura	11C
Tu corazón al par de tu amargura.	11C

José de Espronceda, «Canto a Teresa»

◆ **Copla de arte mayor**: ocho versos de arte mayor con rima consonante, que suelen ser de doce sílabas, repartidos en forma de dos cuartetos (ABBAACCA), aunque también pueden optar por la rima del serventesio (ABBAACAC o ABABBCCB). Se puede hacer una **copla de arte menor** si los versos son octosílabos.

Al muy prepotente don Juan el segundo,	12A
aquel con quien Júpiter tuvo tal zelo,	12B
que tanta de parte le fizo del mundo	12A
quanta a sí mesmo se hizo del cielo;	12B
al grande rey d'España, al Çésar novelo,	12B
al que con Fortuna es bien fortunado,	12C
aquel en quien caben virtud e reinado;	12C
a él, la rodilla fincada por suelo.	12B

Juan de Mena, *Laberinto de Fortuna*

Diez versos

◆ **Décima** (o espinela): dos redondillas de rima consonante y abrazada unidas a dos versos finales mediante la siguiente estructura: abbaaccddc. La estructura puede variar dando lugar a otras dos estrofas: la **décima irregular** y la **copla real** (abaabcdccd).

ROSAURA.	Cuentan de un sabio, que un día	8a
	tan pobre y mísero estaba,	8b
	que solo se sustentaba	8b
	de unas yerbas que cogía.	8a
	¿Habrá otro, entre sí decía,	8a
	más pobre y triste que yo?	8c
	Y cuando el rostro volvió,	8c
	halló la respuesta, viendo	8d
	que iba otro sabio cogiendo	8d
	las hojas que él arrojó.	8c

Calderón de la Barca, *La vida es sueño*

Portada de *Laberinto de Fortuna*

Relieve de *La vida es sueño*

CONJUNTO DE POEMAS BÁSICOS

◆ **Soneto**: poema de catorce versos endecasílabos, cuya rima suele ser consonante y que está formado por dos cuartetos y dos tercetos (pudiendo ser sustituidos los cuartetos por serventesios).

Verso	Rima	Estrofa
Mientras por competir con tu cabello	A	Cuarteto
oro bruñido al sol relumbra en vano,	B	
mientras con menosprecio en medio el llano	B	
mira tu blanca frente al lilio bello;	A	
mientras a cada labio, por cogello,	A	Cuarteto
siguen más ojos que al clavel temprano,	B	
y mientras triunfa con desdén lozano	B	
del luciente cristal tu gentil cuello:	A	
goza cuello, cabello, labio y frente,	C	Terceto
antes que lo que fue en tu edad dorada	D	
oro, lilio, clavel, cristal luciente,	C	
no solo en plata o vïola troncada	D	Terceto
se vuelva, más tú y ello juntamente	C	
en tierra, en humo, en polvo, en sombra, en nada.	D	

Luis de Góngora, «Mientras por competir…»

◆ **Villancico** y **letrilla**: conjunto de versos octosílabos o hexasílabos dividido en dos partes: un estribillo de dos a cuatro versos que se repite varias veces y un pie de seis o siete versos. La diferencia entre villancico y letrilla es su temática, al ser la letrilla más irónica, burlesca o satírica.

Madre, yo al oro me humillo, Él es mi amante y mi amado, Pues de puro enamorado Anda continuo amarillo. Que pues doblón o sencillo Hace todo cuanto quiero,	Pie
Poderoso caballero Es don Dinero.	Estribillo
Nace en las Indias honrado, Donde el mundo le acompaña; Viene a morir en España, Y es en Génova enterrado. Y pues quien le trae al lado Es hermoso, aunque sea fiero,	Pie
Poderoso caballero Es don Dinero…	Estribillo

Francisco de Quevedo, «Poderoso caballero es don Dinero»

◆ **Zéjel**: conjunto de versos octosílabos formado por un estribillo de uno o dos versos, una mudanza de tres versos y una vuelta formada por un único verso que rima con el estribillo (aa bbba).

Verso	Rima	Parte
Dicen que me case yo:	a	Estribillo
no quiero marido, no.	a	
Más quiero vivir segura	b	Mudanza
n'esta sierra a mi soltura,	b	
que no estar en ventura	b	
si casaré bien o no.	a	Vuelta
Dicen que me case yo:	a	Estribillo
no quiero marido, no…	a	

Gil Vicente, «Dicen que me case yo»

◆ **Romance**: poema de arte menor compuesto por una serie indefinida de versos octosílabos con rima asonante entre los pares, y quedan libres los impares (— a — a — a — a — a — a …). Si los versos son heptasílabos, se denominará **endecha** y en caso de que sean todavía más pequeños (sobre todo hexasílabos), **romancillo**. En cambio, si el romance es de arte mayor con versos endecasílabos, se llamará **romance heroico**.

Verso	Medida
La luna vino a la fragua	8-
con su polisón de nardos.	8a
El niño la mira, mira.	8-
El niño la está mirando.	8a
En el aire conmovido	8-
mueve la luna sus brazos	8a
y enseña, lúbrica y pura,	8-
sus senos de duro estaño…	8a

Federico García Lorca, «Romance de la luna, luna»

◆ **Silva**: serie de versos endecasílabos y heptasílabos colocados como guste el autor con rima consonante. La **silva asonantada** parte de la misma idea, pero imitando la rima del romance, mientras que la **silva libre** coloca con total libertad su rima, dando igual que rime par, impar o ninguno. Además, existe un tipo de estrofa que parte de esta misma base llamada **estancia**, pero que se diferencia en que el autor esquematiza la estructura y la sigue hasta el final del texto.

Era del año la estación florida	11A
en que el mentido robador de Europa	11B
(media luna las armas de su frente,	11C
y el Sol todo los rayos de su pelo),	11D
luciente honor del cielo,	7d
en campos de zafiro pace estrellas,	11E
cuando el que ministrar podía la copa	11B
a Júpiter mejor que el garzón de Ida,	11A
náufrago y desdeñado, sobre ausente,	11C
lagrimosas de amor dulces querellas	11E
da al mar; que condolido,	7f
fue a las ondas, fue al viento	7g
el mísero gemido,	7f
segundo de Arïón dulce instrumento…	11G

Luis de Góngora, *Soledades*

◆ **Canción** (canción siciliana y canción petrarquista): la canción parte de la estrofa llamada **estancia** y suele tener entre cinco y siete. Es una composición muy típica del Renacimiento español, cuyo origen es provenzal y su tema suele ser amoroso.

Llorando voy los tiempos ya pasados
que malgasté en amar cosas del suelo,
en vez de haberme levantado en vuelo
sin dar de mí ejemplos tan menguados.

Tú, que mis males viste porfiados,
invisible e inmortal, Señor del cielo,
Tu ayuda presta al alma y Tu consuelo,
y sana con Tu Gracia mis pecados;

tal que, si viví en tormenta y guerra,
muera en bonanza y paz; si mal la andanza,
bueno sea al menos el dejar la tierra.

Lo poco que de vida ya me alcanza
y el morir con Tu presta mano aferra;
Tú sabes que en Ti sólo hallo esperanza.

Petrarca

◆ **Poema en verso libre**: se identifica por no tener características básicas, es decir, presenta ausencia de rima, de estrofas, de medida de versos, etc. De todas formas, el autor busca un ritmo que consigue mediante la musicalidad o las figuras retóricas. También se puede hacer un **poema de versos sueltos**, si la relación entre todos ellos es nula.

¡Oh corazón pequeño y puro	9-
mayor que el mar, más fuerte	7-
en tu leve latir que el mar sin fondo,	11-
de hierro, frío, sombra y grito!	9-
¡Oh mar, mar verdadero;	7-
por ti es por donde voy —¡gracias, alma!— al amor!	14-

Juan Ramón Jiménez

unidad

2

Contexto histórico

- **Caída del Imperio romano** (476)
- **Invasión musulmana de la península ibérica** (711)
- **Desaparición del reino visigodo**, a raíz de la invasión musulmana
- **El rey Pelayo gana a los musulmanes en la batalla de Covadonga.** Se considera el inicio de la Reconquista (722)
- **Coronación del rey franco Carlomagno como emperador.** Fue un intento de reconstruir el Imperio romano (800)
- **Cisma de Oriente.** La iglesia ortodoxa se separa de la iglesia de Roma (1054)
- **Los turcos conquistan la ciudad de Jerusalén** (1078)
- **Se organiza la primera Cruzada para liberar la Tierra Santa** (1096-1099)
- **Aparece la Orden de los Templarios** (1123)
- **Auge del feudalismo** (ss. XI, XII y XIII)
- **Gran epidemia de peste negra en Europa** (1348-1350)
- **Cisma de Occidente,** con dos papas elegidos y que se disputan el papado (1378-1417)
- **Caída de Constantinopla** (1453)
- **Fin de la Reconquista por los Reyes Católicos** (1492)
- **Descubrimiento de América y decreto de expulsión de los judíos** (1492)

Asedio de Jerusalén.
Primera Cruzada

LA LITERATURA MEDIEVAL

Contexto artístico

- **Se desarrollan tres estilos artísticos:**
  - **Románico,** predominante en Europa occidental en los siglos XI, XII y parte del XIII
  - **Gótico**, desde mediados del siglo XII hasta el Renacimiento
  - **Mudéjar,** en los reinos cristianos de la península ibérica
- **El Camino de Santiago:** las peregrinaciones a la tumba del apóstol abren la entrada a influencias europeas
- **Creación de las primeras universidades en Europa occidental a partir del siglo XI**
- **Invención a mediados del s. XV de la imprenta por Gutenberg,** que revoluciona la cultura y expande el conocimiento
  - La imprenta de Alcalá de Henares (1502) fue la más activa de España. Publicó más de 2198 textos distintos y difundió las ideas humanistas por España y el resto de Europa.

Catedral de Santiago

Biblia de Gutenberg

LITERATURA MEDIEVAL

Hasta el siglo XI no existe constancia de que hubiera un texto literario en lengua romance, aunque podría haber algún texto que no se haya conservado.

Características básicas

- **La oralidad.** La literatura era difundida oralmente por los juglares, bien recitada o cantada, en las plazas de las villas o en los palacios nobiliarios. La mayor parte de la población no sabía leer. Esto explica que se hayan conservado tan pocas obras y, además, que haya variaciones de un mismo texto.
- **Tendencia al realismo** y rechazo al elemento maravilloso y fantástico.
- **Preferencia por un arte colectivo y anónimo,** en donde el autor parece identificarse con el sentir general de la comunidad. El autor no firma su obra, sencillamente porque cree que pertenece a la colectividad. No busca diferenciarse de los demás, porque no existe el concepto de originalidad. La obra literaria es casi una propiedad colectiva y, como tal, está sujeta a todo tipo de transformaciones o cambios.
- Muchas obras literarias de este periodo recogen temas de la antigüedad latina. La imitación de temas y tópicos es frecuente en la literatura medieval. Los autores se incorporan así en una tradición literaria que permanece y se continúa a través de los siglos. Los *topoi* o tópicos literarios son ideas que se repiten a lo largo del tiempo. Son los llamados «lugares comunes».
- **Carácter didáctico.** En general, las obras poseían una función didáctica y moralizante: transmitían valores cristianos y ofrecían modelos de comportamiento. Algunos géneros literarios sirven de forma especial para llevar a cabo este didactismo; la fábula, el cuento, los *exempla* (el infante don Juan Manuel y Gonzalo de Berceo).
- Se emplea sobre todo el **lenguaje versificado.** En sus orígenes, la tendencia era escribir versos con diferentes números de sílabas y con una rima asonante.
- Se exaltan los **valores nacionales, religiosos y guerreros,** mediante el arte popular. La literatura caballeresca hace su entrada en el medioevo, como una fórmula de ficción en que convergían los valores y símbolos cristianos.

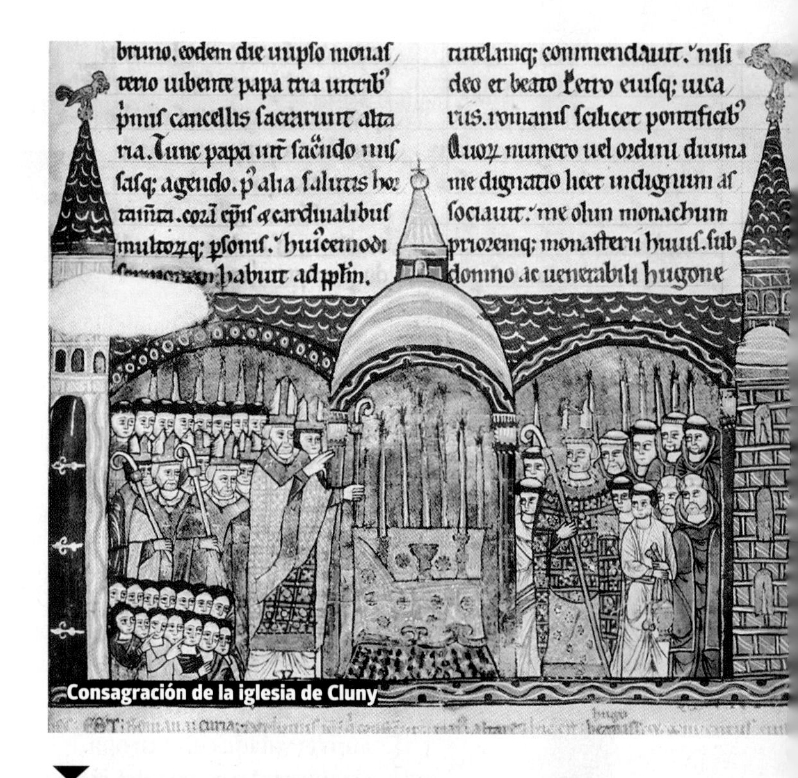

Consagración de la iglesia de Cluny

Autores destacables

Gonzalo de Berceo, Arcipreste de Hita, Don Juan Manuel, Marqués de Santillana, Jorge Manrique, Juan de Mena y Fernando de Rojas

Claustro de Ntra. Sra. de la Asunción (Santander)

La cultura en torno al monasterio. Las glosas y los copistas

◆ Durante la Edad Media, los monasterios se convierten en centros de investigación y de recopilación del saber. Uno de sus mayores legados son la transcripción y la recopilación del saber grecorromano y la cultura clásica, en general. Seguramente, no se hubiera producido el florecimiento cultural de la Baja Edad Media sin tener la colección de los clásicos por parte de los copistas.

◆ La tarea de copistas es algo habitual en las órdenes monásticas. El trabajo de los copistas o amanuenses es fundamental para la difusión de los libros hasta la invención de la imprenta de tipos móviles a finales del siglo xv. El copista solía escribir aislado en su celda o en el *scriptorium* (escritorio), una sala común donde trabajaban muchos monjes a la vez. En ella, los monjes escribían generalmente al dictado o traducían los libros del griego o del latín.

◆ Era habitual glosar los textos latinos, es decir, hacer anotaciones al margen o entre las líneas con el fin de aclarar el significado del texto latino o hacer un comentario. En el caso de la península, las glosas silenses (del monasterio de Silos) y emilianenses (del monasterio de san Millán de la Cogolla) son los primeros textos en lengua romance que se conservan.

Copistas de Alfonso X el Sabio

AUNQUE EN LA EDAD MEDIA TAMBIÉN SE PRODUCE LITERATURA PROFANA, LA LITERATURA PREDOMINANTE ES LA RELIGIOSA.

Las jarchas

◆ Las jarchas son importantes porque representan los ejemplos más antiguos que se conocen de poesía en lengua romance (hay jarchas que datan del siglo xi). Se trata de breves composiciones líricas que servían para cerrar los poemas en árabe llamados *moaxajas*. Estos poemas están escritos por poetas andalusíes, árabes o hebreos, en la Hispania musulmana. Lo normal era que se escribiera la jarcha en árabe coloquial, pero en algunos casos están escritas en lengua romance, en concreto, en mozárabe.

◆ Las jarchas están puestas en boca de mujer y son canciones de amor, donde la mujer suele lamentarse por la ausencia del amado o le suplica o hace confidencias a su madre o hermanas. Muchas de las jarchas son cuartetos.

◆ He aquí dos ejemplos con el poema original y una traducción actual. Se trata de dos jarchas del poeta hebreo Yehuda Halevi.

Báayse méw quorażón de mib.
¡Yā Rabb, ši še me tōrnarād!
¡Tan māl me dólēd li-l-habīb!
Enfermo yéd: ¿kuánd šanarád?

Mi corazón se va de mí.
¡Ay señor, no sé si me volverá !
¡Me duele tanto por el amigo!
Está enfermo, ¿cuándo sanará?

Garīd boš, ay yerman ēllaš
kóm kontenēr-hé mew mālē,
Šīn al-ḥabī bnon bibrēyo:
¿ad ob l' iréy demandāre?

Decid vosotras, ay hermanillas,
¿cómo he de atajar mi mal?
Sin el amigo no puedo vivir:
¿adónde he de ir a buscarlo?

EL MESTER DE JUGLARÍA

POEMA DE MIO CID

01 | Lee este fragmento del *Poema de mio Cid* del Cantar III.

Ya se marchan de Ansarera los infantes de Carrión,
de día y de noche andan, no se dan descanso, no,
dejan a la izquierda Atienza, un fortísimo peñón,
ya la gran sierra de Miedes detrás de ellos se quedó
y por esos montes Claros cabalgan más y mejor.
A un lado dejan a Griza, la que Álamos pobló,
y las cuevas donde a Elfa este Álamos encerró.
San Esteban de Gormaz allá a la diestra se vio.
En el robledal de Corpes entraron los de Carrión,
las ramas tocan las nubes, muy altos los montes son
y muchas bestias feroces rondaban alrededor.
Con una fuente se encuentran y un pradillo de verdor.
Mandaron plantar las tiendas los infantes de Carrión
y esa noche en aquel sitio todo el mundo descansó.
Con sus mujeres en brazos señas les dieron de amor.
¡Pero qué mal se lo cumplen en cuanto que sale el sol!
Mandan cargar las acémilas con su rica cargazón,
mandan plegar esa tienda que anoche los albergó.
Sigan todos adelante, que luego irán ellos dos:
esto es lo que mandaron los infantes de Carrión.
No se quede nadie atrás, sea mujer o varón,
menos las esposas de ellos, doña Elvira y doña Sol,
porque quieren solazarse con ellas a su sabor.
Quédanse solos los cuatro, todo el mundo se marchó.
Tanta maldad meditaron los infantes de Carrión.
«Escuchadnos bien, esposas, doña Elvira y doña Sol:
vais a ser escarnecidas en estos montes las dos,
nos marcharemos dejándoos aquí a vosotras, y no
tendréis parte en nuestras tierras del condado de Carrión.
Luego con estas noticias irán al Campeador
y quedaremos vengados por aquello del león».
Allí los mantos y pieles les quitaron a las dos,
solo camisa y brial sobre el cuerpo les quedó.

Espuelas llevan calzadas los traidores de Carrión,
cogen en las manos cinchas que fuertes y duras son.
Cuando esto vieron las damas así hablaba doña Sol:
«Vos, don Diego y don Fernando, os lo rogamos por Dios,
sendas espadas tenéis de buen filo tajador,
de nombre las dos espadas, Colada y Tizona, son.
Cortadnos ya las cabezas, seamos mártires las dos,
así moros y cristianos siempre hablarán de esta acción,
que esto que hacéis con nosotras no lo merecemos, no.
No hagáis esta mala hazaña, por Cristo nuestro Señor,
si nos ultrajáis caerá la vergüenza sobre vos,
y en juicio o en corte han de pediros la razón».
Las damas mucho rogaron, mas de nada les sirvió;
empezaron a azotarlas los infantes de Carrión,
con las cinchas corredizas les pegan sin compasión,
hiérenlas con las espuelas donde sientan más dolor,
y les rasgan las camisas y las carnes a las dos,
sobre las telas de seda limpia la sangre asomó.
Las hijas del Cid lo sienten en lo hondo del corazón.
¡Oh, qué ventura tan grande si quisiera el Creador
que asomase por allí Mío Cid Campeador!
Desfallecidas se quedan, tan fuertes los golpes son,
los briales y camisas mucha sangre los cubrió.
Bien se hartaron de pegar los infantes de Carrión,
esforzándose por ver quién les pegaba mejor.
Ya no podían hablar doña Elvira y doña Sol.
Lleváronse los infantes los mantos y pieles finas
y desmayadas las dejan, en briales y camisas,
entre las aves del monte y tantas fieras malignas.
Por muertas se las dejaron, por muertas, que no por vivas.
¡Qué suerte si ahora asomase el Campeador Ruy Díaz!

COMPRENSIÓN LECTORA

02 | Redactad un resumen con las ideas esenciales del texto contando qué pasa y dónde. ¿Cuántos personajes aparecen?

03 | ¿Qué te parece el episodio que se cuenta? ¿Está contado de una forma dinámica?

DESARROLLO DE LA LENGUA

04 | Varios versos presentan comillas («»), ¿por qué razón? ¿Qué otros usos tienen las comillas en un texto? ¿Se usan de la misma forma en vuestra lengua o hay diferencia?

05 | ¿Sabes distinguir entre el punto y seguido y el punto y aparte? Según estos versos, ¿dónde pondrías punto y aparte?

06 | En parejas, buscad en el fragmento el adjetivo *sendas*. ¿Qué tipo de adjetivo es? ¿Cómo se usa? Poned un ejemplo.

07 | ¿Conocéis el significado de las palabras *ultrajar, feroces, malignas* o *solazarse?* Ayudaos del diccionario.

08 | Buscad sinónimos para *desfallecidas* y *pegar*. Ayudaos del diccionario.

TRABAJO LITERARIO

09 | En grupos, medid los versos e indicad el tipo de rima que hay.

10 | En parejas, ¿creéis que puede clasificarse como un texto descriptivo? ¿Por qué?

11 | ¿Hay alguna metáfora en el fragmento del poema?

PRODUCCIÓN LITERARIA

12 | En parejas, haced una caracterización de los personajes de las hijas del Cid y de los infantes de Carrión a partir del texto. Imaginad su físico y su carácter.

13 | Después leedles la descripción a vuestros compañeros. ¿Cuál es el más verosímil de acuerdo con los datos del texto? Valoradlo del 1 al 3.

La Jura de Santa Gadea

INVESTIGACIÓN LITERARIA

14 | En parejas, investigad sobre la historia del Cid Campeador e indicad el motivo de la venganza de los infantes de Carrión.

15 | En grupos, preparad una presentación sobre los cantares de gesta. ¿En vuestro país hay alguno famoso? ¿Qué personajes famosos de los cantares de gesta han llegado hasta nuestros días?

16 | ¿Cuánto sabéis de la Edad Media y del sistema feudal? Comentadlo en clase.

17 | Investigad sobre los juglares. ¿Por qué el *Poema de mio Cid* pertenece al Mester de Juglaría?

18 | ¿Sabéis qué es el ciclo artúrico? ¿Cuánto conocéis de las Cruzadas? Preparad una breve presentación sobre el ciclo artúrico o las Cruzadas para exponerla en clase.

Caballero de la Orden de Santiago

19 | ¿Cuál es el tema principal del *Poema de mio Cid?*

20 | ¿Qué diferencias existen entre el personaje histórico y el personaje de ficción?

21 | ¿Creéis que es conveniente ensalzar la figura de un guerrero en la actualidad? ¿Conocéis casos de ennoblecimiento de ejércitos o de soldados en el siglo XX o XXI? Debatid vuestra respuesta.

22 | Para vosotros, ¿quién es más héroe hoy, el que defiende su país o quien defiende el pacifismo y no lucha, aunque lo estén invadiendo? Razonad vuestras respuestas.

¿Cuánto sabes?

AUTOEVALUACIÓN

Lee y marca verdadero (V) o falso (F).

	V	F
a. El *Poema de mio Cid* consta de un único canto.	☐	☐
b. Los musulmanes de la península Ibérica llamaron *Cid* a Ruy Díaz por su valor.	☐	☐
c. Los juglares cantaban romances para entretener al pueblo.	☐	☐
d. Los estilos arquitectónicos de la época fueron el románico y el gótico.	☐	☐
e. Los reinos cristianos de la península Ibérica no participaron en las Cruzadas.	☐	☐
f. La península Ibérica todavía no estaba dominada por los árabes, cuando se escribe este poema.	☐	☐
g. El Cid Campeador no existió. Es un personaje de leyenda.	☐	☐
h. El *Poema de mio Cid* lo escribió un único autor.	☐	☐
i. El *Poema de mio Cid* es la primera obra literaria en castellano.	☐	☐
j. El *Poema* pertenece al Mester de Clerecía.	☐	☐
k. El *Poema de mio Cid* está escrito en prosa.	☐	☐

EL MESTER DE CLERECÍA

GONZALO DE BERCEO

01 | Lee este texto de Gonzalo de Berceo.

EL LABRADOR AVARO

Había en una tierra un hombre labrador 1
que usaba el arado más que otra labor;
él amaba a la tierra más que al Creador,
era de muchos modos un hombre enredador.

Hacía una vileza –hacíala en verdad—, 5
cambiaba los mojones para ampliar su heredad;
hacía toda clase de agravio y falsedad:
tenía mala fama entre su vecindad.

Aunque malo, quería bien a Santa María, 9
oía sus milagros y bien los acogía,
saludábala siempre, decíale cada día:
«Ave gracia plena que pariste al Mesías».

Murió el arrastrapajas, de tierra bien cargado; 13
en cuerda de diablos fue luego cautivado;
lo arrastraban con sogas, de coces bien sobado,
le hacían pagar el doble del pan que dio mudado.

Doliéronse los ángeles de esta alma mezquina, 17
porque se lo llevaba el diablo con inquina,
quisieron socorrerla, ganarla por vecina,
mas para hacer tal pasta faltábales harina.

Si le decían los ángeles de bien una razón 21
ciento decían los otros, malas de perdición.
Los malos a los buenos tenían en un rincón,
el alma, por sus culpas, no salía de prisión.

Levantándose un ángel, dijo: «Yo soy testigo, 25
verdad es, no mentira esto que os digo:
el cuerpo que llevó esta alma consigo
fue de Santa María su vasallo y amigo.

Siempre la mencionaba al yantar y a la cena, 29
decía tres palabras: *Ave gratia plena*
boca de donde sale tan santa cantilena,
no merece yacer en tan mala cadena».

En cuanto de este nombre de la Santa Reïna, 33
oyeron los diablos, escapáronse aína
derramáronse todos como una neblina,
desampararon todos a esta alma mezquina.

Los ángeles que la vieron quedar abandonada, 37
de manos y de pies con sogas bien atada,
estando como oveja que yace enzarzada,
fueron y la llevaron dentro de su majada.

Nombre tan adonado, lleno de virtud tanta, 41
el que a los enemigos les persigue y espanta,
no nos debe doler ni lengua ni garganta
que no digamos todos: *Salve, Regina sancta*.

COMPRENSIÓN LECTORA

02 | ¿Cuál es el tema de este texto?, ¿quién es el protagonista?, ¿hay personajes secundarios?, ¿qué peculiaridad tienen estos?

03 | ¿A qué obra de Gonzalo de Berceo pertenece este relato? ¿Por qué?

04 | Señala los defectos que caracterizan al labrador.

05 | Explica la enseñanza que está en la última estrofa. ¿A quién va dirigida?

06 | ¿Crees que pertenece al Mester de Clerecía?, ¿por qué?

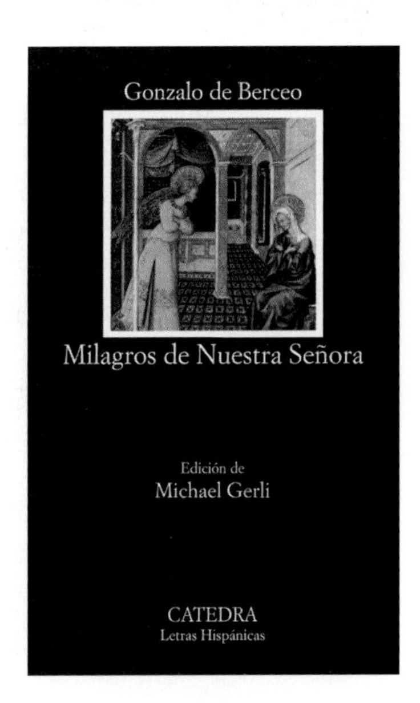

DESARROLLO DE LA LENGUA

07 | En el verso 13, aparece el término *arrastrapajas*. Por el contexto, ¿qué crees que significa? ¿De qué puede ser sinónimo?

08 | Señala las expresiones en latín que aparecen en el texto. Averigua su significado.

TRABAJO LITERARIO

09 | En parejas, subrayad las siguientes figuras literarias del texto: antítesis y comparaciones.

10 | En grupos, exponed en clase, después de la lectura de este texto, vuestra opinión sobre el valor de la literatura como instrumento pedagógico e ideológico. Debéis emplear argumentos sólidos.

PRODUCCIÓN LITERARIA

11 | En grupos, dad forma dramática a este texto. En clase, repartíos los papeles de diablos y ángeles y escenificad el juicio del labrador avaro. Escribid un guion con las acotaciones y los diálogos. Podéis añadir algún detalle, si lo creéis conveniente.

INVESTIGACIÓN LITERARIA

12 | Leed este fragmento del *Libro de buen amor* del **Arcipreste de Hita.** ¿Cuál es su tema principal?

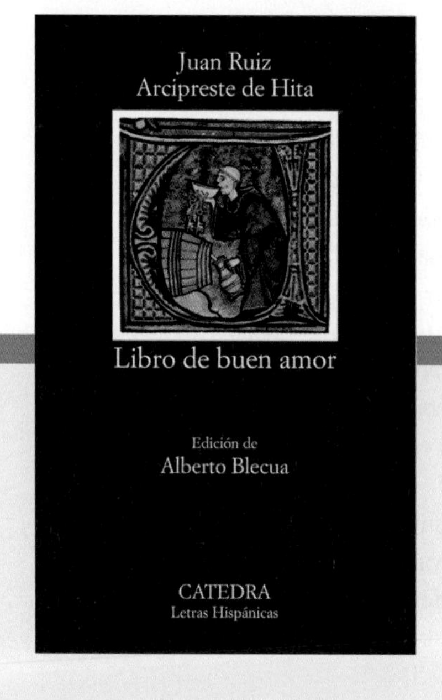

De cómo murió Trotaconventos y de cómo el arcipreste hace su planto denostando y maldiciendo a la muerte.

¡Ay, Muerte! Muerta seas, muerta, y mal andante
mataste a mi vieja, matases a mí antes;
enemiga del mundo, que no tienes semejante
de tu memoria amarga no hay quien se espante.

Muerte, al que tú hieres, te lo llevas con velmez,
al bueno y al malo, al rico, y al refez
a todos los igualas y los llevas por un prez
por papas y por reyes no das una vil nuez.

No compruebas señorío, deudo ni amistad,
con todo el mundo tienes continua enemistad,
non hay en ti mesura, amor, ni piedad
sino dolor, tristeza, pena y gran crueldad.

No puede huir de ti nadie, ni esconderse,
nunca existió quien contigo pudiese contender.
Tu venida triste no se puede entender,
desde que vienes, no quieres a nadie atender.

Dejas el cuerpo yermo a gusanos en fosa
el alma que lo puebla, te la llevas de priesa,
Nadie está seguro de tu carrera aviesa,
de fablar en ti, Muerte, espanto me atraviesa.

Eres en tal manera del mundo aborrecida
que por bien que lo amen al hombre en la vida,
en punto que tú vienes con tu mala venida
todos huyen de él luego como de cosa podrida. (…)

Los ojos tan hermosos los pones en el techo,
los ciegas en un punto, no tienen en sí provecho,
enmudeces el habla, haces enronquecer el pecho,
en ti es todo mal, rencor y despecho.

El oír y el oler, el tañer, el gustar,
todos los cinco sentidos tú los vienes tomar;
non hay hombre que te sepa del todo denostar,
cuando eres denostada ¿dónde te vienes acostar?

Tiras toda vergüenza, deshaces hermosura
desadornas la gracia, denuestas la mesura,
enflaqueces la fuerza, enloqueces la cordura,
lo dulce haces hiel con tu mucha amargura.

Desprecias lozanía, el oro oscureces,
deshaces la hechura, alegría entristeces
mancillas la limpieza, cortesía envileces,
Muerte, matas la vida, al mundo aborreces. (...)

¡Ay mi Trotaconventos, mi leal verdadera!
Muchos te seguían viva, muerta yaces señera,
¿a dónde te me han llevado? No sé cosa certera,
nunca torna con nuevas quien anda esta carrera.

A Dios merced le pido que te dé su gloria,
que más leal trotera nunca fue en memoria,
te haré un epitafio escrito con historia
pues si a ti no viere, veré tu triste historia.

Daré por ti limosna, y haré oración,
haré cantar misas, y daré oblación
la mi Trotaconventos ¡Dios te dé redención!
El que salvó el mundo ¡él te dé salvación!

13 | En parejas, ¿creéis que este texto pertenece al Mester de Juglaría o al Mester de Clerecía?, ¿por qué?

14 | ¿En qué estrofa está escrito? Describidla. ¿Es la misma que utiliza Gonzalo de Berceo?

15 | ¿En qué persona gramatical está escrito este fragmento?, ¿existe en algún momento un cambio de persona y de perspectiva?

16 | Existen muchas figuras retóricas en el texto. Señala las siguientes: apóstrofe, enumeración, hipérbaton y comparación.

17 | En parejas, ¿a qué tópico se hace referencia en la estrofa 11?

18 | Escribid un breve texto sobre el tema de este fragmento, indicando si se trata de un tema frecuente en el medievo o no.

19 | ¿Creéis que se trata de un texto épico-narrativo o lírico? Investigad y decid a qué subgénero pertenece.

20 | Hay otras elegías famosas en la literatura española. Investigad en grupos y buscad, al menos, tres. Luego exponed en clase cuáles son, quiénes son los autores y a qué época pertenecen.

¿Cuánto sabes?

AUTOEVALUACIÓN

Lee y marca verdadero (V) o falso (F).

	V	F
a. La cuaderna vía es la estrofa utilizada por Gonzalo de Berceo.	☐	☐
b. El tetrástrofo monorrimo es denominado también cuaderna vía.	☐	☐
c. Gonzalo de Berceo escribió siempre sobre la Virgen María, nunca de santos u otros asuntos religiosos.	☐	☐
d. Gonzalo de Berceo es el primer poeta de nombre conocido en la literatura castellana.	☐	☐
e. Gonzalo de Berceo ejercía de copista en el monasterio de San Millán de la Cogolla.	☐	☐
f. Los *Milagros de Nuestra Señora* es la obra más importante de Gonzalo de Berceo.	☐	☐
g. *El Conde Lucanor* es la obra más importante del Arcipreste de Hita.	☐	☐
h. La sátira es un rasgo fundamental en el *Libro de buen amor*.	☐	☐
i. El *Libro de buen amor* fue escrito en el siglo XIII.	☐	☐
j. El *Libro de buen amor* está escrito en forma de autobiografía.	☐	☐

DON JUAN MANUEL

01 | Lee este *exemplum* del infante don Juan Manuel.

Cuento VII

Lo que sucedió a una mujer que se llamaba doña Truhana

Otra vez estaba hablando el Conde Lucanor con Patronio de esta manera:

—Patronio, un hombre me ha propuesto una cosa y también me ha dicho la forma de conseguirla. Os aseguro que tiene tantas ventajas que, si con la ayuda de Dios pudiera salir bien, me sería de gran utilidad y provecho, pues los beneficios se ligan unos con otros, de tal forma que al final serán muy grandes.

Y entonces le contó a Patronio cuanto él sabía. Al oírlo Patronio, contestó al conde:

—Señor Conde Lucanor, siempre oí decir que el prudente se atiene a las realidades y desdeña las fantasías, pues muchas veces a quienes viven de ellas les suele ocurrir lo que a doña Truhana.

El conde le preguntó lo que le había pasado a esta.

—Señor conde —dijo Patronio—, había una mujer que se llamaba doña Truhana, que era más pobre que rica, la cual, yendo un día al mercado, llevaba una olla de miel en la cabeza. Mientras iba por el camino, empezó a pensar que vendería la miel y que, con lo que le diesen, compraría una partida de huevos, de los cuales nacerían gallinas, y que luego, con el dinero que le diesen por las gallinas, compraría ovejas, y así fue comprando y vendiendo, siempre con ganancias, hasta que se vio más rica que ninguna de sus vecinas.

Luego pensó que, siendo tan rica, podría casar bien a sus hijos e hijas, y que iría acompañada por la calle de yernos y nueras y pensó también que todos comentarían su buena suerte, pues había llegado a tener tantos bienes aunque había nacido muy pobre.

Así, pensando en esto, comenzó a reír con mucha alegría por su buena suerte y, riendo, riendo, se dio una palmada en la frente, la olla cayó al suelo y se rompió en mil pedazos. Doña Truhana, cuando vio la olla rota y la miel esparcida por el suelo, empezó a llorar y a lamentarse muy amargamente porque había perdido todas las riquezas que esperaba obtener de la olla si no se hubiera roto. Así, porque puso toda su confianza en fantasías, no pudo hacer nada de lo que esperaba y deseaba tanto.

—Vos, señor conde, si queréis que lo que os dicen y lo que pensáis sean realidad algún día, procurad siempre que se trate de cosas razonables y no fantasías o imaginaciones dudosas y vanas. Y cuando quisiereis iniciar algún negocio, no arriesguéis algo muy vuestro, cuya pérdida os pueda ocasionar dolor, por conseguir un provecho basado tan solo en la imaginación.

Al conde le agradó mucho esto que le contó Patronio, actuó de acuerdo con la historia y, así, le fue muy bien.

Y como a don Juan le gustó este cuento, lo hizo escribir en este libro y compuso estos versos:

En realidades ciertas os podéis confiar,
mas de las fantasías os debéis alejar.

COMPRENSIÓN LECTORA

02 | Redacta un resumen del texto del cuento.

03 | ¿Cuántos relatos hay en este texto?

04 | Señala el refrán que mejor defina el sentido de este cuento:

a) Más vale pájaro en mano, que ciento volando.
b) A quien madruga, Dios lo ayuda.
c) No construyas castillos en el aire.
d) Al mal tiempo, buena cara.

DESARROLLO DE LA LENGUA

05 | En parejas, fijaos en el uso del condicional simple en el texto que empieza *Mientras iba por el camino, empezó a pensar que vendería la miel... y que compraría... y nacerían,* etc. ¿Qué uso del condicional es?

06 | Analizad por qué se usa el modo indicativo en esta oración concesiva extraída del relato (...) *había llegado a tener tantos bienes aunque había nacido muy pobre.* Después, exponed en clase las reglas fundamentales de la alternancia modal.

07 | Imagínate que tú hubieras sido doña Truhana o la lechera, ¿qué hubieras comprado en tus sueños? Escribe al menos cinco cosas que hubieras comprado. Presta atención al tiempo verbal que tienes que usar.

08 | ¿De dónde creéis que viene la palabra *palmada?*

TRABAJO LITERARIO

09 | En parejas, ¿cómo se estructura el relato? Indicad las partes en que se divide.

10 | En parejas, ¿qué tipo de versos componen la moraleja?

11 | ¿Conocéis alguna obra didáctica en vuestra literatura? En caso afirmativo, decid el título y hablad un poco de ella.

PRODUCCIÓN LITERARIA

12 | En parejas, redactad un cuento parecido con una historia que sirva para extraer la misma moraleja del cuento de *El Conde Lucanor.*

13 | Después, leedles el cuento a vuestros compañeros. ¿Cuál es el más convincente? ¿Y el más original? Valoradlos del 1 al 3.

INVESTIGACIÓN LITERARIA

14 | En parejas, leed ahora este texto.

Una lechera llevaba en la cabeza un cubo de leche recién ordeñada y caminaba hacia su casa soñando despierta. «Como esta leche es muy buena», se decía, «dará mucha nata. Batiré muy bien la nata hasta que se convierta en una mantequilla blanca y sabrosa, que me pagarán muy bien en el mercado. Con el dinero, me compraré un canasto de huevos y, en cuatro días, tendré la granja llena de pollitos, que se pasarán el verano piando en el corral. Cuando empiecen a crecer, los venderé a buen precio, y con el dinero que saque me compraré un vestido nuevo de color verde, con tiras bordadas y un gran lazo en la cintura. Cuando lo vean, todas las chicas del pueblo se morirán de envidia. Me lo pondré el día de la fiesta mayor, y seguro que el hijo del molinero querrá bailar conmigo al verme tan guapa. Pero no voy a decirle que sí de buenas a primeras. Esperaré a que me lo pida varias veces y, al principio, le diré que no con la cabeza. Eso es, le diré que no: ¡Así!».

La lechera comenzó a menear la cabeza para decir que no, y entonces el cubo de leche cayó al suelo, y la tierra se tiñó de blanco. Así que la lechera se quedó sin nada: sin vestido, sin pollitos, sin huevos, sin mantequilla, sin nata y, sobre todo, sin leche: sin la blanca leche que la había incitado a soñar.

15 | En parejas, ¿creéis que se trata del mismo cuento de *El Conde Lucanor?*

16 | En parejas, señalad las diferencias y las semejanzas que hay entre ambos relatos.

17 | En parejas, ¿a qué familia perteneció don Juan Manuel? ¿Era noble? Investigad sobre él.

18 | Una de las fuentes del infante don Juan Manuel es Esopo, el padre de la fábula. En parejas, investigad y exponed en clase los datos sobre su vida y sobre la obra que de él conocemos.

19 | Hay muchas versiones del cuento de *La lechera.* ¿Conoces alguna expresión coloquial que resuma lo que le sucede a la protagonista del cuento?

¿Cuánto sabes?

AUTOEVALUACIÓN

Lee y marca verdadero (V) o falso (F).

	V	F
a. El infante don Juan Manuel fue el mejor prosista del siglo XIV.	☐	☐
b. Don Juan Manuel era clérigo.	☐	☐
c. Entre las tres grandes colecciones de cuentos europeos del siglo XIV están Boccaccio con su *Decamerón*, Chaucer con sus *Cuentos de Canterbury* y Don Juan Manuel, con *El Conde Lucanor*.	☐	☐
d. Todos los *exempla* en *El Conde Lucanor* terminan con una moraleja.	☐	☐
e. Al infante don Juan Manuel le interesa solamente entretener y deleitar al público.	☐	☐
f. La estructura de *El Conde Lucanor* es muy complicada.	☐	☐

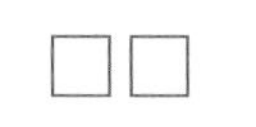

MARQUÉS DE SANTILLANA

01 | Lee este poema del Marqués de Santillana.

Serranilla VI

Moza tan hermosa
no vi en la frontera,
como una vaquera
de la Finojosa.

Haciendo la vía
del Calatraveño
a Santa María,
vencido del sueño,
por tierra fragosa
perdí la carrera,
do vi la vaquera
de la Finojosa.

En un verde prado
de rosas y flores,
guardando ganado
con otros pastores,
la vi tan graciosa,
que apenas creyera
que fuese vaquera
de la Finojosa.

No creo las rosas
de la primavera
sean tan hermosas
ni de tal manera;
hablando sin glosa,
si antes supiera
de aquella vaquera
de la Finojosa.

No tanto mirara
su mucha beldad,
porque me dejara
en mi libertad.

Mas dije: «Donosa
(por saber quién era),
¿aquella vaquera
de la Finojosa?...»

Bien como riendo,
dijo: «Bien vengades,
que ya bien entiendo
lo que demandades:
no es deseosa
de amar, ni lo espera,
aquesa vaquera
de la Finojosa».

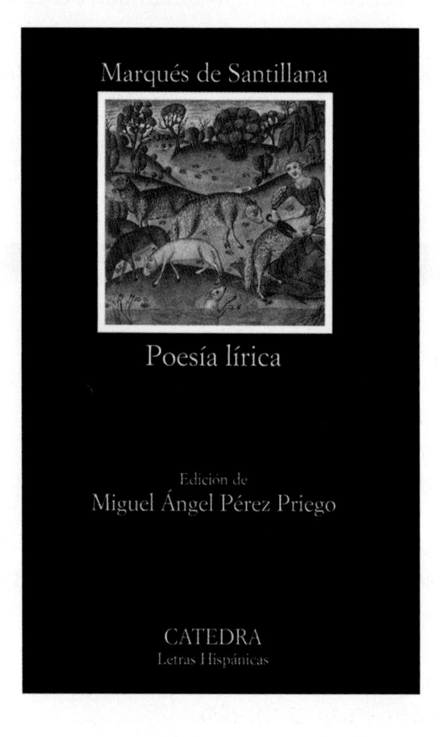

COMPRENSIÓN LECTORA

02 | Explica brevemente cuál es el tema de esta serranilla del Marqués de Santillana.

03 | ¿Cómo es el tratamiento de la mujer en este poema?, ¿encuentras algún rasgo peculiar?

DESARROLLO DE LA LENGUA

04 | En parejas, buscad al menos ocho términos relacionados con el término vaquera.

05 | En el poema hay un caso de adjetivo epíteto. Señaladlo y escribid una oración con otro adjetivo epíteto.

06 | En parejas. En el verso *do vi la vaquera de la Finojosa,* ¿a qué adverbio remite la forma *do?* ¿A qué remite *aquesa* en *aquesa vaquera de la Finojosa?*

TRABAJO LITERARIO

07 | ¿En qué consiste el tipo de género lírico de la serranilla?

08 | En parejas, comentad la métrica de este poema: medida de los versos, rima y estrofa.

09 | Señalad algunas figuras literarias que aparecen en el texto. ¿Qué tópico se emplea en el poema?

10 | ¿Desde qué punto de vista se narra esta escena?, ¿hay diálogo en el poema?

PRODUCCIÓN LITERARIA

11 | En parejas, haced una descripción de cómo os imagináis a la vaquera a partir de los datos del poema: su físico, su ropa y su carácter.

12 | Después, leedles la descripción a vuestros compañeros. ¿Habéis coincidido mucho en los rasgos generales o no? ¿Cuál ha sido la más original? Valoradlas del 1 al 3.

INVESTIGACIÓN LITERARIA

13 | En parejas, leed ahora esta serrana del Arcipreste de Hita.

Pasando yo una mañana
el puerto de Malangosto
asaltóme una serrana
tan pronto asomé mi rostro.
—«Desgraciado, ¿dónde andas?
¿Qué buscas o qué demandas
por aqueste puerto angosto?».

Contesté yo a sus preguntas:
—«Me voy para Sotos Albos»
Dijo: —«¡El pecado barruntas
con esos aires tan bravos!
Por aquesta encrucijada
que yo tengo bien guardada,
no pasan los hombres salvos».

Plantóseme en el sendero
la sarnosa, ruin y fea,
dijo: —«¡Por mi fe, escudero!
aquí me estaré yo queda;
hasta que algo me prometas,
por mucho que tú arremetas,
no pasarás la vereda».

Díjele: —«¡Por Dios, vaquera,
no me estorbes la jornada!
deja libre la carrera;
para ti no traje nada».
Me repuso: —«Entonces torna,
por Somosierra trastorna,
que aquí no tendrás posada».

Y la Chata endiablada,
¡que San Julián la confunda!
arrojóme la cayada
y, volteando su honda,
dijo afinando el pedrero:
—«¡Por el Padre verdadero,
tú me pagas hoy la ronda!».

Nieve había, granizaba,
hablóme la Chata luego
y hablando me amenazaba:
—«¡Paga o ya verás el juego!»
Dije yo:—«¡Por Dios, hermosa,
deciros quiero una cosa,
pero sea junto al fuego!».

—«Yo te llevaré a mi casa
y te mostraré el camino,
encenderé fuego y brasa
y te daré pan y vino.
Pero ¡a fe!, promete algo
y te tendré por hidalgo.
¡Buena mañana te vino!».

Yo, con miedo y arrecido,
le prometí un garnacha
y ofrecí, para el vestido,
un prendedor y una plancha.

Dijo: —«Yo doy más, amigo.
¡Anda acá, vente conmigo,
no tengas miedo a la escarcha!».

Cogióme fuerte la mano
y en su pescuezo la puso,
como algún zurrón liviano
llevóme la cuesta ayuso.
—«¡Desgraciado!, no te espantes,
que bien te daré que yantes
como es en la tierra uso».

Me hizo entrar mucha aína
en su venta, con enhoto;
y me dio hoguera de encina,
mucho conejo de Soto,
buenas perdices asadas,
hogazas mal amasadas
y buena carne de choto.

De vino bueno un cuartero,
manteca de vacas, mucha,
mucho queso de ahumadero,
leche, natas y una trucha;
después me dijo: —«¡Hadeduro!,
comamos de este pan duro,
luego haremos una lucha».

Cuando el tiempo fue pasando,
fuíme desentumeciendo;
como me iba calentando
así me iba sonriendo.
Obsérvome la pastora;
dijo: —«Compañero, ahora
creo que voy entendiendo».

La vaqueriza, traviesa,
dijo: «Luchemos un rato,
levántate ya, de priesa;
quítate de encima el hato».
Por la muñeca me priso,
tuve que hacer cuanto quiso,
¡creo que me fue barato!

Caballeros y damas en un jardín

14 | En parejas, ¿cuál es el tema de este texto?, ¿pensáis que el Arcipreste de Hita trata el mismo tema que el Marqués de Santillana y con la misma intención?

15 | ¿Qué diferencias advertís entre ambos? Tened en cuenta que esta cantiga de serrana está incluida en el *Libro de buen amor,* del año 1330, y que la serranilla del Marqués de Santillana se escribió un siglo más tarde, en el siglo XV.

16 | Comentad el intercambio de los papeles convencionales en este tipo de poesía.

17 | ¿Qué imagen nos ofrece el autor de la serrana, la vaquera de Malangosto?

18 | Como el Arcipreste de Hita es un autor del Mester de Clerecía, ¿creéis que utiliza la métrica propia de este mester? Analizad la métrica y la rima de las dos primeras estrofas.

19 | En esta cantiga de serrana se utiliza en algún momento el lenguaje en función apelativa o conativa. Señalad los versos en donde está presente y explicad cuál es el recurso lingüístico y cuál la intención con la que se usa.

¿Cuánto sabes?

AUTOEVALUACIÓN

Lee y marca verdadero (V) o falso (F).

	V	F
a. El Marqués de Santillana pertenece a la Baja Edad Media.	☐	☐
b. La serranilla es un poema en verso de arte mayor típicamente castellano que relata el encuentro amoroso con una mujer de la sierra o serrana.	☐	☐
c. Las serranillas del Marqués de Santillana manifiestan la misoginia del autor.	☐	☐
d. El Marqués de Santillana se llamaba Íñigo López de Mendoza.	☐	☐
e. El Marqués de Santillana solo escribió serranillas.	☐	☐
f. El Arcipreste de Hita utiliza en el *Libro de buen amor* únicamente la cuaderna vía.	☐	☐
g. En las serranas del Marqués de Santillana el protagonista es él mismo.	☐	☐
h. Las serranas del Marqués de Santillana acaban idealizadas en su descripción.	☐	☐

ROMANCES

01 | Ahora, lee este famoso romance.

Palacio de Nasrin, la Alhambra

Romance de Abenámar

—¡Abenámar, Abenámar,
moro de la morería,
el día que tú naciste
grandes señales había!
Estaba la mar en calma
la luna estaba crecida;
moro que en tal signo nace
no debe decir mentira.
Allí respondiera el moro,
bien oiréis lo que decía.
—Yo te la diré, señor,
aunque me cueste la vida,
porque soy hijo de un moro
y una cristiana cautiva;
siendo yo niño y muchacho
mi madre me lo decía:
que mentira no dijese,
que era grande villanía;
por tanto pregunta, rey,
que la verdad te diría.
—Yo te agradezco, Abenámar,
aquesa tu cortesía.
¿Qué castillos son aquellos?
¡Altos son y relucían!
—El Alhambra era, señor,
y la otra la mezquita,
los otros los Alixares,
labrados a maravilla.
El moro que los labraba
cien doblas ganaba al día,
y el día que no los labra,
otras tantas se perdía.
El otro es Generalife,
huerta que par no tenía.
El otro Torres Bermejas,
castillo de gran valía.
Allí habló el rey don Juan,
bien oiréis lo que decía:
—Si tú quisieses, Granada,
contigo me casaría;
darete en arras y dote
a Córdoba y a Sevilla.
—«Casada soy, rey don Juan,
casada soy, que no viuda;
el moro que a mí me tiene
muy grande bien me quería».

COMPRENSIÓN LECTORA

02 | Resume brevemente el tema de este poema. Indica además los lugares y los personajes que aparecen.

03 | Señala cómo estaba la luna el día en que nació Abenámar: ¿luna nueva, luna creciente o luna llena?

04 | ¿Sabes quién es su autor?

DESARROLLO DE LA LENGUA

05 | En parejas, ¿cómo está escrito el romance de Abenámar?, ¿qué tipo de estructuras discursivas se utilizan?

06 | Buscad la palabra *labradas,* del verbo labrar. ¿Qué acepción tiene en esos versos? ¿Qué otros significados tiene este verbo? Después, escribid oraciones con tres de sus significados.

TRABAJO LITERARIO

07 | En parejas, después de analizar la métrica, decid ante qué tipo de poema nos encontramos.

08 | Atended al principio y al final del poema, ¿qué particularidad existe en esos lugares del poema?

09 | Los romances son fragmentos desgajados de poemas épicos mayores. De estos cantares épicos se conservan algunos rasgos, ¿podéis señalarlos?

PRODUCCIÓN LITERARIA

10 | En parejas, intentad escribir al menos 8 versos de un romance que os inventéis. Tened en cuenta el cómputo silábico y la métrica. Intentad formular el argumento de una breve escena.

11 | Después, leedles ese fragmento del romance a vuestros compañeros. ¿Cuál os parece el más original? Valoradlos del 1 al 3.

INVESTIGACIÓN LITERARIA

12 | En parejas, ¿estos romances iban destinados a un lector determinado?, ¿sabéis cómo se difundían?

13 | En grupos, investigad sobre el origen y las características de los romances castellanos. Preparad después una exposición con los datos que habéis obtenido para contrastar vuestra información con la de los demás grupos.

¿Cuánto sabes?

AUTOEVALUACIÓN

Lee y marca verdadero (V) o falso (F).

	V	F
a. Un romance es una composición lírica de origen italiano.	☐	☐
b. El romance está formado por una serie indefinida de versos octosílabos.	☐	☐
c. Según la teoría más admitida, los romances proceden de los cantares de gesta que recitaban los juglares.	☐	☐
d. La temática de los romances no es muy variada.	☐	☐
e. El estilo de los romances es sencillo y de corte realista.	☐	☐
f. *El romancero viejo* es un conjunto de romances escritos por Quevedo, Góngora y Lope de Vega.	☐	☐

JORGE MANRIQUE

01 | Lee las dos primeras estrofas de las *Coplas por la muerte de su padre,* de Jorge Manrique.

I

Recuerde el alma dormida,
avive el seso y despierte
contemplando
cómo se pasa la vida,
cómo se viene la muerte
tan callando;
cuán presto se va el placer,
cómo, después de acordado,
da dolor;
cómo, a nuestro parecer,
cualquiera tiempo pasado
fue mejor.

II

Pues si vemos lo presente
cómo en un punto se es ido
y acabado,
si juzgamos sabiamente,
daremos lo no venido
por pasado.
No se engañe nadie, no,
pensando que ha de durar
lo que espera
más que duró lo que vio,
pues que todo ha de pasar
por tal manera.

Doncel de Sigüenza

COMPRENSIÓN LECTORA

02 | ¿Cuál es la idea principal de estas dos coplas? ¿Crees que hay diferencia entre una y otra? ¿Existe una idea subsidiaria?

03 | En parejas, ¿cómo os parece el tono de los versos de Jorge Manrique? ¿Festivo o trágico? ¿Es pesimista o realista? Discutid en clase sobre esta última cuestión.

DESARROLLO DE LA LENGUA

04 | En parejas, ¿qué significado tiene la palabra *seso?* ¿Podéis decir dos sinónimos de esta palabra? Escribid, además, dos oraciones con esos sinónimos.

05 | *Despierte* del segundo verso, se contrapone al *dormida* del verso primero, pero ¿puede tener otro significado si se pone en relación con *avive el seso?* ¿Cuál?

06 | ¿Qué valor tiene el adverbio interrogativo *cuán* en la primera estrofa? ¿Con qué forma actual se corresponde?

TRABAJO LITERARIO

07 | En parejas, indicad la rima, el cómputo silábico y la estrofa en la que están escritos los fragmentos anteriores.

08 | En parejas, señalad algún ejemplo de encabalgamiento en las estrofas seleccionadas.

09 | *Las coplas por la muerte de su padre* son un poema de lamento por la muerte de un ser querido. ¿Cómo se denomina ese tipo de poemas?

PRODUCCIÓN LITERARIA

10 | En parejas, escribid una poesía para lamentar la muerte de un ser querido. Puede ser una persona o una mascota. Podéis utilizar la métrica que prefiráis.

11 | Después, leedles los poemas a vuestros compañeros. ¿Cuál creéis que es el más triste y expresivo? ¿Y el más original? Valoradlos del 1 al 3.

INVESTIGACIÓN LITERARIA

12 | En parejas, leed el poema entero en **Mi biblioteca**. Después indicad en qué estrofas se trata el tema de la fama y en cuáles aparece el tópico de *Ubi sunt?* ¿En qué otra obra que aparece en esta unidad se utiliza también este tópico?

13 | En grupos, buscad información sobre Jorge Manrique y preparad una presentación para exponerla en clase. No olvidéis el contexto histórico en el que vivió y cómo apoyó a Isabel la Católica, para que esta llegara al trono de Castilla.

¿Cuánto sabes?

AUTOEVALUACIÓN

Lee y marca verdadero (V) o falso (F).

	V	F
a. Jorge Manrique es un precursor del Renacimiento.	☐	☐
b. Jorge Manrique representa el modelo de caballero lector que aúna las armas y las letras.	☐	☐
c. Jorge Manrique solo escribió poesía fúnebre.	☐	☐
d. Jorge Manrique fue un autor muy prolífico, con una obra literaria abundante.	☐	☐
e. Jorge Manrique trató sobre tres tipos de vida: la terrenal, la eterna y la de la fama.	☐	☐
f. La importancia de la fama es un rasgo típicamente medieval.	☐	☐

FERNANDO DE ROJAS

01 | Lee este fragmento de *La Celestina* (Acto VI).

CALISTO. Pero, dime, por Dios, ¿pasó más?, que muero por oír palabras de aquella dulce boca. ¿Cómo fuiste tan osada que sin conocerla te mostraste tan familiar en tu entrada y demanda?

CELESTINA. ¿Sin conocerla? Cuatro años fueron mis vecinas. Trataba con ellas, hablaba y reía de día y de noche. Mejor me conoce su madre que a sus mismas manos; aunque Melibea se ha hecho grande mujer, discreta, gentil.

PÁRMENO. ¡Ea, mira, Sempronio, qué te digo al oído!

SEMPRONIO. Dime, ¿qué dices?

PÁRMENO. Aquel atento escuchar de Celestina da materia de alargar en su razón a nuestro amo. Llégate a ella, dale del pie, hagámosle de señas que no espere más, sino que se vaya, que no hay tan loco hombre nacido que solo mucho hable.

CALISTO. ¿Gentil dices, señora, que es Melibea? Parece que lo dices burlando. ¿Hay nacida su par en el mundo? ¿Crió Dios otro mejor cuerpo? ¿Puédense pintar tales facciones, dechado de hermosura? Si hoy fuera viva Helena, por quien tanta muerte hubo de griegos y troyanos, o la hermosa Policena, todas obedecerían a esta señora por quien yo peno. Si ella se hallara presente en aquel debate de la manzana con las tres diosas, nunca sobrenombre de discordia le pusieran, porque sin contrariar ninguna, todas concedieran y vinieran conformes en que la llevara Melibea. Así se llamara manzana de concordia. Pues cuantas hoy son nacidas, que de ella tengan noticia, se maldicen, querellan a Dios porque no se acordó de ellas cuando a esta mi señora hizo. Consumen sus vidas, comen sus carnes con envidia, danles siempre crudos martirios, pensando con artificio igualar con la perfección que sin trabajo dotó a ella natura. De ellas, pelan sus cejas con tenacicas y pegones y a cordelejos; de ellas, buscan las doradas hierbas, raíces, ramas y flores para hacer lejías con que sus cabellos semejasen a los de ella. Las caras martillando, envistiéndolas en diversos matices con ungüentos y unturas, aguas fuertes, posturas blancas y coloradas, que por evitar prolijidad no las cuento. Pues la que todo esto halló hecho, mira si merece de un triste hombre como yo ser servida...

CELESTINA. Bien te entiendo, Sempronio. Déjale, que él caerá de su asno y acabará.

CALISTO. ... en la que toda la natura se remiró por hacerla perfecta, que las gracias que en todas repartió las juntó en ella. Allí hicieron alarde cuanto más acabadas pudieron allegarse, por que conociesen los que la viesen cuánta era la grandeza de su pintor. Sola una poca de agua clara con un ebúrneo peine basta para exceder a las nacidas en gentileza. Estas son sus armas, con estas mata y vence, con estas me cautivó, con estas me tiene ligado y puesto en dura cadena.

Estatua de la Celestina, Salamanca

CELESTINA. Calla y no te fatigues, que más aguda es la lima que yo tengo que fuerte esa cadena que te atormenta. Yo la cortaré con ella porque tú quedes suelto. Por ende, dame licencia, que es muy tarde, y déjame llevar el cordón, porque, como sabes, tengo de él necesidad.

CALISTO. ¡Oh desconsolado de mí! La fortuna adversa me sigue junta, que contigo o con el cordón o con entrambos quisiera yo estar acompañado esta noche luenga y oscura. Pero, pues no hay bien cumplido en esta penosa vida, venga entera la soledad. ¡Mozos, mozos!

PÁRMENO. Señor.

CALISTO. Acompaña a esta señora hasta su casa y vaya con ella tanto placer y alegría cuanta conmigo queda tristeza y soledad.

CELESTINA. Quede, señor, Dios contigo. Mañana será mi vuelta, donde mi manto y la respuesta vendrán a un punto, pues hoy no hubo tiempo. Y súfrete, señor, y piensa en otras cosas.

CALISTO. Eso no, que es herejía olvidar aquella por quien la vida me aplace.

COMPRENSIÓN LECTORA

02 | Resume brevemente el tema de este fragmento del capítulo VI. ¿Cuántos personajes aparecen? ¿Por qué está tan triste Calisto?

03 | En parejas, señalad las «armas» que Melibea posee para conquistar a sus pretendientes

DESARROLLO DE LA LENGUA

04 | En parejas, repartíos esta serie de palabras y buscad su significado en el diccionario: *ungüento, ebúrneo, lima, dechado, prolijidad, luengo* y *adverso.*

05 | Buscad en una intervención de Calisto la expresión «hacer alarde». ¿Qué significa? Redactad un pequeño diálogo con esta expresión.

06 | Ahora, subrayad las palabras que apuntan al uso de la cosmética femenina en el texto.

07 | En parejas, ¿sabéis qué significa la expresión «ser una celestina»? Escribid un diálogo con esta expresión.

TRABAJO LITERARIO

08 | En parejas, buscad cuál es el título completo de esta obra. ¿Por qué creéis que se denomina así? Investigad sobre la controversia acerca del género literario que se correspondería con esta obra.

09 | En esta obra se recoge la historia de dos amantes, Calisto y Melibea, con un triste final. ¿Recordáis otras obras literarias que cuenten una historia de amor con un mal final?

PRODUCCIÓN LITERARIA

10 | En parejas, haced una caracterización de Calisto y la Celestina, tal y como os los imagináis a partir de los datos del texto.

11 | Después, leedles a los compañeros vuestras descripciones. ¿Habéis coincidido en muchos aspectos? ¿En cuáles os habéis diferenciado?

INVESTIGACIÓN LITERARIA

12 | En parejas, investigad y decid quiénes son Helena y Policena, personajes femeninos que menciona Calisto.

13 | En grupos, buscad la historia de la manzana de la discordia, entre qué diosas se establece la disputa, quién es el que tiene que tomar la decisión en el juicio y qué relación tiene con la guerra de Troya. Luego exponed brevemente en clase este relato.

14 | La autoría de *La Celestina* se atribuye a Fernando de Rojas. En grupos, haced una presentación sobre este autor y *La Celestina.*

¿Cuánto sabes?

AUTOEVALUACIÓN

Lee y marca verdadero (V) o falso (F).

	V	F
a. *La Celestina* es una obra dramática en verso publicada en el siglo XVI.	☐	☐
b. La Trotaconventos del Arcipreste de Hita es el antecedente literario del personaje de la Celestina.	☐	☐
c. El libro de *La Celestina* fue prohibido por la Inquisición en el siglo XVI.	☐	☐
d. En las primeras ediciones de *La Celestina* no aparecía ningún autor.	☐	☐
e. Fernando de Rojas, además de escritor, era médico.	☐	☐

unidad

3

Contexto histórico

- **Consolidación de las monarquías europeas,** origen de los Estados Nacionales
- **Carlos I, nieto de los Reyes Católicos, es elegido emperador del Sacro Imperio romano** (1516-1556)
- **Hegemonía de España bajo el reinado de Carlos I** (1516-1556)
- **Saqueo de Roma por las tropas españolas, italianas y alemanas** (1527)
- **Reinado de Felipe II** (1556-1598):
  - Consolidación del gran imperio con la suma del territorio de América
  - Agravamiento de la crisis económica, como consecuencia del gasto de las continuas guerras
- **Inicio de la reforma protestante por parte de Lutero**
- **Contrarreforma católica como respuesta al protestantismo**
- **Creación de la iglesia anglicana por parte del rey inglés Enrique VIII.** Ruptura con Roma
- **Guerras de religión en Europa entre católicos y reformistas:** las guerras de religión de Francia
- **Creación de la Inquisición o el Santo Oficio:** institución católica dedicada a combatir la herejía
- **Derrota de la Armada Invencible de Felipe II contra Inglaterra** (1588)

Capilla Sixtina

El siglo XVI

EL RENACIMIENTO

Contexto cultural y artístico

- **Triunfo del Humanismo,** movimiento cultural surgido en el s. XV, que proclama al ser humano como la medida de todas las cosas (principio filosófico del griego Protágoras)
- **Erasmo de Rotterdam** (1469-1536), humanista defensor de una espiritualidad cristiana más interiorizada
- **Entrada del Erasmismo en España,** perseguido en los últimos años del reinado de Felipe II
- **Surgimiento del Manierismo** (segunda mitad del s. XVI): movimiento estético de transición hacia el Barroco
- **El Greco** (1541-1614), genio de la pintura renacentista
- **Antonio de Nebrija** (1442-1522), célebre humanista español, autor de la primera *Gramática Castellana* en 1492, que servirá de modelo a las gramáticas de otras lenguas romances
- **Universidad de Alcalá:** institución humanista por excelencia en esa época

Erasmo de Rotterdam, de Holbein el Joven

Universidad de Alcalá

RENACIMIENTO

El Renacimiento junto al Barroco es lo que tradicionalmente se conoce como *Siglos de Oro* o *Edad de Oro*. Dos siglos, el XVI y el XVII, que comparten el esplendor cultural y artístico, pero muy diferentes por su actitud vital y estética.

Características básicas

Existen dos épocas:

- **La primera etapa se corresponde con el reinado de Carlos I** (primera mitad del siglo XVI). Este reinado se caracteriza por lo siguiente:
  - la apertura hacia el exterior, hacia Europa;
  - el afán universalista;
  - el contacto con el mundo del Renacimiento italiano.
- **La segunda etapa se corresponde con el reinado de Felipe II** (segunda mitad del s. XVI). Es una etapa muy distinta a la anterior y destaca por lo siguiente:
  - el aislamiento, ya que España se pone a la cabeza de la Contrarreforma, como oposición a las ideas protestantes. España se cierra en sí misma;
  - la asimilación de las ideas recibidas en la etapa anterior;
  - el carácter nacional y menos universal;
  - el predominio del sentido cristiano de la vida.

***Felipe II*, Tiziano**

***Retrato de Carlos V*, atribuido a Tiziano**

Autores destacables

Garcilaso de la Vega, Juan Boscán, Juan de Valdés, san Juan de la Cruz, santa Teresa de Jesús, Fray Luis de León, Lope de Rueda y Torres Naharro

Nacimiento de Venus, Botticelli

DURANTE EL RENACIMIENTO SE PRODUCE UNA IMPORTANTE RENOVACIÓN DE LA POESÍA ESPAÑOLA.

Características literarias

- **Poesía:** La lírica española se renueva gracias a la influencia de la cultura clásica y de la literatura italiana: Horacio, Virgilio y Petrarca, sobre todo. En el siglo XVI son numerosos los poetas que escriben imitando el estilo del *Cancionero* de Petrarca, en el que se refleja el amor platónico del poeta por su amada Laura y se profundiza en el análisis del sentimiento amoroso, que hace sufrir al enamorado. La renovación lírica afecta, por un lado, a la nueva actitud de intimismo y melancolía y, por otro, a los nuevos motivos (mitológicos y pastoriles) con los que se tratan los temas más habituales: el amor, la belleza de la dama o la naturaleza.

  Se adoptan versos (endecasílabo y heptasílabo), estrofas (lira, silva y estancia) y tipos de poemas (soneto) procedentes de Italia. Asimismo, se utilizan géneros característicos como la égloga —los protagonistas son pastores idealizados—, la oda —para asuntos graves y solemnes— o la epístola —poema en forma de carta.

- **Teatro:** Se deja sentir la influencia de Italia. Se difunde *la comedia del arte,* procedente de la tradición carnavalesca, con máscaras.

- **Prosa:** Se atiende al humor y se tiene especial cuidado en el diálogo, que ha de ser ágil y ocurrente, pero con poca acción.

Los temas en el Renacimiento

- **El amor** es el tema estrella del Renacimiento. A través del amor, el poeta expresa sus sentimientos más personales. Bajo la influencia de Petrarca, el yo/ poeta da rienda suelta al sentimiento de gozo ante la belleza de la amada. Si no es correspondido o la amada está ausente, entonces surge el dolor,«ese vivir muriendo», que desemboca en un sentimiento de nostalgia, en un lamento constante y extremado.

- **El amor místico** aparece en este momento como variante que exige la presencia de símbolos y metáforas para expresar experiencias inefables. Se impone una nueva forma de comunicación con Dios, alejada de ceremonias externas y centrada en una interiorización, con una evidente influencia del erasmismo.

- **La Naturaleza** es el marco idealizado en el que transcurren muchos poemas y novelas renacentistas. Cambian los lugares geográficos, pero el paisaje refinado no varía. Fuentes cristalinas, verdes prados con flores y pájaros, arroyos cantarines y árboles que dan sombra conforman el *locus amoenus,* tópico tan utilizado en el Renacimiento y que es el escenario convencional donde los pastores expresan su amor o se lamentan en diálogos exquisitos y muy cultos.

- **Los mitos clásicos, griegos y romanos,** al ser despojados de su sentido religioso, se convierten en símbolos y bellas fantasías.

- **El goce de la juventud y sus placeres,** expresado a través del tópico del *carpe diem,* es otro de los temas fundamentales, junto con el elogio de la vida sencilla y retirada, tópico extraído del *beatus ille* del poeta romano Horacio.

GARCILASO DE LA VEGA

01 | Lee este fragmento de la Égloga III de Garcilaso de la Vega y observa la importancia del componente mitológico.

Garcilaso de la Vega

Dinámene no menos artificio
mostraba en la labor que había tejido,
pintando a Apolo en el robusto oficio
de la silvestre caza embebecido.
Mudar presto le hace el ejercicio
la vengativa mano de Cupido,
que hizo a Apolo consumirse en lloro
después que le enclavó con punta de oro.

Dafne, con el cabello suelto al viento,
sin perdonar al blanco pie corría
por áspero camino tan sin tiento
que Apolo en la pintura parecía
que, porque ella templase el movimiento,
con menos ligereza la seguía;
él va siguiendo, y ella huye como
quien siente al pecho el odïoso plomo.

Mas a la fin los brazos le crecían
y en sendos ramos vueltos se mostraban;
y los cabellos, que vencer solían
al oro fino, en hojas se tornaban;
en torcidas raíces se extendían
los blancos pies y en tierra se hincaban;
llora el amante y busca el ser primero,
besando y abrazando aquel madero.

COMPRENSIÓN LECTORA

02 | En parejas, buscad información de los personajes mitológicos que se mencionan. ¿Por qué creéis que se han elegido estos y no otros?

03 | Comparad la historia de Dafne y Apolo con el soneto que está en **Mi biblioteca.** ¿Cuál creéis que es más emotivo? ¿Por qué?

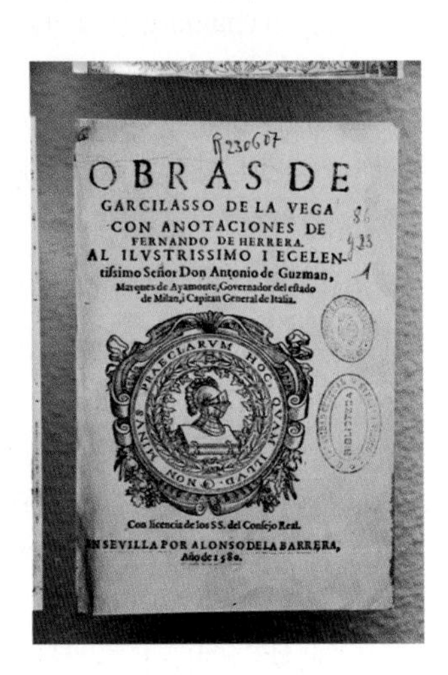
OBRAS DE
GARCILASSO DE LA VEGA
CON ANOTACIONES DE
FERNANDO DE HERRERA.
AL ILVSTRISSIMO I ECELENtissimo Señor Don Antonio de Guzman,
Marques de Ayamonte, Governador del estado
de Milan, i Capitan General de Italia.
PRAECLARVM HOC QVAM ILLVD NON MINVS
Con licencia de los SS. del Consejo Real.
EN SEVILLA POR ALONSO DE LA BARRERA,
Año de 1580.

DESARROLLO DE LA LENGUA

04 | En parejas, fijaos en los adjetivos *robusto, silvestre* o *vengativa.* Aparecen delante de los sustantivos a los que acompañan. Sin embargo, los adjetivos *suelto* o *fino* van detrás del sustantivo. ¿Cómo se llaman estos usos de los adjetivos? ¿Qué significan?

05 | Ahora, indicad el significado de los adjetivos *robusto, áspero* y *odioso.* Consultad el diccionario, si es necesario.

06 | Busca dos sinónimos de *embebecerse.* Después, escribe una oración con el verbo *embebecerse.*

07 | Indica dos sinónimos y dos antónimos de *ligereza.* Ayúdate del diccionario.

TRABAJO LITERARIO

08 | En parejas, señalad alguna metáfora del poema y explicad cómo se ha creado.

09 | Ahora, indicad el tipo de estrofa que se emplea, el tipo de verso y las características renacentistas de este poema de Garcilaso.

10 | Señalad el significado de *a Apolo consumirse en lloro.* ¿Cómo se denomina esta imagen?

11 | ¿Por qué lleva diéresis *odïoso* en el *odïoso plomo?*

PRODUCCIÓN LITERARIA

12 | En grupos, elegid un cuadro renacentista de características similares a la historia de Dafne y Apolo e intentad describirlo de la misma forma que Garcilaso. ¿Os atrevéis a hacerlo en verso?

13 | Después, leed los textos a vuestros compañeros, ¿quiénes han descrito mejor el cuadro elegido? Presentad la imagen del cuadro, para comprobar si os habéis detenido en todos los detalles.

INVESTIGACIÓN LITERARIA

14 | Los escritores españoles del siglo XX crearon una revista literaria llamada *Garcilaso.* En grupos, buscad información sobre sus creadores y cómo se autodenominaba el grupo fundador. Presentad a vuestros compañeros los datos que habéis encontrado.

15 | En grupos, buscad información sobre el Inca Garcilaso de la Vega. ¿Este escritor peruano fue coetáneo de Garcilaso? Explicad por qué lleva su mismo nombre. Presentad a vuestros compañeros los datos más relevantes de su vida y de su obra.

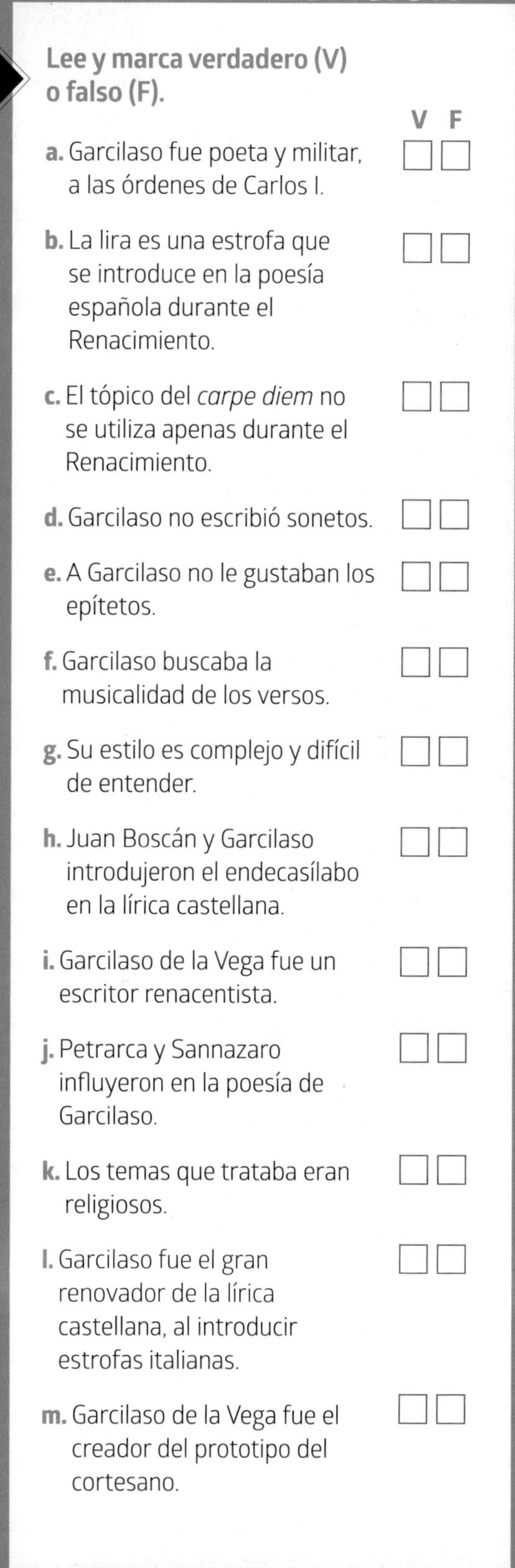

¿Cuánto sabes?

AUTOEVALUACIÓN

Lee y marca verdadero (V) o falso (F).

	V	F
a. Garcilaso fue poeta y militar, a las órdenes de Carlos I.	☐	☐
b. La lira es una estrofa que se introduce en la poesía española durante el Renacimiento.	☐	☐
c. El tópico del *carpe diem* no se utiliza apenas durante el Renacimiento.	☐	☐
d. Garcilaso no escribió sonetos.	☐	☐
e. A Garcilaso no le gustaban los epítetos.	☐	☐
f. Garcilaso buscaba la musicalidad de los versos.	☐	☐
g. Su estilo es complejo y difícil de entender.	☐	☐
h. Juan Boscán y Garcilaso introdujeron el endecasílabo en la lírica castellana.	☐	☐
i. Garcilaso de la Vega fue un escritor renacentista.	☐	☐
j. Petrarca y Sannazaro influyeron en la poesía de Garcilaso.	☐	☐
k. Los temas que trataba eran religiosos.	☐	☐
l. Garcilaso fue el gran renovador de la lírica castellana, al introducir estrofas italianas.	☐	☐
m. Garcilaso de la Vega fue el creador del prototipo del cortesano.	☐	☐

SAN JUAN DE LA CRUZ

01 | Lee este poema «Noche oscura del alma», de san Juan de la Cruz.

En una noche escura,
con ansias en amores inflamada,
¡oh dichosa ventura!,
salí sin ser notada,
estando ya mi casa sosegada.

A escuras y segura
por la secreta escala, disfrazada,
¡oh dichosa ventura!,
a escuras y en celada,
estando ya mi casa sosegada.

En la noche dichosa,
en secreto, que nadie me veía
ni yo miraba cosa,
sin otra luz y guía
sino la que en el corazón ardía.

Aquesta me guiaba
más cierto que la luz del mediodía,
adonde me esperaba
quien yo bien me sabía,
en parte donde nadie parecía.

¡Oh noche, que guiaste;
oh noche amable más que el alborada;
oh noche que juntaste
Amado con amada,
amada, con el Amado transformada!

En mi pecho florido,
que entero para él solo se guardaba,
allí quedó dormido,
y yo le regalaba
y el ventalle de cedros aire daba.

El aire del almena,
cuando yo sus cabellos esparcía,
con su mano serena
en mi cuello hería
y todos mis sentidos suspendía.

Quedéme y olvidéme,
el rostro recliné sobre el Amado;
cesó todo y dejéme,
dejando mi cuidado
entre las azucenas olvidado.

San Juan de la Cruz, por Francisco Pacheco

COMPRENSIÓN LECTORA

02 | ¿Quiénes creéis que son el Amado y la amada? ¿Por qué uno va en mayúscula y el otro en minúscula? Justificad la respuesta.

03 | Ahora que sabéis quiénes son el Amado y la amada, ¿cuál es el tema del poema?

04 | En parejas, destacad alguna de las características del periodo que representa.

05 | Por el contexto, ¿en qué lugar se encuentran los «amados»?

06 | ¿Qué emoción transmite la protagonista?

DESARROLLO DE LA LENGUA

07 | En parejas, indicad el significado de *inflamada, sosegada* y *regalar,* según el contexto en el que se encuentran. Mirad el diccionario si lo necesitáis.

08 | En parejas, ¿qué uso tienen los signos de exclamación en estos versos? ¿Qué otros usos conocéis diferentes a este?

TRABAJO LITERARIO

09 | Señalad algunas de las imágenes del poema.

10 | En parejas, indicad la rima, el cómputo silábico y las estrofas de este poema.

11 | Explicad el cambio de significado de los verbos *inflamar* y *arder*, según el contexto de estos versos. ¿Se trata de un fuego real o imaginario?

PRODUCCIÓN LITERARIA

12 | En parejas, buscad información sobre san Juan de la Cruz y preparad una breve monografía sobre su obra. Destacad qué os parece más interesante de su producción, la prosa o la poesía.

13 | Después, elegid un fragmento de la obra de san Juan de la Cruz e indicad por qué os parece tan emotivo. Presentad a la clase vuestra elección y «defended» vuestro fragmento frente a los demás elegidos por vuestros compañeros.

INVESTIGACIÓN LITERARIA

14 | En grupo, ¿qué autores místicos conocéis? Buscad información y preparad una presentación para vuestros compañeros. ¿En la literatura de vuestro país también se ha cultivado la mística? Si es así, ¿en qué época?

15 | En grupo, ¿sabríais identificar las características de la mística y la ascética? Buscad información y redactad un texto expositivo con los principales rasgos.

16 | Ahora que ya conocéis mejor la obra de san Juan de la Cruz, describid el estilo del autor en el poema que abre este apartado y comparad la descripción amorosa que hace con el soneto de Garcilaso de la Vega que está en **Mi biblioteca.**

¿Cuánto sabes?

AUTOEVALUACIÓN

Lee y marca verdadero (V) o falso (F).

	V	F
a. San Juan de la Cruz nació en Andalucía.	☐	☐
b. San Juan de la Cruz es el mejor representante de la mística española.	☐	☐
c. Escribió obras en prosa y verso.	☐	☐
d. Se le nombró Doctor de la Iglesia Universal en el siglo XX.	☐	☐
e. Escribió el soneto religioso «¿Qué tengo yo que mi amistad procuras?»	☐	☐
f. Fue rector de la Universidad de Alcalá, en Alcalá de Henares.	☐	☐

SANTA TERESA DE JESÚS

01 | En parejas, leed estos dos fragmentos de *El libro de la vida,* escrito por santa Teresa de Jesús.

Texto I

Quiso el Señor que viese aquí algunas veces esta visión: veía un ángel cabe mí hacia el lado izquierdo, en forma corporal, lo que no suelo ver sino por maravilla; aunque muchas veces se me representan ángeles, es sin verlos, sino como la visión pasada que dije primero. En esta visión quiso el Señor le viese así: no era grande, sino pequeño, hermoso mucho, el rostro tan encendido que parecía de los ángeles muy subidos que parecen todos se abrasan. Deben ser los que llaman querubines, que los nombres no me los dicen; más bien veo que en el cielo hay tanta diferencia de unos ángeles a otros y de otros a otros, que no lo sabría decir. Veíale en las manos un dardo de oro largo, y al fin del hierro me parecía tener un poco de fuego. Este me parecía meter por el corazón algunas veces y que me llegaba a las entrañas. Al sacarle, me parecía las llevaba consigo, y me dejaba toda abrasada en amor grande de Dios. Era tan grande el dolor, que me hacía dar aquellos quejidos, y tan excesiva la suavidad que me pone este grandísimo dolor, que no hay desear que se quite, ni se contenta el alma con menos que Dios. No es dolor corporal sino espiritual, aunque no deja de participar el cuerpo algo, y aun harto. Es un requiebro tan suave que pasa entre el alma y Dios que suplico yo a su bondad lo dé a gustar a quien pensase que miento.

Los días que duraba esto andaba como embobada. No quisiera ver ni hablar, sino abrazarme con mi pena, que para mí era mayor gloria que cuantas hay en todo lo criado.

Esto tenía algunas veces, cuando quiso el Señor me viniesen estos arrobamientos tan grandes, que aun estando entre gentes no los podía resistir, sino que con harta pena mía se comenzaron a publicar. Después que los tengo, no siento esta pena tanto, sino la que dije en otra parte antes no me acuerdo en qué capítulo, que es muy diferente en hartas cosas y de mayor precio; antes en comenzando esta pena de que ahora hablo, parece arrebata el Señor el alma y la pone en éxtasis, y así no hay lugar de tener pena ni de padecer, porque viene luego el gozar.

El libro de la vida, cap. 29

Texto II

Habré de aprovecharme de alguna comparación, aunque yo las quisiera excusar por ser mujer y escribir simplemente lo que me mandan. Mas este lenguaje de espíritu es tan malo de declarar a los que no saben letras, como yo, que habré de buscar algún modo, y podrá ser las menos veces acierte a que venga bien la comparación. Servirá de dar recreación a vuestra merced de ver tanta torpeza.

Paréceme ahora a mí que he leído u oído esta comparación que como tengo mala memoria, ni sé adónde ni a qué propósito, mas para el mío ahora conténtame: ha de hacer cuenta el que comienza, que comienza a hacer un huerto en tierra muy infructuosa que lleva muy malas hierbas, para que se deleite el Señor. Él arranca las malas hierbas y ha de plantar las buenas. Pues hagamos cuenta que está ya hecho esto cuando se determina a tener oración un alma y lo ha comenzado a usar. Y con ayuda de Dios hemos de procurar, como buenos hortelanos, que crezcan estas plantas y tener cuidado de regarlas para que no se pierdan, sino que vengan a echar flores que den de sí gran olor para dar recreación a este Señor nuestro, y así se venga a deleitar muchas veces a esta huerta y a holgarse entre estas virtudes.

Pues veamos ahora de la manera que se puede regar, para que entendamos lo que hemos de hacer y el trabajo que nos ha de costar, si es mayor que la ganancia, o hasta qué tanto tiempo se ha de tener.

Paréceme a mí que se puede regar de cuatro maneras: o con sacar el agua de un pozo, que es a nuestro gran trabajo;

o con noria y arcaduces, que se saca con un torno; yo lo he sacado algunas veces: es menos trabajo que estotro y sácase más agua;

o de un río o arroyo: esto se riega muy mejor, que queda más harta la tierra de agua y no se ha menester regar tan a menudo y es a menos trabajo mucho del hortelano;

o con llover mucho, que lo riega el Señor sin trabajo ninguno nuestro, y es muy sin comparación mejor que todo lo que queda dicho.

Ahora, pues, aplicadas estas cuatro maneras de agua de que se ha de sustentar este huerto porque sin ella perderse ha, es lo que a mí me hace al caso y ha parecido que se podrá declarar algo de cuatro grados de oración, en que el Señor, por su bondad, ha puesto algunas veces mi alma. Plega a su bondad atine a decirlo de manera que aproveche a una de las personas que esto me mandaron escribir, que la ha traído el Señor en cuatro meses harto más adelante que yo estaba en diecisiete años. Hase dispuesto mejor, y así sin trabajo suyo riega este vergel con todas estas cuatro aguas, aunque la postrera aún no se le da sino a gotas; mas va de suerte que presto se ensimismará en ella con ayuda del Señor.

De los que comienzan a tener oración podemos decir son los que sacan el agua del pozo, que es muy a su trabajo, como tengo dicho, que han de cansarse en recoger los sentidos, que, como están acostumbrados a andar derramados, es harto trabajo. Han menester irse acostumbrando a no se les dar nada de ver ni oír, y aun ponerlo por obra las horas de la oración, sino estar en soledad y, apartados, pensar su vida pasada. Aunque esto primeros y postreros todos lo han de hacer muchas veces, hay más y menos de pensar en esto, como después diré. Al principio aún da pena, que no acaban de entender que se arrepienten de los pecados; y sí hacen, pues se determinan a servir a Dios tan de veras. Han de procurar tratar de la vida de Cristo, y cánsase el entendimiento en esto.

Hasta aquí podemos adquirir nosotros, entiéndese con el favor de Dios, que sin este ya se sabe no podemos tener un buen pensamiento. Esto es comenzar a sacar agua del pozo, y aun plega a Dios lo quiera tener. Mas al menos no queda por nosotros, que ya vamos a sacarla y hacemos lo que podemos para regar estas flores. Y es Dios tan bueno que, cuando para gran provecho nuestro quiere que esté seco el pozo, haciendo lo que es en nosotros como buenos hortelanos, sin agua sustenta las flores y hace crecer las virtudes. Llamo "agua" aquí las lágrimas y, aunque no las haya, la ternura y sentimiento interior de devoción.

Pues ¿qué hará aquí el que ve que en muchos días no hay sino sequedad y disgusto y desabor y tan mala gana para venir a sacar el agua, que si no se le acordase que hace placer y servicio al Señor de la huerta y mirase a no perder todo lo servido y aun lo que espera ganar del gran trabajo que es echar muchas veces el caldero en el pozo y sacarle sin agua, lo dejaría todo? Y muchas veces le acaecerá aun para esto no se le alzar los brazos, ni podrá tener un buen pensamiento: que este obrar con el entendimiento, entendido va que es el sacar agua del pozo.

Pues, como digo, ¿qué hará aquí el hortelano? Alegrarse y consolarse y tener por grandísima merced de trabajar en huerto de tan gran Emperador. Y pues sabe le contenta en aquello y su intento no ha de ser contentarse a sí sino a Él, alábele mucho, que hace de él confianza, pues ve que sin pagarle nada tiene tan gran cuidado de lo que le encomendó. Y ayúdele a llevar la cruz y piense que toda la vida vivió en ella y no quiera acá su reino ni deje jamás la oración. Y así se determine, aunque para toda la vida le dure esta sequedad, no dejar a Cristo caer con la cruz. Tiempo vendrá que se lo pague por junto. No haya miedo que se pierda el trabajo.

El libro de la vida, cap. 11

***Santa Teresa de Jesús*, José de Ribera**

COMPRENSIÓN LECTORA

02 | ¿Cuál de estos dos es un texto ascético y cuál es místico? ¿En qué vía situarías uno y otro, en la purgativa, iluminativa o unitiva?

03 | ¿Qué está haciendo santa Teresa en el primer párrafo del texto II, criticando, convenciendo, justificándose, disculpándose, amenazando?

04 | ¿Con qué finalidad utiliza la autora esta comparación del huerto y del riego?

05 | En parejas, ¿creéis que por ser mujer debía redactar estas palabras así? ¿Por qué?

DESARROLLO DE LA LENGUA

06 | La autora habla de una huerta, en parejas, subrayad todos los términos que estén relacionados con ella, es decir, que pertenezcan al campo de la noción «huerta».

07 | Indicad el significado de *requiebro, entendimiento, querubines, arrobamiento* y *menester,* según el contexto en el que se encuentran. Mirad el diccionario si lo necesitáis.

08 | Al principio del texto II se habla de las personas *que no saben letras.* ¿A qué creéis que se refiere?

TRABAJO LITERARIO

09 | En parejas, señalad algunos párrafos en los que la sintaxis no sea la más adecuada y ordenadlos correctamente.

10 | ¿Por qué utilizaba santa Teresa esta forma de redactar «desaliñada»?

11 | El segundo texto de santa Teresa de Jesús explica cómo ha de ser la oración, mediante una comparación, ¿en qué otra obra literaria también se recurre a esta forma de explicar las cosas más complejas? ¿Creéis que es la forma más efectiva para hacer entender algo?

PRODUCCIÓN LITERARIA

12 | En parejas, redactad un texto expositivo que explique cómo ha de cuidarse un huerto, para obtener resultados. Luego, comparad estas razones con el estudio, tal y como hace santa Teresa de Jesús con la oración.

13 | Leedles el texto a vuestros compañeros, ¿qué pareja lo ha hecho mejor?

INVESTIGACIÓN LITERARIA

14 | En grupos, debatid y explicad las ideas centrales de los dos textos.

15 | Valorad si en la actualidad podría haber tanta espiritualidad como plantea santa Teresa de Jesús en el primer texto.

16 | En grupos, mirad esta escultura llamada *El éxtasis de santa Teresa,* de Bernini. ¿Creéis que refleja bien lo que nos dicen sus palabras? ¿Qué preferís, la imagen o sus palabras? Ofreced dos razones que justifiquen vuestra respuesta.

17 | Buscad información sobre santa Teresa de Jesús, su obra literaria y su labor como fundadora de conventos y reformadora de la orden de las Carmelitas. Luego, preparad una presentación para explicar quién fue y qué importancia tuvo esta monja española tan singular.

18 | ¿En vuestros países ha habido alguna religiosa de esta índole? Si es así, ¿quién y en qué época?

¿Cuánto sabes?

AUTOEVALUACIÓN

Lee y marca verdadero (V) o falso (F).

	V	F
a. Santa Teresa de Jesús nació en Ávila.	☐	☐
b. Esta monja escribió obras en prosa y verso.	☐	☐
c. Fue una monja dominica y reformó esta orden religiosa.	☐	☐
d. Su obra más conocida es *Las Moradas*.	☐	☐
e. Su estilo literario era elaborado y culto.	☐	☐
f. A finales del siglo XX, fue nombrada Doctora de la Iglesia junto a santa Catalina de Siena, las dos primeras mujeres que obtuvieron este título.	☐	☐
g. Santa Teresa de Jesús, junto a san Juan de la Cruz, es una representante de la literatura mística del XVI.	☐	☐

FRAY LUIS DE LEÓN

01 | Lee este poema de Fray Luis de León, «Vida retirada».

¡Qué descansada vida
la del que huye del mundanal ruïdo,
y sigue la escondida
senda, por donde han ido
los pocos sabios que en el mundo han sido;

Que no le enturbia el pecho
de los soberbios grandes el estado,
ni del dorado techo
se admira, fabricado
del sabio Moro, en jaspe sustentado!

No cura si la fama
canta con voz su nombre pregonera,
ni cura si encarama
la lengua lisonjera
lo que condena la verdad sincera.

¿Qué presta a mi contento
si soy del vano dedo señalado;
si, en busca deste viento,
ando desalentado
con ansias vivas, con mortal cuidado?

¡Oh monte, oh fuente, oh río!
¡Oh secreto seguro, deleitoso!
Roto casi el navío,
a vuestro almo reposo
huyo de aqueste mar tempestuoso.

Un no rompido sueño,
un día puro, alegre, libre quiero;
no quiero ver el ceño
vanamente severo
de a quien la sangre ensalza o el dinero.

Despiértenme las aves
con su cantar sabroso no aprendido;
no los cuidados graves
de que es siempre seguido
el que al ajeno arbitrio está atenido.

Vivir quiero conmigo,
gozar quiero del bien que debo al cielo,
a solas, sin testigo,
libre de amor, de celo,
de odio, de esperanzas, de recelo.

Del monte en la ladera,
por mi mano plantado tengo un huerto,
que con la primavera
de bella flor cubierto
ya muestra en esperanza el fruto cierto.

Y como codiciosa
por ver y acrecentar su hermosura,
desde la cumbre airosa
una fontana pura
hasta llegar corriendo se apresura.

Y luego, sosegada,
el paso entre los árboles torciendo,
el suelo de pasada
de verdura vistiendo
y con diversas flores va esparciendo.

El aire del huerto orea
y ofrece mil olores al sentido;
los árboles menea
con un manso ruïdo
que del oro y del cetro pone olvido.

Téngase su tesoro
los que de un falso leño se confían;
no es mío ver el lloro
de los que desconfían
cuando el cierzo y el ábrego porfían.

La combatida antena
cruje, y en ciega noche el claro día
se torna, al cielo suena
confusa vocería,
y la mar enriquecen a porfía.

A mí una pobrecilla
mesa de amable paz bien abastada
me basta, y la vajilla,
de fino oro labrada
sea de quien la mar no teme airada.

Y mientras miserable-
mente se están los otros abrazando
con sed insacïable
del peligroso mando,
tendido yo a la sombra esté cantando.

A la sombra tendido,
de hiedra y lauro eterno coronado,
puesto el atento oído
al son dulce, acordado,
del plectro sabiamente meneado.

COMPRENSIÓN LECTORA

02 | Indica las ideas esenciales que transmite. Escribe el listado de todas las excelencias de la vida que propone.

03 | ¿Cómo refleja el tópico del *beatus ille*? ¿Es el tema central o es secundario?

04 | En parejas, señalad tres de las características que indica Fray Luis de León como maravillosas de esta vida que también os gusten a vosotros.

05 | Indicad ventajas y desventajas de una vida de estas características.

DESARROLLO DE LA LENGUA

06 | Indica el significado de las palabras *cura, sabroso* y *mundanal,* según el contexto en el que se encuentran. Mira el diccionario, si es necesario.

07 | En parejas, marcad los usos de los adjetivos de estos versos. ¿Van delante o detrás del sustantivo al que acompañan?

08 | En parejas, ¿hay alguna oración subordinada en estos versos? ¿De qué tipo es?

TRABAJO LITERARIO

09 | En parejas, estableced la rima, el cómputo silábico y la estrofa.

10 | Indicad por qué las palabras *ruido* e *insaciable* presentan diéresis sobre la ï. ¿Qué se entiende como licencia poética?

11 | ¿Qué significa *que del oro y del cetro pone olvido*? ¿Cómo se denomina la figura retórica que se encuentra en *oro* y *cetro*?

12 | En parejas, señalad las dos metáforas que más os hayan gustado. ¿Qué clase de identificación se hace en ellas?

13 | En parejas, ¿existe algún encabalgamiento en estos versos? ¿Dónde?

PRODUCCIÓN LITERARIA

14 | En parejas, redactad un pequeño texto descriptivo (unas 300 palabras) de vuestro lugar ideal para retiraros.

15 | Preparad una presentación de ese lugar idílico y utópico que os gustaría encontrar algún día. Estableced los adjetivos que mejor lo definen y luego leédselo a vuestros compañeros. ¿En qué habéis coincidido y en qué os diferenciáis?

INVESTIGACIÓN LITERARIA

16 | En grupos, buscad información sobre Fray Luis de León y preparad una presentación para exponerla en clase.

17 | Buscad otros poetas de la Antigüedad clásica que hayan tratado también este tema. ¿En qué se diferencia Fray Luis de León de esos otros poetas?

18 | Por último, debatid si os gustaría dejar todo lo que tenéis a vuestro alrededor y dedicaros solo a vivir en una granja ecológica. Señalad pros y contras de esa posible vida alejada de todo y de todos.

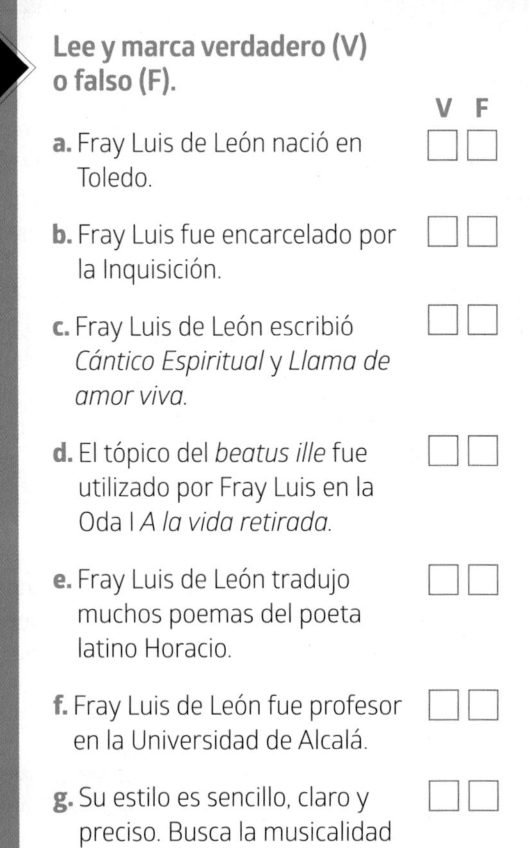

¿Cuánto sabes?

AUTOEVALUACIÓN

Lee y marca verdadero (V) o falso (F).

	V	F
a. Fray Luis de León nació en Toledo.	☐	☐
b. Fray Luis fue encarcelado por la Inquisición.	☐	☐
c. Fray Luis de León escribió *Cántico Espiritual* y *Llama de amor viva*.	☐	☐
d. El tópico del *beatus ille* fue utilizado por Fray Luis en la Oda I *A la vida retirada*.	☐	☐
e. Fray Luis de León tradujo muchos poemas del poeta latino Horacio.	☐	☐
f. Fray Luis de León fue profesor en la Universidad de Alcalá.	☐	☐
g. Su estilo es sencillo, claro y preciso. Busca la musicalidad y no el artificio.	☐	☐
h. Los encabalgamientos son muy frecuentes en su obra.	☐	☐

LAZARILLO DE TORMES

01 | Lee este fragmento del Tratado III del *Lazarillo de Tormes.*

Andando así discurriendo de puerta en puerta, con harto poco remedio, porque ya la caridad se subió al cielo, topóme Dios con un escudero que iba por la calle, con razonable vestido, bien peinado, su paso y compás en orden.

Miróme y yo a él, y díjome:

—Muchacho, ¿buscas amo?

Yo le dije:

—Sí, señor.

—Pues vente tras mí —me respondió— que Dios te ha hecho merced de topar conmigo. Alguna buena oración rezaste hoy.

Era de mañana cuando este mi tercer amo topé. [...]

A buen paso tendido comenzamos a ir calle abajo, yo iba el más alegre del mundo en ver que no nos habíamos ocupado en buscar de comer. Bien consideré que debía de ser hombre, mi nuevo amo, que se proveía en junto y que ya la comida estaría a punto.

Reunión de mendigos con Lazarillo, Francesco Sasso

En este tiempo dio el reloj la una, y llegamos a una casa, ante la cual mi amo se paró, y yo con él, y derribando el cabo de la capa sobre el lado izquierdo, sacó una llave de la manga y abrió la puerta y entramos en casa. La cual tenía la entrada oscura y lóbrega de tal manera, que parecía que ponía temor a los que en ella entraban, aunque dentro de ella estaba un patio pequeño y razonables cámaras. Desque fuimos entrados, quita de sobre sí su capa y, preguntando si tenía las manos limpias, la sacudimos y doblamos, y muy limpiamente soplando un poyo que allí estaba, la puso en él. Y hecho esto, sentóse cabo della, preguntándome muy por extenso de dónde era y cómo había venido a aquella ciudad; y yo le di más larga cuenta que quisiera, porque me parecía más conveniente hora de mandar poner la mesa y escudillar la olla que de lo que me pedía. Con todo eso, yo le satisfice de mi persona lo mejor que mentir supe. [...]

Esto hecho, estuvo así un poco, y yo luego vi mala señal, por ser ya casi las dos y no le ver más aliento de comer que a un muerto. Después desto, consideraba aquel tener cerrada la puerta con llave ni sentir arriba ni abajo pasos de viva persona por la casa. Todo lo que yo había visto eran paredes, sin ver en ella silleta, ni tajo, ni banco, ni mesa, ni aun tal arcaz: finalmente, ella parecía casa encantada. Estando así, díjome:

—Tú, mozo, ¿has comido?

—No, señor —dije yo—, que aún no eran dadas las ocho cuando con vuestra merced encontré.

—Pues, aunque de mañana, yo había almorzado, y cuando ansí como algo, hágote saber que hasta la noche me estoy ansí. Por eso, pásate como pudieres, que después cenaremos.

Vuestra merced crea, cuando esto le oí, que estuve en poco de caer de mi estado, no tanto de hambre como por conocer, de todo en todo, la fortuna serme adversa. Allí se me representaron de nuevo mis fatigas, y torné a llorar mis trabajos; allí se me vino a la memoria la consideración que hacía cuando me pensaba ir del clérigo, diciendo que, aunque aquel era desventurado y mísero, por ventura toparía con otro peor: finalmente, allí lloré mi trabajosa vida pasada y mi cercana muerte venidera. Y con todo, disimulando lo mejor que pude:

—Señor, mozo soy que no me fatigo mucho por comer, bendito Dios. Deso me podré yo alabar entre todos mis iguales por de mejor garganta, y ansí fui yo loado della fasta hoy día de los amos que yo he tenido.

—Virtud es esa —dijo él— y por eso te querré yo más, porque el hartar es de los puercos y el comer regladamente es de los hombres de bien.

—¡Bien te he entendido! —dije yo entre mí—. ¡Maldita tanta medicina y bondad como aquestos mis amos que yo hallo hallan en la hambre!

Púseme a un cabo del portal y saqué unos pedazos de pan del seno, que me habían quedado de los de por Dios. Él, que vio esto, díjome:

—Ven acá, mozo. ¿Qué comes?

Yo lleguéme a él y mostréle el pan. Tomóme él un pedazo, de tres que eran el mejor y más grande, y díjome:

—Por mi vida, que parece este buen pan.

—¡Y cómo! ¿Agora —dije yo—, señor, es bueno?

—Sí, a fe —dijo él—. ¿Adónde lo hubiste? ¿Si es amasado de manos limpias?

—No sé yo eso —le dije—; mas a mí no me pone asco el sabor dello.

—Así plega a Dios —dijo el pobre de mi amo.

Y llevándolo a la boca, comenzó a dar en él tan fieros bocados como yo en lo otro.

—Sabrosísimo pan está —dijo—, por Dios. [...]

La mañana venida levantámonos, y comienza a limpiar y sacudir sus calzas, y jubón, sayo y capa. Y vístese muy a su placer, despacio. Echéle aguamanos, peinóse y puso su espada en el talabarte, y al tiempo que la ponía, díjome:

—¡Oh, si supieses, mozo, qué pieza es esta! ¡No hay moneda en el mundo por la que yo la diese! —Y la sacó de la vaina y la tentó con los dedos. Tornóla a meter y se la ciñó. Y con un paso sosegado y el cuerpo derecho, haciendo con él y con la cabeza muy gentiles meneos, poniendo la mano derecha en el costado, salió por la puerta, diciendo:

—Lázaro, mira por la casa en tanto yo voy a oír misa, y haz la cama y ve por la vasija de agua al río, que aquí abajo está, y cierra la puerta con llave, no nos hurten algo.

Y súbese por la calle arriba con tan gentil semblante, que quien no lo conociera pensara ser muy cercano pariente del conde Arnaldos o camarero que le daba de vestir. [...]

Un día que estaba contento, contóme su hacienda y díjome ser de Castilla la Vieja y que había dejado su tierra no más que por no quitar el bonete a un caballero su vecino. Pues te hago saber que yo soy, como ves, un escudero; mas si al conde topo en la calle y no me quita el bonete, que otra vez que venga me sepa yo entrar en una casa, fingiendo yo algún negocio, o atravesar otra calle, si la hay, antes que llegue a mí, por no quitárselo. Que un hidalgo no debe a otro que a Dios. Mayormente —dijo— que no soy tan pobre que no tengo en mi tierra un solar de casas, que a estar ellas en pie y bien labradas, valdrían más de doscientos mil maravedíes. Y tengo un palomar que, a no estar derribado como está, daría cada año más de doscientos palominos. Y otras cosas que me callo, que dejé por lo que tocaba a mi honra. Y vine a esta ciudad pensando que hallaría un buen asiento; mas no me ha sucedido como pensé.

El Lazarillo de Tormes, Salamanca

COMPRENSIÓN LECTORA

02 | Resume en cinco líneas las ideas esenciales de lo que cuenta Lázaro.

03 | En parejas. Lázaro nos describe cómo era este hidalgo, que ahora es su amo. ¿Creéis que las apariencias engañan?

04 | ¿Cómo entra Lázaro al servicio del escudero? ¿Era propio de la época contratarse así? ¿Sería posible hacer esto mismo hoy? Razonad vuestras respuestas.

05 | ¿Qué busca con la mirada Lázaro cuando entra en la casa? ¿En qué cosas se fija?

06 | ¿Creéis que los dos personajes de este fragmento reflejaban una forma de vivir de la época y que esta era la habitual?

DESARROLLO DE LA LENGUA

07 | En parejas, indicad el significado de *hidalgo, calzas, jubón* y *sayo.* Mirad el diccionario, si es necesario. Buscad la imagen de un hidalgo del siglo XVI, para ilustrar la explicación.

08 | Explicad el significado de *¡Bien te he entendido! —dije yo entre mí—. ¡Maldita tanta medicina y bondad como aquestos mis amos, que yo hallo, hallan en la hambre!*

09 | En parejas, *hambre* es un sustantivo femenino, pero cuando lo acompaña el artículo, se dice *el hambre.* ¿Sabéis por qué? ¿Qué otros sustantivos conocéis que ofrezcan esta característica?

10 | ¿Sabrías distinguir entre *hambre, apetito* y *ganas de comer?* Ayudaos del diccionario. ¿Podríais construir una oración o minidiálogo con las tres palabras o expresiones?

Representación teatral del *Lazarillo* por El Brujo

TRABAJO LITERARIO

11 | En parejas, ¿podríais establecer algunos rasgos de la novela picaresca en este fragmento? ¿Dónde? ¿En Lázaro o en su amo?

12 | ¿Encontráis ironía en algún momento de este fragmento? ¿Dónde?

13 | ¿Conocéis alguna historia similar? ¿Un personaje literario que destaque solo por las apariencias?

PRODUCCIÓN LITERARIA

14 | En grupos, redactad esta historia, de forma breve, como texto descriptivo, todo en estilo indirecto.

15 | Después, leedles la historia a vuestros compañeros. ¿Cuál es más fiel al original? Valoradlas del 1 al 3.

INVESTIGACIÓN LITERARIA

16 | En parejas, ¿creéis que esta situación se produce hoy en día (que un niño tenga que buscarse un trabajo para poder comer)?

17 | En grupos, preparad una presentación para toda la clase, sobre los derechos de los menores y la explotación infantil.

18 | En grupos, buscad información sobre esta obra y redactad un ensayo sobre ella.

19 | En grupos, leed el final del *Lazarillo* y valorad si tiene un final «feliz».

20 | La novela picaresca tiene bastante tradición en la literatura española. Buscad información sobre otras novelas de este género y preparad una presentación con los títulos, argumentos, autores y fechas.

21 | En la literatura de vuestros países ¿existe también este tipo de pícaro?

¿Cuánto sabes?

AUTOEVALUACIÓN

Lee y marca verdadero (V) o falso (F).

	V	F
a. La novela picaresca es una creación genuinamente española.	☐	☐
b. Las otras literaturas europeas secundan enseguida el género picaresco.	☐	☐
c. Lo importante de la novela picaresca es lo que se cuenta y no cómo se cuenta.	☐	☐
d. *Lazarillo de Tormes* cuenta su historia a través del diálogo.	☐	☐
e. *Lazarillo de Tormes* consta de cinco tratados que cuentan la vida de Lázaro.	☐	☐
f. *Lazarillo de Tormes* fue uno de los libros perseguidos por la Inquisición.	☐	☐

LOPE DE RUEDA

01 | Lee este paso de Lope de Rueda.

LAS ACEITUNAS

TORUVIO, simple, viejo
ÁGUEDA, su mujer
MENCIGÜELA, su hija
ALOXA, vecino

TORUVIO. ¡Válgame Dios, la que cae desde el monte acá, que parece que el cielo se hunde! En fin, ¿qué tendrá preparado de comer mi señora esposa? ¡Así mala rabia la mate! *(Llama a la puerta)*. ¡Eo! ¡Muchacha! ¡Manigüera! ¡Pues no estarán durmiendo! ¡Águeda! ¡Eo!

MENCIGÜELA. *(Abre)*. ¡Jesús, padre! ¿Tenéis que romper la puerta?

TORUVIO. ¡Calla, calla! ¿Dónde está vuestra madre, señora?

MENCIGÜELA. Allá está, en casa de la vecina, que la ha ido a ayudar a coser unas madejillas.

TORUVIO. ¡Malas madejillas vengan por ella y por vos! ¡Andad y llamadla! *(Sale la niña a buscarla)*.

ÁGUEDA. *(Vuelven)*. Ya está, ya está, el señor importante, ya viene de hacer una triste carguilla de leña, que no hay quien se entienda con él.

TORUVIO. Sí... ¿Carguilla de leña le parece a la señora? Juro al cielo de Dios que éramos yo y vuestro ahijado y no podíamos.

Lope de Rueda

ÁGUEDA. Ya, ya, marido. ¡Y qué mojado que venís!

TORUVIO. Vengo hecho una sopa de agua. Mujer, por vida vuestra, que me deis algo de cenar.

ÁGUEDA. ¿Yo qué diablos os tengo de dar, si no tengo nada?

MENCIGÜELA. ¡Jesús, padre, y qué mojada que venía aquella leña!

TORUVIO. Sí, después dirá tu madre que es el rocío de la mañana...

ÁGUEDA. Corre, muchacha; haz un par de huevos para que cene tu padre y hazle la cama. Estoy segura de que no os habéis acordado de plantar el renuevo de aceitunas que os pedí.

TORUVIO. ¿Y por qué he tardado tanto si no era porque lo estaba plantando?

ÁGUEDA. Callad, marido. ¿Y adónde lo plantaste?

TORUVIO. Allí junto a la higuera donde, si os acordáis, os di un beso.

MENCIGÜELA. Padre, puede entrar a cenar, que ya está.

ÁGUEDA. Marido, ¿sabéis qué he pensado? Que aquel renuevo de aceitunas que plantaste hoy, de aquí a seis o siete años llevará 200 o 300 kilos de aceitunas. Y que, poniendo plantas aquí y plantas allá, de aquí a veinticinco o treinta años tenéis un olivar hecho y derecho.

TORUVIO. Eso es verdad, mujer; que no puede dejar de ser lindo.

ÁGUEDA. Mira, marido, ¿sabéis qué he pensado? Que yo cogeré la aceituna y vos la llevaréis con el asnillo y Mencigüela la venderá en la plaza. Y mira, muchacha, que te mando que no me cobres el celemín a menos de dos reales castellanos.

TORUVIO. ¿Cómo a dos reales castellanos? ¿No veis que es cargo de conciencia? Que basta pedir catorce o quince dineros por celemín [la mitad de lo que quería pedir la mujer].

ÁGUEDA. Callad, marido, que ese olivar es de la cepa de la casta de los de Córdoba.

TORUVIO. Pues aunque sea de la casta de los de Córdoba, basta pedir lo que tengo dicho.

ÁGUEDA. No me quebréis la cabeza. Mira, muchacha, que te mando que no des menos el kilo de a dos reales.

TORUVIO. ¿Cómo a dos reales? Ven acá, muchacha, ¿a cómo has de pedir?

MENCIGÜELA. A como queráis, padre.

TORUVIO. A catorce o quince dineros.

MENCIGÜELA. Así lo haré, padre.

ÁGUEDA. ¡¿Cómo «así lo haré, padre»?! Ven acá, muchacha: ¿a cómo has de pedir?

MENCIGÜELA. A como mandéis, madre.

ÁGUEDA. A dos reales.

TORUVIO. ¿Cómo a dos reales? Yo os prometo que, si no hacéis lo que yo os mando, os daré más de doscientos correazos. ¿A cómo has de pedir?

MENCIGÜELA. A como decís vos, padre.

TORUVIO. A catorce o quince dineros.

MENCIGÜELA. Así lo haré, padre.

ÁGUEDA. ¡¿Cómo «así lo haré, padre»?! *(Pegándole)*. Toma, toma, haced lo que yo os mando.

TORUVIO. Dejad a la muchacha.

MENCIGÜELA. ¡Ay, madre! ¡Ay, padre, que me mata!

ALOXA. ¿Qué es esto, vecinos? ¿Por qué maltratáis así a la muchacha?

ÁGUEDA. ¡Ay, señor! Este mal hombre que me quiere vender las cosas a menos precio y quiere echar a perder mi casa. ¡Unas aceitunas que son como nueces!

TORUVIO. Yo juro por mis muertos que no son aun ni como piñones.

ÁGUEDA. ¡Sí son!

TORUVIO. ¡No son!

ÁGUEDA. ¡Sí son!

TORUVIO. ¡No son!

ALOXA. Señora vecina, tened la bondad de entrar, que yo lo averiguaré todo.

ÁGUEDA. ¡Averiguadlo!

ALOXA. Señor vecino, ¿dónde están las aceitunas? Sacadlas acá fuera, que yo las compraré, aunque sean veinte kilos.

TORUVIO. Que no, señor, que no es de esa manera que vuestra merced se piensa; que no están las aceitunas aquí en casa, sino en el campo.

ALOXA. Pues traedlas aquí, que yo os las compraré todas al precio que justo fuera.

MENCIGÜELA. A dos reales quiere mi madre que se venda el kilo.

ALOXA. Cara cosa es esa.

TORUVIO. ¿No le parece a vuestra merced?

MENCIGÜELA. Y mi padre a catorce o quince dineros.

ALOXA. Tenga yo una muestra de ellas.

TORUVIO. ¡Válgame Dios, señor! Vuestra merced no me quiere entender... Hoy yo he plantado un renuevo de aceitunas y dice mi mujer que de aquí a seis o siete años llevará 200 o 300 kilos de aceituna y que ella la cogería y que yo la llevara y la muchacha la vendiese. Y que había de pedir a dos reales el kilo. Yo, que no; y ella, que sí. Y sobre esto ha sido la cuestión.

ALOXA. ¡Vaya discusión! Nunca lo había visto. ¡Las aceitunas no están plantadas y a la niña ya le encargaban que las vendiesen!

MENCIGÜELA. ¿Qué le parece, señor?

TORUVIO. No llores, chica. Andad, hija, y ponedme la mesa, que yo os prometo comprar un vestido con las primeras aceitunas vendidas.

ALOXA. Así me gusta, vecino; entraos allá y tened paz con vuestra mujer.

TORUVIO. Adiós, señor.

ALOXA. *(Al público)*. ¡Qué cosas más raras vemos en esta vida! ¡Las aceitunas no están plantadas, y ya las hemos visto reñidas! Razón será que dé fin a mi embajada.

(versión actualizada)

COMPRENSIÓN LECTORA

02 | En parejas, resumid el argumento del que trata.

03 | ¿Creéis que una discusión así se podría producir en la actualidad?

04 | ¿Qué os parecen las respuestas de Águeda a su marido?

05 | En parejas, ¿el marido es muy exigente con su mujer?

06 | ¿Os parecen las respuestas de la niña acertadas?

07 | ¿Qué le pide el vecino Aloxa al padre?

DESARROLLO DE LA LENGUA

08 | En parejas, indicad el significado de *renuevo, hecho y derecho, venir hecho una sopa, plaza* y *reñidas,* según el contexto en el que se encuentran. Ayudaos del diccionario, si es necesario.

09 | *Ya viene de hacer una triste carguilla de leña,* dice Águeda al principio del paso. En parejas, decid si hay ironía en esta frase e indicad qué recursos lingüísticos se emplean para ello.

TRABAJO LITERARIO

10 | En parejas, ¿este paso es un texto narrativo o dramático? Razonad la respuesta.

11 | ¿Creéis que las acotaciones que figuran son suficientes o añadiríais alguna más? ¿Dónde? ¿Qué diríais?

12 | ¿Cómo se tratan el marido y la mujer: de tú o de usted? ¿Y los padres con la hija?

13 | En parejas, ¿a qué otro texto de los estudiados en la unidad anterior os recuerda?, ¿por qué? ¿El final es el mismo? ¿Cuál de los dos es más sensato?

PRODUCCIÓN LITERARIA

14 | Redactad el argumento de este paso en un texto expositivo. Luego leedlo a vuestros compañeros, ¿quiénes han sabido resumir mejor todas las ideas?

15 | Cread un paso de similares características y representadlo ante vuestros compañeros. No debéis olvidar el sentido del humor.

INVESTIGACIÓN LITERARIA

16 | En grupos, debatid el tratamiento de la mujer en este paso, tanto el de la mujer casada como el de la hija. ¿Creéis que existe un comportamiento machista?

17 | Buscad información de cómo nace el teatro en la Edad Media y de cómo deriva hasta llegar a estos «pasos», es decir, desde el *Auto de los Reyes Magos* hasta este autor.

18 | Buscad información sobre el teatro italiano renacentista, la denominada *Comedia del arte,* y sobre Lope de Rueda. Preparad una presentación para vuestros compañeros, basada en estas preguntas de investigación:

1) ¿La obra de Lope de Rueda se vio influida por el teatro italiano?

2) ¿La obra de Lope de Rueda es genuinamente española?

19 | En grupos, investigad quiénes fueron **Torres Naharro** y **Gil Vicente** y qué relación tuvieron con Lope de Rueda.

¿Cuánto sabes?

AUTOEVALUACIÓN

Lee y marca verdadero (V) o falso (F).

	V	F
a. Lope de Rueda fue actor y dramaturgo.	☐	☐
b. Los pasos constituyen un género dramático.	☐	☐
c. La denominación de paso es de Lope de Rueda.	☐	☐
d. El paso era una obra teatral de larga duración.	☐	☐
e. La historia que desarrollaban los pasos era trágica.	☐	☐
f. El paso pertenecía al género de teatro religioso.	☐	☐
g. Torres Naharro y Lope de Rueda fueron coetáneos.	☐	☐
h. La farsa, el paso y el entremés son denominaciones de una misma forma dramática.	☐	☐
i. El objetivo principal de un paso es el entretenimiento.	☐	☐
j. Lope de Rueda es, ante todo, un profesional de la escena.	☐	☐

Representación en un corral de comedias de *El médico a palos,* de Molière

unidad

4

Don Quijote y Sancho Panza. Martín de la Cruz

Contexto histórico

- **Concilio de Trento** (1545-1563)
- **Abdicación de Carlos I de España y V de Alemania** (1556)
- **Coronación de su hijo, Felipe II, en Valladolid** (1556)
- **Victoria de España sobre los franceses en la batalla de San Quintín** (1557)
- **Sublevación de los moriscos en Granada** (1568)
- **Chipre es conquistada por los turcos y se organiza la Liga Santa,** coalición católica para luchar contra el Imperio otomano (1569)
- **Batalla de Lepanto de la Liga Santa contra los turcos** (1571)
- **Felipe II es nombrado rey de Portugal** (1581)
- **Derrota de la Armada Invencible española** por parte de los ingleses (1588)
- **Muerte de Felipe II y su sucesión por parte de su hijo Felipe III** (1598-1621)
- **Epidemia de peste en España** (1599)
- **Decreto de expulsión de los moriscos de España** (1609)

Los siglos XVI-XVII

MIGUEL DE CERVANTES

Contexto artístico

- **Entrada del erasmismo en España,** perseguido en los últimos años del reinado de Felipe II
- **Surgimiento del manierismo** (segunda mitad del siglo XVI): movimiento estético de transición hacia el Barroco
- **El arquitecto Juan de Herrera** (1530-1597) y el monasterio de El Escorial
- **El Greco** (1541-1614) pintor genio del manierismo español
- **William Shakespeare** (1564-1616), poeta y dramaturgo inglés
- **Galileo Galilei** (1564-1642), astrónomo y científico italiano
- **Claudio Monteverdi** (1567-1643). compositor y cantante italiano

Monasterio de San Lorenzo de El Escorial

Laocoonte y sus hijos, el Greco

Galileo

MIGUEL DE CERVANTES

Miguel de Cervantes (1547-1616) es el autor de *Don Quijote de la Mancha,* obra maestra considerada la primera novela realista moderna y que crea el género narrativo tal y como se concibe hoy. Es el libro más traducido después de la Biblia.

Características básicas

- Miguel de Cervantes cultivó los tres géneros: narrativa, poesía y teatro.
- Su obra literaria se caracteriza por la reflexión, la crítica social, el conocimiento de la psicología humana y la madurez.
- Muestra un gran dominio de la lengua y de los amplios recursos que esta ofrece.
- Su estilo es sencillo, natural, ágil y fluido. Tras este estilo, se perciben el humor, la ironía y, en muchos casos, la parodia. Todo ello demuestra que Cervantes fue un gran conocedor de la literatura y un gran pensador.
- Sus novelas muestran un afán renovador, ya que experimenta con los tipos narrativos al uso: la novela picaresca, la novela pastoril, la novela bizantina, los libros de caballerías, etc.
- La gran genialidad de la obra narrativa de Cervantes radica en la mezcla de recursos (algo que se realiza por primera vez en la literatura mundial) y en la **metaficción,** concepto desconocido por entonces.
- En cuanto a las *Novelas ejemplares,* se trata de 12 novelas cortas que siguen el modelo establecido en Italia. Su nombre viene dado por el propio Cervantes, porque «si bien lo miras, no hay ninguna de quien no se pueda sacar algún ejemplo provechoso». El binomio provecho-entretenimiento es indisoluble en el concepto cervantino de la novela.

Miguel de Cervantes

- Sus personajes son reales y cotidianos, salvo don Quijote, con el que crea un arquetipo universal.
- Su obra poética es notable y muestra que conocía los metros y estrofas más relevantes de la época.
- Su producción dramática (su primer interés, aunque con ella no alcanzó el éxito) reúne las características de épocas precedentes (en las tragedias) y manifiesta la crítica social en las comedias (especialmente, en los entremeses). Los personajes dramáticos son alegóricos en muchos casos y representan psicologías complejas. En la creación de sus obras dramáticas, siguió los cánones establecidos.

Obras destacables

Don Quijote de la Mancha, Novelas ejemplares, Entremeses, La Galatea, Viaje del Parnaso, Los baños de Argel, Numancia y *Los trabajos de Persiles y Sigismunda*

Escena del *Quijote*, J. Nido Navas

Temas de la obra cervantina

◆ Se da una gran importancia a la psicología de los personajes. En las obras de Cervantes aparecen personas reales con problemas cotidianos y conflictos morales, sociales y vitales. Gran conocedor del género humano, por sus múltiples viajes y sus amplias lecturas, nada humano le es ajeno. Siempre aporta a cada conflicto su visión individual, fruto de la observación minuciosa y de la reflexión. Imbuido de las ideas humanistas y del erasmismo de su época, Cervantes centra todos los temas en el ser humano, sea hombre o mujer.

◆ Los personajes femeninos manifiestan plenitud en sus juicios, libertad en sus decisiones y capacidad de actuación en sus peripecias. Son mujeres actuales, decididas y con conciencia de lo que son y comportan. Los hombres, a su vez, tampoco quedan desdibujados. Son hombres preocupados por sus familias, por problemas morales, por cuestiones económicas, religiosas o políticas, por el estudio o por medrar socialmente.

◆ Entre sus temas, destacan el amor en general y el amor romántico e idealizado, la muerte, la ambición, la libertad, la injusticia social, el exilio, la caballerosidad (en el sentido de generosa nobleza de ánimo) y, en menor medida, pero no alejada de sus propósitos, está la reflexión literaria, el juicio crítico sobre la literatura, sobre qué es y cómo debería ser.

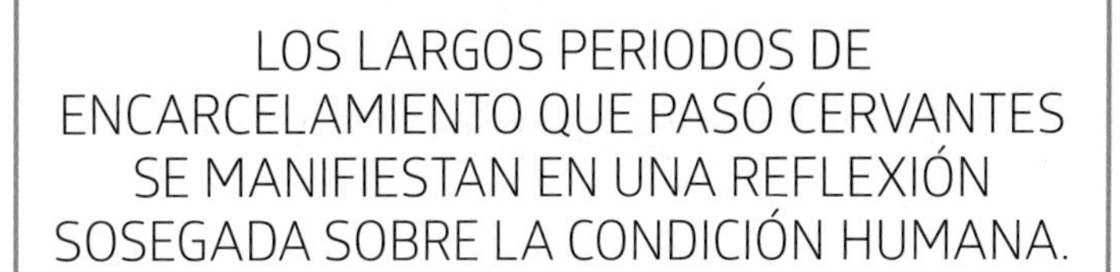
LOS LARGOS PERIODOS DE ENCARCELAMIENTO QUE PASÓ CERVANTES SE MANIFIESTAN EN UNA REFLEXIÓN SOSEGADA SOBRE LA CONDICIÓN HUMANA.

Influencia de Cervantes en la literatura posterior

◆ La influencia de Cervantes se da ya en su propia época porque es el primer libro que tiene una secuela (apócrifa) en vida del autor, lo que le obligó a escribir su segunda parte del *Quijote*, para evitar equívocos. Sin embargo, la obra de Cervantes no influyó realmente hasta muchas décadas después en la literatura en español.

◆ En Inglaterra, el *Quijote* sí tuvo una resonancia rápida y decisiva. Su primera parte se tradujo al inglés un año después de editarse en España, aunque esa traducción se publicaría un poco más tarde, en 1612. La segunda parte del *Quijote* en inglés se publicó en 1620, apenas cinco años después del original cervantino. William Shakespeare debió de leer a Cervantes, pues hay pruebas de que compuso una obra dramática en colaboración con John Fletcher, *Cardenio* (1613), inspirada en un personaje secundario del *Quijote*.

◆ Inglaterra fue el primer país fuera de los territorios del Imperio español donde se publicó, en 1738, una cuidada edición del *Quijote* en su lengua original. Entre 1612 y 1800, hubo no menos de 53 ediciones distintas del *Quijote* en inglés, debidas a ocho traductores, seis de los cuales son del siglo XVIII. Esto implica que, en una época como el siglo de la Ilustración, donde la literatura francesa dominaba toda Europa (España incluida), el *Quijote*, sin embargo, fue un texto muy conocido, admirado, adaptado e imitado en Inglaterra. Ningún otro país fue tan fiel a Cervantes y su obra maestra como Inglaterra en el siglo XVIII, hasta el punto de que la literatura inglesa de esa época y la novela del siglo XIX no se entienden sin la influencia del *Quijote*.

◆ En el siglo XVII, se publicaron 53 ediciones del *Quijote*, 30 de ellas en español y 23 en otras lenguas, es decir, un 43,3% de las ediciones eran ya en lenguas distintas del español. Hubo 10 ediciones en francés, 8 en inglés, 3 en italiano, una en holandés y otra en alemán. En el siglo XVIII, curiosamente, las ediciones españolas fueron minoría frente a las extranjeras (41 en español frente a 83 en otras lenguas, de las cuales la mayoría eran francesas, con 40 ediciones, seguidas de las inglesas con 29). En el siglo XIX, las ediciones extranjeras continuaron ganando a las españolas: hubo un 44,2% de ediciones en español y un 55,7% de ediciones en otras lenguas, la mayor parte en inglés.

◆ El escritor decisivo en la influencia de Cervantes en toda la novela europea es el inglés Henry Fielding (1707-1754). Sus dos grandes novelas, *Joseph Andrews* (1742) y *Tom Jones* (1749), se inspiran en el *Quijote;* el título completo de la primera lo demuestra: *La historia de las aventuras de Joseph Andrews y su amigo el señor Abraham Adams, escrita a imitación del estilo de Cervantes, autor de Don Quijote.* El éxito popular de *Tom Jones* (donde se encuentra un párrafo que es copia del principio del *Quijote*) fue grandioso y no solo en Inglaterra, sino en toda Europa durante el siglo XVIII.

◆ El otro gran escritor que siguió los pasos de Cervantes fue Charles Dickens, gran admirador de Fielding y, a través de él, de Cervantes. Sobre la huella de Cervantes en Dickens puede mencionarse su primera novela, *Los papeles del club Pickwick* (1836), donde el lector fácilmente asocia la pareja Samuel Pickwick-Sam Weller con don Quijote-Sancho. La estructura episódica y de viajes es claramente un calco de las novelas de Fielding que, a su vez, imitan el *Quijote*.

MIGUEL DE CERVANTES

DON QUIJOTE DE LA MANCHA

01 | Lee este fragmento del *Quijote.*

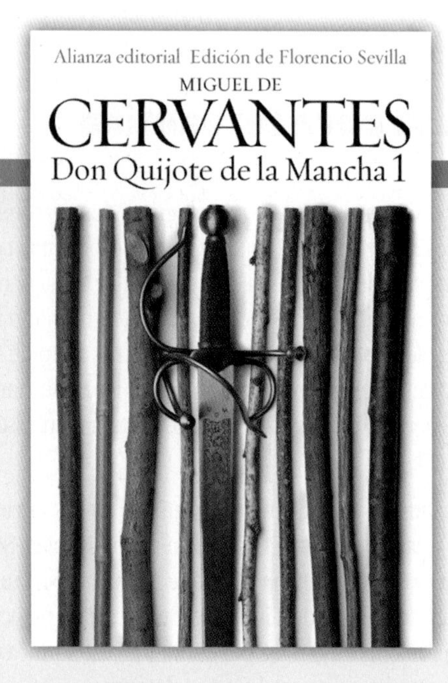

—No vengo, ¡oh, Ambrosio!, a ninguna cosa de las que has dicho —respondió Marcela—, sino a volver por mí misma y a dar a entender cuán fuera de razón van todos aquellos que de sus penas y de la muerte de Grisóstomo me culpan; y, así, ruego a todos los que aquí estáis me estéis atentos, que no será menester mucho tiempo ni gastar muchas palabras para persuadir una verdad a los discretos. Hízome el cielo, según vosotros decís, hermosa, y de tal manera, que, sin ser poderosos a otra cosa, a que me améis os mueve mi hermosura, y por el amor que me mostráis decís y aun queréis que esté yo obligada a amaros. Yo conozco, con el natural entendimiento que Dios me ha dado, que todo lo hermoso es amable; mas no alcanzo que, por razón de ser amado, esté obligado lo que es amado por hermoso a amar a quien lo ama. Y más, que podría acontecer que el amador de lo hermoso fuese feo, y siendo lo feo digno de ser aborrecido, cae muy mal el decir «Quiérote por hermosa: hazme de amar aunque sea feo». Pero, puesto caso que corran igualmente las hermosuras, no por eso han de correr iguales los deseos, que no todas hermosuras enamoran: que algunas alegran la vista y no rinden la voluntad; que si todas las bellezas enamorasen y rindiesen, sería un andar las voluntades confusas y descaminadas, sin saber en cuál habían de parar, porque, siendo infinitos los sujetos hermosos, infinitos habían de ser los deseos. Y, según yo he oído decir, el verdadero amor no se divide, y ha de ser voluntario, y no forzoso. Siendo esto así, como yo creo que lo es, ¿por qué queréis que rinda mi voluntad por fuerza, obligada no más de que decís que me queréis bien? Si no, decidme: si como el cielo me hizo hermosa me hiciera fea, ¿fuera justo que me quejara de vosotros porque no me amaseis? Cuanto más, que habéis de considerar que yo no escogí la hermosura que tengo, que tal cual es el cielo me la dio de gracia, sin yo pedirla ni escogerla. Y así como la víbora no merece ser culpada por la ponzoña que tiene, puesto que con ella mata, por habérsela dado naturaleza, tampoco yo merezco ser reprehendida por ser hermosa, que la hermosura en la mujer honesta es como el fuego apartado o como la espada aguda, que ni él quema ni ella corta a quien a ellos no se acerca. La honra y las virtudes son adornos del alma, sin las cuales el cuerpo, aunque lo sea, no debe de parecer hermoso. Pues si la honestidad es una de las virtudes que al cuerpo y al alma más adornan y hermosean, ¿por qué la ha de perder la que es amada por hermosa, por corresponder a la intención de aquel que, por solo su gusto, con todas sus fuerzas e industrias procura que la pierda? Yo nací libre, y para poder vivir libre escogí la soledad de los campos: los árboles de estas montañas son mi compañía; las claras aguas de estos arroyos, mis espejos; con los árboles y con las aguas comunico mis pensamientos y hermosura. Fuego soy apartado y espada puesta lejos. A los que he enamorado con la vista he desengañado con las palabras; y si los deseos se sustentan con esperanzas, no habiendo yo dado alguna a Grisóstomo, ni a otro alguno el fin de ninguno de ellos, bien se puede decir que antes le mató su porfía que mi crueldad. Y si se me hace cargo que eran honestos sus pensamientos y que por esto estaba obligada a corresponder a ellos, digo que cuando en ese mismo lugar donde ahora se cava su sepultura me descubrió la bondad de su intención, le dije yo que la mía era vivir en perpetua soledad y de que sola la tierra gozase el fruto de mi recogimiento y los despojos de mi hermosura; y si él, con todo este desengaño, quiso porfiar contra la esperanza y navegar contra el viento, ¿qué mucho que se anegase en la mitad del golfo de su desatino? Si yo le entretuviera, fuera falsa; si le contentara, hiciera contra mi mejor intención y presupuesto. Porfió desengañado, desesperó sin ser aborrecido: ¡mirad ahora si será razón que de su pena se me dé a mí la culpa! Quéjese el engañado, desespérese aquel a quien le faltaron las prometidas esperanzas, confíese el que yo llamare, ufánese el que yo admitiere; pero no me llame cruel ni homicida aquel a quien yo no prometo, engaño, llamo ni admito. El cielo aún hasta ahora no ha querido que yo ame por destino, y el pensar que tengo de amar por elección es escusado. Este general desengaño sirva a cada uno de los que me solicitan de su particular provecho; y entiéndase de aquí adelante que, si alguno por mí muriere, no muere de celoso ni desdichado, porque quien a nadie quiere a ninguno debe dar celos, que los desengaños no se han de tomar en cuenta de desdenes. El que me llama fiera y basilisco déjeme como cosa perjudicial y mala; el que me llama ingrata no me sirva; el que desconocida, no me conozca; quien cruel, no me siga; que esta fiera, este basilisco, esta ingrata, esta cruel y esta desconocida ni los buscará, servirá, conocerá, ni seguirá en ninguna manera. Que, si a Grisóstomo mató su impaciencia y arrojado deseo, ¿por qué se ha de culpar mi honesto proceder y recato? Si yo conservo mi limpieza con la compañía de los árboles, ¿por qué ha de querer que la pierda el que quiere que la tenga con los hombres? Yo, como sabéis, tengo riquezas propias, y no codicio las ajenas; tengo libre condición, y no gusto de sujetarme; ni quiero ni aborrezco a nadie; no engaño a este ni solicito aquel; ni burlo con uno ni me entretengo con el otro. La conversación honesta de las zagalas de estas aldeas y el cuidado de mis cabras me entretiene. Tienen mis deseos por término estas montañas, y si de aquí salen es a contemplar la hermosura del cielo, pasos con que camina el alma a su morada primera.

Y en diciendo esto, sin querer oír respuesta alguna, volvió las espaldas y se entró por lo más cerrado de un monte que allí cerca estaba, dejando admirados tanto de su discreción como de su hermosura a todos los que allí estaban. Y algunos dieron muestras (de aquellos que de la poderosa flecha de los rayos de sus bellos ojos estaban heridos) de quererla seguir, sin aprovecharse del manifiesto desengaño que habían oído. Lo cual visto por don Quijote, pareciéndole que allí venía bien usar de su caballería, socorriendo a las doncellas menesterosas, puesta la mano en el puño de su espada, en altas e inteligibles voces dijo:

—Ninguna persona, de cualquier estado y condición que sea, se atreva a seguir a la hermosa Marcela, so pena de caer en la furiosa indignación mía. Ella ha mostrado con claras y suficientes razones la poca o ninguna culpa que ha tenido en la muerte de Grisóstomo y cuán ajena vive de condescender con los deseos de ninguno de sus amantes; a cuya causa es justo que, en lugar de ser seguida y perseguida, sea honrada y estimada de todos los buenos del mundo, pues muestra que en él ella es sola la que con tan honesta intención vive.

Primera parte, capítulo XIV

COMPRENSIÓN LECTORA

02 | En parejas, ¿creéis que la respuesta que da la pastora Marcela responde al prototipo de mujer de la época?

03 | Resume las ideas esenciales del comportamiento de Marcela.

04 | ¿Os sorprende su alegato? Razonad vuestra respuesta.

05 | Valora cómo reacciona don Quijote. ¿Actúa como un caballero andante o su defensa es solo caballerosa?

06 | ¿Qué os parece la reacción de los amigos de Grisóstomo que intentan seguir a Marcela? ¿Sería un comportamiento normal en el siglo XXI?, ¿y a principios del siglo XVII, cuando se redactó esta novela?

DESARROLLO DE LA LENGUA

07 | En parejas, buscad el significado en el diccionario de estas palabras: *menester, ponzoña, reprehendida, ufanarse, forzoso, hermosear, porfía* y *recato*. ¿Podrías citar un sinónimo y un antónimo de cada una de ellas?

08 | En parejas, ¿a qué tiempo y modo verbal se corresponde la forma *admitiere?*

09 | En parejas, indicad cuál es el sentido que tienen *industrias* y *basilisco* en el texto. ¿Conocéis el significado de la expresión *estar hecho(a) un basilisco?* Explicadla y poned un ejemplo.

10 | En grupos, indicad qué quieren decir las siguientes tres expresiones: *persuadir una verdad a los discretos, sin ser poderosos a otra cosa* y *rinden la voluntad.*

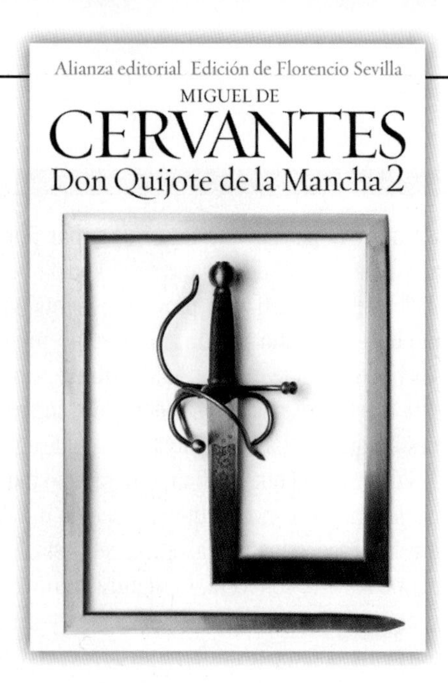

TRABAJO LITERARIO

11 | En parejas. En el texto hay algunas enumeraciones. Señalad al menos una.

12 | Señalad cómo se denominan las tres figuras literarias que se encuentran en estos fragmentos:

a) *puesto caso que corran igualmente las hermosuras, no por eso han de correr iguales los deseos;*

b) *tengo riquezas propias, y no codicio las ajenas; tengo libre condición, y no gusto de sujetarme;*

c) *la mujer honesta es como el fuego apartado o como la espada aguda.*

13 | En grupos, ¿qué recurso literario emplea Cervantes en estos textos?

a) *El que me llama fiera y basilisco déjeme como cosa perjudicial y mala; el que me llama ingrata no me sirva; el que desconocida, no me conozca; quien cruel, no me siga; que esta fiera, este basilisco, esta ingrata, esta cruel y esta desconocida ni los buscará, servirá, conocerá, ni seguirá en ninguna manera…*

b) *Quéjese el engañado, desespérese aquel a quien le faltaron las prometidas esperanzas, confíese el que yo llamare, ufánese el que yo admitiere; pero no me llame cruel ni homicida aquel a quien yo no prometo, engaño, llamo ni admito.*

PRODUCCIÓN LITERARIA

14 | En parejas. Don Quijote salió en busca de aventuras, pero ¿este episodio puede considerarse una aventura? ¿Cómo entendemos hoy una aventura? Razonad la respuesta.

15 | En parejas. El *Quijote* cuenta las historias del viaje de su protagonista lleno de increíbles aventuras. Escribid a vuestra manera una aventura extraída de alguna obra literaria en español o en vuestro idioma que creáis que puede encajar en el *Quijote.*

16 | En parejas, leed la aventura a vuestros compañeros. ¿Cuál es la más adecuada para el *Quijote?* Valoradlas del 1 al 3.

INVESTIGACIÓN LITERARIA

17 | En grupos, buscad información sobre Cervantes y el *Quijote.* Luego preparad una presentación para todos vuestros compañeros. ¿Qué grupo ha dado más información valorativa sobre su obra?

18 | En grupos, ¿sabéis por qué se considera que con el *Quijote* se inicia la novela en la literatura mundial? Investigad sobre ello.

19 | En grupos, buscad información sobre los relatos largos que actúan como precedente del *Quijote* y estableced diferencias y similitudes. No olvidéis que en la época clásica existían relatos largos, que podrían denominarse en la actualidad novelas.

20 | Lee este otro fragmento de la primera parte del *Quijote.*

Y diciendo esto se adelantó y se puso en la mitad del camino por donde los frailes venían, y, en llegando tan cerca que a él le pareció que le podrían oír lo que dijese, en alta voz, dijo:

—Gente endiablada y descomunal, dejad luego al punto las altas princesas que en ese coche lleváis forzadas; si no, aparejaos a recibir presta muerte, por justo castigo de vuestras malas obras.

Detuvieron los frailes las riendas, y quedaron admirados así de la figura de don Quijote como de sus razones, a las cuales respondieron:

—Señor caballero, nosotros no somos endiablados ni descomunales, sino dos religiosos de san Benito que vamos por nuestro camino, y no sabemos si en este coche vienen o no ningunas forzadas princesas.

—Para conmigo no hay palabras blandas, que ya yo os conozco, fementida canalla —dijo don Quijote.

Y sin esperar más respuesta picó a Rocinante y, la lanza baja, arremetió contra el primero fraile, con tanta furia y denuedo, que si el fraile no se dejara caer de la mula él le hiciera venir al suelo mal de su grado, y aun malherido, si no cayera muerto. El segundo religioso, que vio del modo que trataban a su compañero, puso piernas al castillo de su buena mula, y comenzó a correr por aquella campaña, más ligero que el mismo viento.

Sancho Panza, que vio en el suelo al fraile, apeándose ligeramente de su asno arremetió a él y le comenzó a quitar los hábitos. Llegaron en esto dos mozos de los frailes y preguntáronle que por qué lo desnudaba. Respondióles Sancho que aquello le tocaba a él legítimamente como despojos de la batalla que su señor don Quijote había ganado. Los mozos, que no sabían de burlas, ni entendían aquello de despojos ni batallas, viendo que ya don Quijote estaba desviado de allí hablando con las que en el coche venían, arremetieron con Sancho y dieron con él en el suelo, y, sin dejarle pelo en las barbas, lo molieron a coces y le dejaron tendido en el suelo, sin aliento ni sentido. Y, sin detenerse un punto, tornó a subir el fraile, todo temeroso y acobardado y sin color en el rostro; y cuando se vio a caballo, picó tras su compañero, que un buen espacio de allí lo estaba aguardando, y esperando en qué paraba aquel sobresalto, y, sin querer aguardar el fin de todo aquel comenzado suceso, siguieron su camino, haciéndose más cruces que si llevaran al diablo a las espaldas.

Primera parte, capítulo VIII

21 | Resume lo que sucede en esta escena.

22 | ¿Por qué Sancho Panza empieza a desnudar al fraile?

23 | Mientras don Quijote ataca a un fraile, ¿qué hace el otro?

24 | ¿Por qué adjetivo se puede sustituir la expresión *sin color en el rostro?*

25 | ¿Qué significan las palabras *denuedo, presto, descomunal, fementida, canalla* y *arremeter?* Ayudaos del diccionario.

26 | En grupos, ¿sabéis qué podría significar en la época que se atacara así a dos frailes? ¿Sería igual de grave que si don Quijote hubiera atacado a dos simples viajeros?

27 | Buscad información sobre la Inquisición y sobre lo que significaba en aquella época atacar a la Iglesia.

28 | Lee este otro fragmento de la segunda parte de *Don Quijote de la Mancha.*

Se presentaron dos hombres ancianos; el uno traía una cañaheja por báculo, y el sin báculo dijo:

—Señor, a este buen hombre le presté hace días diez escudos de oro en oro, por hacerle placer y buena obra, con condición que me los volviese cuando se los pidiese. Pasáronse muchos días sin pedírselos, por no ponerle en mayor necesidad de volvérmelos que la que él tenía cuando yo se los presté; pero por parecerme que se descuidaba en la paga se los he pedido una y muchas veces, y no solamente no me los vuelve, pero me los niega y dice que nunca tales diez escudos le presté, y que, si se los presté, que ya me los ha vuelto. Yo no tengo testigos ni del prestado ni de la vuelta, porque no me los ha vuelto. Querría que vuestra merced le tomase juramento, y si jurare que me los ha vuelto, yo se los perdono para aquí y para delante de Dios.

—¿Qué decís vos a esto, buen viejo del báculo? —dijo Sancho.

A lo que dijo el viejo:

—Yo, señor, confieso que me los prestó [...]; y pues él lo deja en mi juramento, yo juraré como se los he vuelto y pagado real y verdaderamente.

Bajó el gobernador la vara, y, en tanto, el viejo del báculo dio el báculo al otro viejo, que se le tuviese en tanto que juraba, como si le embarazara mucho, y luego puso la mano en la cruz de la vara, diciendo que era verdad que se le habían prestado aquellos diez escudos que se le pedían, pero que él se los había vuelto de su mano a la suya, y que por no caer en ello se los volvía a pedir por momentos. Viendo lo cual el gran gobernador, preguntó al acreedor qué respondía a lo que decía su contrario, y dijo que sin duda alguna su deudor debía de decir verdad, porque le tenía por hombre de bien y buen cristiano, y que a él se le debía de haber olvidado el cómo y cuándo se los había vuelto, y que desde allí en adelante jamás le pediría nada. Tornó a tomar su báculo el deudor y, bajando la cabeza, se salió del juzgado. Visto lo cual, por Sancho, y que sin más ni más se iba, y viendo también la paciencia del demandante, inclinó la cabeza sobre el pecho y, poniéndose el índice de la mano derecha sobre las cejas y las narices, estuvo como pensativo un pequeño espacio, y luego alzó la cabeza y mandó que le llamasen al viejo del báculo, que ya se había ido. Trajéronselo, y en viéndole Sancho le dijo:

—Dadme, buen hombre, ese báculo, que le he menester.

—De muy buena gana —respondió el viejo—: hele aquí, señor.

Y púsoselo en la mano. Tomólo Sancho, y, dándoselo al otro viejo, le dijo:

—Andad con Dios, que ya vais pagado.

—¿Yo, señor? —respondió el viejo—. Pues ¿vale esta cañaheja diez escudos de oro?

—Sí —dijo el gobernador—, o, si no, yo soy el mayor porro del mundo, y ahora se verá si tengo yo caletre para gobernar todo un reino.

Y mandó que allí, delante de todos, se rompiese y abriese la caña. Hízose así, y en el corazón de ella hallaron diez escudos en oro; quedaron todos admirados y tuvieron a su gobernador por un nuevo Salomón.

Preguntáronle de dónde había colegido que en aquella cañaheja estaban aquellos diez escudos, y respondió que de haberle visto dar el viejo que juraba a su contrario aquel báculo, en tanto que hacía el juramento, y jurar que se los había dado real y verdaderamente, y que en acabando de jurar le tornó a pedir el báculo, le vino a la imaginación que dentro de él estaba la paga de lo que pedían. [...] Los presentes quedaron admirados, y el que escribía las palabras, hechos y movimientos de Sancho no acababa de determinarse si le tendría y pondría por tonto o por discreto.

Segunda parte, capítulo XLV

29 | Resume la historia que se cuenta aquí.

30 | ¿En qué se centra Sancho Panza para descubrir qué es lo que ocurre realmente?

31 | En parejas, ¿creéis en el «poder de las palabras»? ¿Qué entendéis por esta expresión?

32 | ¿Qué quiere decir que consideran a Sancho un *nuevo Salomón*?

33 | En parejas, ¿cómo diríais en español actual esta oración de Sancho?:

—Dadme, buen hombre, ese báculo, que le he menester.

34 | En grupos, ¿sabéis lo que significa *paciencia?* Buscad 10 palabras, entre sinónimos y antónimos, y cread el campo semántico de este significado. Luego, presentádselo a vuestros compañeros. ¿Qué grupo ha sido más original y ha buscado palabras más cultas?

35 | Este fragmento está extraído de la parte donde Sancho es el gobernador de la ínsula Barataria. En parejas, investigad y explicad cómo llega Sancho a ser gobernador.

Grabado del *Quijote*, G. Doré

EL COLOQUIO DE LOS PERROS

01 | Lee este fragmento de *El coloquio de los perros,* de Miguel de Cervantes.

BERGANZA. Cipión hermano, óyote hablar y sé que te hablo, y no puedo creerlo, por parecerme que el hablar nosotros pasa de los términos de naturaleza.

CIPIÓN. Así es la verdad, Berganza; y viene a ser mayor este milagro en que no solamente hablamos, sino en que hablamos con discurso, como si fuéramos capaces de razón, estando tan sin ella que la diferencia que hay del animal bruto al hombre es ser el hombre animal racional, y el bruto, irracional.

BERGANZA. Todo lo que dices, Cipión, entiendo, y el decirlo tú y entenderlo yo me causa nueva admiración y nueva maravilla. Bien es verdad que, en el discurso de mi vida, diversas y muchas veces he oído decir grandes prerrogativas nuestras: tanto, que parece que algunos han querido sentir que tenemos un natural distinto, tan vivo y tan agudo en muchas cosas, que da indicios y señales de faltar poco para mostrar que tenemos un no sé qué de entendimiento capaz de discurso. [...]

CIPIÓN. Ansí es, pero bien confesarás que ni has visto ni oído decir jamás que haya hablado ningún elefante, perro, caballo o mona; por donde me doy a entender que este nuestro hablar tan de improviso cae debajo del número de aquellas cosas que llaman portentos, las cuales, cuando se muestran y parecen, tiene averiguado la experiencia que alguna calamidad grande amenaza a las gentes. [...] Pero, sea lo que fuere, nosotros hablamos, sea portento o no; que lo que el cielo tiene ordenado que suceda, no hay diligencia ni sabiduría humana que lo pueda prevenir; y así, no hay para qué ponernos a disputar nosotros cómo o por qué hablamos; mejor será que este buen día, o buena noche, la metamos en nuestra casa; y, pues la tenemos tan buena en estas esteras y no sabemos cuánto durará esta nuestra ventura, sepamos aprovecharnos della y hablemos toda esta noche, sin dar lugar al sueño que nos impida este gusto, de mí por largos tiempos deseado. [...] Sea esta la manera, Berganza amigo: que esta noche me cuentes tu vida y los trances por donde has venido al punto en que ahora te hallas, y si mañana en la noche estuviéremos con habla, yo te contaré la mía; porque mejor será gastar el tiempo en contar las propias que en procurar saber las ajenas vidas. [...]

BERGANZA. Paréceme que la primera vez que vi el sol fue en Sevilla y en su matadero, que está fuera de la Puerta de la Carne; por donde imaginara (si no fuera por lo que después te diré) que mis padres debieron de ser alanos de aquellos que crían los ministros de aquella confusión, a quien llaman jiferos. El primero que conocí por amo fue uno llamado Nicolás el Romo, mozo robusto, doblado y colérico, como lo son todos aquellos que ejercitan la jifería. Este

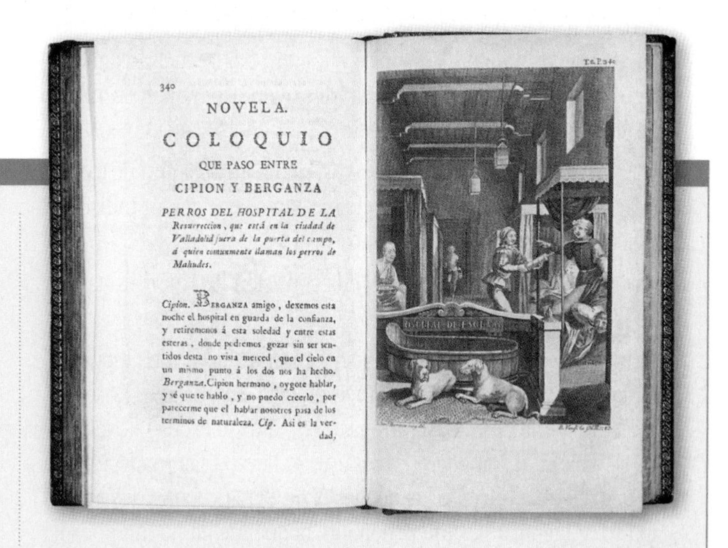

340

NOVELA.

COLOQUIO

QUE PASO ENTRE

CIPION Y BERGANZA

PERROS DEL HOSPITAL DE LA Resurreccion, que está en la ciudad de Valladolid fuera de la puerta del campo, á quien comunmente llaman los perros de Mahudes.

Cipion. BERGANZA amigo, dexemos esta noche el hospital en guarda de la confianza, y retiremonos á esta soledad y entre estas esteras, donde podremos gozar sin ser sentidos desta no vista merced, que el cielo en un mismo punto á los dos nos ha hecho. *Berganza.* Cipion hermano, oygote hablar, y sé que te hablo, y no puedo creerlo, por parecerme que el hablar nosotros pasa de los terminos de naturaleza. *Cip.* Asi es la verdad,

tal Nicolás me enseñaba a mí y a otros cachorros a que, en compañía de alanos viejos, arremetiésemos a los toros y les hiciésemos presa de las orejas. Con mucha facilidad salí un águila en esto.

CIPIÓN. No me maravillo, Berganza; que, como el hacer mal viene de natural cosecha, fácilmente se aprende el hacerle.

BERGANZA. ¿Qué te diría, Cipión hermano, de lo que vi en aquel matadero y de las cosas exorbitantes que en él pasan? Primero, has de presuponer que todos cuantos en él trabajan, desde el menor hasta el mayor, es gente ancha de conciencia, desalmada, sin temer al Rey ni a su justicia; los más, amancebados; son aves de rapiña carniceras: mantiénense ellos y sus amigas de lo que hurtan. Todas las mañanas que son días de carne, antes que amanezca, están en el Matadero gran cantidad de mujercillas y muchachos, todos con talegas, que, viniendo vacías, vuelven llenas de pedazos de carne, y las criadas con criadillas y lomos medio enteros. No hay res alguna que se mate de quien no lleve esta gente diezmos y primicias de lo más sabroso y bien parado. [...] Los dueños se encomiendan a esta buena gente que he dicho, no para que no les hurten (que esto es imposible), sino para que se moderen en las tajadas y socaliñas que hacen en las reses muertas, que las escamondan y podan como si fuesen sauces o parras. Pero ninguna cosa me admiraba más ni me parecía peor que el ver que estos jiferos con la misma facilidad matan a un hombre que a una vaca; por quítame allá esa paja, a dos por tres meten un cuchillo de cachas amarillas por la barriga de una persona, como si acocotasen un toro. Por maravilla se pasa día sin pendencias y sin heridas, y a veces sin muertes. [...]

CIPIÓN. Si en contar las condiciones de los amos que has tenido y las faltas de sus oficios te has de estar, amigo Berganza, tanto como esta vez, menester será pedir al cielo nos conceda la habla siquiera por un año, y aun temo que, al paso que llevas, no llegarás a la mitad de tu historia. Y quiérote advertir de una cosa, de la cual verás la experiencia cuando te cuente los sucesos de mi vida; y es que los cuentos unos encierran y tienen la gracia en ellos mismos, otros en el modo de contarlos (quiero decir que algunos hay que, aunque se cuenten sin preámbulos y ornamentos de palabras, dan contento); otros hay que es menester vestirlos de palabras, y con demostraciones del rostro y de las manos, y con mudar la voz, se hacen algo de nonada, y de flojos y desmayados se vuelven agudos y gustosos; y no se te olvide este advertimiento, para aprovecharte de él en lo que te queda por decir.

BERGANZA. Yo lo haré así, si pudiere y si me da lugar la grande tentación que tengo de hablar; aunque me parece que con grandísima dificultad me podré ir a la mano.

CIPIÓN. Vete a la lengua, que en ella consisten los mayores daños de la humana vida.

BERGANZA. Digo, pues, que mi amo me enseñó a llevar una espuerta en la boca y a defenderla de quien quitármela quisiese. Enseñóme también la casa de su amiga, y con esto se excusó la venida de su criada al matadero, porque yo le llevaba las madrugadas lo que él había hurtado las noches. Y un día que, entre dos luces, iba yo diligente a llevarle la porción, oí que me llamaban por mi nombre desde una ventana; alcé los ojos y vi una moza hermosa en extremo; detúveme un poco, y ella bajó a la puerta de la calle, y me tornó a llamar. Lleguéme a ella, como si fuera a ver lo que me quería, que no fue otra cosa que quitarme lo que llevaba en la cesta y ponerme en su lugar un chapín viejo. Entonces dije entre mí: «La carne se ha ido a la carne». Díjome la moza, en habiéndome quitado la carne: «Andad Gavilán, o como os llamáis, y decid a Nicolás el Romo, vuestro amo, que no se fíe de animales [...]». Bien pudiera yo volver a quitar lo que me quitó, pero no quise, por no poner mi boca jifera y sucia en aquellas manos limpias y blancas.

***Racha en el Coloquio de los perros*, de Rosa Felipe**

CIPIÓN. Hiciste muy bien, por ser prerrogativa de la hermosura que siempre se le tenga respeto.

BERGANZA. Así lo hice yo; y así, me volví a mi amo sin la porción y con el chapín. Parecióle que volví presto, vio el chapín, imaginó la burla, sacó uno de cachas y tiróme una puñalada que, a no desviarme, nunca tú oyeras ahora este cuento, ni aun otros muchos que pienso contarte. Puse pies en polvorosa, y, tomando el camino en las manos y en los pies, por detrás de san Bernardo, me fui por aquellos campos de Dios adonde la fortuna quisiese llevarme. Aquella noche dormí al cielo abierto, y otro día me deparó la suerte un hato o rebaño de ovejas y carneros. Así como le vi, creí que había hallado en él el centro de mi reposo, pareciéndome ser propio y natural oficio de los perros guardar ganado, que es obra donde se encierra una virtud grande, como es amparar y defender de los poderosos y soberbios los humildes y los que poco pueden. Apenas me hubo visto uno de tres pastores que el ganado guardaban, cuando diciendo «¡To, to!» me llamó; y yo, que otra cosa no deseaba, me llegué a él bajando la cabeza y meneando la cola. Trújome la mano por el lomo, abrióme la boca, escupióme en ella, miróme las presas, conoció mi edad, y dijo a otros pastores que yo tenía todas las señales de ser perro de casta. Llegó a este instante el señor del ganado sobre una yegua rucia a la jineta, con lanza y adarga: que más parecía atajador de la costa que señor de ganado. Preguntó el pastor: «¿Qué perro es este, que tiene señales de ser bueno?». «Bien lo puede vuesa merced creer –respondió el pastor–, que yo le he cotejado bien y no hay señal en él que no muestre y prometa que ha de ser un gran perro. Ahora se llegó aquí y no sé cúyo sea, aunque sé que no es de los rebaños de la redonda». «Pues así es –respondió el señor–, ponle luego el collar de Leoncillo, el perro que se murió, y denle la ración que a los demás, y acariciale, porque tome cariño al hato y se quede en él». En diciendo esto, se fue; y el pastor me puso luego al cuello unas carlancas llenas de puntas de acero, habiéndome dado primero en un dornajo gran cantidad de sopas en leche. Y, asimismo, me puso nombre, y me llamó Barcino.

COMPRENSIÓN LECTORA

02 | En parejas, señalad las características de la época en este fragmento.

03 | ¿Os parece sorprendente que dos perros hablen? ¿En aquella época podría ser sorprendente? ¿Se habla de maltrato animal en este fragmento?

04 | ¿Por qué creéis que Cervantes utilizó este recurso de que hablaran dos perros?

05 | ¿Estáis de acuerdo en cómo se han de narrar los cuentos o las anécdotas, según nos explica Miguel de Cervantes, por boca de Cipión?

DESARROLLO DE LA LENGUA

06 | ¿A qué se refiere el texto con *jiferos?* ¿A qué oficio corresponde? ¿Cuál es el nombre actual de ese oficio?

07 | En parejas, buscad el significado de *chapín* y describidlo.

08 | ¿Qué significa la expresión *poner pies en polvorosa?* Escribid una oración con esta expresión.

09 | En parejas, indicad cómo serían en español actual las oraciones: *Trújome la mano por el lomo* y *No sé cúyo sea.*

10 | ¿Qué significa *carlanca, dornajo* y *hato?* Ayudaos del diccionario. ¿Con qué otra denominación se conocerían ahora esos objetos o conjuntos de animales?

TRABAJO LITERARIO

11 | En parejas, ¿a qué denominó Cervantes «novela ejemplar»?

12 | ¿Creéis que puede ser moralizante esta historia?

13 | ¿Sobre qué reflexiona Cervantes en esta novela?

PRODUCCIÓN LITERARIA

14 | En parejas, redactad un texto de no más de 600 palabras en el que un perro dé su opinión sobre algo que ha sucedido recientemente en tu país. ¡No olvidéis el sentido del humor!

15 | En parejas, leed el texto a vuestros compañeros. ¿Cuál es el más curioso? ¿Y el más divertido? Valorad los relatos del 1 al 3.

INVESTIGACIÓN LITERARIA

16 | En grupos, buscad información sobre las doce *Novelas ejemplares* de Cervantes. Elaborad los argumentos de cada una de ellas e indicad las dos que os parecen más atractivas.

17 | En grupos, las *Novelas ejemplares* tienen una extensión menor, ¿pueden clasificarse como novelas o como relatos cortos? ¿O quizá como cuentos? ¿Por qué? Razonad vuestra respuesta y buscad información sobre las denominaciones del relato, según su extensión.

POESÍA

01 | Lee este soneto de Miguel de Cervantes «A la entrada del duque de Medina en Cádiz».

Vimos en julio otra semana santa,
atestada de ciertas cofradías
que los soldados llaman compañías,
de quien el vulgo, y no el inglés, se espanta;

hubo de plumas muchedumbre tanta
que en menos de catorce o quince días
volaron sus pigmeos y Golías,
y cayó su edificio por la planta.

Bramó el Becerro y púsolos en sarta;
tronó la tierra, escureciose el cielo,
amenazando una total rüina;

y al cabo en Cádiz, con mesura harta
(ido ya el conde sin ningún recelo),
triunfando entró el gran Duque de Medina.

COMPRENSIÓN LECTORA

02 | En parejas, ¿creéis que se burla de los soldados y del duque de Medina? ¿Por qué? Razonad vuestra respuesta.

03 | En parejas, señalad todas las características renacentistas y literarias de estos versos.

04 | ¿Por qué usa Cervantes la expresión *volaron sus pigmeos y Golías?* ¿A qué alude?

TRABAJO LITERARIO

05 | En parejas, Cervantes juega con la similitud fonética entre *cofradía* y *compañía*, ¿cómo se denomina esa figura? ¿Sabéis lo que significan estas dos palabras? Ayudaos del diccionario, si es necesario.

06 | Cervantes solía añadir unos cuantos versos más al soneto, especialmente cuando era satírico. ¿Cómo se denomina este añadido?

07 | Ahora lee este famoso poema de Cervantes, «Al túmulo del rey Felipe II en Sevilla», y señala los versos y las expresiones que son satíricas.

¡Voto a Dios que me espanta esta grandeza
y que diera un doblón por describilla!
Porque ¿a quién no sorprende y maravilla
esta máquina insigne, esta riqueza?

Por Jesucristo vivo, cada pieza
vale más de un millón, y que es mancilla
que esto no dure un siglo, ¡oh gran Sevilla!,
Roma triunfante en ánimo y nobleza.

Apostaré que el ánima del muerto,
por gozar este sitio, hoy ha dejado
la gloria donde vive eternamente.

Esto oyó un valentón y dijo: «Es cierto
cuanto dice voacé, señor soldado,
y el que dijere lo contrario miente».

Y luego, in continente,
caló el chapeo, requirió la espada,
miró al soslayo, fuese y no hubo nada.

DESARROLLO DE LA LENGUA

08 | En parejas, ¿qué forma de tratamiento es *voacé?* Ayudaos del diccionario.

09 | ¿Qué significa la expresión *in continenti?* Ayudaos del diccionario.

10 | ¿Cuál es el sujeto del verbo *vive* en los versos *Apostaré que el ánima del muerto, / por gozar este sitio, hoy ha dejado / la gloria donde vive eternamente?* ¿Creéis que hay ironía?

11 | Ahora lee estos versos de Cervantes, que aparecen en el capítulo XXVII de la primera parte del *Quijote.*

¿Quién menoscaba mis bienes?
Desdenes.
¿Y quién aumenta mis duelos?
Los celos.
¿Y quién prueba mi paciencia?
Ausencia.

De ese modo, en mi dolencia
ningún remedio se alcanza,
pues me matan la esperanza
desdenes, celos y ausencia.

¿Quién me causa este dolor?
Amor.
¿Y quién mi gloria repugna?
Fortuna.
¿Y quién consiente en mi duelo?
El cielo.

De ese modo, yo recelo
morir de este mal estraño,
pues se aumentan en mi daño
amor, fortuna y el cielo.

¿Quién mejorará mi suerte?
¡La muerte!
Y el bien de amor, ¿quién le alcanza?
¡Mudanza!
Y sus males, ¿quién los cura?
¡Locura!
Dese modo no es cordura
querer curar la pasión,
cuando los remedios son
muerte, mudanza y locura.

12 | ¿La ortografía de la palabra *estraño* es igual en nuestros días?

13 | En parejas, ¿qué quiere decir Cervantes con que *Fortuna repugna su gloria?*

14 | ¿Estos versos (por las construcciones sintácticas) os recuerdan al alegato que dice Marcela en su defensa? ¿Por qué?

INVESTIGACIÓN LITERARIA

15 | Buscad información sobre esta época y sobre los *bravos* o *valentones.* Tenéis una pista en la figura del *Capitán Alatriste,* de Arturo Pérez-Reverte. Preparad una presentación para vuestros compañeros.

16 | ¿Creéis que Cervantes fue un innovador en poesía, como lo fue en narrativa? Razonad vuestras respuestas y argumentad con ejemplos. Debatid entre vosotros.

EL JUEZ DE LOS DIVORCIOS

01 | Lee este fragmento de un entremés de Cervantes titulado *El juez de los divorcios.*

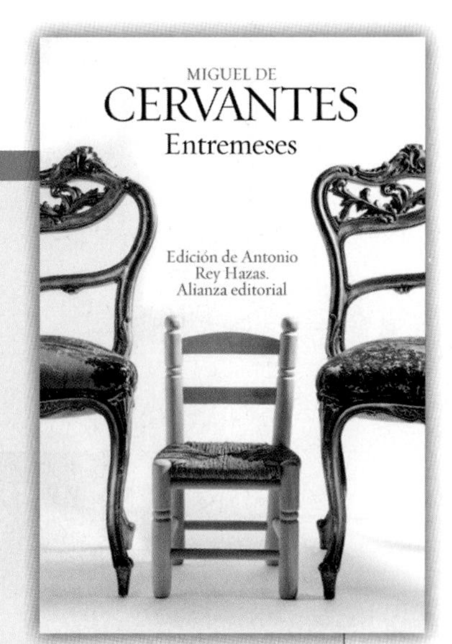

(Sale El Juez, *y otros dos con él, que son* Escribano *y* Procurador, *y se sienta en una silla. Entra* Un Soldado *bien aderezado, y su mujer* Doña Guiomar*).*

Guiomar. ¡Bendito sea Dios!, que se me ha cumplido el deseo que tenía de verme ante la presencia de vuesa merced, a quien suplico, cuando encarecidamente puedo, sea servido de descasarme de este.

Juez. ¿Qué cosa es *de este?* ¿No tiene otro nombre? Bien fuera que dijerais siquiera: «este hombre».

Guiomar. Si él fuera hombre, no procurara yo descasarme.

Juez. Pues ¿qué es?

Guiomar. Un leño.

Soldado. *(Aparte).* Por Dios, que he de ser leño en callar y en sufrir. Quizá con no defenderme ni contradecir a esta mujer, el juez se inclinará a condenarme; y, pensando que me castiga, me sacará de cautiverio, como si por milagro se librase un cautivo de las mazmorras de Tetuán.

Procurador. Hablad más comedido, señora, y relatad vuestro negocio, sin improperios de vuestro marido, que el señor juez de los divorcios, que está delante, mirará rectamente por vuestra justicia.

Guiomar. Pues ¿no quieren vuesas mercedes que llame leño a una estatua, que no tiene más acciones que un madero? [...] Digo, en fin, señor mío, que a mí me casaron con este hombre, ya que quiere vuesa merced que así lo llame, pero no es este hombre con quien yo me casé.

Juez. ¿Cómo es eso?, que no os entiendo.

Guiomar. Quiero decir que pensé que me casaba con un hombre moliente y corriente, y a pocos días me hallé que me había casado con un leño, como tengo dicho; porque él no sabe cuál es su mano derecha, ni busca medios ni trazas para granjear un real con que ayude a sustentar su casa y familia. Las mañanas se le pasan en oír misa y en estarse en la puerta de Guadalajara murmurando, sabiendo nuevas, diciendo y escuchando mentiras; y las tardes, y aun las mañanas también, se va de casa en casa de juego. [...] A las dos de la tarde viene a comer [...]; vuélvese a ir; vuelve a media noche; cena si lo halla; y si no, santiguase, bosteza y acuéstase; y en toda la noche no sosiega, dando vueltas. [...]

Soldado. Mi señora doña Guiomar, en todo cuanto ha dicho no ha salido de los límites de la razón; [...] yo, que, ni tengo oficio ni beneficio, no sé qué hacerme, porque no hay señor que quiera servirse de mí, porque soy casado; así que me será forzoso suplicar a vuesa merced, señor juez, pues ya por pobres son tan enfadosos los hidalgos, y mi mujer lo pide, que nos divida y aparte.

Guiomar. Y hay más en esto, señor juez: que, como yo veo que mi marido es tan para poco y que padece necesidad, muérome por remediarle, pero no puedo, porque, en resolución, soy mujer de bien, y no tengo de hacer vileza.

Soldado. Por esto solo merecía ser querida esta mujer; pero, debajo de este pundonor, tiene encubierta la más mala condición de la tierra; pide celos sin causa; grita sin por qué; presume sin hacienda [...] y es lo peor, señor juez, que quiere que, a trueco de la fidelidad que me guarda, le sufra y disimule millares de millares de impertinencias y desabrimientos que tiene.

Guiomar. ¿Pues no? ¿Y por qué no me habéis vos de guardar a mí decoro y respeto, siendo tan buena como soy?

Soldado. Oíd, señora doña Guiomar: aquí delante de estos señores os quiero decir esto: ¿por qué me hacéis cargo de que sois buena, estando vos obligada a serlo por ser de tan buenos padres nacida, por ser cristiana y por lo que debéis a vos misma? [...] ¿Qué se me da a mí que seáis casta con vos misma, puesto que se me da mucho, si os descuidáis de que lo sea vuestra criada, y si andáis siempre rostrituerta, enojada, celosa, pensativa, manirrota, dormilona, perezosa, pendenciera, gruñidora, con otras insolencias de este jaez, que bastan a consumir las vidas de doscientos maridos? Pero, con todo esto, digo, señor juez, que ninguna cosa de estas tiene mi señora Guiomar; y confieso que yo soy el leño, el inhábil, el dejado y el perezoso; y que, por ley de buen gobierno, aunque no sea por otra cosa, está vuesa merced obligado a descasarnos; que desde aquí digo que no tengo ninguna cosa que alegar contra lo que mi mujer ha dicho, y que doy el pleito por concluso, y holgaré de ser condenado.

Guiomar. ¿Qué hay que alegar contra lo que tengo dicho? Que no me dais de comer a mí, ni a vuestra criada. [...]

Escribano. Sosiéguense; que vienen nuevos demandantes.

Plaza de Cervantes, en Alcalá de Henares

(Entra uno vestido de médico, y es Cirujano; *y* Aldonza de Minjaca, *su mujer).*

Cirujano. Por cuatro causas bien bastantes, vengo a pedir a vuesa merced, señor juez, haga divorcio entre mí y la señora Aldonza de Minjaca, mi mujer, que está presente.

Juez. Resoluto venís; decid las cuatro causas.

Cirujano. La primera, porque no la puedo ver más que a todos los diablos; la segunda, por lo que ella se sabe; la tercera, por lo que yo me callo; la cuarta, porque no me lleven los demonios, cuando de esta vida vaya, si he de durar en su compañía hasta mi muerte.

Procurador. Bastantísimamente ha probado su intención.

Minjaca. Señor juez, vuesa merced me oiga, y advierta que, si mi marido pide por cuatro causas divorcio, yo le pido por cuatrocientas. La primera, porque, cada vez que le veo, hago cuenta que veo al mismo Lucifer; la segunda, porque fui engañada cuando con él me casé; porque él dijo que era médico de pulso y remaneció cirujano [...]; la tercera, porque tiene celos del sol que me toca; la cuarta, que, como no le puedo ver, querría estar apartada de él dos millones de leguas.

Escribano. ¿Quién diablos acertará a concertar estos relojes, estando las ruedas tan desconcertadas?

Minjaca. La quinta...

Juez. Señora, señora, si pensáis decir aquí todas las cuatrocientas causas, yo no estoy para escucharlas, ni hay lugar para ello; vuestro negocio se recibe a prueba y andad con Dios; que hay otros negocios que despachar.

Cirujano. ¿Qué más pruebas, sino que yo no quiero morir con ella, ni ella gusta de vivir conmigo?

Juez. Si eso bastase para descasarse los casados, infinitísimos sacudirían de sus hombros el yugo del matrimonio.

(Entra uno vestido de Ganapán, *con su caperuza cuarteada).*

Ganapán. Señor juez: ganapán soy, no lo niego, pero cristiano viejo, y hombre de bien a las derechas; y, si no fuese que alguna vez me tomo del vino, o él me toma a mí, que es lo más cierto, ya hubiera sido prioste en la cofradía de los hermanos de la carga, pero, dejando esto aparte, porque hay mucho que decir en ello, quiero que sepa el señor juez que, estando una vez muy enfermo de los vaguidos de Baco, prometí de casarme con una mujer errada. Volví en mí, sané, y cumplí la promesa, y caséme con una mujer que saqué de pecado; púsela a ser placera y ha salido tan soberbia y de tan mala condición, que nadie llega a su tabla con quien no riña, ora sobre el peso falto, ora sobre que le llegan a la fruta [...] Querría, si vuesa merced fuese servido, o que me apartase de ella, o por lo menos le mudase la condición acelerada que tiene en otra más reportada y más blanda [...]

Cirujano. Ya conozco yo a la mujer de este buen hombre, y es tan mala como mi Aldonza; que no lo puedo más encarecer.

Juez. Mirad, señores: aunque algunos de los que aquí estáis habéis dado algunas causas que traen aparejada sentencia de divorcio, con todo eso, es menester que conste por escrito, y que lo digan testigos; y así, a todos os recibo a prueba. Pero ¿qué es esto? ¿Música y guitarras en mi audiencia? ¡Novedad grande es esta!

(Entran dos músicos).

Músicos. Señor juez, aquellos dos casados tan desavenidos que vuesa merced concertó, redujo y apaciguó el otro día, están esperando a vuesa merced con una gran fiesta en su casa; y por nosotros le envían a suplicar sea servido de hallarse en ella y honrarlos.

Juez. Eso haré yo de muy buena gana, y pluguiese a Dios que todos los presentes se apaciguasen como ellos.

Procurador. De esa manera, moriríamos de hambre los escribanos y procuradores de esta audiencia; que no, no, sino todo el mundo ponga demandas de divorcios, què, al cabo, al cabo, los más se quedan como se estaban, y nosotros habemos gozado del fruto de sus pendencias y necedades. [...]

(Cantan los músicos).

Entre casados de honor,
cuando hay pleito descubierto,
más vale el peor concierto
que no el divorcio mejor.
Donde no ciega el engaño
simple, en que algunos están,
las riñas de por San Juan
son paz para todo el año.
Resucita allí el honor,
y el gusto, que estaba muerto,
donde vale el peor concierto
más que el divorcio mejor.
Aunque la rabia de celos
es tan fuerte y rigurosa,
si los pide una hermosa,
no son celos, sino cielos.
Tiene esta opinión Amor,
que es el sabio más experto:
que vale el peor concierto
más que el divorcio mejor.

COMPRENSIÓN LECTORA

02 | En parejas, resumid estas tres historias que se presentan ante el juez.

03 | ¿Creéis que los motivos que se plantean son motivo de divorcio? ¿Lo serían en la actualidad en vuestro país?

04 | ¿Cómo actúan los personajes femeninos? ¿Están definidos? ¿Y los masculinos? Recordad cómo son los personajes en otras obras de la época que conozcáis y comparadlos.

05 | ¿Creéis que lo que dice el procurador al final del entremés está justificado?

DESARROLLO DE LA LENGUA

06 | En parejas, ¿qué significa la expresión *ni tengo oficio ni beneficio?* ¿Por qué Cervantes se la aplica al soldado? Redactad un ejemplo con ella.

07 | ¿Qué significan las palabras *resoluto, apaciguar, ganapán, prioste, placera* y *legua?* Ayudaos del diccionario. ¿Cuáles se usan hoy en día?

08 | En parejas, ¿por qué se dice que se casó con un *médico de pulso* y amaneció *cirujano?* ¿Sabéis qué hacía un *cirujano* en época de Cervantes? El padre de Miguel de Cervantes era cirujano.

INVESTIGACIÓN LITERARIA

09 | En grupos, ¿creéis que esta obra es avanzada para su época? Buscad información sobre los divorcios en aquella época y valorad hasta qué punto Cervantes ironizaba en este entremés.

10 | En grupos, buscad información sobre la biografía de Cervantes y comprobad hasta qué punto se ve influido por su propia vida, al escribir esta obra.

LOS BAÑOS DE ARGEL

01 | En parejas, leed este fragmento de *Los baños de Argel.*

HALIMA. Tu padre me rogó, amiga,
que viniese en un momento
a componerte.

ZAHARA. ¡Su intento
todo el cielo le maldiga!

HALIMA. ¿Pues cásaste con un rey
y muéstraste desabrida?
Y más, que es cosa sabida
que es gentilhombre Muley.
Sin duda que estás prendada
en otra parte.

ZAHARA. No hay prenda
que me halague ni me ofenda,
porque de amor no sé nada.

HALIMA. Pues esta noche sabrás,
en la escuela de tu esposo,
que es amor dulce y sabroso.

ZAHARA. ¡Amargas nuevas me das!

HALIMA. ¡Qué melindrosa señora!

ZAHARA. No es melindre, sino enfado:
que había determinado
no casarme por ahora,
hasta que el cielo me diese
con otro compás mi suerte.

HALIMA. Calla, que reina has de verte.

ZAHARA. No aspiro a tanto interese.
Con otro estado menor,
con mayor gusto estaría.

HALIMA. Yo juro por vida mía,
Zara, que tenéis amor.
Ahora bien, mostrad las perlas
que tenéis, que quiero ver
cuántos lazos podré hacer.

ZAHARA. Allí dentro podrás verlas.
Éntrate, y déjame un poco,
que quiero hablar con Costanza.

HALIMA. ¡Vos gustaréis de la danza
antes de mucho y no poco!
(Vase HALIMA).

COSTANZA. Dime, señora, qué es esto.
¿Tanto te enfada el casarte,
y con un rey?

ZAHARA. No hay contarte
tantas cosas y tan presto.

COSTANZA. ¿De dónde el enfado mana
que muestras tan importuno?

ZAHARA. Pasito, no escuche alguno.
¡Soy cristiana, soy cristiana!

COSTANZA. ¡Válame Santa María!

ZAHARA. Esa Señora es aquella
que ha de ser mi luz y estrella
en el mar de mi agonía.

COSTANZA. ¿Quién te enseñó nuestra ley?

ZAHARA. No hay lugar en que lo diga.
Cristiana soy; mira, amiga,
qué me sirve el moro rey.
Di: ¿conoces, por ventura,
a un cautivo rescatado
que es caballero y soldado?

COSTANZA. ¿Cómo ha nombre?

ZAHARA. Mal segura
estoy aquí, y con temor
de algún desgraciado encuentro.

COSTANZA. Pues entrémonos adentro.

ZAHARA. Sin duda, será mejor.

COMPRENSIÓN LECTORA

02 | ¿Cuál es la idea principal de este fragmento?

03 | ¿Consideráis que por casarse con un rey hay que estar contenta?

04 | En parejas, ¿qué pensáis sobre los matrimonios concertados?

DESARROLLO DE LA LENGUA

05 | En parejas, ¿qué significan *gentilhombre, componerse, agonía* y *prendar?* Ayudaos del diccionario.

06 | En parejas, los adjetivos *desabrida* y *melindrosa* se refieren al comportamiento de una persona. Ayudaos del diccionario y buscad dos sinónimos y dos antónimos.

07 | En grupos, cread el campo semántico a partir de los dos adjetivos anteriores. ¿Cuántos habéis conseguido? Luego presentadlo a vuestros compañeros. ¿Qué grupo ha conseguido más?

TRABAJO Y PRODUCCIÓN LITERARIOS

08 | Esta obra es una comedia de cautivos. En parejas, investigad sobre este tipo de comedia e indicad sus características principales.

PRODUCCIÓN LITERARIA

09 | En grupos, elegid una obra (o un fragmento) y montadla para representarla ante todos. Al acabar, podéis hacer un debate sobre el tema central que hayáis representado.

10 | En parejas, redactad un ensayo sobre toda la producción de Cervantes (unas 1500 palabras), donde valoréis sus aportaciones a la literatura universal y a la literatura en español.

INVESTIGACIÓN LITERARIA

11 | En grupos, buscad información sobre esta obra: qué intención tuvo Cervantes al escribirla, cuándo se estrenó por primera vez, etcétera.

12 | En grupos, investigad sobre la producción dramática de Cervantes. ¿Cuántas obras escribió, cuántas se conservan, por qué tenía tanto interés en triunfar en el teatro, etcétera? Luego preparad una presentación para toda la clase.

¿Cuánto sabes?

AUTOEVALUACIÓN

✓ **Lee y marca verdadero (V) o falso (F).**

	V	F
a. A Cervantes le gustaba escribir teatro.	☐	☐
b. Cervantes escribió comedias y entremeses, pero no tragedias.	☐	☐
c. Cervantes publicó la obra del *Quijote* en un solo libro.	☐	☐
d. Las *Novelas ejemplares* son 14.	☐	☐
e. A Cervantes le gustaba escribir poemas, pero no era buen poeta.	☐	☐
f. El soneto con estrambote es propio de Cervantes.	☐	☐
g. La obra literaria de Cervantes es corta para la época.	☐	☐
h. Cervantes apenas influyó en sus coetáneos.	☐	☐
i. La aportación literaria del *Quijote* fue la ficción y la intertextualidad.	☐	☐
j. Cervantes estuvo encarcelado varias veces.	☐	☐
k. La locura de don Quijote fue un subterfugio literario.	☐	☐
l. Cervantes vivió en Italia, pero no se vio influido por la literatura italiana.	☐	☐
m. La obra de Cervantes no manifiesta un marcado humanismo.	☐	☐
n. Los personajes femeninos de Cervantes suelen estar muy definidos.	☐	☐
ñ. El primer alegato feminista en la literatura se encuentra en el *Quijote*.	☐	☐
o. Muchas de las obras dramáticas de Cervantes se perdieron.	☐	☐
p. El *Quijote* se tradujo al inglés en vida de Cervantes.	☐	☐
q. Cervantes nació en Alcalá de Henares.	☐	☐

unidad

5

Contexto histórico

- **Antecedentes:**
  - Reforma protestante: luteranismo, calvinismo y erasmismo (s. XVI)
  - Concilio de Trento (1545-1563) y Contrarreforma católica (1545-1648)
- **Reinado de Felipe II** (1556-1598)
- **Guerra de los Ochenta Años** (1568-1648)
- **Siglo XVII:** decadencia sociopolítica, económica y hambruna en España y sus colonias
- **Reinado de Felipe III** (1598-1621)
- **Guerra de los Treinta Años** (1618-1648)
- **Reinado de Felipe IV** (1621-1665)
- **Sublevación de Cataluña** (1640)
- **Paz de Westfalia** (1648)
- **Epidemia de peste** en Sevilla y sur de España (1649)
- **Paz de los Pirineos** entre Francia y España (1659)
- **Reinado de Carlos II** (1665-1700)
- **Guerra de Sucesión española** (1701-1713)
- **Reinado de Felipe V** (1700-1724, 1724-1746). Primer rey Borbón de la Corona española

Biblioteca Monasterio de Strahov, Praga

El siglo XVII

EL BARROCO

Contexto artístico

Pintura

- Caravaggio (1571-1610), pintor italiano maestro de la técnica del claroscuro y gran representante de la corriente del tenebrismo
- José de Ribera (1591-1652)
- Francisco de Zurbarán (1598-1664)
- Diego Velázquez (1599-1660). Pintor de la corte de Felipe IV, este artista sevillano está considerado uno de los maestros de la pintura universal
- Murillo (1617-1682)

Música

- Antonio Vivaldi (1678-1741)
- Johann Sebastian Bach (1685-1750)
- Georg Friedrich Händel (1685-1759)

Arquitectura

- Estilo churrigueresco, caracterizado por una exagerada decoración
- Ejemplos arquitectónicos: la Plaza Mayor de Madrid, la catedral de Cuzco (Perú) o la catedral de Zacatecas (México)

Las meninas, de Diego Velázquez

Plaza Mayor, Madrid

Johann Sebastian Bach

BARROCO

Surge en Italia entre los siglos XVI y XVII y se extiende por toda Europa y sus colonias.
En España comprende el Siglo de Oro español junto con el Renacimiento.
Es un periodo artístico extenso a pesar de la pobreza, la decadencia y la hambruna.

Características básicas

- Busca un realismo verosímil aunque, por este motivo, se acerque algunas veces a lo amorfo y monstruoso de la realidad.
- Intenta mostrar la fugacidad del tiempo, basándose para ello en los escorzos, las elipses, las curvas y el propio dinamismo.
- Gusto por los contrastes, claroscuros y paradojas. Literariamente, usaban bastante las metáforas, las antítesis y los adjetivos.
- Los autores juegan con las ilusiones ópticas y trampas para engañar al lector o espectador.
- Es común representar la vida como un sueño o un teatro, donde cada personaje realiza las acciones que le son encomendadas hasta la llegada de su muerte.
- Representan la propia obra dentro de sí misma: metaficción y metaliteratura. Además, buscan integrar al lector o espectador dentro de la ficción.
- Intento de legitimar lo artesanal y los oficios artesanales, incluida como tal la propia pintura.

Estatuas de Don Quijote y Sancho Panza, en la Plaza de España, Madrid

Autores destacables

Luis de Góngora, Lope de Vega, Francisco de Quevedo, Calderón de la Barca, sor Juana Inés de la Cruz, Tirso de Molina, Mateo Alemán y Baltasar Gracián

Memento mori, mosaico romano de Pompeya

ES UN MOVIMIENTO ARTÍSTICO ALTAMENTE ARTIFICIOSO, RECARGADO Y ORNAMENTAL CON GUSTO POR LOS CONTRASTES.

Movimientos en el Barroco

◆ División clara entre el artificioso y metafórico culteranismo (Luis de Góngora) y el perspicaz e inteligente conceptismo (Francisco de Quevedo).

◆ En prosa durante todo el Siglo de Oro se focalizó el género en la figura de Miguel de Cervantes, pero hubo otros géneros prosísticos destacables como el conceptismo en prosa o la novela picaresca y pastoril.

◆ **Poesía:** se funden las formas líricas del español e italiano, conviviendo en esta época la métrica castellana (quintillas, letrillas, romances, entre otras) con la italiana (verso endecasílabo, octava real, soneto, etc.). La poesía barroca se suele centrar en el amor, el desengaño, la metafísica, la religión o la sátira.

◆ **Prosa:** tras la estela de Cervantes, se impone en esta época la novela corta, además de la picaresca, pastoril, alegórica y costumbrista.

◆ **Teatro:** Lope de Vega introduce el teatro profesional en España mediante la Comedia Nueva, una fusión entre la *Commedia dell'Arte* italiana y los corrales de comedia españoles.

Temas artísticos del Barroco

◆ Continuidad de temas renacentistas como el petrarquismo o la mitología y su posible deformación mediante la parodia.

◆ La Santidad y el Arte Sacro.

◆ El desengaño y el pesimismo.

◆ La belleza en todas sus formas, tanto realista como anómala (la belleza en lo extraño).

◆ El sueño como espacio que separa el mundo de los vivos del más allá o como engaño de la propia vida.

◆ La muerte, la corruptibilidad de la carne, la caducidad y la vanidad humana. Por tanto, los tópicos *memento mori* y *vanitas vanitatum* se vuelven centrales.

◆ La continuidad entre la vida y la muerte mediante la representación de las cuatro edades del ser humano.

◆ Uso de los tópicos *carpe diem* y *collige, virgo, rosas.*

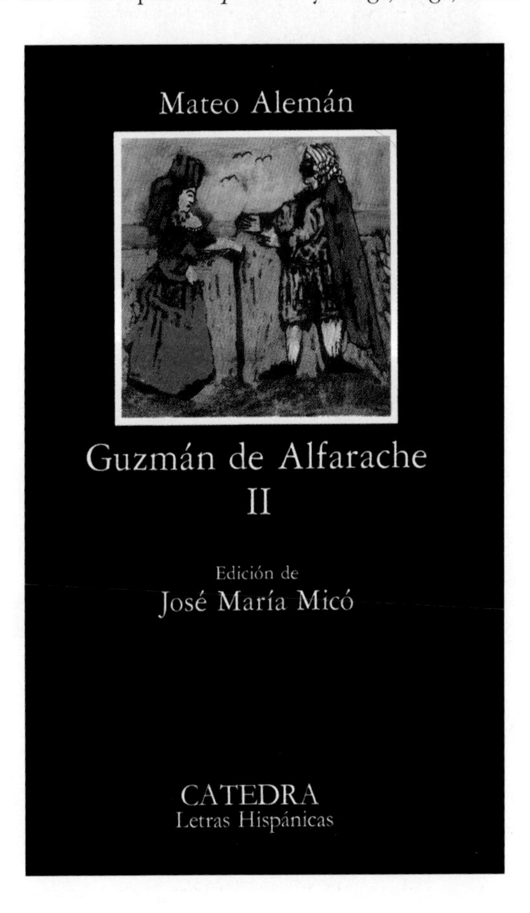

BARROCO

QUEVEDO Y GÓNGORA

01 | Lee estos dos poemas. El primero es de Francisco de Quevedo, titulado «Amor constante más allá de la muerte». El segundo, sin título, es de Luis de Góngora.

Cerrar podrá mis ojos la postrera
sombra que me llevare el blanco día,
y podrá desatar esta alma mía
hora a su afán ansioso lisonjera;

mas no, de esotra parte, en la ribera,
dejará la memoria, en donde ardía:
nadar sabe mi llama el agua fría,
y perder el respeto a ley severa.

Alma a quien todo un dios prisión ha sido,
venas que humor a tanto fuego han dado,
médulas que han gloriosamente ardido,

su cuerpo dejará, no su cuidado;
serán ceniza, mas tendrá sentido;
polvo serán, mas polvo enamorado.

Francisco de Quevedo

Mientras por competir con tu cabello
oro bruñido al sol relumbra en vano;
mientras con menosprecio en medio el llano
mira tu blanca frente el lilio bello;

mientras a cada labio, por cogello,
siguen más ojos que al clavel temprano,
y mientras triunfa con desdén lozano
del luciente cristal tu gentil cuello:

goza cuello, cabello, labio y frente,
antes que lo que fue en tu edad dorada
oro, lilio, clavel, cristal luciente

no solo en plata o víola troncada
se vuelva, más tú y ello juntamente
en tierra, en humo, en polvo, en sombra, en nada.

Luis de Góngora

COMPRENSIÓN LECTORA

02 | ¿Cuál es el tema principal de estos textos?

03 | En parejas, ¿qué similitudes y diferencias temáticas o estilísticas encontráis entre ambos poemas?

04 | Como podéis observar, estos dos poemas son paralelos en su forma (misma cantidad de versos e idéntica distribución de los mismos). En parejas, investigad qué tipo de composición poética son y qué características poseen sus estrofas.

DESARROLLO DE LA LENGUA

05 | ¿Cuántos punto y coma localizáis en ambos textos?

06 | Indicad los usos que tienen el punto y coma en el español.

07 | ¿Para qué se usan los punto y coma en estos poemas y qué diferencias tiene respecto al uso de los dos puntos?

08 | En el verso 10 del primer poema aparece la palabra *humor*. Si conocéis alguno de sus significados, ¿creéis que encaja con el resto del poema? Comprobad otros posibles significados en el diccionario.

09 | En estos poemas hay dos palabras escritas de una forma que no os resultará familiar: *esotra* y *cogello*. ¿A qué creéis que es debido este cambio en la escritura?

10 | Repartíos la siguiente serie de palabras y buscad su significado en el diccionario: *postrera, lisonjera, ribera, lilio, desdén* y *lozano*.

11 | Hay una palabra que actúa como motivo literario, repitiéndose en ambos textos. ¿A qué palabra nos referimos y por qué creéis que se ha escogido esa en particular?

TRABAJO LITERARIO

12 | Aunque parezcan similares en cuanto a su tema, ambos poemas giran en torno a una idea diferente. ¿Cuál es esta?

13 | De estos dos poemas, ¿cuál estaría más cercano al tópico de *collige, virgo, rosas*? Justifica tu respuesta.

14 | En el poema de Quevedo encontramos dos pares de metáforas antitéticas. ¿Qué es una antítesis? ¿Qué representan *postrera sombra / blanco día* y *llama / agua fría*?

PRODUCCIÓN LITERARIA

15 | Aunque no se proporcionan muchos datos, ¿cómo os imagináis a la mujer que describe Góngora en su poema? Escribid una breve descripción de ella. Por supuesto, podéis ser creativos y añadir nuevos datos con ayuda del diccionario.

16 | En parejas, leed el texto a vuestros compañeros. ¿Qué texto os parece más agradable y cómodo de leer? Valoradlo del 1 al 3.

INVESTIGACIÓN LITERARIA

17 | En grupos, leed estos dos poemas y comparadlos. Uno está escrito por Luis de Góngora criticando a Francisco de Quevedo, mientras que el otro es de Quevedo burlándose de Góngora. ¿Cuál creéis que pertenece a cada uno de ellos? Debatidlo en clase y después comprobadlo.

18 | ¿Cuál era la relación que tenían Quevedo y Góngora? En parejas, investigad y redactad una pequeña nota sobre ello.

Érase un hombre a una nariz pegado,
érase una nariz superlativa,
érase una alquitara medio viva,
érase un peje espada mal barbado;

era un reloj de sol mal encarado.
érase un elefante boca arriba,
érase una nariz sayón y escriba,
un Ovidio Nasón mal narigado.

érase el espolón de una galera,
érase una pirámide de Egito,
las doce tribus de narices era;

Érase un naricísimo infinito,
frisón archinariz, caratulera,
sabañón garrafal morado y frito.

Cierto poeta, en forma peregrina
cuanto devota, se metió a romero,
con quien pudiera bien todo barbero
lavar la más llagada disciplina.

Era su benditísima esclavina,
en cuanto suya, de un hermoso cuero,
su báculo timón del más zorrero
bajel, que desde el Faro de Cecina

a Brindis, sin hacer agua, navega.
Este sin landre claudicante Roque,
de una venera justamente vano

que en oro engasta, santa insignia,
aloque, a San Trago camina, donde llega,
que tanto anda el cojo como el sano.

19 | Dividid la clase en dos grupos. Ambos grupos buscarán información en internet, encargándose uno de recopilar datos sobre el conceptismo y el otro sobre el culteranismo. Después, ambos grupos prepararán una exposición para explicarle su movimiento literario a la otra mitad de la clase.

20 | Una vez realizada la investigación, la exposición y las redacciones, releed estos dos textos y apreciad qué características veis del conceptismo y el culteranismo en ambos atendiendo ya a su autor conocido.

21 | Leed este poema de Lope de Vega y comparadlo con las características del conceptismo y del culteranismo. ¿De qué movimiento creéis que está haciendo burla y sátira?, ¿qué representan los personajes de Boscán y Garcilaso?

—Boscán, tarde llegamos. ¿Hay posada?
—Llamad desde la posta, Garcilaso.
—¿Quién es? —Dos caballeros del Parnaso.
—No hay donde nocturnar palestra armada.

—No entiendo lo que dice la criada.
Madona, ¿qué decís? —Que afecten paso,
que obstenta limbos el mentido ocaso
y el sol depingen la porción rosada.

—¿Estás en ti, mujer? —Negóse al tino
el ambulante huésped. —¡Que en tan poco
tiempo tal lengua entre cristianos haya!

—Boscán, perdido habemos el camino;
preguntad por Castilla, que estoy loco
o no habemos salido de Vizcaya.

22 | En grupos, elegid a Quevedo o a Góngora y elaborad una presentación sobre su vida y obra. Después, haced una puesta en común en clase.

¿Cuánto sabes?

AUTOEVALUACIÓN

Lee y marca verdadero (V) o falso (F).

	V	F
a. El Barroco es un movimiento artístico que se caracteriza por ser muy recargado.	☐	☐
b. Durante el Barroco la religión está en segundo plano y casi no se hacen obras relacionadas con el catolicismo.	☐	☐
c. El conceptismo es un movimiento que utiliza muchas palabras cultas y latinismos.	☐	☐
d. Luis de Góngora nació en Córdoba.	☐	☐
e. Francisco de Quevedo nació en Castilla-La Mancha	☐	☐
f. Góngora y Quevedo se llevaban muy bien y eran amigos íntimos.	☐	☐
g. Una ribera es la franja de tierra cercana a un río.	☐	☐
h. *Humor* puede referirse a los líquidos del cuerpo humano.	☐	☐
i. Una antítesis cambia el orden esperable de las palabras de una oración.	☐	☐
j. *Collige, virgo, rosas* es un tópico literario cercano al *carpe diem* que advierte del envejecimiento del cuerpo humano.	☐	☐

SOR JUANA INÉS DE LA CRUZ

01 | Lee «Arguye de inconsecuente el gusto y la censura de los hombres, que en las mujeres acusan lo que causan», de sor Juana Inés de la Cruz.

Hombres necios que acusáis
a la mujer sin razón,
sin ver que sois la ocasión,
de lo mismo que culpáis;

si con ansia sin igual
solicitáis su desdén,
¿por qué queréis que obren bien,
si las incitáis al mal?

Combatís su resistencia,
y luego, con gravedad,
decís que fue liviandad
lo que hizo la diligencia.

Parecer quiere el denuedo
de vuestro parecer loco,
al niño que pone el coco
y luego le tiene miedo.

Queréis, con presunción necia,
hallar a la que buscáis,
para pretendida, Tais,
y en la posesión, Lucrecia.

¿Qué humor puede ser más raro
que el que falto de consejo,
él mismo empaña el espejo
y siente que no esté claro?

Con el favor y el desdén
tenéis condición igual,
quejándoos, si os tratan mal,
burlándoos, si os quieren bien.

Opinión ninguna gana,
pues la que más se recata,
si no os admite, es ingrata,
y si os admite, es liviana.

Siempre tan necios andáis
que, con desigual nivel,
a una culpáis por cruel,
y a otra por fácil culpáis.

¿Pues cómo ha de estar templada
la que vuestro amor pretende,
si la que es ingrata ofende
y la que es fácil enfada?

Mas entre el enfado y pena
que vuestro gusto refiere,
bien haya la que no os quiere,
y quejaos en hora buena.

Dan vuestras amantes penas
a sus libertades alas,
y después de hacerlas malas,
las queréis hallar muy buenas.

¿Cuál mayor culpa ha tenido
en una pasión errada,
la que cae de rogada,
o el que ruega de caído?

¿O cuál es más de culpar,
aunque cualquiera mal haga,
la que peca por la paga,
o el que paga por pecar?

¿Pues para qué os espantáis
de la culpa que tenéis?
Queredlas cual las hacéis,
o hacedlas cual las buscáis.

Dejad de solicitar
y después, con más razón,
acusaréis la afición
de la que os fuere a rogar.

Bien con muchas armas fundo
que lidia vuestra arrogancia,
pues en promesa e instancia,
juntáis diablo, carne y mundo.

COMPRENSIÓN LECTORA

02 | ¿Cuál es el tema principal del texto?

03 | En parejas, resumid las ideas esenciales del mismo.

04 | En parejas y observando el tono general del poema, ¿a qué creéis que se refiere la autora con los últimos cuatro versos del texto?

DESARROLLO DE LA LENGUA

05 | Buscad las tildes aparecidas en el poema. En parejas, poned algunos ejemplos de tildes que indican la sílaba tónica y de tildes diacríticas.

06 | ¿Observáis algún hiato con tilde en el poema?, ¿y alguna palabra llana con tilde ortográfica?

07 | En parejas, en los versos *¿Qué humor puede ser más raro / que el que falto de consejo, / él mismo empaña el espejo / y siente que no esté claro?*, ¿qué diferencias observáis entre *qué* y *que* y entre *él* y *el?*

08 | Debido a su contexto ¿creéis que con *coco* se refiere al fruto del cocotero o a otro elemento? Debatidlo en clase y luego comprobadlo en el diccionario.

09 | En parejas, repartíos las siguientes palabras y buscad su significado en el diccionario: *necio, obrar, liviandad, denuedo, presunción, ingrata, arrogancia* y *rogar.*

10 | En parejas, indicad si las siguientes palabras son sinónimos o antónimos de *necio: inteligente, ignorante, tonto, instruido, simplón* y *zoquete.* En primer lugar, intentad averiguarlo vosotros mismos y luego comprobadlo en un diccionario.

TRABAJO LITERARIO

11 | Las oraciones interrogativas que aparecen en el texto, ¿son directas o indirectas?, ¿son preguntas retóricas? Justificad vuestras respuestas.

12 | En parejas, señalad y explicad los retruécanos aparecidos en el poema.

13 | En parejas, señalad y explicad los paralelismos aparecidos en el texto.

Sor Juana Inés de la Cruz

PRODUCCIÓN LITERARIA

14 | Elegid tres estrofas del texto y pasadlas a prosa en lenguaje indirecto. Podréis añadir o quitar léxico, transformar las palabras o usar el diccionario si es necesario.

15 | En parejas, leed el texto de vuestros compañeros. ¿Cuál creéis que se acerca más a lo escrito por sor Juana Inés de la Cruz? Valoradlo del 1 al 3.

INVESTIGACIÓN LITERARIA

16 | En grupos, buscad información sobre la biografía de sor Juana Inés de la Cruz y preparad una exposición para la clase.

17 | En parejas, investigad qué tipo de estrofa y de rima forma «Hombres necios que acusáis» y si ha sido importado desde otra literatura que no sea la española.

18 | En parejas, averiguad quiénes eran Tais y Lucrecia y qué representan, es decir, por qué sor Juana Inés de la Cruz las eligió precisamente a ellas.

19 | En grupos, analizad la defensa de la mujer que la autora hace en este texto teniendo en cuenta su contexto histórico. ¿Creéis que un poema como este sigue siendo moderno y puede aplicarse en la actualidad? Debatidlo en clase.

20 | En grupos, leed esta letrilla satírica de FRANCISCO DE QUEVEDO titulada «Todas ponemos», donde adopta la voz de la mujer, y comparadla con el poema anterior de sor Juana Inés de la Cruz.

21 | ¿Cuál es la mayor diferencia entre estos dos poemas? ¿Es similar el trato que recibe la mujer en los dos poemas? ¿Creéis que el hecho de ser los autores hombre y mujer ha podido influir en los dos planteamientos? Debatid en clase la respuesta.

Sabed, vecinas,
que mujeres y gallinas
todas ponemos,
unas cuernos y otras huevos.

Viénense a diferenciar
la gallina y la mujer,
en que ellas saben poner,
nosotras solo quitar;
y en lo que es cacarear
el mismo tono tenemos.
Todas ponemos,
unas cuernos y otras huevos.

Docientas gallinas hallo
yo con un gallo contentas;
mas si nuestros gallos cuentas,
mil que den son nuestro gallo;
y cuando llegan al fallo,
en cuclillos los volvemos.
Todas ponemos,
unas cuernos y otras huevos.

En gallinas regaladas
tener pepita es gran daño,
y en las mujeres de ogaño
lo es el ser despepitadas.
las viejas son emplumadas,
por darnos con que volemos.
Todas ponemos,
unas cuernos y otras huevos.

¿Cuánto sabes?

AUTOEVALUACIÓN

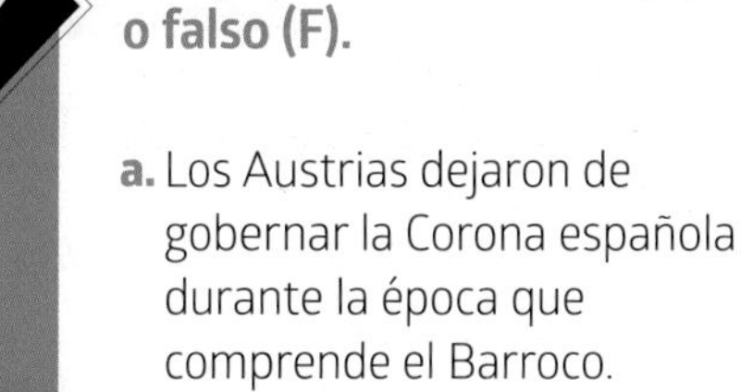

Lee y marca verdadero (V) o falso (F).

	V	F
a. Los Austrias dejaron de gobernar la Corona española durante la época que comprende el Barroco.	☐	☐
b. La situación y discriminación hacia la mujer es un tema recurrente en el Barroco que todos los autores utilizaban.	☐	☐
c. La poesía barroca utiliza indistintamente los tipos de estrofa castellanos o los importados de Italia.	☐	☐
d. Sor Juana Inés de la Cruz es una escritora nacida en México, llamado en su época Virreinato de la Nueva España.	☐	☐
e. A pesar de ser monja, sor Juana Inés de la Cruz posee una marcada conciencia femenina sobre la situación en la que se encontraban las mujeres de su época.	☐	☐
f. Sor Juana Inés de la Cruz no escribió teatro.	☐	☐
g. Sor Juana Inés de la Cruz pertenecía a la orden de san Jerónimo.	☐	☐
h. Un *coco* puede ser tanto un fruto como un ser imaginario terrorífico.	☐	☐
i. Sor Juana Inés de la Cruz era autodidacta.	☐	☐
j. «Hombres necios que acusáis» es un soneto de versos octosílabos y rima abrazada.	☐	☐

CALDERÓN DE LA BARCA

01 | Lee este fragmento: el final del acto II de *La vida es sueño,* de Calderón de la Barca.

SEGISMUNDO. ¿Es ya de despertar hora?
CLOTALDO. Sí, hora es ya de despertar.
¿Todo el día te has de estar
durmiendo? ¿Desde que yo
al águila que voló
con tarda vista seguí
y te quedaste tú aquí,
nunca has despertado?
SEGISMUNDO. No.
Ni aun agora he despertado;
que según, Clotaldo, entiendo,
todavía estoy durmiendo,
y no estoy muy engañado;
porque si ha sido soñado
lo que vi palpable y cierto,
lo que veo será incierto;
y no es mucho que, rendido,
pues veo estando dormido,
que sueñe estando despierto.
CLOTALDO. Lo que soñaste me di.
SEGISMUNDO. Supuesto que sueño fue,
no diré lo que soñé;
lo que vi, Clotaldo, sí.
Yo desperté, y yo me vi,
—¡qué crueldad tan lisonjera!—
en un lecho, que pudiera
con matices y colores
ser el catre de las flores
que tejió la primavera.
Aquí mil nobles, rendidos
a mis pies nombre me dieron
de su príncipe, y sirvieron
galas, joyas y vestidos.
La calma de mis sentidos
tú trocaste en alegría,
diciendo la dicha mía;
que, aunque estoy de esta manera,
príncipe en Polonia era.
CLOTALDO. Buenas albricias tendría.
SEGISMUNDO. No muy buenas; por traidor,
con pecho atrevido y fuerte
dos veces te daba muerte.

Calderón de la Barca

CLOTALDO. ¿Para mí tanto rigor?
SEGISMUNDO. De todos era señor,
y de todos me vengaba;
solo a una mujer amaba...
que fue verdad, creo yo,
en que todo se acabó,
y esto solo no se acaba.

(Vase el rey).

CLOTALDO. *(Enternecido se ha ido
el rey de haberle escuchado). (Aparte).*
Como habíamos hablado
de aquella águila, dormido,
tu sueño imperios han sido;
mas en sueños fuera bien
entonces honrar a quien
te crió en tantos empeños,
Segismundo, que aun en sueños
no se pierde el hacer bien.

(Vase).

[Escena XIX]

SEGISMUNDO. Es verdad; pues reprimamos
esta fiera condición,
esta furia, esta ambición,
por si alguna vez soñamos;
y sí haremos, pues estamos
en mundo tan singular,
que el vivir solo es soñar;
y la experiencia me enseña
que el hombre que vive, sueña
lo que es, hasta despertar.
Sueña el rey que es rey, y vive
con este engaño mandando,
disponiendo y gobernando;
y este aplauso, que recibe
prestado, en el viento escribe,
y en cenizas le convierte
la muerte, ¡desdicha fuerte!
¡Que hay quien intente reinar,
viendo que ha de despertar
en el sueño de la muerte!
Sueña el rico en su riqueza,
que más cuidados le ofrece;
sueña el pobre que padece
su miseria y su pobreza;
sueña el que a medrar empieza,
sueña el que afana y pretende,
sueña el que agravia y ofende,
y en este mundo, en conclusión,
todos sueñan lo que son,
aunque ninguno lo entiende.
Yo sueño que estoy aquí
de estas prisiones cargado,
y soñé que en otro estado
más lisonjero me vi.
¿Qué es la vida? Un frenesí.
¿Qué es la vida? Una ficción,
una sombra, una ilusión,
y el mayor bien es pequeño;
que toda la vida es sueño,
y los sueños, sueños son.

COMPRENSIÓN LECTORA

02 | ¿De qué trata este fragmento de *La vida es sueño*?

03 | ¿Cuál es la advertencia que Clotaldo le realiza a Segismundo y que lo hace reflexionar?

04 | ¿Cuál es la mayor preocupación de Segismundo a lo largo de este fragmento?

05 | ¿Qué situación describe Segismundo como un sueño? Tras responder, compruébalo en la sinopsis de la obra en **Mi Biblioteca.**

DESARROLLO DE LA LENGUA

06 | Localizad los paréntesis de este fragmento. ¿Para qué creéis que se utilizan?

07 | En parejas, buscad información complementaria sobre los diversos usos de los paréntesis.

08 | ¿Qué crees que significa *agora* en la frase de Segismundo *Ni aun agora he despertado?*, ¿te resulta familiar o te recuerda alguna palabra que conozcas? Compruébalo en el diccionario.

09 | ¿Qué significan *palpable, crueldad, galas, albricias, rigor* y *frenesí*? Compruébalo en el diccionario.

10 | En su relato, Segismundo dice *en un lecho, que pudiera con matices y colores ser el catre de las flores que tejió la primavera.* ¿Qué creéis que pueden significar *lecho* y *catre?*, ¿os parece que pueden ser sinónimos? Justificad vuestra respuesta y comprobadlo en el diccionario.

TRABAJO LITERARIO

11 | Este texto tiene varios hipérbatos. En parejas, señalad algunos ejemplos, explicadlos y escribid su orden lógico.

12 | En parejas, buscad alguna anáfora en el texto y explicadla.

13 | Aunque un poco enrevesados, los versos finales de Segismundo están cargados de significado:

> *¿Qué es la vida? Una ficción,*
> *una sombra, una ilusión,*
> *y el mayor bien es pequeño;*
> *que toda la vida es sueño,*
> *y los sueños, sueños son.*

¿Cuál creéis que es el tema principal de estos versos?, ¿y qué significado pensáis que poseen?

PRODUCCIÓN LITERARIA

14 | Elegid una intervención de Segismundo o Clotaldo y convertidla en un pequeño relato en estilo indirecto. Añadidle una breve descripción contextual (dónde se encuentra el personaje, que está haciendo, etc.). Usad el diccionario si es necesario.

15 | En parejas, leed el relato de vuestros compañeros. ¿Cuál creéis que refleja mejor la situación del fragmento teatral? Valorad los relatos de vuestros compañeros del 1 al 3.

INVESTIGACIÓN LITERARIA

16 | Lee este fragmento del acto III de *Fuenteovejuna,* de **Lope de Vega**, donde da comienzo el conocido como monólogo de Laurencia.

(Sale Laurencia, desmelenada).
Laurencia. Dejadme entrar, que bien puedo,
en consejo de los hombres;
que bien puede una mujer,
si no a dar voto, a dar voces.
¿Conocéisme?
Esteban: ¡Santo cielo!
¿No es mi hija?
Juan Rojo: ¿No conoces
a Laurencia?
Laurencia. Vengo tal,
que mi diferencia os pone
en contingencia quién soy.
Esteban: ¡Hija mía!
Laurencia. No me nombres
tu hija.
Esteban: ¿Por qué, mis ojos?
¿Por qué?
Laurencia. Por muchas razones,
y sean las principales:
porque dejas que me roben
tiranos sin que me vengues,
traidores sin que me cobres.
Aún no era yo de Frondoso,
para que digas que tome,
como marido, venganza;
que aquí por tu cuenta corre;
que en tanto que de las bodas
no haya llegado la noche,
del padre, y no del marido,
la obligación presupone;
que en tanto que no me entregan
una joya, aunque la compren,
no ha de correr por mi cuenta
las guardas ni los ladrones.
Llevóme de vuestros ojos
a su casa Fernán Gómez;
la oveja al lobo dejáis
como cobardes pastores.
¿Qué dagas no vi en mi pecho?
¿Qué desatinos enormes,
qué palabras, qué amenazas,
y qué delitos atroces,
por rendir mi castidad
a sus apetitos torpes?
Mis cabellos ¿no lo dicen?
¿No se ven aquí los golpes
de la sangre y las señales?
¿Vosotros sois hombres nobles?
¿Vosotros padres y deudos?
¿Vosotros, que no se os rompen
las entrañas de dolor,
de verme en tantos dolores?
Ovejas sois, bien lo dice
de Fuenteovejuna el nombre.

17 | Tras leer el monólogo de Segismundo *(La vida es sueño)* y el de Laurencia *(Fuenteovejuna)*, responded en parejas: ¿qué diferencias encontráis en ambos personajes?, ¿creéis que encajarían con los prototipos de hombre y mujer de su época?, ¿qué monólogo pensáis que está más cargado de existencialismo y cuál de rebeldía?

Lope de Vega

18 | Lee este fragmento de *El amor enamorado,* de Lope de Vega. ¿Notáis alguna diferencia en el tono usado al compararlo con los otros dos textos teatrales anteriores?, ¿a qué creéis que es debido?

DAFNE. Tierra, tus entrañas abre,
y en tu centro me sepulta.
(Transformándose en laurel).
FEBO. Tente, espera; celestiales
dioses, ¿qué crueldad es ésta?
¿Un árbol queréis que abrace?
¿Qué lo dudo? Ramos son
que del duro tronco salen,
alma de aquella cruel:
venganzas son desiguales
de mis ofensas, Amor.
*(*DAFNE *en el árbol).*

DAFNE. ¡Ay!
FEBO. Con qué voz lamentable,
temblando el árbol se queja
[...]
Tú serás el árbol mío,
laurel quiero que te llamen,
aunque en tu dura corteza
su condición se retrate,
cubriendo un alma de bronce
y unas entrañas de jaspe.
Arrojo el roble, y desde hoy
quiero de ti coronarme:
desta rama haré a mi frente...
DAFNE. ¡Ay!
FEBO. Perdona; para honrarte,
corona que también sea,
para ilustres capitanes,
triunfo de insignes victorias
y premio de hazañas grandes.

19 | En grupos. En el teatro barroco destacan Lope de Vega y Calderón de la Barca, pero uno de ellos transformó el género teatral hasta límites insospechados. ¿Cuál creéis que es? Investigad cuál de los dos supuso un cambio mayor en la historia del teatro barroco.

20 | En grupos, elegid a Lope de Vega o a Calderón para investigarlo y realizar una exposición en clase, atendiendo a su biografía y obras destacables.

¿Cuánto sabes?

AUTOEVALUACIÓN

Lee y marca verdadero (V) o falso (F).

	V	F
a. España se abre al teatro profesional durante la época barroca.	☐	☐
b. El corral de comedias consistía en un escenario situado dentro de los patios de ciertas casas españolas para representar allí obras de teatro.	☐	☐
c. La comedia nueva fue una creación de Calderón de la Barca basada en utilizar siempre elementos trágicos.	☐	☐
d. Calderón de la Barca es conocido por obras como *Rimas* o *Fuenteovejuna*.	☐	☐
e. Lope de Vega y Calderón de la Barca nacieron y fallecieron ambos en Madrid.	☐	☐
f. Segismundo de *La vida es sueño* vive engañado teniendo, por ello, una crisis existencialista sobre la diferencia entre qué es real y qué ficción.	☐	☐
g. Segismundo logra huir de la torre gracias a Laurencia que, tras discutir con los hombres que lo tienen retenido, lo rescata.	☐	☐
h. *Agora* es un modo en desuso de escribir la palabra *ahora*.	☐	☐
i. Lope de Vega escribió muchos sonetos de amor.	☐	☐
j. *El alcalde de Zalamea* es una obra de Lope de Vega.	☐	☐

unidad

6

Fachada del Museo del Prado, Madrid

Contexto histórico

- **Muerte de Carlos II** de España (1700). Muere sin descendencia
- **Guerra de Sucesión** (1701-1713), con dos pretendientes al trono: Felipe de Anjou y Carlos de Habsburgo. Victoria de Felipe de Anjou
- **Cese del conflicto con el Tratado de Utrecht** (1713), con la consiguiente hegemonía británica. El tratado establecía que:
  - Felipe V era reconocido como rey de España, pero renunciaba a sus derechos a la Corona francesa
  - El territorio de los Países Bajos español y los territorios italianos españoles (Nápoles y Cerdeña) pasaban a la Corona austriaca. España también perdió Sicilia
  - Inglaterra consiguió el peñón de Gibraltar, la isla de Menorca, derecho limitado a comerciar con las colonias españolas de América y permiso para comerciar con esclavos en ellas
- **Reinado de Felipe V** (1700-1746), primer rey Borbón de la Corona española
- **Creación de la Real Academia Española** (1713), a imagen de la Academia Francesa
- **Reinado de Fernando VI** (1746-1759), hijo de Felipe V
- **Reinado de Carlos III** (1759-1788), también hijo de Felipe V. Modernización de España
- **Revolución francesa** (1789-1799)
- **Reinado de Carlos IV** (1788-1808). Comienzo del declive político y social

El siglo XVIII

LA ILUSTRACIÓN

Contexto cultural y artístico

- **Neoclasicismo,** movimiento que busca rescatar la estética y la cultura de la Antigüedad clásica
- **Nacimiento de la Ilustración en Francia.** Montesquieu, Rousseau y Voltaire son sus principales representantes
- **Montesquieu** publica *El espíritu de las leyes* (1748), donde establece la separación de poderes: ejecutivo, legislativo y judicial
- **Publicación de la *Enciclopedia*** en Francia a mediados del siglo XVIII
- **Josef Hadyn** (1732-1809), compositor austríaco, buen representante del periodo clásico
- **Juan de Villanueva** (1739-1811), mayor exponente de la arquitectura neoclásica en España, quien diseñó el famoso Museo del Prado por orden del rey Carlos III
- **Francisco de Goya y Lucientes** (1746-1828), pintor que desarrolló los tres estilos de este siglo: el rococó, el neoclásico y el prerromántico
- **Mozart** (1756-1791), genio austríaco, maestro del Clasicismo

***Autorretrato*, de Goya**

Voltaire

LA ILUSTRACIÓN

Fue un movimiento cultural, literario y científico europeo que se desarrolló en Europa. Buscaba combatir la ignorancia y la superstición a través del conocimiento y la razón. Por eso, el siglo XVIII es conocido como el Siglo de las Luces.

Características básicas

- La Ilustración es el movimiento representativo del siglo XVIII que provoca una **profunda renovación** en Europa porque somete la filosofía, la cultura y las creencias religiosas aceptadas hasta el momento a una crítica racional de la visión del mundo.
- Este movimiento marcó decisivamente tanto a la sociedad y la política como a la producción literaria.
- La literatura de esta época se caracteriza por el uso de la razón, la capacidad didáctica (la obra literaria es el medio para enseñar y mostrar unas ideas concretas) y el **cientificismo**.
- Se buscan la sencillez y la claridad expositiva. El objetivo último es la educación de la sociedad.
- El género literario que destaca es el teatro. Además, se desarrolla el ensayo.
- Se rechaza el barroquismo y se persigue la simplicidad en las líneas en arquitectura, pintura o escultura, por lo que se vuelve al Renacimiento o directamente al mundo clásico (Grecia y Roma). Es el llamado Neoclasicismo.
- Se pueden establecer tres etapas en este siglo:
  - El antibarroquismo, que dura hasta mediados del XVIII, aunque se siguen representado obras de Lope de Vega, Calderón, etc.
  - Neoclasicismo, caracterizado por estar regido por la razón y el conocimiento.
  - El inicio del prerromanticismo, hacia finales del XVIII.
- La lengua española del siglo XVIII recibe una gran atención. La labor reguladora de la Real Academia Española es fundamental en este siglo.

***Carlos III, cazador,* de Goya**

Autores destacables

José Cadalso, Melchor de Jovellanos, Leandro Fernández de Moratín, Meléndez Valdés, Ramón de la Cruz, Félix María Samaniego, Tomás de Iriarte, Benito Jerónimo Feijoo y Padre Isla

Tomás de Iriarte, de Joaquín Inza

ES LA ÉPOCA DEL DESPOTISMO ILUSTRADO, CON UNA CULTURA GUIADA POR UN ESTADO ABSOLUTISTA, CON LA MÁXIMA DE «TODO PARA EL PUEBLO, PERO SIN EL PUEBLO».

Géneros en la literatura neoclásica

◆ **Prosa:** La novela es casi inexistente, por el rechazo a la ficción y la aventura.

- El género en prosa más desarrollado es **el ensayo**, por su carácter didáctico, pues los textos se crean con la intención de enseñar al lector mostrándole los valores de la Ilustración. El ensayo llega a España desde Francia, donde en el siglo XVI Montaigne publicó sus famosos *Essais* (ensayos). Así denominó sus reflexiones. En España destacan Benito Jerónimo Feijoo y Melchor de Jovellanos.
- **La fábula**, con su valor moralizante, es otro de los géneros preferidos por los autores ilustrados. Sobresalen Félix María Samaniego y Tomás de Iriarte, ambos educados en Francia.

◆ **Poesía:** En la Ilustración, la poesía recupera tópicos y formas renacentistas basadas a su vez en el mundo clásico. Por ello, en España, la poesía vuelve sus ojos a Garcilaso por ser un modelo de claridad, orden y armonía. Evidentemente, se rechaza todo el ornamento barroco.

◆ **Teatro:** Es el género mejor desarrollado, dado que tiene una repercusión social inmediata y es el medio óptimo para la educación (principal objetivo de esta época). Este teatro se caracteriza por cinco reglas que debían observarse con rectitud:

- La pureza de géneros (no se mezcla la comedia con la tragedia, por ejemplo), junto a la claridad y precisión en el lenguaje.
- El mantenimiento estricto de las 3 unidades aristotélicas: espacio, tiempo y acción. Todo debía suceder en un solo espacio, a lo largo de un día y con un solo problema que resolver, que debía desarrollarse en 3 actos: presentación, nudo y desenlace.
- La subordinación al realismo y a la verosimilitud tanto en los conflictos planteados, como en la presentación de los personajes. Esto supuso la desaparición de todo lo fantástico y religioso, por no adecuarse a la razón y al cientificismo.
- La primacía del «decoro», esto es, los personajes debían tener una presencia en el escenario adecuada, así como desarrollar acciones correctas. Además, siempre se premiaba a los «buenos», frente al castigo de los «malos».
- La persecución de un fin didáctico claro y manifiesto. El teatro era el vehículo para la educación del individuo.

Representación de *El sí de las niñas*

ILUSTRACIÓN

LEANDRO FERNÁNDEZ DE MORATÍN

01 | Lee este fragmento de la obra de teatro *El sí de las niñas,* de Leandro Fernández de Moratín.

ACTO III, Escena VIII

DON DIEGO y DOÑA FRANCISCA

DON DIEGO. ¿Usted no habrá dormido bien esta noche?
DOÑA FRANCISCA. No, señor. ¿Y usted?
DON DIEGO. Tampoco.
DOÑA FRANCISCA. Ha hecho demasiado calor.
DON DIEGO. ¿Está usted desazonada?
DOÑA FRANCISCA. Alguna cosa.
DON DIEGO. ¿Qué siente usted? *(Siéntase junto a DOÑA FRANCISCA).*
DOÑA FRANCISCA. No es nada... Así un poco de... Nada... no tengo nada.
DON DIEGO. Algo será; porque la veo a usted muy abatida, llorosa, inquieta... ¿Qué tiene usted, Paquita? ¿No sabe usted que la quiero tanto?
DOÑA FRANCISCA. Sí, señor.
DON DIEGO. Pues ¿por qué no hace usted más confianza de mí? ¿Piensa usted que no tendré yo mucho gusto en hallar ocasiones de complacerla?
DOÑA FRANCISCA. Ya lo sé.
DON DIEGO. ¿Pues cómo, sabiendo que tiene usted un amigo, no desahoga con él su corazón?
DOÑA FRANCISCA. Porque eso mismo me obliga a callar.
DON DIEGO. Eso quiere decir que tal vez soy yo la causa de su pesadumbre de usted.
DOÑA FRANCISCA. No, señor; usted en nada me ha ofendido... No es de usted de quien yo me debo quejar.
DON DIEGO. Pues ¿de quién, hija mía?... Venga usted acá... *(Acércase más).* Hablemos siquiera una vez sin rodeos ni disimulación... Dígame usted: ¿no es cierto que usted mira con algo de repugnancia este casamiento que se le propone? ¿Cuánto va que, si la dejasen a usted entera libertad para la elección, no se casaría conmigo?
DOÑA FRANCISCA. Ni con otro.
DON DIEGO. ¿Será posible que usted no conozca otro más amable que yo, que la quiera bien, y que la corresponda como usted merece?

***Leandro Fernández de Moratín*, de Goya**

DOÑA FRANCISCA. No, señor; no, señor.
DON DIEGO. Mírelo usted bien.
DOÑA FRANCISCA. ¿No le digo a usted que no?
DON DIEGO. ¿Y he de creer, por dicha, que conserve usted tal inclinación al retiro en que se ha criado, que prefiera la austeridad del convento a una vida más...?
DOÑA FRANCISCA. Tampoco; no, señor... Nunca he pensado así.
DON DIEGO. No tengo empeño de saber más... Pero de todo lo que acabo de oír resulta una gravísima contradicción. Usted no se halla inclinada al estado religioso, según parece. Usted me asegura que no tiene queja ninguna de mí, que está persuadida de lo mucho que la estimo, que no piensa casarse con otro, ni debo recelar que nadie me dispute su mano... Pues ¿qué llanto es ese? ¿De dónde nace esa tristeza profunda, que en tan poco tiempo ha alterado su semblante de usted, en términos que apenas le reconozco? ¿Son estas las señales de quererme exclusivamente a mí, de casarse gustosa conmigo dentro de pocos días? ¿Se anuncian así la alegría y el amor? *(Vase iluminando lentamente el teatro, suponiendo que viene la luz del día).*

DOÑA FRANCISCA. Y ¿qué motivos le he dado a usted para tales desconfianzas?

DON DIEGO. Pues ¿qué? Si yo prescindo de estas consideraciones, si apresuro las diligencias de nuestra unión, si su madre de usted sigue aprobándola y llega el caso de...

DOÑA FRANCISCA. Haré lo que mi madre me manda, y me casaré con usted.

DON DIEGO. ¿Y después, Paquita?

DOÑA FRANCISCA. Después..., y mientras me dure la vida, seré mujer de bien.

DON DIEGO. Eso no lo puedo yo dudar... Pero si usted me considera como el que ha de ser hasta la muerte su compañero y su amigo, dígame usted: estos títulos, ¿no me dan algún derecho para merecer de usted mayor confianza? ¿No he de lograr que usted me diga la causa de su dolor? Y no para satisfacer una impertinente curiosidad, sino para emplearme todo en su consuelo, en mejorar su suerte.

DOÑA FRANCISCA. ¡Dichas para mí!... Ya se acabaron.

DON DIEGO. ¿Por qué?

DOÑA FRANCISCA. Nunca diré por qué.

DON DIEGO. Pero ¡qué obstinado, qué imprudente silencio!... Cuando usted misma debe presumir que no estoy ignorante de lo que hay.

DOÑA FRANCISCA. Si usted lo ignora, señor don Diego, por Dios no finja que lo sabe; y si en efecto lo sabe usted, no me lo pregunte.

DON DIEGO. Bien está. Una vez que no hay nada que decir, que esa aflicción y esas lágrimas son voluntarias, hoy llegaremos a Madrid, y dentro de ocho días será usted mi mujer.

DOÑA FRANCISCA. Y daré gusto a mi madre.

DON DIEGO. Y vivirá usted infeliz.

DOÑA FRANCISCA. Ya lo sé.

DON DIEGO. Ve aquí los frutos de la educación. Esto es lo que se llama criar bien a una niña: enseñarla a que desmienta y oculte las pasiones más inocentes con una pérfida disimulación. Las juzgan honestas luego que las ven instruidas en el arte de callar y mentir. Se obstinan en que el temperamento, la edad ni el genio no han de tener influencia alguna en sus inclinaciones, o en que su voluntad ha de torcerse al capricho de quien las gobierna. Todo se las permite, menos la sinceridad. Con tal que no digan lo que sienten, con tal que finjan aborrecer lo que más desean, con tal que se presten a pronunciar, cuando se lo manden, un sí perjuro, sacrílego, origen de tantos escándalos, ya están bien criadas, y se llama excelente educación la que inspira en ellas el temor, la astucia y el silencio de un esclavo.

DOÑA FRANCISCA. Es verdad... Todo eso es cierto... Eso exigen de nosotras, eso aprendemos en la escuela que se nos da... Pero el motivo de mi aflicción es mucho más grande.

DON DIEGO. Sea cual fuere, hija mía, es menester que usted se anime... Si la ve a usted su madre de esa manera, ¿qué ha de decir?... Mire usted que ya parece que se ha levantado.

DOÑA FRANCISCA. ¡Dios mío!

DON DIEGO. Sí, Paquita; conviene mucho que usted vuelva un poco sobre sí... No abandonarse tanto... Confianza en Dios... Vamos, que no siempre nuestras desgracias son tan grandes como la imaginación las pinta... ¡Mire usted qué desorden este! ¡Qué agitación! ¡Qué lágrimas! Vaya, ¿me da usted palabra de presentarse así... con cierta serenidad y...? ¿Eh?

DOÑA FRANCISCA. Y usted, señor... Bien sabe usted el genio de mi madre. Si usted no me defiende, ¿a quién he de volver los ojos? ¿Quién tendrá compasión de esta desdichada?

DON DIEGO. Su buen amigo de usted... Yo... ¿Cómo es posible que yo la abandonase..., ¡criatura! ..., en la situación dolorosa en que la veo? *(Asiéndola de las manos).*

DOÑA FRANCISCA. ¿De veras?

DON DIEGO. Mal conoce usted mi corazón.

DOÑA FRANCISCA. Bien le conozco. *(Quiere arrodillarse; DON DIEGO se lo estorba, y ambos se levantan).*

DON DIEGO. ¿Qué hace usted, niña?

DOÑA FRANCISCA. Yo no sé... ¡Qué poco merece toda esa bondad una mujer tan ingrata para con usted!... No, ingrata no: infeliz... ¡Ay, qué infeliz soy, señor Don Diego!

DON DIEGO. Yo bien sé que usted agradece como puede el amor que la tengo... Lo demás todo ha sido..., ¿qué sé yo? ..., una equivocación mía, y no otra cosa... Pero usted, ¡inocente!, usted no ha tenido la culpa.

DOÑA FRANCISCA. Vamos... ¿No viene usted?

DON DIEGO. Ahora no, Paquita. Dentro de un rato iré por allá.

DOÑA FRANCISCA. Vaya usted presto. *(Encaminándose al cuarto de DOÑA IRENE, vuelve y se despide de DON DIEGO, besándole las manos).*

DON DIEGO. Sí, presto iré.

COMPRENSIÓN LECTORA

02 | Resume las ideas esenciales del fragmento.

03 | En parejas, destacad qué características del Neoclasicismo se aprecian en el texto de Fernández de Moratín.

DESARROLLO DE LA LENGUA

04 | En parejas, ¿qué significado tiene el uso de los puntos suspensivos en el texto? Señalad qué otros usos tienen los puntos suspensivos.

05 | ¿Qué sentido tienen los usos de las admiraciones en el fragmento? ¿Y los paréntesis?

06 | ¿Qué significan *pérfida, consuelo* y *obstinado?* Comprobadlo en el diccionario.

07 | Indicad dos sinónimos para cada una de las palabras anteriores.

08 | Localizad la palabra *dichas;* ¿tiene que ver con el verbo *decir?* ¿Qué significa en este texto? ¿Tiene relación con la palabra *dichosa* que aparece antes?

TRABAJO LITERARIO

09 | En parejas, ¿hay alguna metáfora en el texto? Señalad dónde está y explicad el proceso que se ha producido.

10 | ¿Crees que puede apreciarse ironía en algún fragmento del texto?

11 | En parejas, el texto presenta numerosas oraciones interrogativas. ¿Alguna de ellas es retórica? Señaladlas y explicad por qué son retóricas.

PRODUCCIÓN LITERARIA

12 | En parejas. Este texto está escrito en estilo directo. Seleccionad una parte y redactadla como una narración. Podéis añadir unas frases iniciales y una final.

13 | En parejas, leedles el texto a vuestros compañeros. ¿Qué pareja se ha ajustado mejor a la historia de la obra? Valorad del 1 al 3 cada una de las redacciones de vuestros compañeros.

INVESTIGACIÓN LITERARIA

14 | En grupos, buscad información sobre Leandro Fernández de Moratín y redactad su biografía.

15 | En grupos, preparad una exposición sobre las obras de este autor, con sus argumentos. Comentad especialmente *El sí de las niñas*.

16 | ¿Creéis que su aportación literaria lo cataloga como un escritor de primera línea? Argumentad vuestra respuesta.

17 | En grupos, preparad una exposición sobre el teatro de este periodo (autores, obras y características).

18 | La idea esencial de esta obra es la libertad de la mujer para elegir a su pareja. Enumerad tres razones de por qué tiene razón o de por qué no la tiene.

19 | En grupos, leed este fragmento del entremés de Miguel de Cervantes *El juez de los divorcios* (1615) y comparadlo con el de Fernández de Moratín (1805).

Mariana. [...] Está ya el señor juez de los divorcios sentado en la silla de su audiencia. De esta vez tengo de quedar dentro o fuera [...].
Vejete. Por amor de Dios, Mariana, que no proclames tanto tu negocio: habla bajo, por la pasión que Dios pasó. [...]
Juez. ¿Qué pendencia traéis, buena gente?
Mariana. Señor, ¡divorcio, divorcio, y más divorcio, y otras mil veces divorcio!
Juez. ¿De quién, o por qué, señora?
Mariana. ¿De quién? De este viejo que está presente.
Juez. ¿Por qué?
Mariana. Porque no puedo sufrir sus impertinencias, ni estar continuamente atenta a curar todas sus enfermedades, que son sin número; y no me criaron a mí mis padres para ser hospitalera ni enfermera. Muy buena dote llevé al poder de esta cesta de huesos, que

me tiene consumidos los días de la vida; cuando entré en su poder, me relumbraba la cara como un espejo, y ahora la tengo ajada y áspera. Vuesa merced, señor juez, me descase, si no quiere que me ahorque; mire, mire los surcos que tengo por este rostro, de las lágrimas que derramo cada día por verme casada con esta anatomía.

JUEZ. No lloréis, señora; bajad la voz y enjugad las lágrimas, que yo os haré justicia.

MARIANA. Déjeme vuesa merced llorar, que con esto descanso. En los reinos y en las repúblicas bien ordenadas, había de ser limitado el tiempo de los matrimonios, y de tres en tres años se habían de deshacer, o confirmarse de nuevo, como cosas de arrendamiento; y no que hayan de durar toda la vida, con perpetuo dolor de entrambas partes.

JUEZ. Si este arbitrio se pudiera o debiera poner en práctica, y por dineros, ya se hubiera hecho; pero especificad más, señora, las ocasiones que os mueven a pedir divorcio.

MARIANA. El invierno de mi marido y la primavera de mi edad; el quitarme el sueño, por levantarme a media noche a calentar paños para ponerle en la ijada [...]; y el estar obligada a sufrirle el mal olor de la boca [...].

ESCRIBANO. Debe de ser de alguna muela podrida. [...]

PROCURADOR. Pues ley hay que dice, según he oído decir, que por solo el mal olor de la boca se puede descasar la mujer del marido, y el marido de la mujer.

VEJETE. En verdad, señores, que el mal aliento que ella dice que tengo no se engendra de mis podridas muelas, pues no las tengo, ni menos procede de mi estómago, que está sanísimo, sino de esa mala intención de su pecho. [...] Veinte y dos años hace que vivo con ella mártir, sin haber sido jamás confesor de sus insolencias, de sus voces y de sus fantasías, y ya va para dos años que cada día me va dando empujones hacia la sepultura; con sus voces me tiene medio sordo. Si me cura, como ella dice, cúrame a regañadientes [...]. En resolución, señores: yo soy el que muero en su poder, y ella es la que vive en el mío [...].

JUEZ. Decid, señor: cuando entrastes en poder de vuestra mujer, ¿no entrasteis gallardo, sano y bien acondicionado?

VEJETE. Ya he dicho que hace veinte y dos años que entré en su poder, como quien entra en el de un cómitre calabrés a remar en galeras a la fuerza; y entré sano [...].

JUEZ. Callad, callad, mujer de bien, y andad con Dios, que yo no hallo causa para descasaros; y, pues comistes las maduras, gustad de las duras; que no está obligado ningún marido a tener la velocidad y corrida del tiempo, que no pase por su puerta y por sus días; y descontad los malos que ahora os da, con los buenos que os dio cuando pudo; y no repliquéis más palabra.

VEJETE. Si fuese posible, recibiría gran merced que vuesa merced me la hiciese de quitarme esta pena, quitándome la cárcel en la que vivo; porque, dejándome así, en este punto de rompimiento, será de nuevo entregarme al verdugo para que me martirice; y si no, hagamos una cosa: enciérrese ella en un monasterio y yo en otro; partamos la hacienda y, de esta suerte, podremos vivir en paz y en servicio de Dios lo que nos queda de la vida.

MARIANA. ¡Malos años! ¡Bonica soy yo para estar encerrada! [...] Encerraos vos, que lo podréis llevar y sufrir, que ni tenéis ojos con que ver, ni oídos con que oír, ni pies con que andar, ni mano con que tocar: que yo, que estoy sana, y con todos mis cinco sentidos cabales y vivos, quiero usar de ellos a la descubierta [...].

ESCRIBANO. Libre es la mujer.

PROCURADOR. Y prudente el marido; pero no puede más.

JUEZ. Pues yo no puedo hacer este divorcio.

20 | ¿Cuál de los dos textos os parece más moderno? ¿El de Cervantes o el de Fernández de Moratín? ¿Cuál creéis que tiene más razón y mejores argumentos?

¿Cuánto sabes?

AUTOEVALUACIÓN

✓ **Lee y marca verdadero (V) o falso (F).**

	V	F
a. La regla de las tres unidades consistía en que la obra tenía que tener tres actos.	☐	☐
b. El teatro neoclásico perseguía un fin didáctico.	☐	☐
c. Los sainetes constituyeron la contrapartida del teatro neoclásico.	☐	☐
d. El teatro neoclásico tiene valores literarios excepcionales.	☐	☐
e. El teatro neoclásico pretendía educar a la sociedad.	☐	☐
f. El teatro neoclásico es imaginativo.	☐	☐
g. *El sí de las niñas* se desarrolla en Alcalá de Henares.	☐	☐
h. El teatro neoclásico reivindicaba el papel de la mujer en la sociedad.	☐	☐
i. *El sí de las niñas* es un drama.	☐	☐
j. La historia de esta obra sucede en varios lugares de Madrid	☐	☐

MELÉNDEZ VALDÉS

Meléndez Valdés, de Goya

01 | Lee este poema de Juan Meléndez Valdés.

ODA XXIX

Que es locura engolfarse en proyectos y empresas desmedidas, siendo la vida tan breve y tan incierta

Huye, Licio, la vida;
huye fugaz cual rápida saeta
del arco despedida,
cual fúlgido cometa
que al ciego vulgo pavoroso inquieta. 5
Ensueño desparece,
niebla del sol al rayo se derrama,
sombra se desvanece,
y expira débil llama
que apaga un soplo, si otro soplo inflama. 10
¿Qué fue de los pasados
hervores del amor?, ¿de la alegría
y cantos regalados
y ufana lozanía
en que tu seno y juventud bullía? 15
Nada quedó. La rosa,
que un día cuenta en su vital carrera,
renace más hermosa
cuando la primavera
ríe purpúrea en la celeste esfera. 20
El bosque, a quien impío
ábrego roba su gentil belleza,
con nuevo señorío
la entoldada cabeza
levanta y a brillar con mayo empieza; 25
grato asilo a las aves,
que en su verde follaje en voz canora
trinando van süaves,
y en sombra bienhechora
brinda al cansancio que a Morfeo implora. 30
Solo el vital aliento
pasa, y no tornará, tu clara mente
y este mi llano acento
por siempre al inclemente
Orco irán, que a los pies temblar se siente. 35
Él su boca insaciable
abre inmenso, y sepulta en sus horrores,
a par del miserable,
del mundo a los señores
y al seno virginal bullendo amores. 40
Recoge, pues, el vuelo.
De árboles tanta copia derramada
con que abrumas el suelo,
la casa alta, labrada,
de mármoles lustrosos adornada, 45
la extranjera vajilla,
tanto milagro del pincel y tanta
costosa maravilla
que los ojos encanta
y en que a natura el arte se adelanta; 50
todo, cuando ominoso
te hunda en la tumba inexorable el hado,
lo dejarás lloroso,
solo, ¡ay desventurado!,
de un lienzo vil tu cuerpo rodeado, 55
sin que en tu inmenso duelo
ni el alto grado do te alzó la suerte
ni tanto claro abuelo
basten a guarecerte
del dardo inevitable de la muerte, 60
entrando en pos gozosa
la mano a derramar de un heredero
cuando hoy junta afanosa
de alhajas y dinero
la tuya en feudo grave al mundo entero. 65
¡Y aún te agitas y sudas,
y en negocios te engolfas noche y día,
planes, empresas mudas,
y en eterna agonía
de inerte culpas la prudencia mía! 70
Mejor será que imites
esta feliz prudencia, en lo presente
la esperanza limites
y cedas al torrente
que nos arrastra, como yo paciente. 75
Un velo denso, oscuro,
que en vista humana traspasar no cabe,
envuelve lo futuro;
y el cielo en triple llave
lo guarda, que abrir solo el tiempo sabe. 80

Así, pues, sin ruïdo
días y casos presurosos vuelen;
tú en pacífico olvido;
y otros teman y anhelen;
o en la corte falaz míseros velen. 85
Minerva nos convida,
dándonos la amistad su dulce abrazo;
sin duelo de la vida
llegarse el fatal plazo
miremos, Licio, en su genial regazo. 90

COMPRENSIÓN LECTORA

02 | Indica la idea principal del texto y muestra en qué versos se evidencia.

03 | En parejas, señalad las características neoclásicas de estos versos. ¿Pensáis que se reflejan con claridad? ¿Por qué?

04 | ¿Por qué se hace mención de *Orco* y *Minerva?*

DESARROLLO DE LA LENGUA

05 | En parejas, indicad el significado de estas palabras: *fúlgido, ufano, ábrego, lustroso, ominoso* e *inerte.* Ayudaos del diccionario.

06 | Indicad un sinónimo y un antónimo para cada una de ellas. ¿Sois capaces de redactar un texto en el que aparezcan el mayor número de estas palabras? ¡Ánimo!

07 | En el verso 27 aparece la palabra *follaje.* ¿Cuántas palabras conocéis que terminen en *-aje?*

TRABAJO LITERARIO

08 | En parejas, indicad la estrofa, el cómputo silábico y la rima en estos versos.

09 | En los versos 28 y 81 aparecen *süaves* y *ruïdo* con diéresis. ¿Por qué?

10 | En parejas, señalad los tópicos literarios que se encuentran en la Oda XXIX de Meléndez Valdés. ¿Creéis que este autor ha variado algo en su uso?

PRODUCCIÓN LITERARIA

11 | En parejas, escoged 10 versos seguidos y redactadlos en prosa con el orden más común de las palabras dentro de la frase.

12 | Leedles el texto redactado a vuestros compañeros. Valorad del 1 al 3 cada una de las redacciones de vuestros compañeros.

INVESTIGACIÓN LITERARIA

13 | En grupos, buscad información sobre los poetas del siglo XVIII y preparad una presentación para vuestros compañeros.

14 | En grupos, elegid un poema que os parezca representativo y presentadlo a vuestros compañeros. Explicad las razones de la elección y también las características neoclásicas que hay en él.

¿Cuánto sabes?

AUTOEVALUACIÓN

Lee y marca verdadero (V) o falso (F).

	V	F
a. La poesía neoclásica busca como modelo a los clásicos griegos y latinos.	☐	☐
b. La poesía del siglo XVIII solo tuvo una vertiente: la neoclásica.	☐	☐
c. Samaniego e Iriarte fueron poetas destacados de esta época.	☐	☐
d. Meléndez Valdés es el poeta más importante de la época neoclásica.	☐	☐
e. En Meléndez Valdés, hay dos etapas en su poesía: la neoclásica y la rococó.	☐	☐
f. Meléndez Valdés como poeta neoclásico, escribió numerosos sonetos.	☐	☐
g. Meléndez Valdés destaca por su poesía satírica y burlesca.	☐	☐

PADRE ISLA

01 | Lee este fragmento de *Fray Gerundio de Campazas,* del Padre Isla.

Embelesado en estos pensamientos y casi loco de contento, nuestro fray Gerundio llegó a la puerta reglar de su convento; apeose, fue a la celda del prelado, dio su benedicite, tomó la venia, retirose a la suya, desalforjose, desocupó, echó un trago, y sin detenerse un punto puso manos a la obra. Trabajó su plática, que aquella misma noche quedó concluida; y llegado el día de la procesión, a que concurrió mucho gentío de la comarca, Antón Zotes y su mujer, a quienes el mismo hijo había escrito para que viniesen a oírle, [...] con gentil denuedo representó su papel, que copiando fielmente del original, decía así, ni más ni menos:

«A la aurífera edad de la inocencia: *Lavabo inter innocentes manus meas,* en trámite no interrupto sucedió la argentada estación de la desidia: *Argentum et aurum nullius concupivi.* No llegó la ignavia de los mortales a ser letálica culpa, pero se arrimó a ser borrón nigricante de su nívea candidez primeva: *Pocula tartareo haud aderant nigrefacta veneno.* Sobresalientes los dioses: *Ego dixi: Dii estis,* determinaron prevenir el desorden con admonición benéfica. Admirablemente el simbólico: *Ante diem cave;* y paralogizaron la corrección en preludios de castigo: *Corripe eum inter te, et ipsum solum.* [...]

No bien había pronunciado la última palabra, cuando resonaron en el templo unos gritos que salían por entre los caperuces, a manera de voces encañonadas por embudo o cerbatana, que decían:

—¡Vítor el padre fray Gerundio, vítor el padre fray Gerundio!

Y lo que más es, que quedaron los penitentes tan movidos con la desatinada plática, no obstante que los más, y aunque digamos ninguno de ellos, había entendido ni siquiera una palabra, que al punto arrojaron las capas con el mayor denuedo y comenzaron a darse unos azotazos tan fuertes, que antes de salir de la iglesia ya se podían hacer morcillas con la sangre que había caído en el pavimento. Las mujeres que estaban junto a la tía Catanla la dieron mil abrazos, y aun mil besos, dejándola al mismo tiempo bien regada la cara de lágrimas y de mocos, todos de pura ternura, y diciéndola que era mil veces dichosa la madre que había parido tal hijo. Un cura viejo, que se hallaba por casualidad inmediato a Antón Zotes [...], le dijo:

—Señor Antón, cincuenta y dos pláticas de disciplinantes he oído en esta iglesia, desde que soy indigno sacerdote (en buena hora lo diga); pero plática como esta, ni cosa que se le parezca, ni la he oído, ni pienso jamás oírla. Dios bendiga a Gerundito, y no me mate Su Majestad hasta que le vea presentado.

Déjase a la consideración del pío y curioso lector cómo quedarían el tío Antón y la señora Catuja, cuando oyeron estas alabanzas de su hijo y fueron testigos oculares de sus aplausos. Y también es más para considerado que para referido el gozo, la vanidad y la satisfacción propia que en aquel punto se apoderaron del corazón de fray Gerundio, al escuchar él mismo tan grandes aclamaciones. [...]

Fue el caso que se hallaba de recluta en aquella villa un capitán de infantería capaz, despejado, muy leído; y habiendo oído la plática, luchando a ratos con la cólera y a ratos con la risa, determinó finalmente holgarse un poco a costa del predicador; y entrando en la sacristía, después de darle un abrazo ladino, pero muy apretado, le dijo con militar desenfadado:

—Vamos claros, padrecito predicador; que, aunque he rodado mucho mundo, y en todas partes he sido aficionado a oír sermones, en mi vida he oído cosa semejante. ¡Plática mejor de carnestolendas y exhortación más propia para una procesión de mojiganga, ni Quevedo!

Algo cortado se quedó fray Gerundio al oír este extraño cumplimiento [...].

—Ahí es un grano de anís las fabulillas con que vuestra paternidad nos ha regalado para compungirnos. La de Saturno vale un millón; la de Baco se debe engastar en oro; lo de Júpiter Amón y Pascual Carnero, con aquel retoquecillo del cordero pascual, no hay preciosidades con que compararlo. Y, en fin, todo aquel pasaje de los penitentes americanos con enaguas, ramales y pelotillas, los dioses en cuyo obsequio hacían las penitencias, con sus pelos y señales, el motivo de ellas, y hasta la oportunidad de los meses en que las hacían, todo es un conjunto de divinidades. Y vuestra paternidad, aunque tan mocito, puede ser predicador en jefe, o a lo menos mandar un destacamento de predicadores, que, si son como vuestra paternidad, pueden acometer en sus mismas trincheras a la melancolía, y no solo desalojarla de su campo, sino desterrarla del mundo.

Y sin decir más ni dar tiempo a fray Gerundio a que replicase, le hizo una reverencia y salió de la sacristía.

COMPRENSIÓN LECTORA

02 | ¿Cuáles son las ideas esenciales de este texto? ¿Qué escena se está describiendo?

03 | ¿Qué familiares vienen a escuchar el sermón de fray Gerundio?

04 | En parejas, indicad por qué creéis que introduce tantas frases en latín.

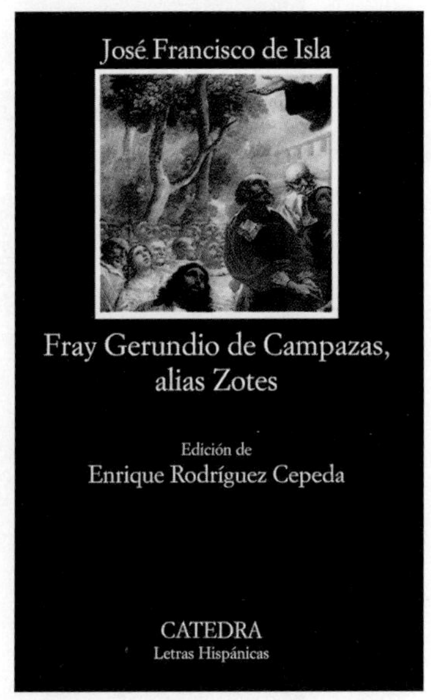

DESARROLLO DE LA LENGUA

05 | En parejas, ¿por qué las frases latinas aparecen en cursiva? ¿Qué otros usos conocéis para la cursiva?

06 | Buscad los casos de laísmo del texto. ¿Cómo se debería decir correctamente?

07 | ¿Qué significan las palabras *carnestolendas* y *mojigangas?* Ayudaos del diccionario. ¿Por qué le dice el capitán de infantería que ni Quevedo lo habría superado?

08 | En parejas, buscad dos sinónimos y dos antónimos para *cortado* y *despejado,* según el significado que tienen en el fragmento.

TRABAJO LITERARIO

09 | En parejas, señalad algunas características de la época.

10 | En parejas, buscad en el texto las frases en las que mejor se manifieste la ironía y la burla que emplea el autor.

11 | ¿Conocéis alguna obra de la literatura de vuestro país en la que se haga una crítica similar?

PRODUCCIÓN LITERARIA

12 | En grupos, elaborad un discurso en la misma línea que el de fray Gerundio, es decir, redactad un texto con una sintaxis enrevesada e intercalando expresiones latinas o frases en otros idiomas. Buscad la ironía y el sentido del humor.

13 | Leed los textos a vuestros compañeros. ¿Qué discurso os parece el más alocado y divertido? Valoradlos del 1 al 3.

INVESTIGACIÓN LITERARIA

14 | En parejas, buscad información sobre esta obra y redactad el argumento. ¿Por qué creéis que el protagonista se llama Gerundio? Consultad el diccionario, si es necesario.

15 | En parejas, la obra *Fray Gerundio de Campazas* estuvo prohibida. ¿Qué razones provocarían esta decisión?

16 | En grupos, buscad información sobre la narrativa del siglo XVIII y preparad una presentación para toda la clase.

¿Cuánto sabes?

AUTOEVALUACIÓN

✓ **Lee y marca verdadero (V) o falso (F).**

	V	F
a. El Padre Isla fue un religioso escritor.	☐	☐
b. A pesar de ser religioso, fomentó el anticlericalismo.	☐	☐
c. El Padre Isla tuvo problemas con la Inquisición.	☐	☐
d. Gran parte de su obra es satírica.	☐	☐
e. Escribió muchas novelas.	☐	☐
f. Es el autor de *Rinconete y Cortadillo.*	☐	☐
g. El Padre Isla pertenecía a la Orden de los Benedictinos.	☐	☐

JOSÉ CADALSO

01 | Lee la carta XXXV de *Cartas marruecas*, de José Cadalso.

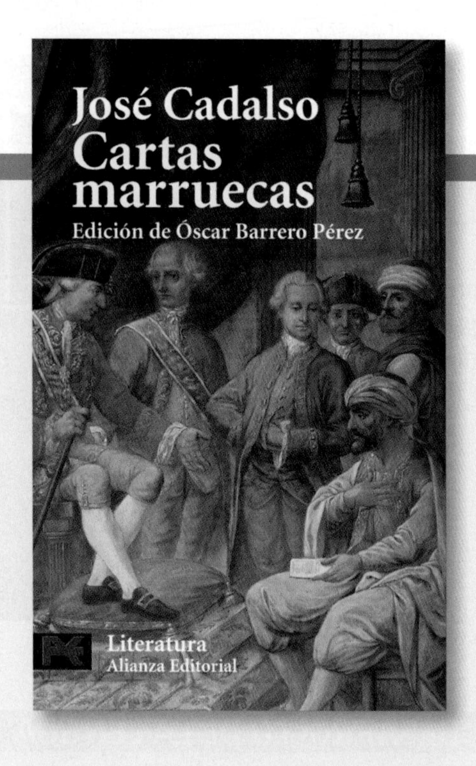

En España, como en todas partes, el lenguaje se muda al mismo paso que las costumbres; y es que, como las voces son invenciones para representar las ideas, es preciso que se inventen palabras para explicar la impresión que hacen las costumbres nuevamente introducidas. Un español de este siglo gasta cada minuto de las veinticuatro horas en cosas totalmente distintas de aquellas en que su bisabuelo consumía el tiempo; este, por consiguiente, no dice una palabra de las que al otro se le ofrecían. —Si me dejan hoy a leer —decía Nuño— un papel escrito por un galán del tiempo de Enrique el Enfermo refiriendo a su dama la pena en que se halla ausente de ella, no entendería una sola cláusula, por más que estuviese escrito de letra excelente moderna, aunque fuese de la mejor de las Escuelas Pías. Pero en recompensa ¡qué chasco llevaría uno de mis tatarabuelos si hallase, como me sucedió pocos días ha, un papel de mi hermana a una amiga suya, que vive en Burgos! Moro mío, te lo leeré, lo has de oír, y, como lo entiendas, tenme por hombre extravagante. Yo mismo, que soy español por todos cuatro costados y que, si no me debo preciar de saber el idioma de mi patria, a lo menos puedo asegurar que lo estudio con cuidado, yo mismo no entendí la mitad de lo que contenía. En vano me quedé con copia del dicho papel; llevado de curiosidad, me di prisa a extractarlo, y, apuntando las voces y frases más notables, llevé mi nuevo vocabulario de puerta en puerta, suplicando a todos mis amigos arrimasen el hombro al gran negocio de explicármelo. No bastó mi ansia ni su deseo de favorecerme. Todos ellos se hallaron tan suspensos como yo, por más tiempo que gastaron en revolver calepinos y diccionarios. Solo un sobrino que tengo, muchacho de veinte años, que trincha una liebre, baila un *minuet* y destapa una botella de Champaña con más aire que cuantos hombres han nacido de mujeres, me supo explicar algunas voces. Con todo, la fecha era de este mismo año.

Tanto me movieron estas razones a deseo de leer la copia, que se la pedí a Nuño. Sacola de su cartera, y, poniéndose los anteojos, me dijo: —Amigo, ¿qué sé yo si leyéndotela te revelaré flaquezas de mi hermana y secretos de mi familia? Quédame el consuelo que no lo entenderás. Dice así: «Hoy no ha sido día en mi apartamiento hasta medio día y medio. Tomé dos tazas de té. Púseme un desabillé y bonete de noche. Hice un tour en mi jardín, y leí cerca de ocho versos del segundo acto de la Zaira. Vino Mr. Lavanda; empecé mi toaleta. No estuvo el abate. Mandé pagar mi modista. Pasé a la sala de compañía. Me sequé toda sola. Entró un poco de mundo; jugué una partida de mediator; tiré las cartas; jugué al piquete. El *maître d'hôtel* avisó. Mi nuevo jefe de cocina es divino; él viene de arribar de París. La crapaudina, mi plato favorito, estaba delicioso. Tomé café y licor. Otra partida de quince; perdí mi todo. Fui al espectáculo; la pieza que han dado es execrable; la pequeña pieza que han anunciado para el lunes que viene es muy galante, pero los actores son pitoyables; los vestidos, horribles; las decoraciones, tristes. La Mayorita cantó una cavatina pasablemente bien. El actor que hace los criados es un poquito extremoso; sin eso sería pasable. El que hace los amorosos no jugaría mal, pero su figura no es previniente. Es menester tomar paciencia, porque es preciso matar el tiempo. Salí al tercer acto, y me volví de allí a casa. Tomé de la limonada. Entré en mi gabinete para escribirte esta, porque soy tu veritable amiga. Mi hermano no abandona su humor de misántropo; él siente todavía furiosamente el siglo pasado;

yo no le pondré jamás en estado de brillar; ahora quiere irse a su provincia. Mi primo ha dejado a la joven persona que él entretenía. Mi tío ha dado en la devoción; ha sido en vano que yo he pretendido hacerle entender la razón. Adiós, mi querida amiga, baste otra posta; y ceso, porque me traen un dominó nuevo a ensayar».

Acabó Nuño de leer, diciéndome: —¿Qué has sacado en limpio de todo esto? Por mi parte, te aseguro que antes de humillarme a preguntar a mis amigos el sentido de estas frases, me hubiera sujetado a estudiarlas, aunque hubiesen sido precisas cuatro horas por la mañana y cuatro por la tarde durante cuatro meses. Aquello de *medio día y medio,* y que *no había sido día* hasta mediodía, me volvía loco, y todo se me iba en mirar al sol, a ver qué nuevo fenómeno ofrecía aquel astro. Lo del *desabillé* también me apuró, y me di por vencido. Lo del *bonete de noche,* o de día, no pude comprender jamás qué uso tuviese en la cabeza de una mujer. *Hacer un tour* puede ser cosa muy santa y muy buena, pero suspendo el juicio hasta enterarme. Dice que leyó de la *Zaira* unos ocho versos; sea enhorabuena, pero no sé qué es *Zaira. Mr. de Lavanda,* dice que vino; bien venido sea *Mr. de Lavanda,* pero no le conozco. Empezó su *toaleta;* esto ya lo entendí, gracias a mi sobrino que me lo explicó, no sin bastante trabajo, según mis cortas entendederas, burlándose de que su tío es hombre que no sabe lo que es toaleta. También me dijo lo que era *modista, piquete, maître d'hôtel* y otras palabras semejantes. Lo que nunca me pudo explicar de modo que acá yo me hiciese bien cargo de ello, fue aquello de que *el jefe de cocina era divino.* También lo de *matar el tiempo,* siendo así que el tiempo es quien nos mata a todos, fue cosa que tampoco se me hizo fácil de entender, aunque mi intérprete habló mucho, y sin duda muy bueno, sobre este particular. Otro amigo, que sabe griego, o a lo menos dice que lo sabe, me dijo lo que era *misántropo,* cuyo sentido yo indagué con sumo cuidado por ser cosa que me tocaba personalmente; y a la verdad que una de dos: o mi amigo no me lo explicó cuál es, o mi hermana no lo entendió, y siendo ambos casos posibles, y no como quiera, sino sumamente posibles, me creo obligado a suspender por ahora el juicio hasta tener mejores informes. Lo restante me lo entendí tal cual, ingeniándome acá a mi modo, y estudiando con paciencia, constancia y trabajo.

Ya se ve —prosiguió Nuño— cómo había de entender esta carta el conde Fernán Gonzalo, si en su tiempo no había *té,* ni *desabillé,* ni *bonete de noche,* ni había *Zaira,* ni *Mr. Vanda,* ni *toaletas,* ni los *cocineros eran divinos,* ni se conocían *crapaudinas* ni *café,* ni más licores que el agua y el vino.

Aquí lo dejó Nuño. Pero yo te aseguro, amigo Ben-Beley, que esta mudanza de modas es muy incómoda, hasta para el uso de la palabra, uno de los mayores beneficios en que naturaleza nos dotó. Siendo tan frecuentes estas mutaciones, y tan arbitrarias, ningún español, por bien que hable su idioma este mes, puede decir: el mes que viene entenderé la lengua que me hablen mis vecinos, mis amigos, mis parientes y mis criados. Por todo lo cual, dice Nuño, mi parecer y dictamen, *salvo meliori,* es que en cada un año se fijen las costumbres para el siguiente, y por consecuencia se establezca el idioma que se ha de hablar durante sus 365 días. Pero como quiera que esta mudanza dimana en gran parte o en todo de los caprichos, invenciones y codicias de sastres, zapateros, ayudas de cámara, modistas, reposteros, cocineros, peluqueros y otros individuos igualmente útiles al vigor y gloria de los estados, convendría que cierto número igual de cada gremio celebre varias juntas, en las cuales quede este punto evacuado; y de resultas de estas respetables sesiones, vendan los ciegos por las calles públicas, en los últimos meses de cada un año, al mismo tiempo que el Calendario, Almanak y Piscator, un papel que se intitule, poco más o menos: «Vocabulario nuevo al uso de los que quieran entenderse y explicarse con las gentes de moda, para el año de mil setecientos y tantos y siguientes, aumentado, revisto y corregido por una Sociedad de varones insignes, con los retratos de los más principales».

COMPRENSIÓN LECTORA

02 | Indica las ideas esenciales de este texto. ¿De qué se queja el narrador?

03 | ¿Qué es lo que propone el autor al final de su carta?

04 | ¿Cree necesario el autor la invención de palabras nuevas para referirse a las nuevas costumbres?

DESARROLLO DE LA LENGUA

05 | En parejas, ¿qué significan las expresiones *sacar en limpio, matar el tiempo* o *ir de puerta en puerta?* ¿Podríais decir una palabra que las sustituya?

06 | Escribid pequeños diálogos donde utilicéis las tres expresiones anteriores.

07 | Buscad en el diccionario el significado de *extravagante, insigne* y *arbitrario.* Indicad un sinónimo y un antónimo para cada una de ellas, según el contexto en el que aparecen.

TRABAJO LITERARIO

08 | En parejas, ¿creéis que tiene formato de carta? ¿Por qué presenta Cadalso la visión de España de esta manera? ¿Pensáis que puede resultar un subterfugio literario, como los que se vieron en la obra de Cervantes?

09 | En parejas, ¿qué características tiene una carta y que no se aprecian en este texto? ¿Son las mismas de un correo electrónico? Razonad la respuesta.

PRODUCCIÓN LITERARIA

10 | En parejas, redactad una carta (de menos de 200 palabras) a vuestro profesor de Literatura sobre el interés de leer buena literatura.

11 | Leedles la carta a vuestros compañeros. ¿Qué carta os parece la más original? Valoradlo del 1 al 3.

INVESTIGACIÓN LITERARIA

12 | En grupos. Cuando el autor menciona al conde Fernán Gonzalo, se está refiriendo al *Poema de Fernán González.* ¿Sabéis de qué época es? Investigad sobre él e indicad por qué creéis que se menciona en la carta.

13 | En grupos, buscad información sobre los cambios lingüísticos que se produjeron en el siglo XVIII en España y comparadlos con la misma época en vuestro país. Preparad una presentación para ofrecerla a toda la clase.

14 | En grupos, el modo como presenta la realidad española Cadalso (bajo forma de cartas de un extranjero a otro), ¿os recuerda alguna obra literaria que ya habéis estudiado o leído?

15 | En grupos, debatid sobre si la literatura debe servir para enseñar/formar o solo para divertir/entretener. Estableced 4 conclusiones y presentadlas a vuestros compañeros. ¿Habéis coincidido todos en las mismas conclusiones?

¿Cuánto sabes?

AUTOEVALUACIÓN

Lee y marca verdadero (V) o falso (F).

	V	F
a. Cadalso redactó bajo forma de cartas su visión de España.	☐	☐
b. Las *Cartas marruecas* es una novela epistolar.	☐	☐
c. José Cadalso escribió poesía, teatro y narrativa.	☐	☐
d. *Noches lúgubres* y *Cartas marruecas* se editaron en un único volumen.	☐	☐
e. Cadalso cultivó todo tipo de poesía, pero destaca por sus ensayos.	☐	☐
f. Fue un prolífico autor de teatro.	☐	☐
g. Nunca viajó fuera de España.	☐	☐

JOVELLANOS

Gaspar Melchor de Jovellanos, Goya

01 | Lee este fragmento del ensayo de Gaspar Melchor de Jovellanos, titulado *Elogio a Carlos III*, leído en la Real Sociedad Económica de Madrid el día 8 de noviembre de 1788.

[...] Un largo ensayo en el arte de reinar le enseñará que la mayor gloria de un soberano es la que se apoya sobre el amor de sus súbditos, y que nunca este amor es más sincero, más durable, más glorioso, que cuando es inspirado por el reconocimiento. [...]

La enumeración de aquellas providencias y establecimientos con que este benéfico soberano ganó nuestro amor y gratitud ha sido ya objeto de otros más elocuentes discursos. Mi plan me permite apenas recordarlas. La erección de nuevas colonias agrícolas, el repartimiento de las tierras comunales, la reducción de los privilegios de la ganadería, la abolición de la tasa y la libre circulación de los granos con que mejoró la agricultura, la propagación de la enseñanza fabril, la reforma de la policía gremial, la multiplicación de los establecimientos industriales y la generosa profusión de gracias y franquicias sobre las artes en beneficio de la industria, la rotura de las antiguas cadenas del tráfico nacional, la abertura de nuevos puntos al consumo exterior, la paz del Mediterráneo, la periódica correspondencia y la libre comunicación con nuestras colonias ultramarinas en obsequio del comercio, restablecidas la representación del pueblo para perfeccionar el gobierno municipal y la sagrada potestad de los padres para mejorar el doméstico, los objetos de beneficencia pública distinguidos en odio de la voluntaria ociosidad y abiertos en mil partes los senos de la caridad en gracia de la aplicación indigente, y sobre todo, levantados en medio de los pueblos estos cuerpos patrióticos, dechado de instituciones políticas, y sometidos a la especulación de su celo todos los objetos del provecho común, ¡qué materia tan amplia y tan gloriosa para elogiar a Carlos III y asegurarle el título de padre de sus vasallos!

Pero no nos engañemos: la senda de las reformas, demasiado trillada, sólo hubiera conducido a Carlos III a una gloria muy pasajera si su desvelo no hubiese buscado los medios de perpetuar en sus Estados el bien a que aspiraba. No se ocultaba a su sabiduría que las leyes más bien meditadas no bastan de ordinario para traer la prosperidad a una nación, y mucho menos para fijarla en ella. [...] Carlos previó que nada podría hacer en favor de su nación, si antes no la preparaba a recibir estas reformas, si no le infundía aquel espíritu de quien enteramente penden su perfección y estabilidad.

Vosotros, señores, vosotros que cooperáis con tanto celo al logro de sus paternales designios, no desconoceréis cuál era este espíritu que faltaba a la nación. Ciencias útiles, principios económicos, espíritu general de ilustración: ved aquí lo que España deberá al reinado de Carlos III.

Si dudáis que en estos medios se cifra la felicidad de un Estado, volved los ojos a aquellas tristes épocas en que España vivió entregada a la superstición y a la ignorancia. ¡Qué espectáculo de horror y de lástima! La religión, enviada desde el cielo a ilustrar y consolar al hombre, pero forzada por el interés a entristecerlo y eludirlo; la anarquía, establecida en lugar del orden; el jefe del Estado, tirano o víctima de la nobleza; los pueblos, como otros tantos rebaños, entregados a la codicia de sus señores; la indigencia, agobiada con las cargas públicas; la opulencia, libre enteramente de ellas y autorizada a agravar su peso; abiertamente resistidas o insolentemente atropelladas las leyes; menospreciada la justicia; roto el freno de las costumbres y abismados en la confusión y el desorden todos los objetos del bien y el orden público; ¿dónde, dónde residía entonces aquel espíritu a quien debieron después las naciones su prosperidad?

España tardó algunos siglos en salir de este abismo; pero cuando rayó el XVI, la soberanía había recobrado ya su autoridad, la nobleza sufrido la reducción de sus prerrogativas, el pueblo asegurado su representación; los tribunales hacían respetar la voz de las leyes y la acción de la justicia; y la agricultura, la industria, el comercio prosperaban a impulso de la protección y el orden. ¿Qué humano poder hubiera sido capaz de derrocar a España del ápice de grandeza a que entonces subió, si el espíritu de verdadera ilustración le hubiese enseñado a conservar lo que tan rápidamente había adquirido? No desdeñó España las letras, no: antes aspiró también por este rumbo a la celebridad. Pero, ¡ah!, ¿cuáles son las útiles verdades que recogió por fruto de las vigilias de sus sabios? ¿De qué le sirvieron los estudios eclesiásticos, después de que la sutileza escolástica le robó toda la atención que debía a la moral y al dogma? ¿De qué, la jurisprudencia, obstinada por una parte en multiplicar las leyes y por otra en someter su sentido al arbitrio de la interpretación? ¿De qué, las ciencias naturales, solo conocidas por el ridículo abuso que hicieron de ellas la astrología y la química? ¿De qué, por fin las matemáticas, cultivadas solo especulativamente y nunca convertidas ni aplicadas al beneficio de los hombres? Y si la utilidad es la mejor medida del aprecio, ¿cuál se deberá a tantos nombres, como se nos citan a cada paso para lisonjear nuestra pereza y nuestro orgullo?

Entre tantos estudios no tuvo entonces lugar la economía civil, ciencia que enseña a gobernar, cuyos principios no ha corrompido todavía el interés como los de la política y cuyos progresos se deben enteramente a la filosofía de la presente edad. Las miserias públicas debían despertar alguna vez al patriotismo y conducirlo a la indagación de la causa y el remedio de tantos males, pero esta época se hallaba todavía muy distante. Entre tanto que el abandono de los campos, la ruina de las fábricas y el desaliento del comercio sobresaltaban los corazones, las guerras extranjeras, el fasto de la Corte, la codicia del ministerio y la hidropesía del erario abortaban enjambres de miserables arbitristas que, reduciendo a sistema el arte de estrujar los pueblos, hicieron consumir en dos reinados la substancia de muchas generaciones.

Entonces fue cuando el espectro de la miseria, volando sobre los campos incultos, sobre los talleres desiertos y sobre los pueblos desamparados, difundió por todas partes el horror y la lástima. Entonces fue cuando el patriotismo inflamó el celo de algunos generosos españoles, que tanto meditaron sobre los males públicos y tan vigorosamente clamaron por su reforma; entonces, cuando se pensó por primera vez que había una ciencia que enseñaba a gobernar los hombres y hacerlos felices; entonces, finalmente, cuando del seno mismo de la ignorancia y el desorden nació el estudio de la economía civil.

COMPRENSIÓN LECTORA

02 | ¿Cuáles son las ideas esenciales de este fragmento?

03 | ¿Consideráis que puede llamarse literatura? Razonad la respuesta.

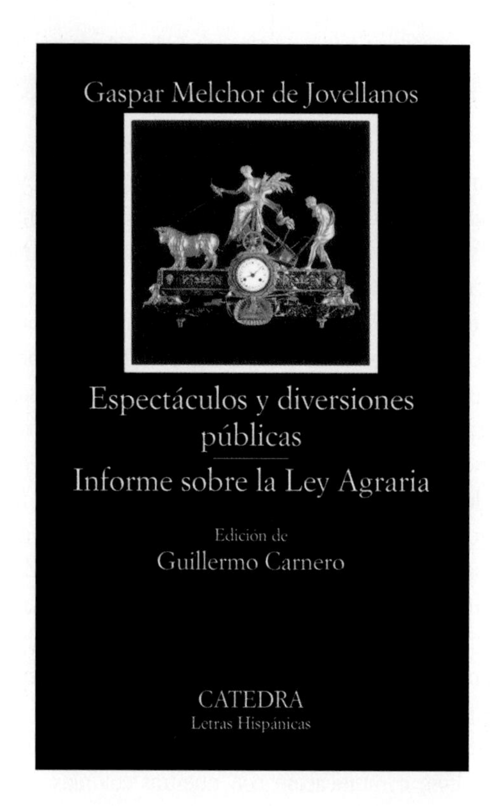

DESARROLLO DE LA LENGUA

04 | ¿Para qué se usa la repetición de *dónde?* ¿Y las exclamaciones? ¿Son propias de un ensayo?

05 | En parejas, fijaos en que en el texto se usan varias veces el punto y coma (;). ¿Para qué se usa?, ¿conocéis otras funciones de este signo de puntuación? ¿Cuáles?

06 | En parejas, ¿qué significan las palabras *fasto, arbitrista, dogma* y *patriotismo?* Ayudaos del diccionario.

07 | En grupos, cread el campo semántico de la *codicia.* ¿Es lo mismo la *codicia* que la *avaricia?* El antónimo es la *generosidad.* Luego presentad a vuestros compañeros los términos que habéis encontrado. ¿Qué grupo ha encontrado más?

TRABAJO LITERARIO

08 | En parejas, estableced las características del ensayo que se aprecian en este fragmento.

09 | En grupos, a pesar de ser un ensayo, el texto evidencia algunas figuras retóricas como la metáfora *insolentemente atropelladas las leyes*. Buscad, al menos, tres figuras retóricas más.

10 | En grupos, ¿de qué recursos se vale el autor para la presentación de los hechos y demostrar que tiene razón en su exposición?

PRODUCCIÓN LITERARIA

11 | En grupos, redactad un ensayo sobre una reforma educativa imprescindible para vosotros en la actualidad. No debe exceder las 800 palabras.

12 | Leedles el ensayo a vuestros compañeros y comentadlo en clase. ¿Qué reforma os parece la más original? ¿Y la más realista? Valoradlo del 1 al 3.

INVESTIGACIÓN LITERARIA

13 | En grupos, buscad información sobre la vida y la obra de Gaspar Melchor de Jovellanos y exponedla en clase para hacer una puesta en común.

14 | En grupos, Jovellanos habla sobre las reformas que realizó Carlos III, ¿sabríais decir cuáles fueron? Buscad información sobre el siglo XVIII, sobre Felipe V, Fernando VI y Carlos III, para ver cómo cambió España bajo sus reinados. Preparad una presentación para llevarla a vuestros compañeros.

15 | En grupos, debatid sobre la importancia de estas reformas en una sociedad moderna. ¿Cuáles son necesarias, cuáles imprescindibles y prescindibles, cuáles están desfasadas?

16 | En grupos, exponed qué reformas sociales, económicas o educativas propondríais en vuestro país.

¿Cuánto sabes?

AUTOEVALUACIÓN

Lee y marca verdadero (V) o falso (F).

	V	F
a. Jovellanos destacó como poeta.	☐	☐
b. Gaspar Melchor de Jovellanos fue el mejor ensayista del siglo XVIII.	☐	☐
c. Este autor cultivó todos los géneros con éxito.	☐	☐
d. Jovellanos nació en el seno de una familia noble.	☐	☐
e. Sus obras se caracterizan por el espíritu reformador del despotismo ilustrado.	☐	☐
f. Jovellanos nació a principios del siglo XVIII.	☐	☐
g. Jovellanos nunca estuvo en la cárcel.	☐	☐
h. Su *Informe sobre la Ley Agraria* es una de sus obras más importantes.	☐	☐

unidad

7

Contexto histórico

- **Abdicación de Carlos IV** (1808)
- **Guerra de Independencia** (1808-1814)
- **Reinado de José Bonaparte** (1808-1813)
- **Diversas guerras de independencia hispanoamericanas** (1810-1898)
- **Reinado de Fernando VII de España** (1814-1833)
- **Reinado de Isabel II de España** (1833-1868)
- **La Gloriosa de 1868, Sexenio Democrático y Primera República Española** (1868-1874)
- **Restauración Borbónica,** reinado de Alfonso XII y Alfonso XIII (1874-1931)
- **Movimientos obreros de protesta** de signo anarquista y socialista
- **Europa se desarrolla industrial y culturalmente**

El taller del pintor, Courbet

El siglo XIX

ROMANTICISMO Y REALISMO

Contexto artístico

- **Literatura**
  - Goethe (1749-1832)
  - Victor Hugo (1802-1885)
  - Se estrena *Don Álvaro o la fuerza del sino,* del Duque de Rivas, en 1835 en el Teatro del Príncipe en Madrid
- **Música**
  - Beethoven (1770-1827)
  - Schubert (1797-1828)
  - Chopin (1810-1849)
- **Pintura**
  - Últimos años de Francisco de Goya y Lucientes (1746-1828)
  - Federico Madrazo (1815-1894)
  - Valeriano Bécquer (1833-1870)
  - Francisco Pradilla (1848-1921)
- **Aparición de la fotografía y el daguerrotipo**

Amalia de Llano, condesa de Vilches, por Madrazo

Las Parcas. Pinturas negras. Goya

ROMANTICISMO Y REALISMO

El Romanticismo procede del *Sturm und Drang* (tempestad y pasión) alemán, de la segunda mitad del siglo XVIII. El realismo procede de la Francia burguesa de la primera mitad del XIX y en España se asienta en la segunda mitad del XIX.

Características del Romanticismo

- Ruptura con las estrictas normas del Neoclasicismo.
- Subjetivismo y exaltación de la libertad.
- Melancolía por el pasado remoto.
- Exotismo y uso peculiar del paisaje tenebroso: ruinas, cementerios, bosques, acantilados, tormentas, etc.
- Gusto por los temas relacionados con lo sobrenatural e inexplicable, la angustia y lo mortuorio, la oscuridad y lo nocturno, pero también destaca la espontaneidad, la profusión de los sentimientos, el dinamismo o su interés por alabar lo folclórico y popular.

***El carro de heno*, Constable**

Géneros literarios

- **Poesía:** la temática poética gira en torno al yo, el amor, la historia, lo sobrenatural, la religión y la naturaleza.
- **Prosa:** gusto por la ficción literaria, relatos cortos, aventuras de misterio o sobrenaturales.
- **Teatro:** rige mucha más libertad que en el Neoclasicismo.
- **Género periodístico:** tuvo bastante auge durante esta etapa y fue decisivo en el convulso siglo XIX.
- **Autores representativos:** José de Espronceda, Carolina Coronado, José Zorrilla, Ángel de Saavedra (Duque de Rivas) y Mariano José de Larra.

Romanticismo tardío o Posromanticismo

- Surge en la segunda mitad del siglo XIX. Este movimiento literario comparte tiempo con los inicios del realismo.
- Representa una renovación del Romanticismo, a diferencia del Realismo, que se separa del mismo.
- No cumple todos los preceptos de manera normativa: parte de la misma base literaria, pero experimenta con el lenguaje y el elemento satírico.
- Los escritores intentan encontrar la belleza en las palabras, no en la reproducción de los aspectos grises de la realidad.
- Supone un puente entre el Romanticismo y el realismo.

Autores destacables

Gustavo Adolfo Bécquer, Rosalía de Castro, José de Espronceda, Mariano J. de Larra, José Zorrilla, Blasco Ibáñez, R. de Campoamor, Leopoldo Alas «Clarín», Emilia Pardo Bazán y Benito Pérez Galdós

[EL REALISMO SE ADAPTA PERFECTAMENTE A LA ESPAÑA DEL S. XIX POR TENER DE ANTECEDENTES LA PICARESCA O *EL QUIJOTE*.]

Características del realismo

- Busca la exactitud fotográfica de los acontecimientos para mostrar los comportamientos de las personas.
- Lenguaje más simple que el romántico artificioso, rompe con el subjetivismo y dirige el objetivo de su mirada hacia la sociedad.
- Estilo sencillo, sobrio y objetivo.
- Representación realista y fotográfica, casi documental de la vida cotidiana.
- Los autores se convierten en investigadores de su propio tiempo: leen periódicos, analizan la ropa y las costumbres de la gente, el ambiente de las ciudades, la sociedad en sí misma, para hacer sus textos lo más exactos posibles.
- Prefieren temas con los que el lector se identifique.
- Descripciones largas y minuciosas, alejadas de los paisajes románticos.
- Contraste entre ciudad y campo, tradición y modernidad.
- Destaca la novela como género literario. A la poesía y el teatro les costó más adaptarse a este nuevo movimiento.
- Compromiso con el pensamiento ilustrado y con la denuncia social y política.

***Leñador*, Millet**

El Naturalismo

- Surge cuando el realismo, en un intento de representación total de la realidad, puede llegar a tender más a la fealdad, lo vulgar o la brutalidad inherente al ser humano.
- Destaca este movimiento, sobre todo, por el determinismo de los personajes en función del lugar donde nacen y viven. La existencia del ser humano está determinada por fuerzas naturales que no puede controlar.
- En contra del realismo, este movimiento incorpora una mirada amoral en la representación objetiva de la vida.
- El lenguaje se inclina hacia el habla popular o regional, sin normas, reflejo de las capas sociales representadas.
- **Autores representativos del realismo y del naturalismo:** Leopoldo Alas «Clarín», Emilia Pardo Bazán, Vicente Blasco Ibáñez, Ramón de Campoamor, Gaspar Núñez de Arce y Benito Pérez Galdós.

GUSTAVO ADOLFO BÉCQUER

01 | Lee este fragmento de *La corza blanca,* de Gustavo Adolfo Bécquer.

En el momento en que Constanza salió del bosquecillo, sin velo alguno que ocultase a los ojos de su amante los escondidos tesoros de su hermosura, sus compañeras comenzaron nuevamente a cantar estas palabras con una melodía dulcísima:

CORO

Genios del aire, habitadores del luminoso éter, venid envueltos en un jirón de niebla plateada.
Silfos invisibles, dejad el cáliz de los entreabiertos lirios y venid en vuestros carros de nácar, a los que vuelan uncidas las mariposas.
Aguas de las fuentes, abandonad el lecho de musgo y caed sobre nosotras en menuda lluvia de perlas.
Escarabajos de esmeralda, luciérnagas de fuego, mariposas negras, ¡venid!
Y venid vosotros todos, espíritus de la noche, venid zumbando como un enjambre de insectos de luz y de oro.
Venid, que ya el astro protector de los misterios brilla en la plenitud de su hermosura.
Venid, que ha llegado el momento de las transformaciones maravillosas.
Venid, que las que os aman os esperan impacientes.

Garcés, que permanecía inmóvil, sintió al oír aquellos cantares misteriosos, que el áspid de los celos le mordía el corazón, y obedeciendo a un impulso más poderoso que su voluntad, deseando romper de una vez el encanto que fascinaba sus sentidos, separó con mano trémula y convulsa el ramaje que le ocultaba, y de un solo salto se puso en la margen del río. El encanto se rompió, desvaneciose todo como el humo, y al tender en torno suyo la vista, no vio ni oyó más que el bullicioso tropel con que las tímidas corzas, sorprendidas en lo mejor de sus nocturnos juegos, huían espantadas de su presencia, una por aquí, otra por allá, cuál salvando de un salto los matorrales, cuál ganando a todo correr la trocha del monte.

—¡Oh! Bien dije yo que todas estas cosas no eran más que fantasmagorías del diablo —exclamó entonces el montero—; pero, por fortuna, esta vez ha andado un poco torpe, dejándome entre las manos la mejor presa.

Y, en efecto, era así: la corza blanca, deseando escapar por el soto, se había lanzado entre el laberinto de sus árboles, y enredándose en una red de madreselvas, pugnaba en vano por desasirse. Garcés le encaró la ballesta; pero en el mismo punto en que iba a herirla, la corza se volvió hacía el montero y con voz clara y aguda detuvo su acción con un grito, diciéndole:
—Garcés, ¿qué haces?
El joven vaciló, y después de un instante de duda, dejó caer al suelo el arma, espantado a la sola idea de haber podido herir a su amante. Una sonora y estridente carcajada vino a sacarle al fin de su estupor. La corza blanca había aprovechado aquellos cortos instantes para acabarse de desenredar y huir ligera como un relámpago, riéndose de la burla hecha al montero.
—¡Ah, condenado engendro de Satanás! —dijo este con voz espantosa, recogiendo la ballesta con una rapidez indecible—. ¡Pronto has cantado victoria! ¡Pronto te has creído fuera de mi alcance!
Y esto diciendo, dejó volar la saeta, que partió silbando y fue a perderse en la oscuridad del soto, en el fondo del cual sonó al mismo tiempo un grito, al que siguieron después unos sonidos sofocados.
—¡Dios mío! —exclamó Garcés al percibir aquellos lamentos angustiosos—. ¡Dios mío, si será verdad!
Y fuera de sí, como loco, sin darse cuenta apenas de lo que le pasaba, corrió en la dirección en que había disparado la saeta, que era la misma en que sonaban los gemidos. Llegó al fin; pero al llegar, sus cabellos se erizaron de horror, las palabras se anudaron en su garganta y tuvo que agarrarse al tronco de un árbol para no caer a tierra.
Constanza, herida por su mano, expiraba allí a su vista, revolcándose en su propia sangre, entre las agudas zarzas del monte.

COMPRENSIÓN LECTORA

Gustavo Adolfo Bécquer

02 | Resume las ideas esenciales.

03 | ¿Cuántos personajes se observan en el texto?, ¿consideraríais al Coro como un personaje? Justificad vuestra respuesta.

04 | ¿Qué sucede realmente en este relato? ¿Quiénes son las corzas? ¿Quién fallece?

05 | En el tercer párrafo se puede leer (...) *que el áspid de los celos le mordía el corazón.* ¿Entiendes el significado? ¿Podrías deducir qué figura literaria utiliza Bécquer?

DESARROLLO DE LA LENGUA

06 | En parejas, ¿por qué se usan los dos puntos en este texto?

07 | ¿Qué significado poseen el uso de las rayas en el texto?, ¿funcionan igual las rayas de principio de frase que las incluidas en medio del discurso?

08 | ¿Qué animal crees que puede ser una *corza* según lo descrito en el texto? Compruébalo en el diccionario.

09 | En parejas, buscad los otros animales recogidos en el texto.

10 | ¿Qué significa la palabra *desvaneciose*?, ¿por qué crees que tiene el orden diferente a lo que estás acostumbrado?

11 | ¿Qué significan *jirón, trémula, fantasmagoría* y *trocha?* Compruébalo en el diccionario.

TRABAJO LITERARIO

12 | En parejas, ¿encontráis alguna metáfora en la intervención del Coro? Explicad su significado en su contexto.

13 | En parejas, señalad y explicad las prosopopeyas aparecidas en el texto.

14 | ¿Qué significa la frase *aguas de las fuentes, abandonad el lecho de musgo y caed sobre nosotras en menuda lluvia de perlas?*

15 | ¿A qué tipo de género y subgénero literario pertenece el texto?, ¿observáis alguna característica de otros géneros?

PRODUCCIÓN LITERARIA

16 | Redactad el breve diálogo entre Garcés y Constanza como un diálogo teatral donde cada personaje tenga 3 intervenciones como mínimo.

17 | Leed vuestros diálogos haciendo cada uno de un personaje. ¿Qué diálogo os ha parecido más original?

INVESTIGACIÓN LITERARIA

18 | ¿Qué clase de relación tienen Constanza y Garcés?, ¿cómo crees que afecta este final trágico a la visión que se da de la mujer en la obra?

19 | Buscad información sobre Gustavo Adolfo Bécquer y su obra. Preparad una exposición para la clase.

20 | Leed estos dos poemas de Bécquer.

Volverán las oscuras golondrinas
en tu balcón sus nidos a colgar,
y otra vez con el ala a sus cristales
jugando llamarán.

Pero aquellas que el vuelo refrenaban
tu hermosura y mi dicha a contemplar,
aquellas que aprendieron nuestros nombres...
esas... ¡no volverán!

Volverán las tupidas madreselvas
de tu jardín las tapias a escalar,
y otra vez a la tarde aún más hermosas
sus flores se abrirán.

Pero aquellas, cuajadas de rocío
cuyas gotas mirábamos temblar
y caer como lágrimas del día...
esas... ¡no volverán!

Volverán del amor en tus oídos
las palabras ardientes a sonar;
tu corazón de su profundo sueño
tal vez despertará.

Pero mudo y absorto y de rodillas
como se adora a Dios ante su altar,
como yo te he querido…, desengáñate,
nadie así te amará.

Olas gigantes que os rompéis bramando
en las playas desiertas y remotas,
envuelto entre la sábana de espumas,
¡llevadme con vosotras!

Ráfagas de huracán que arrebatáis
del alto bosque las marchitas hojas,
arrastrado en el ciego torbellino,
¡llevadme con vosotras!

Nubes de tempestad que rompe el rayo
y en fuego encienden las sangrientas orlas,
arrebatado entre la niebla oscura,
¡llevadme con vosotras!

Llevadme por piedad adonde el vértigo
con la razón me arranque la memoria.
¡Por piedad! ¡Tengo miedo de quedarme
con mi dolor a solas!

21 | ¿Qué temas destacan en estos dos poemas de Bécquer?

22 | ¿Qué es una rima y qué es una leyenda para Bécquer? ¿Los textos leídos hasta ahora encajarían en esa división?

23 | ¿Encontráis alguna prosopopeya en los poemas?

24 | Investigad qué uso hacían los autores del Romanticismo de la naturaleza. ¿Creéis que para Gustavo Adolfo Bécquer la naturaleza era una representación únicamente paisajística o tenía un significado oculto? Debatid en clase vuestras respuestas.

¿Cuánto sabes?

AUTOEVALUACIÓN

Lee y marca verdadero (V) o falso (F).

V F

a. El Romanticismo proviene del *Sturm und Drang* alemán. 

b. Durante el Romanticismo el paisaje se usaba como un simple lugar donde desarrollar la historia. 

c. Los románticos tenían un gusto particular por la Edad Media, lo nocturno y lo sobrenatural. 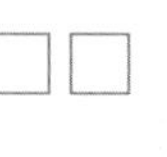

d. Gustavo Adolfo Bécquer es conocido por sus artículos políticos.  

e. Una leyenda es una pieza teatral.  

f. En las obras clásicas, el Coro es un personaje grupal que interviene a la vez. 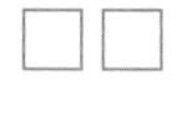 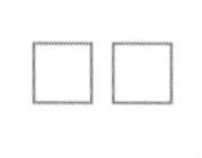

g. Una fantasmagoría es una ilusión óptica. 

h. Una prosopopeya es una personificación, darle cualidades humanas a objetos que no lo son.  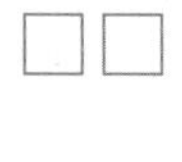 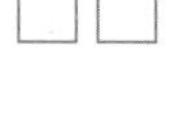

ROSALÍA DE CASTRO

01 | Lee este fragmento de *El caballero de las botas azules,* de Rosalía de Castro.

Un hombre y una musa

HOMBRE. Ya que has acudido a mi llamamiento, ¡oh musa!, escúchame atenta y propicia, y haz que se cumpla mi más ferviente deseo.

MUSA. *(Oculta tras una espesa nube).* Habla, y que tu lenguaje sea el de la sinceridad. Mi vista es de lince. [...]

HOMBRE. [...] Yo quiero que mi voz se haga oír, en medio de la multitud, como la voz del trueno que sobrepuja con su estampido a todos los tumultos de la tierra; quiero que la fama lleve mi nombre de pueblo en pueblo, de nación en nación y que no cesen de repetirlo las generaciones venideras, en el transcurso de muchos siglos.

MUSA. ¡Necio afán el de la gloria póstuma, cuyo ligero soplo pasará como si tal cosa sobre el esparcido polvo de tus huesos! Cuídate de lo presente y deja de pensar en lo futuro, que ha de ser para ti como si no existiese.

HOMBRE. ¿Y eres tú, musa, a quien he invocado lleno de ardiente fe, la que me aconsejas el olvido de lo que es más caro a un alma ambiciosa de gloria? ¿Para qué entonces la inspiración del poeta?

MUSA. ¡Locas aprensiones! El bien que se toca es el único bien; lo que después de la muerte pasa en el mundo de los vivos no es nada para el que ha traspasado el umbral de la eternidad.

HOMBRE. ¿Qué estoy oyendo? ¿Aquella de quien lo espero todo se atreve a llamar nada al rastro de luz que el genio deja en pos de sí? La gloria póstuma, ¿es asimismo una mentira?

MUSA. ¡Cesa!... ¡Cesa!... Si quieres ser mi protegido. No entiendo nada de glorias póstumas, ni de rastros de luz. El poder que ejerzo sobre el vano pensamiento de los mortales acaba al pie del sepulcro.

HOMBRE. Estoy confundido... ¡Qué respuestas! ¡Qué acritud, qué indigna prosa! Tú no eres musa, sino una gran bellaca, tan cierto como he nacido nieto de Adán.

MUSA. He ahí una franqueza poco galante y de mal gusto en boca de un genio.

HOMBRE. ¿También irónica? ¡Oh! ¿De qué baja ralea desciendes, deidad desconocida? ¿Te pareces por ventura a las otras musas tan cándidas, tan perfumadas y tan dulces como la miel?

[...]

MUSA. (...) Pero acabemos de una vez. ¿Quieres ceñir la pensativa y calva frente con la aureola de la gloria?

Rosalía de Castro

HOMBRE. Y de la inmortalidad.

MUSA. De la popularidad querrás decir, pues ya te he advertido que mi poder acaba en donde empieza el de la muerte. ¿Quieres, en fin, ser mío?

HOMBRE. ¡Tuyo! ¡Tuyo! Es eso, ciertamente, mucho pedir... Pero bien... Seré tuyo. Inspírame para que pueda cantar en ese nuevo estilo que se me exige, que se espera con avidez, pero que nadie sabe.

MUSA. No, no se trata de cantar...

HOMBRE. ¿Empiezas a burlarte de nuevo?

MUSA. *(Mudando de acento).* [...] Ya no es Homero, cuyos lejanos acentos van confundiendo su débil murmullo con las azules ondas del mar de la Grecia; ya no es Virgilio, cuyo eco suavísimo, a medida que avanzan los años, se hace más sordo y frío, más lento e ininteligible, como gemido que muere; ya no es Calderón, ni Herrera, ni Garcilaso, cuyas nobles sombras, cuando la clara luna se vela entre nubes blanquecinas y esparce por la tierra una confusa claridad, vagan en torno de las academias y de los teatros modernos, buscando en vano alguna memoria de tus pasados triunfos. Su nombre no resuena en ellos, el rumor de los antiguos aplausos se ha apagado para siempre, y únicamente les es dado ver salir por las estrechas puertas a los nietos de sus nietos que, ensalzando sin conciencia palabras vacías y abortos de raquíticos ingenios, acaban de echar sobre las tumbas de sus ilustres abuelos una nueva capa de olvido. Avergonzadas entonces, las nobles sombras quieren huir y esconderse en el fondo impenetrable de su eternidad; pero el mundo, cruel con los caídos, al percibir a través de la noche sus vagos contornos, les grita: *¡Ya fuisteis!*, y pasa adelante. He ahí lo que queda de lo pasado.

HOMBRE. [...]. No, ni Garcilaso, ni Calderón, ni Herrera, ni ninguno de nuestros buenos poetas morirán nunca para nosotros, ni Homero, ni Virgilio dejarán de existir mientras haya corazones sensibles sobre la tierra.

MUSA. ¿Cómo me pides entonces nueva inspiración, si en ellos puedes hallar todas las fuentes? Si el mundo está satisfecho con lo que posee, si ninguna de esas sombras ilustres ha perdido su antiguo dominio en la tierra, ni ha desaparecido su memoria, ¿por qué me has dicho: *Inspírame, musa desconocida, para que yo pueda cantar en ese nuevo estilo que se me exige, que se espera con avidez, pero que nadie conoce?*

HOMBRE. Gustar de lo nuevo no es despreciar lo viejo.

MUSA. No se desprecia, pero se olvida, no llena ya las exigencias de las descontentadizas criaturas... No basta a satisfacerlas.

HOMBRE. ¿Qué es lo que basta entonces? Ese es el secreto que debes revelarme. ¿Acaso Cervantes?...

MUSA. El hombre contiene en sí mismo cierta materia, dispuesta siempre a empaparse con placer en la burla, a quien un gran genio bañó con la salsa amarga y picante de sus hondas tristezas.

HOMBRE. Esta es la única vez que te he oído hablar razonablemente. He aquí, pues, un buen punto de partida. Búscame a semejanza de don Quijote, aunque revestido de modernas y nuevas gracias, un caballero, ya que no hidalgo, porque ya no hay hidalgos...

COMPRENSIÓN LECTORA

02 | Resume las ideas esenciales del texto.

03 | ¿Qué características del Romanticismo ves en el fragmento?

04 | ¿Por qué motivo el hombre invoca a la Musa?, ¿estamos ante un diálogo entre iguales o alguno de ellos tiene superioridad sobre el otro?

DESARROLLO DE LA LENGUA

05 | En parejas, ¿qué características del diálogo escrito encontráis aquí?

06 | Este texto contiene algunas acotaciones, ¿con qué signo tipográfico están indicadas? Explicad otros usos de ese elemento tipográfico.

07 | ¿Cómo es el lenguaje que utiliza Rosalía de Castro? ¿Cómo es el léxico? ¿Sencillo o complicado? ¿Cómo es el estilo?

08 | Buscad el significado de: *devaneo, ralea, umbral, bellaca* y *raquítico.*

09 | Indicad si estas palabras son sinónimos o antónimos de raquítico: *esmirriado, robusto, corpulento, delgado, consumido* y *vigoroso.*

TRABAJO LITERARIO

10 | ¿Hay ironía o sarcasmo en el discurso de la Musa?

11 | ¿Qué ejemplo de *carpe diem* pronuncia la Musa?

12 | Explicad los *símiles* que aparecen en el texto.

PRODUCCIÓN LITERARIA

13 | Describid la Musa tal y como la imagináis.

14 | Leed el texto en clase. ¿Qué Musa os parece más interesante? Valoradlo del 1 al 3.

INVESTIGACIÓN LITERARIA

15 | Este fragmento parece una obra de teatro, pero *El caballero de las botas azules* es una novela. Esta confusión ¿a qué creéis que es debida?

16 | En el texto se nombra a diversos autores. ¿Por qué creéis que se citan?

17 | ¿Qué diferencias o similitudes encontráis entre Rosalía de Castro y Bécquer?

18 | Comparad estos dos poemas. Uno es de Rosalía de Castro y el segundo es de **JOSÉ DE ESPRONCEDA.**

Era apacible el día
y templado el ambiente,
y llovía, llovía
callada y mansamente;
y mientras silenciosa
lloraba y yo gemía,
mi niño, tierna rosa,
durmiendo se moría.

Al huir de este mundo, ¡qué sosiego en su frente!
Al verle yo alejarse, ¡qué borrasca en la mía!
Tierra sobre el cadáver insepulto
antes que empiece a corromperse... ¡Tierra!

[...]
¿Qué andáis buscando en torno de las tumbas,
torvo el mirar, nublado el pensamiento?
¡No os ocupéis de lo que al polvo vuelve!
Jamás el que descansa en el sepulcro
ha de tornar a amaros ni a ofenderos.
[...]
Tú te fuiste por siempre; mas mi alma
te espera aún con amoroso afán,
y vendrá o iré yo, bien de mi vida,
allí donde nos hemos de encontrar.

Algo ha quedado tuyo en mis entrañas
que no morirá jamás,
Y que Dios, porque es justo y porque es bueno,
a desunir ya nunca volverá.
[...]
Mas... es verdad, ha partido
para nunca más tornar.
Nada hay eterno para el hombre, huésped
de un día en este mundo terrenal,
en donde nace, vive y al fin muere
cual todo nace, vive y muere acá.

«Era apacible el día», Rosalía de Castro

¡Pobre Teresa! Cuando ya tus ojos
áridos ni una lágrima brotaban;
cuando ya su color tus labios rojos
en cárdenos matices se cambiaban;
cuando de tu dolor tristes despojos
la vida y su ilusión te abandonaban,
y consumía lenta calentura
tu corazón al par que tu amargura;

[...]
¡Oh!, ¡cruel!, ¡muy cruel!... ¡Ay! Yo, entretanto,
dentro del pecho mi dolor oculto,
enjugo de mis párpados el llanto
y doy al mundo el exigido culto;
yo escondo con vergüenza mi quebranto,
mi propia pena con mi risa insulto,
y me divierto en arrancar del pecho
mi mismo corazón, pedazos hecho.

Gocemos, sí; la cristalina esfera
gira bañada en luz: ¡bella es la vida!
¿Quién a parar alcanza la carrera
del mundo hermoso que al placer convida?
Brilla radiante el sol, la primavera
los campos pinta en la estación florida;
truéquese en risa mi dolor profundo...
Que haya un cadáver más, ¿qué importa al mundo?

«Canto a Teresa», José de Espronceda

***José de Espronceda*, por Antonio María Esquivel**

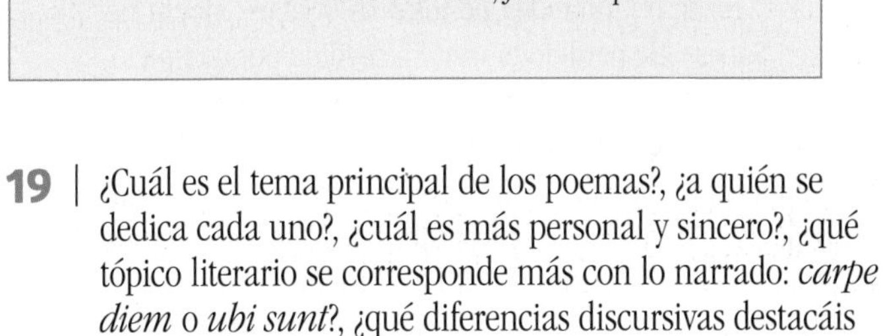

19 | ¿Cuál es el tema principal de los poemas?, ¿a quién se dedica cada uno?, ¿cuál es más personal y sincero?, ¿qué tópico literario se corresponde más con lo narrado: *carpe diem* o *ubi sunt*?, ¿qué diferencias discursivas destacáis entre ambos?

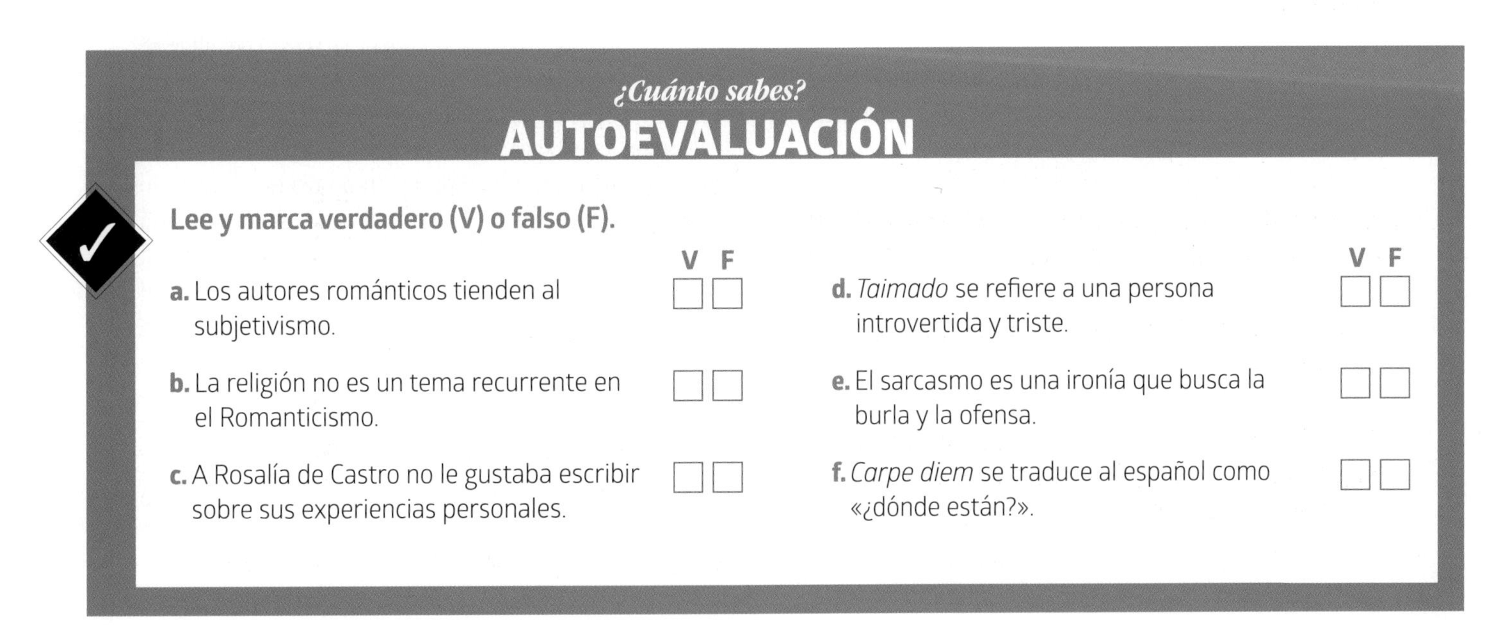

¿Cuánto sabes?

AUTOEVALUACIÓN

Lee y marca verdadero (V) o falso (F).

	V	F
a. Los autores románticos tienden al subjetivismo.	☐	☐
b. La religión no es un tema recurrente en el Romanticismo.	☐	☐
c. A Rosalía de Castro no le gustaba escribir sobre sus experiencias personales.	☐	☐
d. *Taimado* se refiere a una persona introvertida y triste.	☐	☐
e. El sarcasmo es una ironía que busca la burla y la ofensa.	☐	☐
f. *Carpe diem* se traduce al español como «¿dónde están?».	☐	☐

LEOPOLDO ALAS «CLARÍN»

01 | En parejas, leed este fragmento final de la novela *Su único hijo,* de «Clarín».

Al entrar en la sacristía, en una capilla lateral, sumida en la sombra, vio una mujer sentada sobre la tarima, con la cabeza apoyada en el altar de relieve churrigueresco.

—¡Serafina!
—¡Bonifacio!
—¿Qué haces aquí?
—¿Qué he de hacer? Rezar. Y tú, ¿a qué vienes?
—Vengo a inscribir a mi hijo, que acaba de bautizarse, en el libro bautismal.
Serafina se puso en pie. Sonrió de un modo que asustó a Bonis, porque nunca había visto en su amiga el gesto de crueldad, de malicia fría, que acompañó a tal sonrisa.

—Conque... ¿tu hijo?... ¡Bah!
—¿Qué tienes, Serafina? ¿Cómo estás aquí?
—Estoy aquí... por no estar en casa; por huir del amo de la posada. Estoy aquí... porque me voy haciendo beata. No es broma. O rezar, o... una caja de fósforos. ¿Sabes? Mochi no vuelve. ¿Sabes? ¡He perdido la voz! Sí; perdida por completo. El día que te escribí...; y que no me contestaste; ya sabes, cuando te pedía aquellos reales para pagar la fonda... Bueno; pues aquel día... aquella noche... como había ofrecido pagar, y no pagué... porque no contestaste..., tuve una batalla de improperios con D. Carlos. [...] El infame tuvo el valor de insultarme como a una mujer perdida...; me amenazó con la justicia, con plantarme en el arroyo... Yo eché a correr; salí a la calle, como estaba, sin sombrero... Pero volví. Porque lo dejaba allí todo... Mi equipaje, lo único que tengo en el mundo. No sé qué cogí aquella noche, al relente, furiosa, por la calle húmeda... ¡Oh! En fin, la voz, que ya andaba muy mal, se fue de repente... [...] No sé dónde ir; en casa me espía mi acreedor, que quiere ser mi amante; en la calle me persiguen necios, me aburre la curiosidad estúpida de la gente... No tengo dinero ni para escapar... ¿Para escapar adónde? Me meto en la iglesia. Esto es mío, como de todos. [...] Mochi es un mal hombre, un traidor, un miserable...; ya lo sabía, siempre lo supe. Pero tú..., no creí que lo fueras también. Bonis, no me abandones... Yo... te quiero todavía..., más que antes, mucho más de veras. [...]
—Serafina..., yo a ti te debo toda la verdad... Yo, en adelante, quiero vivir para mi hijo... Nuestros amores... eran ilícitos... Debo a Dios un gran bien, una gracia...: el tener un hijo... Ofrecí el sacrificio de mis pasiones por la felicidad de Antonio... Además, estoy arruinado... En el terreno de los intereses materiales... haré por ti... lo que pueda...; ¡ya se ve!... Con ese D. Carlos, que es un judío... ya me entenderé yo... Pero estoy arruinado... La voz..., tu voz... volverá...
[...] Mas el rostro de Serafina volvió a asustarle. Aquella mujer tan hermosa, que era la belleza con cara de bondad para Bonis... le pareció de repente una culebra... La vio mirarle con ojos de acero, con miradas puntiagudas; la vio arrugar las comisuras de la boca de un modo que era símbolo de crueldad infinita; la vio pasar por los labios rojos la punta finísima de una lengua jugosa y muy aguda... y con el presentimiento de una herida envenenada, esperó las palabras pausadas de la mujer que le había hecho feliz hasta la locura. La Gorgheggi dijo:

—Bonis, siempre fuiste un imbécil. Tu hijo... no es tu hijo.
—¡Serafina!
Y no pudo decir más el pobre Bonis. También él perdía la voz. Lo que hizo fue apoyarse en el altar de la capilla oscura, para no caerse. Como él no hablaba, Serafina tuvo valor para añadir:
—Pero, hombre; todo el mundo lo sabe... ¿No sabes tú de quién es tu hijo?
—¡Mi hijo!... ¿De quién es mi hijo?
La Gorgheggi extendió un brazo y señaló a lo alto, hacia el coro:
—Del organista.
—¡Ah! —exclamó Bonis, como si hubiera sentido a su amada envenenarle la boca al darle un beso... Se separó del altar; se afirmó bien sobre los pies; sonrió como estaba sonriendo san Sebastián, allí cerca, acribillado de flechas.
—Serafina..., te lo perdono..., porque a ti debo perdonártelo todo... Mi hijo es mi hijo. Eso que tú no tienes y buscas, lo tengo yo: tengo fe, tengo fe en mi hijo. Sin esa fe no podría vivir. Estoy seguro, Serafina; mi hijo... es mi hijo. ¡Oh, sí! ¡Dios mío! ¡Es mi hijo!... Pero... ¡como puñalada, es buena! Si me lo dijera otro... ni lo creería, ni lo sentiría. Me lo has dicho tú... y tampoco lo creo... Yo no he tenido tiempo de explicarte lo que ahora pasa por mí; lo que es esto de ser padre... Te perdono, pero me has hecho mucho daño. Cuando mañana te arrepientas de tus palabras, acuérdate de esto que te digo: Bonifacio Reyes cree firmemente que Antonio Reyes y Valcárcel es hijo suyo. Es su único hijo. ¿Lo entiendes? ¡Su único hijo!

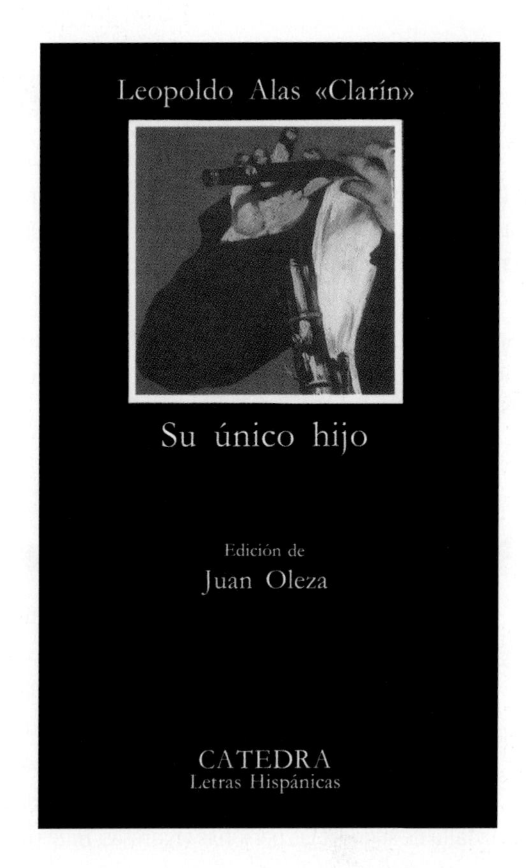

COMPRENSIÓN LECTORA

02 | ¿Cuál es el tema principal del texto?

03 | ¿Cuál es el secreto que descubre Bonifacio y qué tiene que ver con el título de la obra?, ¿Bonifacio cree que es cierto o decide engañarse a sí mismo?

04 | En parejas, ¿cuál era la relación que habían mantenido Serafina y Bonifacio hasta este momento según lo que se desprende del fragmento?

DESARROLLO DE LA LENGUA

05 | En parejas, ¿qué rasgos de la oralidad notáis en la intervención de Serafina: *Estoy aquí... por no estar en casa*? ¿Para qué sirven los puntos suspensivos en ese caso?, ¿tiene relación con su uso actual en las redes sociales?

06 | Observad que en el texto se suceden varias admiraciones, interrogaciones, interjecciones, vocativos, etc. ¿Creéis que tiene algo que ver con el movimiento literario al que pertenece la obra? Justificadlo con dos ejemplos.

07 | Buscad en el diccionario el significado de estas palabras: *sacristía, churrigueresco, fósforo, relente, ilícito* y *comisura.*

TRABAJO LITERARIO

08 | Busca e identifica en este fragmento una topografía (descripción del espacio) y un retrato (descripción de un personaje).

09 | En parejas, el alegato final de Bonifacio nos presenta la repetición de varias palabras. ¿Cuál creéis que es la finalidad de esta repetición léxica? ¿Detectáis alguna epanadiplosis o anadiplosis?

PRODUCCIÓN LITERARIA

10 | En parejas, observad que la acción de este fragmento sucede en un templo. Realizad una descripción del lugar a partir de los datos del texto.

11 | Después, leedles el texto a vuestros compañeros. ¿Qué texto os parece más preciso con el lugar donde se desarrollan los hechos? Valoradlo del 1 al 3.

INVESTIGACIÓN LITERARIA

12 | En grupos, buscad información sobre «Clarín» y realizad una línea cronológica de su vida y obra. Debéis tener en cuenta sus relaciones con otros autores.

13 | Buscad información sobre los trabajos que desempeñó «Clarín». ¿Por qué creéis que sus *Paliques* le provocaron más de un enemigo literario?

14 | Investiga sobre la naturaleza y el determinismo como elementos presentes e influyentes en la obra de Emilia Pardo Bazán. ¿Crees que *La madre naturaleza* es una continuación de *Los Pazos de Ulloa*? ¿Qué temas característicos se recogen en cada una de ellas?

15 | Leed este fragmento de *Los Pazos de Ulloa* de **Emilia Pardo Bazán** y comparadlo con el texto anterior de Leopoldo Alas «Clarín».

Máximo Juncal se lavaba las manos en la palangana de peltre sostenida por Sabel. En su cara lucía el júbilo del triunfo mezclado con el sudor de la lucha, que corría a gotas medio congeladas ya por el frío del amanecer. El marqués se paseaba por la habitación ceñudo, contraído, hosco, con esa expresión torva y estúpida a la vez que da la falta de sueño a las personas vigorosas, muy sometidas a la ley de la materia.
—Ahora alegrarse, don Pedro —dijo el médico—. Lo peor está pasado. Se ha conseguido lo que usted tanto deseaba... ¿No quería usted que la criatura saliese toda viva y sin daño? Pues ahí la tenemos, sana y salva. Ha costado trabajillo, pero al fin...

Encogióse despreciativamente de hombros el marqués, como amenguando el mérito del facultativo, y murmuró no sé qué entre dientes, prosiguiendo en su paseo de arriba abajo y de abajo arriba, con las manos metidas en los bolsillos, el pantalón tirante cual lo estaba el espíritu de su dueño.
—Es un angelito, como dicen las viejas —añadió maliciosamente Juncal, que parecía gozarse en la cólera del hidalgo—; solo que angelito hembra. A estas cosas hay que resignarse; no se inventó el modo de escribir al cielo encargando y explicando bien el sexo que se desea...
Otro espumarajo de rabia y grosería brotó de los labios de don Pedro. Juncal rompió a reír, secándose con la toalla.
—La mitad de la culpa por lo menos la tendrá usted, señor marqués —exclamó—. ¿Quiere usted hacerme favor de un cigarrito?
Al ofrecer la petaca abierta, don Pedro hizo una pregunta. Máximo recobró la seriedad para contestarla.

Pardo Bazán

—Yo no he dicho tanto como eso... Me parece que no. Cierto que cuando las batallas son muy porfiadas y reñidas puede suceder que el combatiente quede inválido; pero la naturaleza, que es muy sabia, al someter a la mujer a tan rudas pruebas, le ofrece también las más impensadas reparaciones... Ahora no es ocasión de pensar en eso, sino en que la madre se restablezca y la chiquita se críe. Temo algún percance inmediato... Voy a ver... La señora se ha quedado tan abatida...

Emilia Pardo Bazán

Los Pazos de Ulloa

Edición de
M.ª de los Ángeles Ayala

CATEDRA
Letras Hispánicas

16 | En grupos. En ambos textos se habla de la paternidad. ¿Qué diferencias observáis entre la postura de los dos protagonistas masculinos?

17 | En la literatura del siglo XIX había dos arquetipos básicos de la mujer. En grupos, buscadlos y comparadlos con la imagen de la mujer en estos dos fragmentos.

18 | En grupos, elegid a una protagonista de *Su único hijo* o de *Los Pazos de Ulloa* y haced una breve exposición en clase sobre los arquetipos. Podéis compararla con algún personaje femenino de otras obras decimonónicas (*Carmen,* de Prosper Mérimée, *Madame Bovary,* de Gustave Flaubert…).

¿Cuánto sabes?

AUTOEVALUACIÓN

Lee y marca verdadero (V) o falso (F).

	V	F
a. El realismo es un movimiento artístico surgido en la Inglaterra burguesa del siglo XIX.	☐	☐
b. El realismo busca la imitación fotográfica de la realidad.	☐	☐
c. «Clarín» es el apellido materno de Leopoldo Alas y utilizaba las comillas latinas por estética.	☐	☐
d. Leopoldo Alas «Clarín» y Emilia Pardo Bazán no se conocían.	☐	☐
e. Los *Paliques* de «Clarín» eran pequeñas colaboraciones con periódicos.	☐	☐
f. Una comarca es un territorio determinado con características culturales o administrativas similares.	☐	☐
g. Una anadiplosis es una figura retórica de repetición léxica.	☐	☐
h. Tanto la paternidad como la maternidad eran un tema recurrente en la literatura y la sociedad del siglo XIX.	☐	☐
i. Durante el siglo XIX la mujer siempre tenía una representación positiva en la literatura española.	☐	☐

BENITO PÉREZ GALDÓS

01 | En parejas, leed este fragmento inicial de *Juan Martín el Empecinado,* de Benito Pérez Galdós.

Los militares que habíamos estado en Cádiz echábamos de menos la hartura y abundancia de la improvisada corte, y experimentábamos gran molestia con aquel exiguo comer y beber del segundo ejército. Las largas marchas nos ponían enfermos y en vano pedíamos un pedazo de pan a la infeliz comarca que atravesábamos.

Cuatro compañías destinadas a reforzar el ejército del Empecinado entraron en Sacedón en una hermosa tarde de otoño. Cerca de la villa vimos un árbol, de cuyas ramas pendían ahorcados y medio desnudos cinco franceses, y un poco más allá algunas mujeres se ocupaban en enterrar no sé si doce o catorce muertos. La gran inopia que padecíamos no nos permitió en verdad enternecernos mucho con lo fúnebre de aquel espectáculo, y atendiendo antes a comer que a llorar (por mandato de la estúpida bestia humana), nos acercamos al primer grupo de enterradoras, significándoles bruscamente que nuestras respetables personas necesitaban vivir para defender la patria.

—Vayan al diablo a que les dé raciones —nos contestó de muy mal talante una vieja—. Con dos patatas podridas nos hemos quitado un día más de encima mis nietas y yo, ¿y nos piden ustedes que les llenemos la panza?
—Señora, tripas llevan pies, que no pies tripas, como dijo el otro, y que nos han de dar raciones no tiene duda, porque estos valientes soldados no han probado nada desde ayer.
—Sigan adelante, y en Tabladillo o Cereceda puede que encuentren algo. Lo que es en Sacedón...
—De aquí no hemos de pasar porque no somos máquinas. Venga lo que haya al momento, o si no lo tomaremos: que eso de derrotar ejércitos franceses sin probar bocado no está escrito en mis libros.
—¡Derrotar ejércitos franceses! —exclamó la vieja con desdén—. ¿Quién? *¿Ustés?* ¿Los militares de casaca azul y morrioncete? Hasta ahora no lo hemos visto.
—¿Duda de nuestro valor la señora?
—La gente de tropa no sirve para nada. Van y vienen, dan dos tiros al aire y luego ponen un parte diciendo que han ganado una batalla... Señores oficialetes, estos ojos han visto mucho mundo... y en verdad que si no fuera por los empecinados y demás gente que se ha echado al campo por dar gusto al dedo meneando el gatillo...
—Bueno; dejemos a la historia que nos juzgue —dijo con festiva gravedad mi compañero, que era algo chusco—. Entretanto, nosotros necesitamos para nuestra gente pan, un poco de cecina, caza, legumbres y vino si lo hay... Veamos quién manda aquí. ¿No hay alcalde, corregidor, gobernador, ministro, rey o demonio a quien dirigirnos?
—Aquí no hay nada de eso, amiguito —repuso la vieja—. Ya he dicho que sigan hacia Tabladillo o Cereceda.
—¿De modo que en este bendito pueblo no hay autoridades? Así anda ello —exclamó con enfado mi compañero.
—¡Autoridades hay, hombre! Y no griten tanto que no soy sorda. Ahí está la *señá* Romualda. Eh, *señá* Romualdita, aquí piden pan.

COMPRENSIÓN LECTORA

02 | Resumid las ideas esenciales.

03 | ¿Cuántos personajes se observan en el texto?, ¿crees que la opinión de la mujer sobre la guerra es positiva o negativa? Justifica tu respuesta.

DESARROLLO DE LA LENGUA

04 | En el fragmento hay dos palabras en cursiva. ¿Por qué creéis que es y a qué palabras os recuerdan o creéis que equivalen?

05 | En parejas, ¿qué significan *empecinado, comarca, bestia, gravedad* y *chusco?*

06 | Aparecen varios cultismos que hoy en día son poco utilizados, como *inopia.* Según el contexto, ¿qué creéis que significa? Curiosamente, esta palabra sí que se sigue utilizando en la expresión «estar en la inopia», ¿crees que en ambos casos significa lo mismo?

TRABAJO LITERARIO

07 | En parejas, este fragmento pertenece a los *Episodios Nacionales,* de Benito Pérez Galdós. Después de leer este texto y ver sus características, ¿a qué género creéis que pertenecen los *Episodios Nacionales:* a la novela o al teatro? Justificad vuestra respuesta.

PRODUCCIÓN LITERARIA

08 | En parejas. ¿Cómo os imagináis a la vieja a partir de los datos del texto? Haced una descripción de ella tanto de su físico como de su carácter. Además, haced una valoración positiva o negativa del personaje.

09 | En parejas, leedles el texto a vuestros compañeros. ¿Qué texto os parece más apropiado para caracterizar al personaje? Valoradlo del 1 al 3.

INVESTIGACIÓN LITERARIA

10 | En grupos, buscad información en internet sobre qué eran exactamente los *Episodios Nacionales.* Cada grupo deberá elegir un episodio y hacer una pequeña exposición sobre el mismo.

11 | Benito Pérez Galdós tenía más obras aparte de los *Episodios Nacionales.* En grupos, buscad información sobre las diversas obras de Galdós, sus estilos y características para realizar un gran mapa conceptual con toda esta información.

¿Cuánto sabes?

AUTOEVALUACIÓN

✓ **Lee y escribe verdadero (V) o falso (F).**

	V	F
a. Los *Episodios Nacionales* de Benito Pérez Galdós son una serie de obras teatrales con una base histórica.	☐	☐
b. Galdós es un novelista realista.	☐	☐
c. *Fortunata y Jacinta* es una novela que se desarrolla en Barcelona.	☐	☐
d. *Misericordia* es una novela de índole moral.	☐	☐
e. Benito Pérez Galdós apenas tuvo relación con Emilia Pardo Bazán.	☐	☐
f. En sus obras, Galdós profundiza en la psicología de los personajes.	☐	☐
g. Galdós escribió obras naturalistas y obras realistas.	☐	☐

unidad

8

La Pedrera, de Gaudí, Barcelona

Contexto histórico

- **Regencia de María Cristina de Habsburgo tras la muerte del rey Alfonso XII** (1885-1902)
- **Derrota de España frente a Estados Unidos y la consiguiente pérdida de las colonias españolas de Cuba, Puerto Rico y Filipinas** (1898)
- **La *Belle Époque*** (1871-1914)
- **Reinado de Alfonso XIII** (1902-1931)
- **Desarrollo de una política imperialista en África y Asia por parte de muchos países europeos**
- **Victoria de Japón frente a Rusia.** Japón se convierte en una potencia mundial (1905)
- **Primera Guerra Mundial** (1914-1918)
- **Triunfo de la Revolución rusa y fin del imperio de los zares** (1917)
- **Establecimiento de la Unión Soviética** (la URSS)
- **Marcha sobre Roma de los camisas negras liderados por Mussolini** (1922)
- **Dictadura de Primo de Rivera** (1923-1930)
- **Exilio del rey Alfonso XII tras la proclamación de la Segunda República en España** (1931)
- **Hitler es nombrado canciller de Alemania** (1933)
- **Segunda República** (1931-1939)

MODERNISMO, GENERACIÓN DEL 98 Y VANGUARDIAS

Contexto artístico

Pintura

- Paul Gauguin (1848-1903)
- Juan Gris (1887-1927)
- Amadeo Modigliani (1884-1920)

Música

- Giacomo Puccini (1858-1924)
- Claude Debussy (1862-1918)
- Richard Strauss (1864-1949)
- Enrique Granados (1867-1916)
- Arnold Schönberg (1874-1951)
- Maurice Ravel (1875-1937)
- Manuel de Falla (1876-1946)
- Béla Bartok (1881-1945)
- Igor Stravinski (1882-1971)

Arquitectura

- Fundación de la Bauhaus, escuela de diseño y arquitectura, creada por Walter Gropius (1919)
- Antonio Gaudí (1852-1926)
- Frank Lloyd Wright (1867-1959)

Escultura

- Mariano Benlliure (1862-1947)
- Pablo Gargallo (1881-1934)

Arearea, de Gauguin

MODERNISMO, GENERACIÓN DEL 98 Y VANGUARDIAS

El primer tercio del siglo XX supuso un renacimiento cultural denominado «edad de plata» o «segunda edad de oro». París se convirtió en un centro de atracción para artistas de todo el mundo.

Características del modernismo

- Movimiento poético hispanoamericano introducido en España por el poeta nicaragüense Rubén Darío, que renovó totalmente la poesía española.
- Supuso una reacción contra la estética realista de fines del siglo XIX y marca la tendencia hacia un esteticismo exótico y ornamental.
- Ahora la poesía busca la expresión de contenidos irracionales, puramente individuales, mediante el símbolo y la metáfora.
- No interesa la observación minuciosa de la realidad, sino la expresión de la subjetividad.
- Su influencia alcanzó a otros géneros literarios como la prosa y el teatro.
- Su origen se halla en la poesía francesa (Victor Hugo), pero sobre todo en el parnasianismo (Leconte de Lisle) y en el simbolismo (Paul Verlaine).
- El escritor modernista se aparta del ambiente burgués, del mal gusto impuesto por una burguesía a la que desprecia. El poeta huye, escapa a su «torre de marfil», porque se cree superior a todos y adopta una actitud decadente, «maldita». Manuel Machado asume este prototipo en alguna de sus obras.
- La poesía adquiere así un tono cosmopolita, aristocrático, que huye de la realidad y de lo vulgar.
- El modernismo ofrece muchos puntos en común con la generación del 98. De hecho, muchos de los autores de esta generación escriben bajo la influencia de esta escuela.

El lenguaje del modernismo

- Los modernistas crearon un lenguaje poético nuevo, alejado del registro cotidiano de la lengua, pero también del lenguaje literario utilizado en épocas precedentes. Ello se debe a una visión del mundo peculiar: aristocrática y cosmopolita.

- El lenguaje poético al que tienden es culto, elaborado. Buscan en el léxico el exotismo, el neologismo e incluso emplean arcaísmos. Asimismo, la sinestesia y la acumulación de adjetivos parece ser otra constante a la hora de crear ese refinamiento ornamental que caracteriza al lenguaje modernista, y todo ello con la intención de crear en el poema una sensación de belleza.

- La búsqueda de la belleza procede del parnasianismo, corriente literaria surgida en Francia durante el último tercio del siglo XIX, como reacción antirromántica. Se pretende eliminar toda la carga de subjetividad e intimidad del poeta, para conseguir la belleza formal, absoluta, alejada de los problemas externos —sociales o políticos—. Los poemas son objetos de arte que hay que cincelar, trabajar al máximo, para dotarlos de una forma rígida, hierática.

- La sinestesia es el procedimiento fundamental de la poesía de este momento histórico. Valle-Inclán creía que en ella se basaba la literatura contemporánea. La sinestesia consiste en expresar sensaciones percibidas por un sentido a través de términos que designan a otro de los sentidos: *tardes de seda, trino amarillo.*

- Algunas imágenes (jardines, fuentes, ocaso, mármoles, aves exóticas, etc.) se repiten con un fuerte poder evocador. Gustan los contrastes, el misticismo, el alcohol y los amores malditos, la mujer pura junto a la mujer fatal. También aparecen menciones de lo medieval y de la pintura prerrafaelista.

- Se proponen recuperar viejas formas métricas, como el verso alejandrino, pero también abren nuevas vías de expresión poética: el verso libre.

Autores destacables

Rubén Darío, Manuel Machado, Juan Ramón Jiménez, Valle-Inclán, Miguel de Unamuno, Pío Baroja, Azorín, Ramiro de Maeztu, Antonio Machado y Gómez de la Serna

LA GENERACIÓN DEL 98 PROPONE UNA RENOVACIÓN PROFUNDA DEL PAÍS ANTE LA CRISIS POLÍTICA, ECONÓMICA Y SOCIAL TRAS EL DESASTRE DEL 98.

Características de la generación del 98

- Denuncia y critica el tremendo retraso que España sufría en aquellos momentos. Adoptan una postura pesimista.
- Sus preferencias literarias se dirigen hacia los clásicos: Gonzalo de Berceo, el *Poema de mio Cid*, Fray Luis de León, Jorge Manrique, Cervantes, etcétera.
- Predomina la prosa, aunque hay que destacar a Antonio Machado, el poeta del grupo, y a Unamuno, que también escribe poesía. Utilizan un lenguaje mucho más sencillo y un léxico, en ocasiones, coloquial. Rompen así con la retórica recargada del pasado. Emplean la frase corta, precisa, para evitar rodeos innecesarios o confusiones. Son antirretóricos.
- El estilo tiende a ser sobrio y muestran un interés especial por el contenido, aunque no abandonan la forma.
- Temática:
  - España desde un punto de vista individualista.
  - Castilla, su paisaje y sus gentes.
  - La historia de gente anónima y su vida día a día (intrahistoria), que es compatible con la idea de europeizar España.
  - La vida y la muerte, la angustia por el paso del tiempo, todo ello con una visión existencialista.
- En su afán por renovar, crean nuevos géneros literarios: la novela impresionista desde varios puntos de vista (Azorín, Baroja), la nivola (Unamuno) y el esperpento (Valle-Inclán): una visión amarga y degradada de la realidad acentuada por la violencia del lenguaje.

Características de las vanguardias

- Son un conjunto de movimientos artísticos muy diferentes entre sí, cuyo objetivo es romper con el arte anterior. Esta ruptura con la tradición se lleva a cabo a través de un deseo violento de renovación de técnicas y estilo.
- Se dieron a conocer mediante manifiestos. En París aparecieron los manifiestos revolucionarios, cuyo objetivo era abolir la tradición artística del pasado y reemplazarla por un arte totalmente libre. Uno muy importante fue el Manifiesto Futurista del italiano Marinetti, de 1909.
- Los más importantes «ismos» que se desarrollan en el periodo de entreguerras tienen su origen en el pensamiento de Niestzche y Kierkegaard, entre otros.
- Como indica su nombre, el vanguardismo implica estar en primera línea, alcanzar lo «nuevo», la última novedad.
- Estos experimentos renovadores se suceden con una velocidad vertiginosa y son pasajeros. Pese a la inestabilidad que manifiestan y su poca validez en muchos casos, hay que admitir que de esta búsqueda vacilante ha surgido el arte moderno.
- Destacan por los siguientes rasgos:
  - carácter efímero;
  - ausencia de sentimientos;
  - originalidad e irracionalidad;
  - gusto por la novedad;
  - rechazo de la literatura del siglo XIX;
  - lenguaje coloquial;
  - frecuente uso del humor.
- La difusión de la estética vanguardista en España es tardía, aunque hay algún brote inicial ya en 1910, cuando Gómez de la Serna publica el Manifiesto Futurista de Marinetti en la revista *Prometeo*. Aunque existen ecos de algunos de estos movimientos en los autores españoles, solo se puede afirmar con rotundidad que las únicas vanguardias netamente españolas fueron el ultraísmo y el creacionismo.

MODERNISMO

MANUEL MACHADO

01 | Lee este poema de Manuel Machado.

¡Qué bonita es la princesa!
¡Qué traviesa!
¡Qué bonita!
¡La princesa pequeñita
de los cuadros de Watteau!

¡Yo la miro, yo la admiro,
yo la adoro!
Si suspira, yo suspiro;
si ella llora, también lloro;
si ella ríe, río yo.

Cuando alegre la contemplo,
como ahora, me sonríe...
Y otras veces su mirada
en los aires se deslíe,
pensativa...

¡Si parece que está viva
la princesa de Watteau!

Al pasar la vista hiere,
elegante,
y ha de amarla quien la viere.

... Yo adivino en su semblante
que ella goza, goza y quiere,
vive y ama, sufre y muere...
¡Como yo!

Manuel Machado

COMPRENSIÓN LECTORA

02 | ¿Cuál es el tema del poema? ¿Te parece un tema serio, triste o divertido?

03 | En parejas, ¿en qué movimiento artístico encuadraríais el poema? Citad, al menos, tres rasgos que pertenezcan al movimiento que hayáis elegido.

DESARROLLO DE LA LENGUA

04 | En parejas, ¿qué significan *desleír, semblante, herir* y *traviesa?* Comprobadlo en el diccionario.

05 | En parejas, ¿qué tiempo verbal se corresponde con la forma verbal *viere?* Es un tiempo verbal en desuso, ¿cómo se denomina este empleo de palabras de otra época?

06 | En parejas, ¿con qué modalidad entonativa consigue el autor expresar su admiración ante el cuadro?

TRABAJO LITERARIO

07 | ¿Crees que en el poema existe una musicalidad? ¿Con qué recursos logra este ritmo el poeta?

08 | Señala los encabalgamientos que hay en el poema.

09 | En parejas. En el poema hay dos polisíndeton. Decid en qué verso(s) se encuentra.

10 | En parejas, ¿qué tipo de versos se emplean en el poema, de arte mayor o de arte menor?, ¿creéis que forman una estrofa determinada?

11 | ¿Se utiliza la rima en este poema?, si es así, ¿qué tipo de rima, asonante o consonante?

PRODUCCIÓN LITERARIA

12 | En parejas, escribid un poema con un estilo parecido, pero dedicado a un animal que tengáis de mascota: un perro, un gato, un pájaro, una tortuga... Imitad lo más posible el ritmo y la musicalidad del poema de Manuel Machado.

13 | Leedles el poema a vuestros compañeros. ¿Cuál es el más parecido al de Manuel Machado? ¿Y el más divertido? Valoradlo del 1 al 3.

INVESTIGACIÓN LITERARIA

14 | En parejas, investigad quién era Watteau, a qué movimiento artístico pertenece, en qué siglo vivió y descubrid el cuadro al que se refiere el poeta. Una vez hecho esto, haced una breve exposición en la clase.

15 | **Juan Ramón Jiménez** fue un poeta con gran influencia del modernismo en su primera etapa. Lee este poema suyo.

Ya están ahí las carretas...
Lo han dicho el pinar y el viento,
lo ha dicho la luna de oro,
lo ha dicho el humo y el eco...
Son las carretas que pasan
estas tardes, al sol puesto,
las carretas que se llevan
del monte los troncos muertos.

¡Cómo lloran las carretas
camino del Pueblo Nuevo!

Los bueyes vienen soñando,
a la luz de los luceros,
en el establo caliente
que sabe a madre y a heno.
Y detrás de las carretas
caminan los carreteros,
con la aijada sobre el hombro
y los ojos en el cielo.

¡Cómo lloran las carretas
camino del Pueblo Nuevo!

Juan Ramón Jiménez

En la paz del campo van
dejando los troncos muertos
un olor fresco y honrado
a corazón descubierto.
Y cae el ángelus desde
la torre del pueblo viejo,
sobre los campos talados,
que huelen a cementerio.

¡Cómo lloran las carretas
camino del Pueblo Nuevo!

Pastorales

16 | En parejas, ¿cuál es el tema del poema? ¿Pensáis que el tono del poema es festivo o melancólico? Comparadlo con el poema anterior de Manuel Machado.

17 | ¿Qué significan *ángelus, heno, eco, aijada (azada), talar* y *lucero?* Comprobadlo en el diccionario.

18 | Un par de versos se repite tres veces a lo largo del poema; señaladlos. ¿Qué nombre recibe esta repetición y qué función cumple dentro del texto?

19 | ¿Qué medida tienen estos versos? ¿Hay rima o quedan libres? ¿Forman una estrofa?

20 | En parejas, señalad en el texto una sinestesia y un hipérbaton.

21 | En grupos, investigad sobre la obra de Juan Ramón Jiménez, que recibió el Premio Nobel de Literatura en 1956. Señalad las distintas etapas en su poesía y haced mención especial de su obra maestra, *Platero y yo*, un gran ejemplo de narración lírica.

¿Cuánto sabes?

AUTOEVALUACIÓN

Lee y marca verdadero (V) o falso (F).

	V	F
a. El modernismo es un movimiento literario que nace en América.	☐	☐
b. El parnasianismo es uno de los movimientos artísticos de las vanguardias.	☐	☐
c. El modernismo busca renovar los temas y la métrica.	☐	☐
d. El modernismo es un movimiento que utiliza muchas palabras cultas y neologismos.	☐	☐
e. Rubén Darío nació en Honduras.	☐	☐
f. Manuel Machado fue el máximo defensor de la estética modernista en España.	☐	☐
g. Manuel Machado escribió algunas obras de teatro junto con su hermano Antonio.	☐	☐
h. Juan Ramón Jiménez escribió teatro.	☐	☐
i. Juan Ramón Jiménez nunca estuvo en el exilio.	☐	☐
j. La crítica suele dividir la obra de Juan Ramón Jiménez en cinco etapas.	☐	☐
k. *Platero y yo* cuenta la vida de un burrito.	☐	☐

VALLE-INCLÁN

PROSA

01 | Lee estos fragmentos de dos sonatas de Ramón María del Valle-inclán.

Las cinco hermanas se arrodillaron sobre la hierba y juntaron las manos llenas de rosas. Los mirlos cantaban en las ramas, y sus cantos se respondían encadenándose en un ritmo remoto como las olas del mar. Las cinco hermanas habían vuelto a sentarse: tejían sus ramos en silencio, y entre la púrpura de las rosas revoloteaban como albas palomas sus manos, y los rayos del sol que pasaban a través del follaje temblaban en ellas como místicos haces encendidos. Los tritones y las sirenas de las fuentes borboteaban su risa quimérica, y las aguas de plata corrían con juvenil murmullo por las barbas limosas de los viejos monstruos marinos que se inclinaban para besar a las sirenas, presas en sus brazos. Las cinco hermanas se levantaron para volver al Palacio. Caminaban lentamente por los senderos del laberinto, como princesas encantadas que acarician un mismo ensueño. Cuando hablaban, el rumor de sus voces se perdía en los rumores de la tarde, y solo la onda primaveral de sus risas se levantaba armónica bajo la sombra de los clásicos laureles. [...]

De nuevo volvió el silencio. En el otro extremo del salón las hijas de la Princesa bordaban un paño de tisú, las cinco sentadas en rueda. Hablaban las unas con las otras, y sonreían con las cabezas inclinadas. Solo María Rosario permanecía silenciosa y bordaba lentamente como si soñase. Temblaba en las agujas el hilo de oro, y bajo los dedos de las cinco doncellas nacían las rosas y los lirios de la flora celeste que puebla los paños sagrados. De improviso, en medio de aquella paz, resonaron tres aldabadas. La Princesa palideció mortalmente; los demás no hicieron sino mirarse.

Sonata de primavera

Valle-Inclán

Sin hacer alto una sola vez, llegamos a Tequil. En aquellas ruinas de palacios, de pirámides y de templos gigantes donde crecen polvorientos sicomoros y anidan verdes reptiles, he visto por primera vez una singular mujer a quien sus criados indios, casi estoy por decir sus siervos, llaman dulcemente la Niña Chole. Venía de camino hacia San Juan de Tuxtlan y descansaba a la sombra de una pirámide, entre el cortejo de sus servidores. Era una belleza bronceada, exótica, con esa gracia extraña y ondulante de las razas nómadas, una figura hierática y serpentina, cuya contemplación evocaba el recuerdo de aquellas princesas hijas del sol, que en los poemas indios resplandecen con el doble encanto sacerdotal y voluptuoso. Vestía como las criollas yucatecas [...] con sedas de colores, vestidura indígena semejante a una túnica antigua.

[...]

El negro cabello caíale suelto. [...] Por desgracia, yo solamente podía verle el rostro aquellas raras veces que hacia mí lo tornaba y la Niña Chole tenía esas bellas actitudes de ídolo, esa quietud estática y sagrada de la raza maya, raza tan antigua, tan noble, tan misteriosa, que parece haber emigrado del fondo de la Asiria.

Sonata de estío

COMPRENSIÓN LECTORA

02 | En parejas, indicad de qué trata cada uno de los fragmentos.

03 | ¿Creéis que en los textos hay mucha acción? ¿Cómo son los relatos? ¿Qué es lo que predomina en ellos?

DESARROLLO DE LA LENGUA

04 | En parejas, subrayad las formas verbales de uno de los fragmentos y explicad el uso de las mismas en ese contexto.

05 | En parejas, ¿qué significan *tritones, púrpura, tisú, quimérica, aldabada* y *limosa?* Comprobadlo en el diccionario.

TRABAJO LITERARIO

06 | En los fragmentos, predomina una adjetivación excesiva. En parejas, seleccionad cuatro ejemplos de sintagmas con dos adjetivos o más.

07 | Indicad un caso donde el adjetivo es un epíteto y elaborad una oración con él.

PRODUCCIÓN LITERARIA

08 | En parejas, imaginad la conversación que mantienen las hermanas, redactad un breve texto dialogado en donde se reflejen el tema y la opinión de cada una. Si es necesario, usad el diccionario.

09 | Leed los textos en clase y valorad el trabajo de vuestros compañeros del 1 al 3. ¿Cuál os parece el más adecuado para la escena que representa Valle-Inclán?

INVESTIGACIÓN LITERARIA

10 | En grupos, leed con detenimiento la Égloga III de Garcilaso de la Vega y comparadla con los textos anteriores. ¿Qué semejanzas encontráis entre ellos? ¿Y qué diferencias? ¿Creéis que Valle-Inclán se inspiró en esta égloga al escribir sus sonatas?

11 | Investigad sobre las sonatas de Valle-Inclán. ¿Quién las cuenta? ¿Cuántas hay? ¿Dónde se desarrollan? Después, haced una puesta en común en clase.

TEATRO

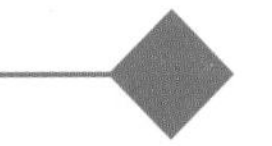

12 | Leed este fragmento de la escena XII de *Luces de Bohemia* de Valle-Inclán.

Rinconada en costanilla y una iglesia barroca por fondo. Sobre las campanas negras, la luna clara. Don Latino *y* Max Estrella *filosofan sentados en el quicio de una puerta. A lo largo de su coloquio, se torna lívido el cielo. En el alero de la iglesia pían algunos pájaros. Remotos albores de amanecida. Ya se han ido los serenos, pero aún están las puertas cerradas. Despiertan las porteras.*

Max. ¿Debe estar amaneciendo?
Don Latino. Así es.
Max. ¡Y qué frío!
Don Latino. Vamos a dar unos pasos.
Max. Ayúdame, que no puedo levantarme. ¡Estoy aterido!
Don Latino. ¡Mira que haber empeñado la capa!
Max. Préstame tu carrik, Latino.
Don Latino. ¡Max, eres fantástico!
Max. Ayúdame a ponerme en pie.
Don Latino. ¡Arriba, carcunda!
Max. ¡No me tengo!
Don Latino. ¡Qué tuno eres!
Max. ¡Idiota!
Don Latino. ¡La verdad es que tienes una fisonomía algo rara!
Max. ¡Don Latino de Hispalis, grotesco personaje, te inmortalizaré en una novela!
Don Latino. Una tragedia, Max.
Max. La tragedia nuestra no es tragedia.
Don Latino. ¡Pues algo será!
Max. El Esperpento.
Don Latino. No tuerzas la boca, Max.
Max. ¡Me estoy helando!
Don Latino. Levántate. Vamos a caminar.
Max. No puedo.
Don Latino. Deja esa farsa. Vamos a caminar.
Max. Échame el aliento. ¿Adónde te has ido, Latino?
Don Latino. Estoy a tu lado.
Max. Como te has convertido en buey, no podía reconocerte. Échame el aliento, ilustre buey del pesebre belenita. ¡Muge, Latino! Tú eres el cabestro, y si muges vendrá el Buey Apis. Lo torearemos.

Don Latino. Me estás asustando. Debías dejar esa broma.
Max. Los ultraístas son unos farsantes. El esperpentismo lo ha inventado Goya. Los héroes clásicos han ido a pasearse en el callejón del Gato.
Don Latino. ¡Estás completamente curda!
Max. Los héroes clásicos reflejados en los espejos cóncavos dan el Esperpento. El sentido trágico de la vida española solo puede darse con una estética sistemáticamente deformada.
Don Latino. ¡Miau! ¡Te estás contagiando!
Max. España es una deformación grotesca de la civilización europea.
Don Latino. ¡Pudiera! Yo me inhibo.
Max. Las imágenes más bellas en un espejo cóncavo son absurdas.
Don Latino. Conforme. Pero a mí me divierte mirarme en los espejos de la calle del Gato.
Max. Y a mí. La deformación deja de serlo cuando está sujeta a una matemática perfecta. Mi estética actual es transformar con matemática de espejo cóncavo las normas clásicas.
Don Latino. ¿Y dónde está el espejo?
Max. En el fondo del vaso.
Don Latino. ¡Eres genial! ¡Me quito el cráneo!
Max. Latino, deformemos la expresión en el mismo espejo que nos deforma las caras y toda la vida miserable de España.
Don Latino. Nos mudaremos al callejón del Gato.
Max. Vamos a ver qué palacio está desalquilado. Arrímame a la pared. ¡Sacúdeme!
Don Latino. No tuerzas la boca.
Max. Es nervioso. ¡Ni me entero!
Don Latino. ¡Te traes una guasa!
Max. Préstame tu carrik.
Don Latino. ¡Mira cómo me he quedado de un aire!
Max. No me siento las manos y me duelen las uñas. ¡Estoy muy malo!
Don Latino. Quieres conmoverme, para luego tomarme la coleta.
Max. Idiota, llévame a la puerta de mi casa y déjame morir en paz.
Don Latino. La verdad sea dicha, no madrugan en nuestro barrio.
Max. Llama.

COMPRENSIÓN LECTORA

13 | ¿De qué trata el fragmento de esta obra de teatro?

14 | En parejas, ¿de cuántas partes consta este texto?

15 | ¿Creéis que esta escena se desarrolla en interiores o en el exterior? Razonad la respuesta.

16 | Esta escena es la más importante de toda la obra porque el autor define su estética. Localizad esta definición; al menos, señala tres frases.

DESARROLLO DE LA LENGUA

17 | En parejas, ¿existe una diferencia entre la forma de hablar de Max y la de don Latino? Explicad con ejemplos la diferencia y el tono de uno y otro.

18 | En parejas, ¿qué significan las palabras *quicio, cóncavo, farsante, aterido, inhibir* y *guasa?* Consultad el diccionario.

19 | ¿Qué significa la palabra *curda* y a qué registro lingüístico pertenece? Justificad vuestra respuesta y comprobadlo en el diccionario.

20 | La frase «Me quito el cráneo» es una alteración de otra utilizada para indicar la admiración por algo o por alguien. ¿A qué expresión se refiere?

21 | En parejas, la palabra *carrik* no es una palabra española. Buscad de dónde procede y escribid algún sinónimo.

22 | Buscad al final del fragmento la expresión *tomar la coleta*. Por el contexto, ¿a qué creéis que se refiere? ¿Qué expresión similar se utiliza actualmente para indicar lo mismo?

TRABAJO LITERARIO

23 | En parejas, ¿puede considerarse el espejo una metáfora?, ¿a qué se referirá el autor cuando la emplea?

24 | En parejas, buscad y subrayad en el texto los elementos cómicos que hay.

25 | ¿Creéis que esta obra trata de una comedia, de una tragedia o más bien de una tragicomedia? Investigad sobre ello.

PRODUCCIÓN LITERARIA

26 | En parejas, escoged cinco líneas y transformadlas en estilo indirecto. Tened cuidado con la correlación de los tiempos verbales.

27 | Leedles el fragmento en estilo indirecto a vuestros compañeros. Corregid en grupo para resolver las dudas que puedan surgir.

INVESTIGACIÓN LITERARIA

28 | En parejas, averiguad a qué civilización pertenece el buey Apis al que se refiere Max y por qué lo nombra en este contexto.

29 | Explicad la primera parte del texto, cómo se denomina y qué función cumple en la obra dramática.

30 | En parejas, investigad y decid quién y cómo es Max Estrella y qué relación le une a don Latino de Hispalis. ¿Creéis que existe una buena relación o que don Latino no comprende a su compañero? Señalad en el texto algunas frases en donde se pueda observar esa relación.

31 | En grupos, elaborad un esquema con la trayectoria literaria de Valle-Inclán y haced una reseña de dos de sus obras más importantes.

¿Cuánto sabes?

AUTOEVALUACIÓN

✓ **Lee y marca verdadero (V) o falso (F).**

	V	F
a. Valle-Inclán fue una persona sencilla y además algo tímida.	☐	☐
b. Valle-Inclán escribió novela y teatro, pero no poesía.	☐	☐
c. *Tirano Banderas* es una novela modernista de Valle-Inclán.	☐	☐
d. Valle-Inclán creó el esperpento como una forma nueva del ver el mundo.	☐	☐
e. Valle-Inclán se basó en su Galicia natal para escribir algunas de sus obras de teatro.	☐	☐
f. Valle-Inclán no se enfrentó al teatro comercial de la época, costumbrista y burgués.	☐	☐
g. Max Estrella fue un autor del siglo XIX en quien se inspiró Valle-Inclán.	☐	☐
h. El callejón del Gato es realmente una pequeña calle del centro histórico de Madrid.	☐	☐

ANTONIO MACHADO

01 | Lee este fragmento de *Campos de Castilla* de Antonio Machado.

I

Es la tierra de Soria árida y fría.
Por las colinas y las sierras calvas,
verdes pradillos, cerros cenicientos,
la primavera pasa
dejando entre las hierbas olorosas
sus diminutas margaritas blancas.

La tierra no revive, el campo sueña.
Al empezar abril está nevada
la espalda del Moncayo;
el caminante lleva en su bufanda
envueltos cuello y boca, y los pastores
pasan cubiertos con sus luengas capas.

IV

¡Las figuras del campo sobre el cielo!

Dos lentos bueyes aran
en un alcor, cuando el otoño empieza,
y entre las negras testas doblegadas
bajo el pesado yugo,
pende un cesto de juncos y retama,
que es la cuna de un niño;

y tras la yunta marcha
un hombre que se inclina hacia la tierra
y una mujer que en las abiertas zanjas
arroja una semilla.

Bajo una nube de carmín y llama,
en el oro fluido y verdinoso
del poniente, las sombras se agigantan.

«Campos de Soria»

Antonio Machado

COMPRENSIÓN LECTORA

02 | Describe algunos de los rasgos más destacados del poema.

03 | ¿Qué tipo de versos se utilizan en el poema? ¿Forman una estrofa determinada?

04 | En parejas, ¿creéis que pertenece este texto a la ideología del grupo del 98? Justificadlo.

05 | ¿Cuáles creéis que son los principales protagonistas de ambos poemas?

DESARROLLO DE LA LENGUA

06 | En parejas, repartíos esta serie de palabras y buscad su significado en el diccionario: *luenga, testa, yunta, verdinoso, juncos, ceniciento* y *alcor*.

07 | Construid oraciones con tres de las palabras cuyo significado habéis buscado en el ejercicio anterior.

08 | ¿Qué predominan en el texto: los verbos o los sustantivos? Según vuestra respuesta, intentad sacar una conclusión al respecto.

TRABAJO LITERARIO

09 | En parejas, ¿qué figura retórica existe en los sintagmas *la espalda del Moncayo* y *sierras calvas?* Explicad en qué consiste y poned más ejemplos.

10 | En el texto hay varios epítetos. Señaladlos e indicad qué función desempeñan en el poema.

PRODUCCIÓN LITERARIA

11 | Aunque no se proporcionen muchos datos, ¿cómo os imagináis la vida de esta familia que describe Machado en su poema? Escribid una breve descripción sobre ello. Por supuesto, podéis ser creativos, añadir nuevos datos o ayudaros del diccionario.

12 | En parejas, leed el texto de vuestros compañeros. ¿Qué texto os parece más expresivo y más pegado a la realidad del poema? Valoradlo del 1 al 3.

INVESTIGACIÓN LITERARIA

13 | Leed ahora estos dos poemas y comparadlos. Uno está escrito por Antonio Machado; el otro, por Rosalía de Castro.

Está en la sala familiar, sombría,
y entre nosotros, el querido hermano
que en el sueño infantil de un claro día
vimos partir hacia un país lejano.

Hoy tiene ya las sienes plateadas,
un gris mechón sobre la angosta frente,
y la fría inquietud de sus miradas
revela un alma casi toda ausente.

Deshójanse las copas otoñales
del parque mustio y viejo.
La tarde, tras los húmedos cristales,
se pinta, y en el fondo del espejo.

El rostro del hermano se ilumina
suavemente. ¿Floridos desengaños
dorados por la tarde que declina?
¿Ansias de vida nueva en nuevos años?

¿Lamentará la juventud perdida?
Lejos quedó —la pobre loba— muerta.
¿La blanca juventud nunca vivida
teme que ha de cantar ante su puerta?

¿Sonríe el sol de oro
de la tierra de un sueño no encontrada;
y ve su nave hender el mar sonoro,
de viento y luz la blanca vela hinchada?

Él ha visto las hojas otoñales,
amarillas, rodar, las olorosas
ramas del eucalipto, los rosales
que enseñan otra vez sus blancas rosas.

Y este dolor que añora o desconfía
el temblor de una lágrima reprime,
y un resto de viril hipocresía
en el semblante pálido se imprime.

Serio retrato en la pared clarea
todavía. Nosotros divagamos.
En la tristeza del hogar golpea
el tictac del reloj. Todos callamos.

Era la última noche,
la noche de las tristes despedidas,
y apenas si una lágrima empañaba
sus serenas pupilas.
Como el criado que deja
al amo que lo hostiga,
arreglando su hatillo, murmuraba
casi con la emoción de la alegría:

—¡Llorar! ¿Por qué? Fortuna es que podamos
abandonar nuestras humildes tierras;
el duro pan que nos negó la patria,
por más que los extraños nos maltraten,
no ha de faltarnos en la patria ajena.

Y los hijos contentos se sonríen,
y la esposa, aunque triste, se consuela
con la firme esperanza
de que el que parte ha de volver por ella.
Pensar que han de partir, ese es el sueño
que da fuerza en su angustia a los que quedan;
cuánto en ti pueden padecer, oh, patria,
¡si ya tus hijos sin dolor te dejan!

II

Como a impulsos de lenta
enfermedad, hoy cien, y cien mañana,
hasta perder la cuenta,
racimo tras racimo se desgrana.

Palomas que la zorra y el milano
a ahuyentar van, del palomar nativo
parten con el afán del fugitivo,
y parten quizás en vano.

Pues al posar el fatigado vuelo
acaso en el confín de otra llanura,
ven agostarse el fruto que madura,
y el águila cerniéndose en el cielo.

14 | En parejas, ¿cuál creéis que es de Rosalía de Castro y cuál de Machado? Debatidlo en clase y después comprobadlo.

15 | ¿Sobre qué tema tratan ambos poemas? ¿Hay semejanzas entre ellos? ¿Y diferencias?

16 | ¿Desde qué punto de vista están escritos estos poemas? ¿En alguno de los dos poemas el que habla es el protagonista de lo que se cuenta?

17 | Discutid en clase sobre cuál creéis que está marcado por un tono más melancólico y triste. Justificad la respuesta.

18 | Buscad su significado en el diccionario: *sienes, bender, angosta, hostigar, ahuyentar, hatillo* y *milano.*

19 | ¿Qué tipo de versos se utilizan en uno y otro poema? ¿Forman una estrofa determinada?

20 | En grupos, recordad lo que habéis estudiado en la unidad 7 sobre la obra de Rosalía de Castro e investigad sobre el tema del que habla en este poema; luego preparad una exposición para la clase.

21 | Visionad el programa de la Radio Televisión Española llamado *Crónicas: Antonio Machado. Yo voy soñando caminos*, a través de www.rtve.es/alacarta/videos/cronicas. Después haced un resumen con las ideas esenciales del programa y buscad información sobre sus obras más importantes en poesía, prosa y teatro.

¿Cuánto sabes?

AUTOEVALUACIÓN

✓ **Lee y marca verdadero (V) o falso (F).**

	V	F
a. A los escritores del 98 les preocupaba la situación presente de España.	☐	☐
b. Antonio Machado estudió en la Institución Libre de Enseñanza.	☐	☐
c. Antonio, a diferencia de su hermano Manuel, nunca estuvo influido por el modernismo.	☐	☐
d. Antonio Machado era profesor de francés.	☐	☐
e. Apoyó al bando franquista en la guerra civil española.	☐	☐
f. El paisaje de Castilla es fundamental en la poesía de Antonio Machado	☐	☐
g. *La Lola se va a los puertos* es una de sus novelas más conocidas.	☐	☐
h. Murió en Madrid en 1939.	☐	☐

PÍO BAROJA

01 | Lee este fragmento de una novela de Pío Baroja.

La política de Alcolea respondía perfectamente al estado de inercia y desconfianza del pueblo. Era una lucha política de caciquismo, una lucha entre dos bandos contrarios, que se llamaban el de Los Ratones y el de Los Mochuelos; los Ratones eran liberales, y los Mochuelos, conservadores. En aquel momento dominaban los Mochuelos. El Mochuelo principal era el alcalde, un hombre delgado, vestido de negro, muy clerical, cacique de formas suaves, que suavemente iba llevándose todo lo que podía del Municipio. El cacique liberal del partido de los Ratones era don Juan, un tipo bárbaro y despótico, corpulento y forzudo, con unas manos de gigante, hombre que, cuando entraba a mandar, trataba al pueblo en conquistador. Este gran Ratón no disimulaba como el Mochuelo; se quedaba con todo lo que podía, sin tomarse el trabajo de ocultar decorosamente sus robos.

Alcolea se había acostumbrado a los Mochuelos y a los Ratones y los consideraba necesarios. Aquellos bandidos eran los sostenes de la sociedad; se repartían el botín; tenían unos para otros un «tabú especial» como el de los polinesios.

Andrés podía estudiar en Alcolea todas aquellas manifestaciones del árbol de la vida, y de la vida áspera manchega: la expansión del egoísmo, de la envidia, de la crueldad, del orgullo. A veces pensaba que todo esto era necesario; pensaba también que se podía llegar a la indiferencia intelectual, hasta disfrutar contemplando estas expansiones, formas violentas de la vida. ¿Por qué incomodarse, si todo está determinado, si es fatal, si no puede ser de otra manera?

El árbol de la ciencia (cap. 5)

Pío Baroja

COMPRENSIÓN LECTORA

02 | ¿Cuál es el tema de este fragmento de Baroja?

03 | ¿Creéis que el tema del que habla tiene vigencia en la actualidad? Debatidlo en clase.

04 | ¿Cuál es la actitud del autor en torno a lo que se relata? Subraya la que te parezca más adecuada: pesimista, preocupada, optimista, sorprendida, furiosa, objetiva.

05 | En parejas, ¿ejerce alguna influencia el punto de vista del autor sobre el lector?

DESARROLLO DE LA LENGUA

06 | En parejas, repartíos esta serie de palabras y buscad su significado en el diccionario: *inercia, mochuelo, clerical, cacique, despótico, botín, áspera* y *manchego.*

07 | Redactad un texto con el mayor número de las palabras anteriores. Después, leedlo en clase.

TRABAJO LITERARIO

08 | En parejas, ¿qué creéis que hace Baroja en este texto: narrar, argumentar, describir o exponer? Puede haber más de una intención.

09 | En parejas, ¿en cuántas partes se estructura este texto? Señaladlas.

10 | ¿Cómo concluye este fragmento? ¿Con qué tipo de interrogativa?

11 | ¿Qué pensáis sobre el nombre de cada bando?, ¿en qué tono lo utiliza Baroja? Hay una figura retórica en esta denominación, ¿cuál?

PRODUCCIÓN LITERARIA

12 | En grupos, repartid la clase en dos bandos y redactad un texto desde cada una de las posiciones. Indicad los argumentos por los que tendrían que gobernar al pueblo durante un periodo de tiempo.

13 | Leedles el texto a vuestros compañeros. ¿Qué texto os parece más convincente? Valoradlo del 1 al 3.

Escritorio de Pío Baroja

INVESTIGACIÓN LITERARIA

14 | En parejas, ¿creéis que Baroja es fiel a la ideología del 98 en este texto? Justificad la respuesta.

15 | En grupos, buscad información sobre Pío Baroja y realizad una línea cronológica de su vida y obra. Incluid su papel en la generación del 98.

16 | Elegid una de sus novelas y elaborad un esquema con su argumento y sus protagonistas. Después, haced una valoración de la misma.

¿Cuánto sabes?

AUTOEVALUACIÓN

✓ **Lee y marca verdadero (V) o falso (F).**

	V	F
a. Pío Baroja no hizo ningún viaje en su vida. Siempre vivió en San Sebastián, donde nació.	☐	☐
b. Baroja solía agrupar sus obras en trilogías.	☐	☐
c. Baroja admiraba a Benito Pérez Galdós.	☐	☐
d. Baroja era una persona introvertida y pesimista.	☐	☐
e. Durante la guerra civil, se exilió un tiempo en Francia.	☐	☐
f. Baroja es un narrador que cuenta las historias desde un punto de vista subjetivo.	☐	☐
g. Baroja estudió Medicina y fue médico rural durante un tiempo.	☐	☐
h. *El árbol de la ciencia* está considerada una novela típica de la generación del 98 por su feroz crítica a la sociedad de su época.	☐	☐

VANGUARDIAS

XAVIER BÓVEDA Y GERARDO DIEGO

01 | Lee y observa estos poemas. El primero lo escribió el poeta español Xavier Bóveda en 1919 y el segundo, Gerardo Diego, miembro de la generación del 27.

Ro-ro-ro-ro-ro…
Muerden los frenos
ro-ro-ro-ro-ro
las ruedas del tranvía
que rueda cuesta abajo.
Hay una curva
y el carruaje rechina,
iiiiiii;
hasta que, luego,
vuelve a coger su línea recta y corre
úúúúúú
tan, tan, tan, tan,
veloz en la mañana,
El revisor anuncia la parada:
tin.
El conductor suspende
el fluido,
raaás, raaás.
El tranvía
—un momento de freno—
Rooós, rooós,
de pronto se detiene:
¡taf!
Y queda
clavado como un cíclope
en la calle, por donde ya otros coches
cruzan
contentos saludando al día,
y al sol que alumbra la triunfal mañana.
con su continuo relinchar de muelles
y su alegre cantar:
tan, tan, tan, tan,
taaan…
Llega al final, al fin, y cambia el trole:
¡chafs!

«El tranvía», Xavier Bóveda

ADIÓS ADIÓS ADIÓS
La lluvia en el rincón La lámpara después
va formando un montón ya no volverá a arder
De va
dónde dónde
vino A
OH CÓMO CONSERVAR
ESTA LÁGRIMA VIVA QUE SE MUERE
El mudo
quiere hablar y no puede
SÍ Aún caliente NO
La engarzaré en tu pendiente

«Lágrima», *Limbo*, Gerardo Diego

COMPRENSIÓN LECTORA

02 | ¿Qué rasgos peculiares encontráis en ambos?, ¿son poemas tradicionales o rupturistas?

03 | En parejas, ¿creéis que pertenecen a las vanguardias, y si es así con qué tendencia vanguardista los relacionáis? Escribid al menos dos rasgos que definan esos movimientos de vanguardia.

04 | ¿Cuál es el tema de cada uno de estos poemas?, ¿creéis que el tema del primer texto es poético, lírico?, ¿pensáis que estos son poemas o juegos poéticos?

05 | En parejas, ¿qué sensación quiere evocar en el lector Xavier Bóveda? ¿Y Gerardo Diego?

DESARROLLO DE LA LENGUA

06 | En parejas, ¿creéis que la disposición tipográfica facilita la lectura?, ¿son poemas para recitarlos o para verlos?

07 | En el poema de Gerardo Diego hay una ausencia muy notable, ¿qué faltan?

08 | En parejas, ¿si el poeta no hubiera puesto el título correspondiente hubierais sabido el tema de los poemas? Debatid esta cuestión en clase.

09 | El primer poema habla del tranvía como icono de la modernidad. ¿Qué tipo de palabras utiliza el poeta para evocar el sonido del tranvía y el ruido ambiental? Buscad información sobre este recurso morfológico.

10 | Repartíos esta serie de palabras y buscad su significado en el diccionario: *trole, cíclope, rechinar, revisor, muelles, relinchar* y *engarzar*.

TRABAJO LITERARIO

11 | En grupos, revisad la métrica de cada uno de los poemas: ¿los versos se ciñen a un patrón establecido, existe rima? Luego describid los resultados.

12 | En parejas, ¿crees que el poema «Lágrima» es un poema visual?, ¿pretende dibujar con líneas poéticas la forma de una lágrima?, ¿como está descrito el movimiento de una lágrima?

PRODUCCIÓN LITERARIA

13 | Leed este breve texto de **Ramón Gómez de la Serna**, ¿de qué tipo de texto se trata?

Invención del Carnaval

En aquel primer Carnaval del mundo, cuando aún no existían más seres humanos que los que componían la primera pareja, Adán sintió ganas de disfrazarse para dar broma a Eva, y tomando un pámpano, le abrió los dos agujeros de los ojos y lo convirtió en careta. Después envolvió su cuerpo en grandes hojas de tabaco y de esa guisa se dirigió a Eva.

Eva, un poco sorprendida ante aquella voz de falsete que le preguntaba con insistencia: «¿Quién soy?, ¿quién soy?», respondió:

—¡Pedro!

14 | En parejas, ¿cuál es el tema? ¿Creéis que se podría prescindir del título o que este facilita la comprensión del texto?

15 | ¿Qué se propone el autor al escribir este pequeño relato?

16 | Si Eva hubiera sido la persona que se hubiera disfrazado, ¿qué imagináis que hubiera dicho Adán?

17 | Buscad en el diccionario el significado de estas palabras: *falsete, guisa* y *pámpano*.

18 | ¿Quién pensáis que estaba más sorprendido, Eva, Adán o el lector?

19 | En grupos, redactad un cuento que tenga como base este microrrelato. Debéis ampliarlo. Tenéis que buscar los componentes que pueden ser desarrollados.

INVESTIGACIÓN LITERARIA

20 | En grupos, investigad sobre la trayectoria literaria de Ramón Gómez de la Serna y después exponedla en clase.

21 | Gómez de la Serna fue un defensor incondicional de las vanguardias. Dentro de este estilo, creó un nuevo género literario: las greguerías. Leed estos ejemplos.

- Higos: lagrimones de la higuera.
- La coliflor es un cerebro vegetal que nos comemos.
- Como daba besos lentos duraban más sus amores.
- Amor es despertar a una mujer y que no se indigne.
- Si te conoces demasiado a ti mismo, dejarás de saludarte.
- El arco iris es la cinta que se pone la naturaleza después de haberse lavado la cabeza.
- Donde el tiempo está más unido al polvo es en las bibliotecas.
- Cuando se vierte un vaso de agua en la mesa se apaga la cólera de la conversación.
- Los ceros son los huevos de los que salieron las demás cifras.
- Al inventarse el cine las nubes paradas en las fotografías comenzaron a andar.
- El filósofo antiguo sacaba la filosofía ordeñándose la barba.

22 | En grupos, investigad sobre las greguerías y redactad al menos cuatro de ellas. Exponedlas en clase y valorad del 1 al 3 las más originales.

Homenaje a Gómez de la Serna, por G. Prieto

¿Cuánto sabes?

AUTOEVALUACIÓN

Lee y marca verdadero (V) o falso (F).

	V	F
a. Todas las vanguardias defienden la ruptura con el naturalismo, deformando de un modo u otro la realidad.	☐	☐
b. El surrealismo está influido por el francés André Breton.	☐	☐
c. El dadaísmo se opone a la visión nihilista de la vida.	☐	☐
d. Xavier Bóveda fue uno de los redactores del Manifiesto Ultraísta.	☐	☐
e. En el ultraísmo se elaboran poemas visuales, pero no se elimina la rima.	☐	☐
f. Ramón Gómez de la Serna estudió la carrera de Medicina, antes de dedicarse a la literatura.	☐	☐
g. Gómez de la Serna fundó la tertulia del café Pombo en Madrid.	☐	☐
h. Gómez de la Serna definía la greguería como una metáfora + humor.	☐	☐

unidad

9

Contexto histórico

- **Reinado de Alfonso XIII de España** (1902-1931)
- **Revolución rusa**
- **Primera Guerra Mundial** (1914-1918)
- **Dictadura de Primo de Rivera** (1923-1930)
- **Dictablanda de Berenguer** (1930-1931)
- **Elecciones municipales y proclamación de la República** (1931)
- **Exilio de Alfonso XIII tras la guerra civil española**
- **Segunda República** (1931-1939)
- **Sublevación militar y golpe de estado de julio** (1936)
- **Guerra civil española** (1936-1939)
- **Segunda Guerra Mundial** (1939-1945)
- **Dictadura de Francisco Franco** (1939-1975)

Litografía de R. Alberti para el *Romancero gitano*, de Lorca

El siglo XX

LA GENERACIÓN DEL 27

Contexto artístico

Escritores sudamericanos de la época:

- Vicente Huidobro (1893-1948)
- Jorge Luis Borges (1899-1986)
- Pablo Neruda (1904-1973)

Pintura

- Henri Matisse (1869-1954)
- Piet Mondrian (1872-1944)
- Pablo Picasso (1881-1973)
- Marcel Duchamp (1887-1968)
- André Breton (1896-1966)
- René Magritte (1898-1967)
- Maruja Mallo (1902-1995)
- Salvador Dalí (1904-1989)
- Óscar Domínguez (1906-1957)

Mural sobre Miguel Hernández

Teatro-Museo Dalí

Picasso en el MOMA, Nueva York

LA GENERACIÓN DEL 27

Su punto de partida como generación fue la conmemoración en el Ateneo de Sevilla del tercer centenario de la muerte de Luis de Góngora (1927), donde participaron muchos de sus miembros más famosos.

Características básicas

- Tradicionalmente se les ha considerado una generación, pero este grupo es demasiado variado como para ser considerados la típica *generación*.
- Se movieron por los mismos círculos y ambientes (Residencia de Estudiantes, Centro de Estudios Históricos, etc.), publicaron en las mismas revistas (*La Gaceta Literaria, Gaceta de Arte, Revista de Occidente, Litoral,* etc.), se conocían entre ellos o compartían inquietudes y experiencias.
- Utilizan un léxico rico y elaborado. Son personas muy cultas.
- Utilizan imágenes vanguardistas, estéticas y visionarias con un curioso uso de las metáforas.
- Tienen muy en cuenta la tradición literaria española (la métrica, el tema popular, el influjo del Romanticismo, etc.), aunque también consideren movimientos nuevos como el surrealismo o las vanguardias.
- Muchos de sus componentes están influidos por la poesía de Juan Ramón Jiménez.
- Viven una evolución como grupo: una primera etapa vanguardista y estética; una segunda etapa de preocupación social (años de la Guerra Civil) y una tercera etapa de división temática por el exilio (algunos se exiliaron tras la Guerra, mientras que otros se quedaron en España).

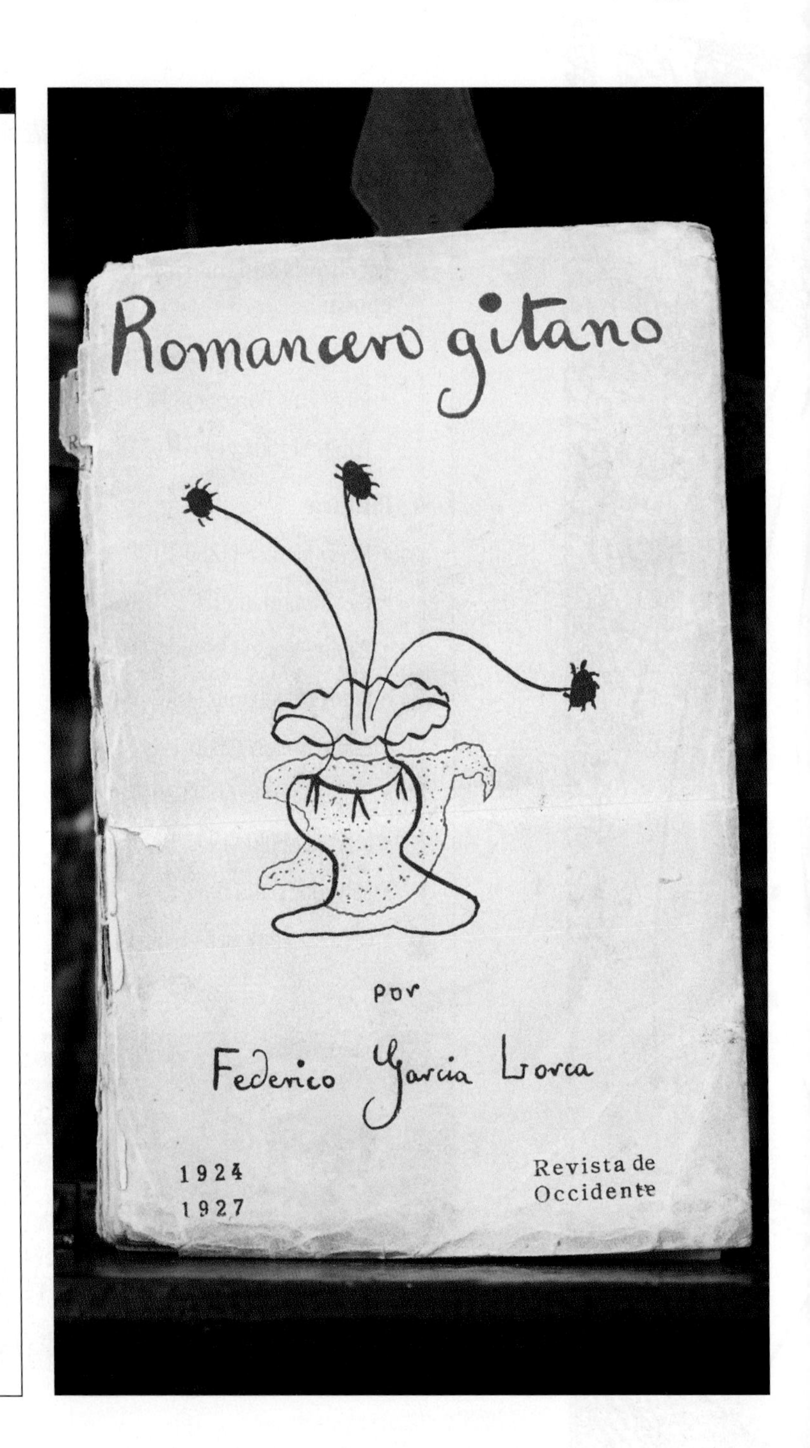

Autores destacables

García Lorca, Pedro Salinas, Luis Cernuda, Gerardo Diego, María Teresa León, Rafael Alberti, Rosa Chacel, María Zambrano y Carmen Conde

Listado canónico de los autores

El listado de autores que la forman variará dependiendo de la fuente consultada ya que todavía hay muchas discusiones sobre quiénes pertenecían a esta generación. Hay listas que también incluyen a los fundadores de la revista *Litoral*, Emilio Prados y Manuel Altolaguirre.

Aquí ofrecemos el listado canónico por orden de nacimiento con alguna característica de su obra:

- **Pedro Salinas:** poesía amorosa, canto a la belleza y a la plenitud de la vida.
- **Jorge Guillén:** poesía optimista y con una clara influencia de Juan Ramón Jiménez.
- **Gerardo Diego:** su poesía toma dos caminos muy bien diferenciados, uno vanguardista y otro más tradicional.
- **Federico García Lorca:** poeta y dramaturgo, está considerado uno de los mejores escritores en lengua española de todo el siglo XX.
- **Vicente Aleixandre:** aunque posee tres etapas poéticas (surrealismo, poesía social y poesía de vejez), su obra poética es, en general, pesimista.
- **Dámaso Alonso:** su poesía transita por dos etapas, la primera más pura, y la segunda supone el inicio de la poesía desarraigada de posguerra.
- **Luis Cernuda:** trata una gran variedad temática, desde el amor hasta la elegía. En su poesía se dan cita meditación, tristeza y crítica.
- **Rafael Alberti:** su longeva vida propició una amplia producción poética con varios estilos diferentes, entre ellos, poesía vanguardista y poesía social.

Generación del 27

ESTA GENERACIÓN SUPONE EL FIN DE LA EDAD DE PLATA DE LA LITERATURA ESPAÑOLA.

Listado de las autoras más representativas

Da la impresión de que la generación del 27 está formada solo por hombres, pero hubo muchas escritoras en la misma época que han sido olvidadas por la crítica. Algunas de ellas son las siguientes:

- **Rosa Chacel:** descendiente del autor romántico José Zorrilla, vivió 96 años, lo que le permitió escribir una extensa obra.
- **Ernestina de Champourcín:** poeta que profundiza en el tema del amor y la religión. Estuvo exiliada en México hasta la caída del franquismo.
- **Carmen Conde:** escritora y maestra que llegó a ser la primera mujer en ingresar en la Real Academia Española.
- **Concha Méndez:** poeta con un estilo directo, sincero e intimista. Discutió con Gerardo Diego por excluir a las mujeres de su antología del grupo en 1932.
- **Josefina de la Torre:** poeta, cantante y actriz canaria. Su poesía es muy personal e introspectiva, en ella nos habla de los recuerdos de su isla.
- **María Zambrano:** filósofa y escritora comprometida con la sociedad que tuvo que exiliarse a América. Tras volver a España, recibió varios premios, como el Príncipe de Asturias o el Premio Cervantes.

Casa Museo de Miguel Hernández, en Orihuela

FEDERICO GARCÍA LORCA

01 | Lee la «Gacela del recuerdo de amor», del *Diván del Tamarit*.

No te lleves tu recuerdo.
Déjalo solo en mi pecho,

temblor de blanco cerezo
en el martirio de enero.

Me separa de los muertos
un muro de malos sueños.

Doy pena de lirio fresco
para un corazón de yeso.

Toda la noche en el huerto
mis ojos, como dos perros.

Toda la noche, corriendo
los membrillos de veneno.

Algunas veces el viento
es un tulipán de miedo,

es un tulipán enfermo,
la madrugada de invierno.

Un muro de malos sueños
me separa de los muertos.

La hierba cubre en silencio
el valle gris de tu cuerpo.

Por el arco del encuentro
la cicuta está creciendo.

Pero deja tu recuerdo,
déjalo sólo en mi pecho.

COMPRENSIÓN LECTORA

02 | ¿Cuál es el tema principal del texto? Resumid las ideas esenciales.

03 | Viendo la petición y el sufrimiento que transmite este poema, ¿a quién creéis que se refiere esa segunda persona?

DESARROLLO DE LA LENGUA

04 | Localiza las palabras con tilde y explica por qué la llevan.

05 | Para Lorca, la flora tenía un significado muy importante en su poesía, ¿podéis encontrar todas las flores y plantas nombradas en este poema?

06 | En parejas, comparad el nombre de estas flores y plantas con el término utilizado en vuestra lengua, ¿se parecen?

07 | ¿Qué significan *recuerdo, pecho, huerto, veneno* y *arco*? Compruébalo en el diccionario.

TRABAJO LITERARIO

08 | ¿Sabías que existen dos tipos básicos de encabalgamiento?: el suave y el abrupto. En parejas, buscad su diferencia.

09 | En este poema abundan los encabalgamientos. ¿Serías capaz de señalar uno suave y otro abrupto?

10 | En parejas, ¿encontráis alguna comparación en el texto? Indicad qué imagen o metáfora representa.

PRODUCCIÓN LITERARIA

11 | En grupos, jugad al «cadáver exquisito» o poema al alimón (como lo llamaban Lorca y su amigo Pablo Neruda). Tomad una hoja de papel, el primer alumno escribirá una frase, tapará parte del texto y se lo pasará al siguiente, que solo podrá ver el final. Se seguirá el proceso hasta que termine de escribir todo el grupo.

12 | Leed cada grupo el texto a vuestros compañeros. Después, decid cuál os ha parecido más lógico o divertido. Valoradlo del 1 al 3.

INVESTIGACIÓN LITERARIA

13 | El *Diván del Tamarit* contiene gacelas y casidas. En parejas, investigad cómo son cada una de estas dos formas.

14 | El *Diván del Tamarit* tiene influencia de una literatura en particular. Buscad en internet a qué literatura hacía homenaje.

15 | Los poemas de estilo surrealista son, a veces, un poco difíciles de entender incluso para los hablantes nativos. Por este motivo, leed en parejas «Vuelta de paseo» de *Poeta en Nueva York* y subrayad las palabras o sintagmas que no entendáis.

Asesinado por el cielo.
Entre las formas que van hacia la sierpe
y las formas que buscan el cristal,
dejaré crecer mis cabellos.

Con el árbol de muñones que no canta
y el niño con el blanco rostro de huevo.

Con los animalitos de cabeza rota
y el agua harapienta de los pies secos.

Con todo lo que tiene cansancio sordomudo
y mariposa ahogada en el tintero.

Tropezando con mi rostro distinto de cada día.
¡Asesinado por el cielo!

«Vuelta de paseo»

16 | Federico García Lorca ha sido una gran fuente de inspiración para muchos artistas. En grupos, buscad cantantes hispanohablantes que hayan versionado textos de Lorca, escuchad alguna canción de ejemplo y compartid vuestras impresiones en clase.

17 | Leed estos dos poemas de **Jorge Guillén** y **Rafael Alberti.**

Albor. El horizonte
entreabre sus pestañas,
y empieza a ver. ¿Qué? Nombres.
Están sobre la pátina

de las cosas. La rosa
se llama todavía
hoy rosa, y la memoria
de su tránsito, prisa.

Prisa de vivir más.
A lo largo amor nos alce
esa pujanza agraz
del Instante, tan ágil
que en llegando a su meta

corre a imponer Después.
Alerta, alerta, alerta,
yo seré, yo seré.

¿Y las rosas? Pestañas
cerradas: horizonte
final. ¿Acaso nada?
Pero quedan los nombres.

«Los nombres», J. Guillén

A embestidas suaves y rosas, la madrugada te iba poniendo nombres:
Sueño equivocado, Ángel sin salida, Mentira de lluvia en bosque.

Al lindero de mi alma que recuerda los ríos,
indecisa, dudó, inmóvil:
¿Vertida estrella, Confusa luz en llanto, cristal sin voces?

No.
Error de nieve en agua, tu nombre.

«Sobre los ángeles», R. Alberti

18 | ¿Cuál es el tema o motivo que se repite en ambos poemas? Haced una lista con las ideas principales de ambos textos.

19 | Elegid un autor de la generación del 27 y preparad una pequeña exposición para la clase. Debéis hablar de su biografía, de su relación con el grupo y de sus obras más destacadas.

¿Cuánto sabes?

AUTOEVALUACIÓN

Lee y marca verdadero (V) o falso (F).

	V	F
a. La generación del 27 surge a partir de un homenaje a Luis de Góngora.	☐	☐
b. Los miembros de la generación son vanguardistas, pero no pierden de vista la tradición española.	☐	☐
c. Algunos autores de la generación del 27 son Vicente Aleixandre, Fernando de Rojas y Arturo Pérez Reverte.	☐	☐
d. La guerra civil y el franquismo provocaron la división temática de la generación debido al exilio.	☐	☐
e. La casida y la gacela son formas poéticas de la literatura china.	☐	☐

LUIS CERNUDA

01 | Lee estos dos textos del poemario *Donde habite el olvido.*

Yo fui.

Columna ardiente, luna de primavera.
Mar dorado, ojos grandes.

Busqué lo que pensaba;
Pensé, como al amanecer en sueño lánguido,
Lo que pinta el deseo en días adolescentes.

Canté, subí,
Fui luz un día
Arrastrado en la llama.

Como un golpe de viento
Que deshace la sombra,
Caí en lo negro,
En el mundo insaciable.

He sido.

Donde habite el olvido,
En los vastos jardines sin aurora;
Donde yo solo sea
Memoria de una piedra sepultada entre ortigas
Sobre la cual el viento escapa a sus insomnios.

Donde mi nombre deje
Al cuerpo que designa en brazos de los siglos,
Donde el deseo no exista.

En esa gran región donde el amor, ángel terrible,
No esconda como acero
En mi pecho su ala,
Sonriendo lleno de gracia aérea mientras crece el tormento.

Allí donde termine este afán que exige un dueño a imagen suya,
Sometiendo a otra vida su vida,
Sin más horizonte que otros ojos frente a frente.

Donde penas y dichas no sean más que nombres,
Cielo y tierra nativos en torno de un recuerdo;
Donde al fin quede libre sin saberlo yo mismo,
Disuelto en niebla, ausencia,
Ausencia leve como carne de niño.

Allá, allá lejos;
Donde habite el olvido.

COMPRENSIÓN LECTORA

02 | ¿Cuál es el tema principal de ambos textos?

03 | ¿El primer poema está hablando de un tiempo pasado, presente o futuro?, ¿qué le sucede al «yo poético» de ese primer texto?

04 | En parejas, haced un listado con las cosas que hay *en esa gran región* donde le gustaría estar al «yo poético» del segundo poema.

05 | El título de este poemario está tomado de una obra de otro escritor español que tuvo mucha influencia sobre Luis Cernuda. ¿De qué obra se trata? ¿Quién la escribió?

DESARROLLO DE LA LENGUA

06 | Si os fijáis bien, todos los versos de los dos poemas comienzan con letra mayúscula. ¿A qué creéis que es debido?

07 | En parejas, localizad los punto y coma de ambos textos y explicad su uso.

08 | ¿Cómo es el lenguaje de Luis Cernuda en estos dos poemas?, ¿os presenta alguna dificultad las palabras que usa o las imágenes que crea al unirlas?

09 | En parejas, repartíos las siguientes palabras y buscad su significado en el diccionario: *arrastrar, insaciable, ortiga, insomnio* y *acero.*

10 | Indicad si esta serie de palabras son sinónimos o antónimos de lánguido: *flaco, lacio, activo, débil, animado, alicaído* y *fuerte.* Consultad un diccionario.

TRABAJO LITERARIO

11 | ¿A qué creéis que se refiere Cernuda con *Columna ardiente, luna de primavera / Mar dorado, ojos grandes*?, ¿creéis que en estos dos versos hay alguna metáfora?

12 | En parejas, localizad en el primer poema el momento justo en que el «yo» pasa de adolescente a adulto.

PRODUCCIÓN LITERARIA

13 | En parejas, leed «¿Qué pájaros?» del libro *Confianza,* de **Pedro Salinas.**

¿El pájaro? ¿Los pájaros?
¿Hay sólo un solo pájaro en el mundo
que vuela con mil alas, y que canta
con incontables trinos, siempre solo?
¿Son tierra y cielo espejos? ¿Es el aire
espejeo del aire, y el gran pájaro
único multiplica
su soledad en apariencias miles?
(¿Y por eso
le llamamos los pájaros?)
¿O quizá no hay un pájaro?
¿Y son ellos,
fatal plural inmenso, como el mar,
bandada innúmera, oleaje de alas,
donde la vista busca y quiere el alma
distinguir la verdad del solo pájaro,
de su esencia sin fin, del uno hermoso?

14 | ¿Cuál es el tema principal de este poema?, ¿qué duda plantea este poema sobre la lengua española? Pedro Salinas comete un error gramatical. ¿Podríais localizarlo?

15 | Apuntad todas las palabras que no entendéis del poema en un papel. Intercambiad los papeles y comprobad si sabéis alguna definición del listado de vuestros compañeros.

16 | «¿El pájaro? ¿Los pájaros?» Tras haber leído el poema, ¿cuál creéis que es la respuesta? Responded creativamente, con una breve redacción, a esta duda de Pedro Salinas.

17 | Leed el texto en clase. ¿Cuál es el más creativo e interesante? Valorad las respuestas de vuestros compañeros del 1 al 3.

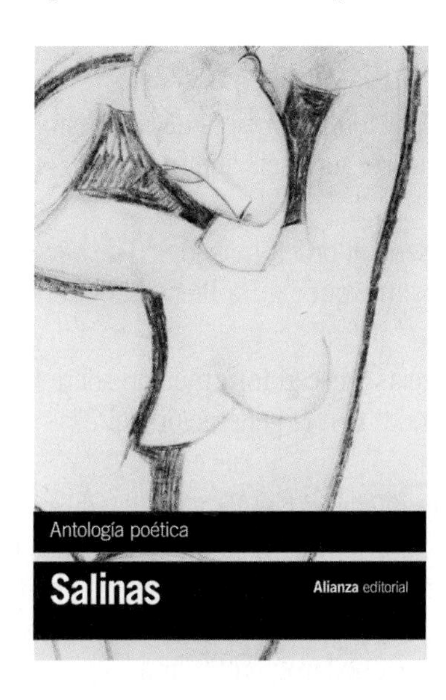

INVESTIGACIÓN LITERARIA

18 | Aunque la generación del 27 sea muy variada en estilos y movimientos, todos tienen un profundo respeto por la tradición clásica española. En grupos, investigad sobre esta influencia (Bécquer, Góngora, Quevedo, san Juan de la Cruz, Jorge Manrique...) y haced un árbol genealógico de influencias. Por ejemplo, Luis Cernuda y Pedro Salinas están claramente influidos por Bécquer en sus poemas de amor.

19 | Además de la tradición clásica, muchos de ellos experimentaron con las vanguardias de su época. Investigad sobre qué vanguardias experimentaron los diferentes miembros de esta generación y haced otro árbol genealógico de estilos.

20 | **Miguel Hernández** pertenecía a la generación del 36 por edad, pero su estilo, temática y relaciones siempre lo han acercado a la generación del 27. Leed su «Canción última» del poemario *El hombre acecha*.

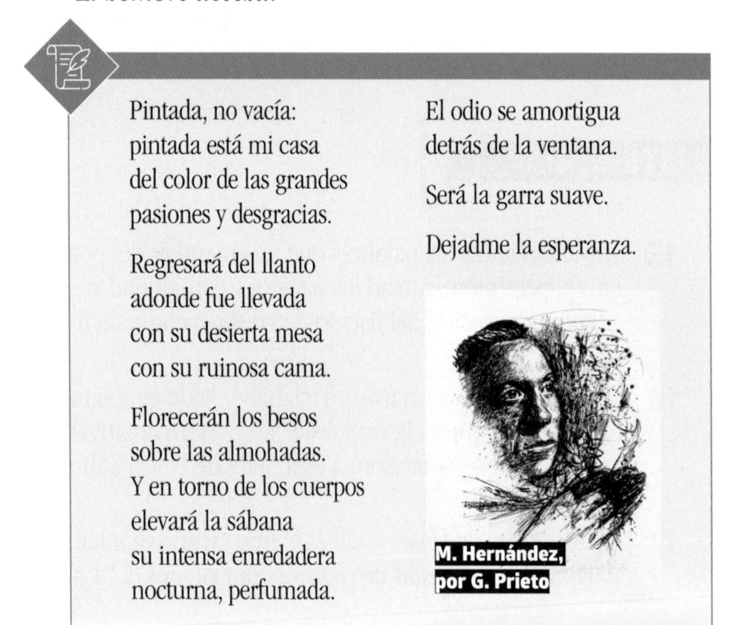

Pintada, no vacía:
pintada está mi casa
del color de las grandes
pasiones y desgracias.

Regresará del llanto
adonde fue llevada
con su desierta mesa
con su ruinosa cama.

Florecerán los besos
sobre las almohadas.
Y en torno de los cuerpos
elevará la sábana
su intensa enredadera
nocturna, perfumada.

El odio se amortigua
detrás de la ventana.

Será la garra suave.

Dejadme la esperanza.

M. Hernández, por G. Prieto

21 | ¿Cuál es el tema principal de este texto?, ¿vuestra respuesta cambiaría si supieseis que fue escrito en plena guerra civil?

22 | ¿Cuál sería el orden más lógico de *pintada está mi casa del color?*, ¿ante qué figura literaria nos encontramos?

23 | En parejas, buscad información sobre la relación de Miguel Hernández con la generación del 27.

24 | La guerra civil española y la dictadura de Franco fueron un gran golpe para la Edad de Plata de las letras españolas. La mayoría de estos escritores tuvo que exiliarse o acabó en la cárcel. Investigad qué autores se exiliaron y a qué país, y cuáles se quedaron en España.

¿Cuánto sabes?

AUTOEVALUACIÓN

Lee y marca verdadero (V) o falso (F).

	V	F
a. La generación del 27 vive una época política muy convulsa en España entre la monarquía, la II República, la guerra civil y la dictadura.	☐	☐
b. Miguel Hernández fue el fundador de la generación del 27 durante el homenaje a Góngora.	☐	☐
c. En general, la generación del 27 está en contra de la República y a favor del bando sublevado que da el golpe de Estado, viviendo todos en paz bajo el franquismo.	☐	☐
d. Dámaso Alonso, Gerardo Diego y Vicente Aleixandre son tres de los escritores del 27 que se quedaron en España tras la guerra civil.	☐	☐
e. La generación del 27 rechaza a todas las generaciones anteriores y creen que no es bueno leer a los clásicos literarios.	☐	☐
f. El escritor modernista Juan Ramón Jiménez influye mucho en varios autores de la generación del 27.	☐	☐
g. Luis Cernuda está muy influido por el escritor romántico Gustavo Adolfo Bécquer.	☐	☐
h. A los autores del 27 les gusta experimentar con el uso de la lengua o indagar poéticamente en su funcionamiento.	☐	☐

MARÍA ZAMBRANO

01 | Lee este poema de «Delirio del incrédulo», de la filósofa María Zambrano.

Bajo la flor, la rama;
sobre la flor, la estrella;
bajo la estrella, el viento.
¿Y más allá? Más allá, ¿no recuerdas?, sólo la nada.
la nada, óyelo bien, mi alma:
duérmete, aduérmete en la nada.
Si pudiera, pero hundirme...

Ceniza de aquel fuego, oquedad,
agua espesa y amarga:
el llanto hecho sudor;
la sangre que, en su huida, se lleva la palabra.
Y la carga vacía de un corazón sin marcha.
¿De verdad es que no hay nada? Hay la nada.

Y que no lo recuerdes. Era tu gloria.
Más allá del recuerdo, en el olvido, escucha
en el soplo de tu aliento.
Mira en tu pupila misma dentro,
en ese fuego que te abrasa, luz y agua.

Mas no puedo. Ojos y oídos son ventanas.
Perdido entre mí mismo, no puedo buscar nada
no llego hasta la Nada.

COMPRENSIÓN LECTORA

02 | ¿De qué trata este poema de María Zambrano?

03 | ¿A qué se refiere Zambrano con el *más allá?*, ¿habéis visto esta expresión en otros autores?

04 | ¿Qué diferencia creéis que hay entre «la nada» y «la Nada»?

DESARROLLO DE LA LENGUA

05 | Lee ahora este poema de **Carmen Conde.**

Declaro que se ha muerto y que su tumba
está dentro de mí; soy su mortaja.
A nadie se enteró porque su tránsito
descanso fue de locas esperanzas.

Rodean el contorno de esta fosa
—caliente está la vid que escala muros—
los pámpanos más tiernos y jugosos
que arrancan del silencio su tumulto.

Carmen Conde

06 | ¿Para qué se utilizan las rayas en este poema? ¿Se podrían sustituir estas rayas por otro signo?

07 | En parejas, leed este texto de *Poemas de la isla*, de **Josefina de la Torre.**

Si ha de ser, quiero que sea
de pronto. Cuando yo piense
en horizontes dormidos
y en el mar sobre la playa.
Si ha de ser, que me sorprenda
en mis mejores recuerdos
para hacer de su presencia
un solo signo en el aire.
Dormida no, ni despierta:
si ha de ser, quiero que sea.

Josefina de la Torre

08 | Localizad las diferentes conjugaciones del verbo *ser* que aparecen y explicad sus diferencias.

09 | ¿Qué diferencias recuerdas entre el verbo *ser* y *estar*? En parejas, haced un esquema con las diferencias entre estos dos verbos.

10 | En parejas, repartíos las siguientes palabras y buscad su significado en el diccionario: *adormir, oquedad, aliento, mortaja, fosa, pámpano* y *tumulto*.

TRABAJO LITERARIO

11 | Además de escritora, María Zambrano fue filósofa, Carmen Conde era profesora y Josefina de la Torre fue actriz y cantante. ¿Qué similitud en el tema encuentras en los tres poemas?

12 | Elige uno de los tres poemas y señala, al menos, una metáfora o símbolo.

13 | ¿Hay algún paralelismo entre los tres poemas?

PRODUCCIÓN LITERARIA

14 | El haikai es un modelo de poema japonés tradicional del que deriva el haiku y cuyo mayor exponente es Matsuo Bashō (s. XVII). La escritora **Ernestina de Champourcín** hace pequeños poemas de tres versos con un estilo japonés. Leed estos ejemplos:

Verde y rojo se alternan.
y yo hago provisiones de amor y de esperanza.

¡Qué pájaro más terco!
¡Siempre la misma nota, como yo
cuando pido!

Aprovecha esas alas que te brotan ahora
y cumple —es el momento—
con tu misión de arcángel.

Que no me vuelva atrás;
que siga y no me importe
dejar en el camino mis últimos despojos.

Hai-Kais espirituales

15 | En parejas, escribid un haiku. Podéis hacerlo del modo tradicional (tres versos de cinco, siete y cinco sílabas) o de una manera más libre, como los de Champourcín.

16 | Leed cada pareja los haikus que habéis hecho a vuestros compañeros. ¿Qué haiku os ha gustado más? Valoradlos del 1 al 3.

INVESTIGACIÓN LITERARIA

17 | En grupos, investigad sobre estas cuatro poetas y realizad un mapa conceptual sobre ellas: fechas destacadas, lugar de nacimiento, trayectoria, etcétera.

18 | ¿Cuál ha sido vuestra favorita? Dividid la clase en cuatro grupos según la autora que os haya gustado y volved a leer sus poemas. ¿Encontráis algún otro significado o figura literaria que no hayáis entendido?

19 | Estas cuatro autoras no son las únicas de esta generación. Elegid a otra autora de la generación del 27 y preparad una pequeña exposición para la clase sobre su vida y obra.

20 | Carmen Conde fue en 1979 la primera mujer en ser académica de la Real Academia Española, María Zambrano fue la primera mujer en ganar el Premio Cervantes en 1988 y se dice que Concha Méndez le reprochó a Gerardo Diego que no incluyese a mujeres en su antología de 1932 sobre los poetas del 27. Debatid en clase sobre la igualdad entre hombres y mujeres dentro de esta generación de autores.

21 | La generación del 27 es una de las más famosas en el ámbito internacional y muchos de sus autores han sido traducidos a varias lenguas. En grupos, buscad en páginas web de librerías de vuestro país si alguno de estos autores ha sido traducido a vuestra lengua y haced una lista.

¿Cuánto sabes?

AUTOEVALUACIÓN

Lee y escribe marca (V) o falso (F).

	V	F
a. Las mujeres escritoras de la generación del 27 están ampliamente reconocidas y se incluyen en todas las antologías.	☐	☐
b. Luis de Góngora tuvo gran influencia sobre este grupo.	☐	☐
c. En la poesía de Ernestina de Champourcín nunca encontramos elementos religiosos porque era atea.	☐	☐
d. Un paralelismo es una figura literaria relacionada con la metáfora y consiste en usar varias metáforas repetidas a lo largo del texto.	☐	☐
e. Una diferencia entre el verbo *ser* y *estar* es que el primero indica una característica *(Él es atractivo)* y el segundo indica un estado temporal *(Él está atractivo)*.	☐	☐
f. La mortaja es una tela o ropa con la que se envuelve a un cadáver para ser enterrado.	☐	☐
g. *Oquedad*, *hueco* y *agujero* son antónimos.	☐	☐

Homenaje a Luis Cernuda, con motivo de la publicación de *La realidad y el deseo*, en un restaurante de la calle Botoneras de Madrid, 19 de abril de 1936. De izquierda a derecha, de pie, Vicente Aleixandre, Federico García Lorca, Pedro Salinas, Rafael Alberti, Pablo Neruda, José Bergamín, Manuel Altolaguirre y María Teresa León; sentados, Eugenio Ímaz, Vicente Salas Viu, Elena Cortesina, Manuel Fontanals, Santiago Ontañón, María Antonieta Hagenaar, Concha Méndez, Luis Cernuda, Rosa Castillo y Enrique Moreno Báez. De pie, a la derecha, Víctor Mª Cortezo.

unidad

10

Contexto histórico

- **Llegada de Cristóbal Colón a América** (12 de octubre de 1492)
- **Exploración del continente por parte de España y Portugal** (siglos XV-XVI)
- **Junta de Valladolid:** debate entre Bartolomé de las Casas y Ginés de Sepúlveda sobre la postura que deben tomar los conquistadores frente al Nuevo Mundo y los conquistados (1550-1551)
- **Descolonización de América y guerras de independencia hispanoamericanas** (siglos XVIII-XIX):
  - **1776:** Primera independencia americana: Estados Unidos se independiza de Gran Bretaña
  - **1804:** Primera independencia latinoamericana: Haití se independiza de Francia
  - **1811:** Independencia de Paraguay y Venezuela
  - **1816:** Independencia de Argentina
  - **1818:** Independencia de Chile
  - **1819:** Independencia de Colombia
  - **1821:** Independencia de Perú, El Salvador, Nicaragua, Honduras, Costa Rica, Guatemala, México y Panamá
  - **1822:** Independencia de Ecuador
  - **1825:** Independencia de Bolivia
  - **1828:** Independencia de Uruguay
  - **1863:** Independencia de República Dominicana
  - **1898:** Independencia de Cuba. Puerto Rico pasa de ser colonia española a ser un Estado Libre Asociado de Estados Unidos
- **Revolución mexicana** (1910)
- **Primera Guerra Mundial** (1914-1918)

Enfrentamiento de Manco Inca y Pizarro con el general Quisquis

LA LITERATURA HISPANOAMERICANA DEL XIX Y PRINCIPIOS DEL XX

Contexto cultural y artístico

- **Arte colonial:** importación de la arquitectura, la literatura y la pintura europea
- **Pintura**
  - **Representante del realismo:**
    - Santiago Rebull Gordillo (1829-1902)
    - Eduardo Sívori (1847-1918)
    - Ernesto de la Cárcova (1866-1927)
  - **Muralismo mexicano:**
    - José Clemente Orozco (1883-1949)
    - Diego Rivera (1886-1957)
    - David Alvaro Siqueiros (1896-1974)
- **El tango argentino**

Tango. Mural en Buenos Aires

Mural de D. Rivera en Museo de Arte Regional de Cuauhnáhuac

LA LITERATURA HISPANOAMERICANA DEL XIX Y PRINCIPIOS DEL XX

La literatura precolombina de las grandes civilizaciones como la azteca y la maya ejerció su influencia en la literatura escrita en lengua española en el continente.

Características básicas

- La literatura americana se compone de dos grandes grupos:
  - la norteamericana y
  - la latinoamericana (centro y sur del continente).

  A su vez, la literatura latinoamericana se divide en la escrita en portugués (Brasil) y en español (hispanoamericana). Y, por último, la literatura hispanoamericana posee tantas vertientes como paises de habla española existen en el continente: literatura argentina, chilena, colombiana, cubana, nicaragüense, peruana, uruguaya, venezolana, etc.

- La **colonización** supone un proceso militar de ocupación: tras la llegada de Cristóbal Colón a América, comenzó la colonización en el continente, que España ya había ensayado en la conquista de las islas Canarias (llegar, asentar la cultura, la religión y la lengua, crear gobiernos, etcétera). También se importó la cultura europea y, por tanto, la lengua y la literatura. Por ello, durante muchos siglos, la literatura que se escribía en los virreinatos españoles del continente estaba ligada a las corrientes y movimientos de Europa. Por consiguiente, existe la literatura renacentista del Inca Garcilaso de la Vega, el barroco de sor Juana Inés de la Cruz o el romanticismo de Juan Antonio Pérez Bonalde.

- **El otro:** Entre 1550 y 1551 se debatió en la Junta de Valladolid hasta qué punto Europa tenía derecho a someter mediante la fuerza. Esta cuestión se plantea porque la colonización también trajo consigo el concepto de *otredad.* El otro era aquel diferente a lo conocido, es decir, el indígena americano, en este caso.

- **El criollo,** el descendiente de europeo nacido en las colonias de América, y **el mestizo,** hijo de padre o madre blanco y de padre o madre amerindios, representan un papel fundamental. Los criollos y mestizos comenzaron a buscar su propia identidad en sus orígenes y raíces indígenas para intentar diferenciarse de los europeos. En el siglo XVIII, los criollos ya controlaban gran parte del comercio en América, pero España no los dejaba acceder al gobierno de sus tierras, hecho que propició la insurgencia y el independentismo.

- **La descolonización de América** fue el proceso contrario al sucedido hasta el momento. Desde finales del siglo XVIII y durante todo el siglo XIX se fueron sucediendo varios movimientos insurgentes y diversas guerras que provocaron progresivamente la independencia de las colonias americanas. En realidad, América se levantó en armas contra el gobierno de José Bonaparte y en apoyo de España. Sin embargo, las desacertadas actuaciones de Fernando VII condujeron a la independencia de todo el territorio americano.

Simón Bolívar

Autores destacables

Gertrudis Gómez de Avellaneda, Juan Antonio Pérez Bonalde, Rubén Darío, José Martí, Jorge Isaacs, J. Asunción Silva, Juana de Ibarbourou y Mariano Brull

Retrato de José Martí

LA LITERATURA HISPANOAMERICANA NO SE PUEDE ENTENDER SIN LA COLONIZACIÓN, EL CONCEPTO DEL «OTRO», EL CRIOLLO Y LA DESCOLONIZACIÓN.

Movimientos literarios

◆ En la época de la independencia abundan las obras patrióticas. Si el Romanticismo se caracteriza por el deseo de libertad, el gusto por el pasado, lo legendario y lo exótico, por la exaltación del yo y el sentimentalismo, en el caso de Hispanoamérica se acentuó evidentemente el sentimiento patriótico, junto con la crítica social y las actitudes humanitarias de carácter social.

En 1816, durante la guerra de independencia de México, es decir, a medio camino entre la independencia y la caída del virreinato de Nueva España, aparece la primera novela escrita en Hispanoamérica. Se trata de *El Periquillo Sarmiento,* del escritor mexicano José Joaquín Fernández de Lizardi.

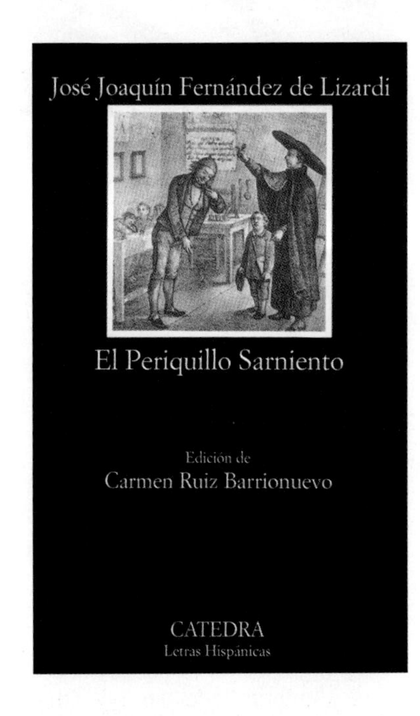

La novela, de corte picaresco y de estilo neoclásico, llama la atención sobre los males y los problemas de la sociedad mexicana de su época. Está protagonizada por Pedro Sarmiento, un jovencito mordaz e incisivo, un pícaro que muestra las trampas del médico y el abogado, del carpintero, el cura, el maestro y del mal funcionamiento del sistema de justicia de su tiempo. Tiene una intención educativa y fue publicada por entregas. La última entrega fue censurada por criticar la esclavitud.

◆ En la década de 1830, llega el Romanticismo y se abandonan las formas neoclásicas. Se continúa con el costumbrismo, que ayuda a la penetración del realismo.

- El ensayo es cultivado por importantes periodistas, muy interesados en la política y la educación. Entre ellos destacan Juan Montalvo, de Ecuador, y Eugenio María de Hostos, de Puerto Rico.
- En poesía, destacan la cubana Gertrudis Gómez de Avellaneda, el argentino José Mármol y el uruguayo Juan Zorrilla de San Martín.
- En novela, algunos de los autores más importantes son:
  - José Mármol, autor de *Amalia,* un estupendo ejemplo de novela romántica.
  - Gertrudis Gómez de Avellaneda. Su novela *Sab* se considera la primera novela antiesclavista.
  - Jorge Isaacs, colombiano. Su novela *María* (1867) es una obra maestra del Romanticismo en Hispanoamérica.
  - Alberto Blest (Chile), el padre de la novela chilena y seguidor desde sus inicios del realismo. Su obra cumbre es *Martín Rivas.*

◆ En la década de 1880 llega el modernismo. Es un movimiento de profunda renovación cultural y literaria. Defiende «la estética» como principal función de la literatura, frente a «la utilidad». Asoma la influencia de tendencias europeas como el parnasianismo y el simbolismo. Destacan los siguientes:

- José Martí, cubano.
- Manuel Gutiérrez Nájera, mexicano.
- José Asunción Silva, colombiano.
- Rubén Darío, nicaragüense; será su mejor representante y con él culminará esta tendencia literaria que dará paso al siglo XX.

GÓMEZ DE AVELLANEDA

01 | En parejas, leed este fragmento de *Sab,* de Gertrudis Gómez de Avellaneda.

El labriego se detuvo de repente como si echase de ver que había hablado demasiado, y bajando los ojos, y dejando asomar a sus labios una sonrisa melancólica, añadió con prontitud:

—Pero no es la muerte de los esclavos causa principal de la decadencia del ingenio de Bellavista: se han vendido muchos, como también tierras, y sin embargo aún es una finca de bastante valor.

Dichas estas palabras, tornó a andar con dirección a la casa, pero detúvose a pocos pasos notando que el extranjero no le seguía, y al volverse hacia él, sorprendió una mirada fija en su rostro con notable expresión de sorpresa. En efecto, el aire de aquel labriego parecía revelar algo de grande y noble que llamaba la atención, y lo que acababa de oírle el extranjero, en un lenguaje y con una expresión que no correspondían a la clase que denotaba su traje pertenecer, acrecentó su admiración y curiosidad. Habíase aproximado el joven campesino al caballo de nuestro viajero con el semblante de un hombre que espera una pregunta que adivina se le va a dirigir, y no se engañaba, pues el extranjero no pudiendo reprimir su curiosidad le dijo:

—Presumo que tengo el gusto de estar hablando con algún distinguido propietario de estas cercanías. No ignoro que los criollos cuando están en sus haciendas de campo gustan vestirse como simples labriegos, y sentiría ignorar por más tiempo el nombre del sujeto que con tanta cortesía se ha ofrecido a guiarme. Si no me engaño es usted amigo y vecino de D. Carlos de B...

El rostro de aquel a quien se dirigían estas palabras no mostró al oírlas la menor extrañeza, pero fijó en el que hablaba una mirada penetrante: luego, como si la dulce y graciosa fisonomía del extranjero dejase satisfecha su mirada indagadora, respondió bajando los ojos:

—No soy propietario, señor forastero, y aunque sienta latir en mi pecho un corazón pronto siempre a sacrificarse por D. Carlos no puedo llamarme amigo suyo. Pertenezco —prosiguió con sonrisa amarga— a aquella raza desventurada sin derechos de hombres... Soy mulato y esclavo.

Gertrudis G. de Avellaneda, por Madrazo

—¿Conque eres mulato? —dijo el extranjero tomando, oída la declaración de su interlocutor, el tono de despreciativa familiaridad que se usa con los esclavos—: bien lo sospeché al principio; pero tienes un aire tan poco común en tu clase, que luego mudé de pensamiento.

El esclavo continuaba sonriéndose; pero su sonrisa era cada vez más melancólica y en aquel momento tenía también algo de desdeñosa.

—Es —dijo volviendo a fijar los ojos en el extranjero— que a veces es libre y noble el alma, aunque el cuerpo sea esclavo y villano. Pero ya es de noche y voy a conducir a su merced al ingenio ya próximo.

La observación del mulato era exacta. El sol, como arrancado violentamente del hermoso cielo de Cuba, había cesado de alumbrar aquel país que ama, aunque sus altares estén ya destruidos, y la luna pálida y melancólica se acercaba lentamente a tomar posesión de sus dominios.

El extranjero siguió a su guía sin interrumpir la conversación:

—¿Conque eres esclavo de don Carlos?

—Tengo el honor de ser su mayoral en este ingenio.

—¿Cómo te llamas?

—Mi nombre de bautismo es Bernabé, mi madre me llamó siempre Sab, y así me han llamado luego mis amos.

—¿Tu madre era negra, o mulata como tú?

—Mi madre vino al mundo en un país donde su color no era un signo de esclavitud: mi madre —repitió con cierto orgullo—, nació libre y princesa. Bien lo saben todos aquellos que fueron como ella conducidos aquí de las costas del Congo por los traficantes de carne humana. Pero princesa en su país fue vendida en este como esclava.

El caballero sonrió con disimulo al oír el título de princesa que Sab daba a su madre, pero como al parecer le interesase la conversación de aquel esclavo, quiso prolongarla:

—Tu padre sería blanco indudablemente.

—¡Mi padre!... Yo no le he conocido jamás. Salía mi madre apenas de la infancia cuando fue vendida al señor don Félix de B..., padre de mi amo actual y de otros cuatro hijos. Dos años gimió inconsolable la infeliz sin poder resignarse a la horrible mudanza de su suerte; pero un trastorno repentino se verificó en ella pasado este tiempo, y de nuevo cobró amor a la vida porque mi madre amó. Una pasión absoluta se encendió con toda su actividad en aquel corazón africano. A pesar de su color era mi madre hermosa, y sin duda tuvo correspondencia su pasión pues salí al mundo por entonces. El nombre de mi padre fue un secreto que jamás quiso revelar.

—Tu suerte, Sab, será menos digna de lástima que la de los otros esclavos, pues el cargo que desempeñas en Bellavista prueba la estimación y afecto que te dispensa tu amo.

COMPRENSIÓN LECTORA

02 | ¿Cuál es el tema principal de este texto?

03 | Identifica a los personajes que aparecen en este texto.

04 | En parejas, ¿notáis algún cambio en la actitud de los personajes según avanza el fragmento?

05 | En parejas, responded a estas breves preguntas:

- ¿Qué es un esclavo?
- ¿Cómo se llama la finca y su dueño?
- ¿Qué era y de dónde venía la madre de Sab?
- ¿Cómo era el padre de Sab?

DESARROLLO DE LA LENGUA

06 | En parejas, marcad las comas de este fragmento.

«El sol como arrancado violentamente del hermoso cielo de Cuba había cesado de alumbrar aquel país que ama aunque sus altares estén ya destruidos y la luna pálida y melancólica se acercaba lentamente a tomar posesión de sus dominios».

07 | Explicad para qué se usan estas comas.

08 | Teniendo en cuenta el uso de las comas, ¿sois capaces de seleccionar solamente la oración principal del texto?

09 | ¿Qué significan *detúvose* y *habíase aproximado?*, ¿cuál crees que sería el orden actual de estas palabras?

10 | Un personaje dice: *Mudé de pensamiento.* ¿Qué significará *mudar* en este contexto?, ¿conoces otros significados de esta palabra? Indica cuáles.

11 | En parejas, repartíos las siguientes palabras y buscad en el diccionario su significado: *labriego, rostro, acrecentar, extrañeza, mulato, desdeñoso, mayoral* y *afecto.*

12 | Después, explicad el significado que tiene en el texto la expresión *cobró amor a la vida.*

TRABAJO LITERARIO

13 | En parejas, leed «Por siempre jamás», del poeta romántico venezolano **Juan Antonio Pérez Bonalde**, apuntando las palabras que no entendáis. Al terminar, consultadlo con vuestro compañero y, por último, buscadlas en el diccionario.

Traedme una caja
de negro nogal,
y en ella dejadme
por fin reposar.

De un lado mis sueños
de amor colocad,
del otro, mis ansias
de gloria inmortal;

la lira en mis manos
piadosos dejad,
y bajo la almohada
mi hermoso ideal...

Ahora la tapa
traed y clavad,
clavadla, clavadla
con fuerza tenaz,
que nadie lo mío
me pueda robar...

Después, una fosa
bien honda cavad,
tan honda, tan honda,
que hasta ella jamás
alcance el ruido
del mundo a llegar.

Bajadme a su fondo,
la tierra juntad,
cubridme... y marchaos
dejándome en paz...

¡Ni flores, ni losa,
ni cruz funeral;
y luego... olvidadme
por siempre jamás!

Juan Antonio Pérez Bonalde

14 | ¿Cuál es el tema de este poema?

15 | En parejas, ¿qué es una reduplicación? Buscadlo en internet y señalad, al menos, dos ejemplos de esta figura literaria.

16 | En parejas, ¿veis alguna reduplicación en el poema de Pérez Bonalde?, ¿para qué creéis que las utiliza en este poema?

PRODUCCIÓN LITERARIA

17 | En parejas. ¿Qué impresión os da el esclavo Sab y el personaje que habla en «Por siempre jamás»?

18 | Escoged a uno de los dos personajes y describid su físico y su carácter tal y como os los imagináis a partir de los datos de los textos.

19 | En parejas, leed vuestras descripciones. ¿Cuál os ha parecido más acertada? Valorad las descripciones de vuestros compañeros del 1 al 3.

INVESTIGACIÓN LITERARIA

20 | En grupos, buscad información sobre Gertrudis Gómez de Avellaneda y realizad una pequeña exposición para la clase.

21 | Después, buscad información de Juan Antonio Pérez Bonalde y haced una línea cronológica de su vida y su obra.

22 | La obra poética de Bonalde lleva la impronta del Romanticismo melancólico. Investiga sobre otros poetas coetáneos y escribe algún elemento común entre ellos.

23 | Buscad *Poema del Niágara*, de Bonalde, e investigad sobre el tema y su acogida en el panorama poético hispanoamericano.

24 | Investiga sobre el romanticismo de Bonalde en torno a la patria. ¿Puedes citar algún poema hispanoamericano con esta temática?

25 | Leed este fragmento de una traducción de Juan Antonio Pérez Bonalde. ¿Os suena familiar?, ¿qué autor y obra creéis que tradujo?

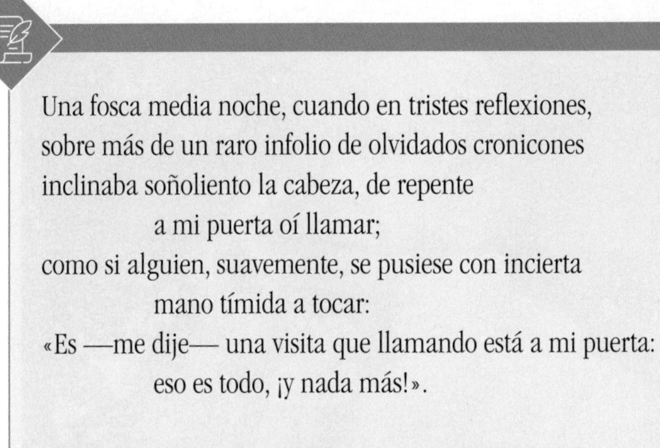

Una fosca media noche, cuando en tristes reflexiones,
sobre más de un raro infolio de olvidados cronicones
inclinaba soñoliento la cabeza, de repente
a mi puerta oí llamar;
como si alguien, suavemente, se pusiese con incierta
mano tímida a tocar:
«Es —me dije— una visita que llamando está a mi puerta:
eso es todo, ¡y nada más!».

¡Ah! Bien claro lo recuerdo: era el crudo mes del hielo,
y su espectro cada brasa moribunda enviaba al suelo.
Cuán ansioso el nuevo día deseaba, en la lectura
procurando en vano hallar
tregua a la honda desventura de la muerte de Leonora;
la radiante, la sin par
virgen pura a quien Leonora los querubes llaman hora
ya sin nombre... ¡nunca más!

[...]

La ventana abrí —y con rítmico aleteo y garbo extraño
entró un cuervo majestuoso de la sacra edad de antaño.
Sin pararse ni un instante ni señales dar de susto,
con aspecto señorial,
fue a posarse sobre un busto de Minerva que ornamenta
de mi puerta el cabezal;
sobre el busto que de Palas la figura representa,
fue y posóse —¡y nada más!

26 | Buscad en internet los mismos fragmentos de esta obra, pero en vuestra lengua materna y comparadlos con la traducción de Bonalde. ¿Qué similitudes y diferencias habéis encontrado?, ¿qué elementos se mantienen, se parecen o cambian?

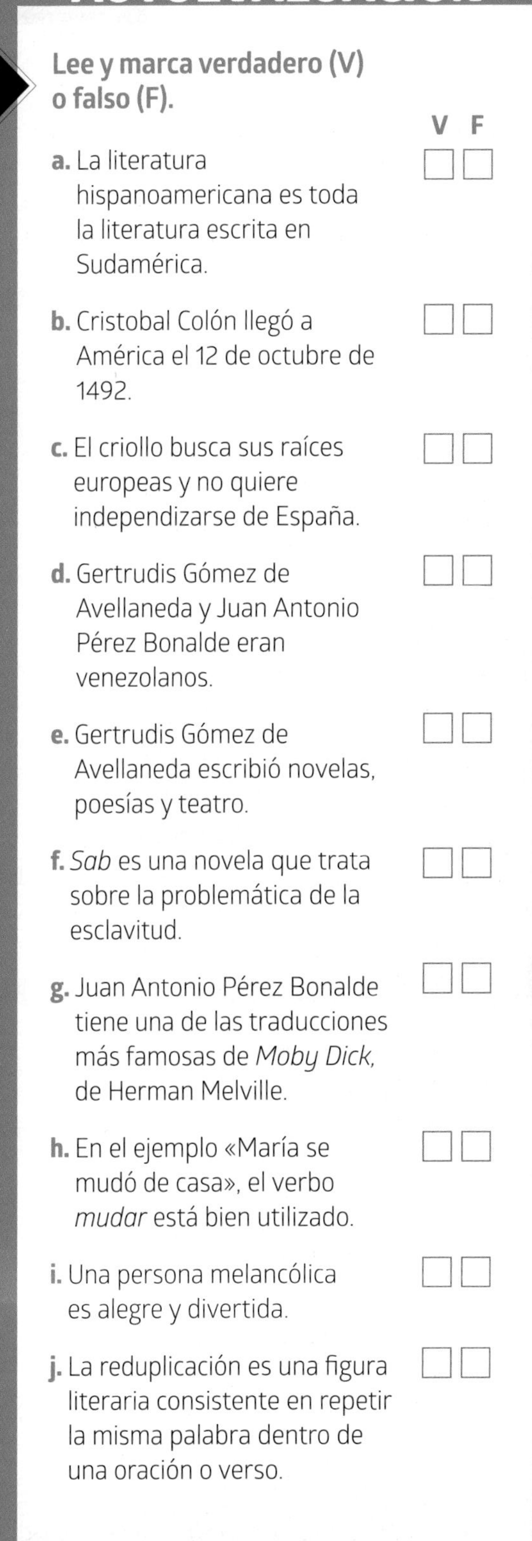

¿Cuánto sabes?

AUTOEVALUACIÓN

Lee y marca verdadero (V) o falso (F).

	V	F
a. La literatura hispanoamericana es toda la literatura escrita en Sudamérica.	☐	☐
b. Cristobal Colón llegó a América el 12 de octubre de 1492.	☐	☐
c. El criollo busca sus raíces europeas y no quiere independizarse de España.	☐	☐
d. Gertrudis Gómez de Avellaneda y Juan Antonio Pérez Bonalde eran venezolanos.	☐	☐
e. Gertrudis Gómez de Avellaneda escribió novelas, poesías y teatro.	☐	☐
f. *Sab* es una novela que trata sobre la problemática de la esclavitud.	☐	☐
g. Juan Antonio Pérez Bonalde tiene una de las traducciones más famosas de *Moby Dick*, de Herman Melville.	☐	☐
h. En el ejemplo «María se mudó de casa», el verbo *mudar* está bien utilizado.	☐	☐
i. Una persona melancólica es alegre y divertida.	☐	☐
j. La reduplicación es una figura literaria consistente en repetir la misma palabra dentro de una oración o verso.	☐	☐

RUBÉN DARÍO

01 | En parejas, leed los dos últimos poemas de *Cantos de vida y esperanza,* de Rubén Darío:

Buey que vi en mi niñez echando vaho un día
bajo el nicaragüense sol de encendidos oros,
en la hacienda fecunda, plena de la armonía
del trópico; paloma de los bosques sonoros
del viento, de las hachas, de pájaros y toros
salvajes, yo os saludo, pues sois la vida mía.

Pesado buey, tú evocas la dulce madrugada
que llamaba a la ordeña de la vaca lechera,
cuando era mi existencia toda blanca y rosada,
y tú, paloma arrulladora y montañera,
significas en mi primavera pasada
todo lo que hay en la divina Primavera.

«Allá lejos»

Dichoso el árbol, que es apenas sensitivo,
y más la piedra dura porque esa ya no siente,
pues no hay dolor más grande que el dolor de ser vivo,
ni mayor pesadumbre que la vida consciente.

Ser y no saber nada, y ser sin rumbo cierto,
y el temor de haber sido y un futuro terror...
Y el espanto seguro de estar mañana muerto,
y sufrir por la vida y por la sombra y por

lo que no conocemos y apenas sospechamos,
y la carne que tienta con sus frescos racimos,
y la tumba que aguarda con sus fúnebres ramos,

¡y no saber adónde vamos,
ni de dónde venimos!...

«Lo fatal»

Rubén Darío. Monumento «Canto a la Argentina»

COMPRENSIÓN LECTORA

02 | ¿Cuál es el tema del primer poema?

03 | El paisaje que describe Rubén Darío en «Allá lejos», ¿es rural o urbano?, ¿tranquilo o caótico? Razona tu respuesta y explica los detalles que te llaman la atención.

04 | En parejas, ¿notáis un tono diferente en «Lo fatal»? ¿Creéis que tiene el mismo tema que el primer poema? Justificad vuestra respuesta.

DESARROLLO DE LA LENGUA

05 | ¿Qué signos de puntuación diferentes aparecen en el segundo poema que no están en el primero?

06 | En parejas, ¿por qué creéis que en el último verso del segundo poema aparece *ni de dónde venimos!...* en vez de *ni de dónde venimos...!*? Justificad vuestra respuesta y explicad ambas posibilidades.

07 | En parejas, ¿encontráis alguna diéresis en el poema? Indicad otros dos ejemplos de palabras con diéresis.

08 | ¿Qué es un *ser vivo?* Localiza los seres vivos de ambos poemas.

09 | En parejas, repartíos las siguientes palabras y buscad en el diccionario su significado según el contexto de los poemas: *vaho, hacienda, trópico, arrulladora, pesadumbre, consciente, racimo* y *fúnebre*.

10 | Indicad si esta serie de palabras son sinónimos o antónimos de fecundo: *abundante, fértil, estéril, yermo, productivo* y *árido*. Podéis ayudaros del diccionario.

11 | Ahora, localizad e indicad qué diferencias observáis en el uso de *ser* y *estar* en el siguiente fragmento:

«Ser y no saber nada, y ser sin rumbo cierto,
y el temor de haber sido y un futuro terror...
Y el espanto seguro de estar mañana muerto,
y sufrir por la vida y por la sombra»

TRABAJO LITERARIO

12 | Busca en internet estos dos tópicos literarios: *pulvis sumus* y *locus amoenus.* ¿Cuál correspondería a cada poema de Rubén Darío?

13 | En uno de los poemas se esconde una sinestesia, ¿eres capaz de localizarla?

14 | En parejas, la mayor parte de los versos de estos dos poemas son alejandrinos. ¿Sabéis lo que es un verso alejandrino? Investigadlo y elegid un verso del poema para contar las sílabas y comprobar que es cierto.

PRODUCCIÓN LITERARIA

15 | Escribid un poema de cuatro versos utilizando como última palabra de cada verso estas palabras tomadas del poema «Allá lejos»: *día, toros, armonía* y *sonoros.* No os debéis preocupar por la longitud de los versos ni por el ritmo.

16 | En parejas, leedles el texto a vuestros compañeros. ¿Qué poema os parece más bonito? Valoradlo del 1 al 3.

INVESTIGACIÓN LITERARIA

17 | En parejas, leed y comentad las dudas sobre este poema de **José Martí.** Si es necesario, consultad el diccionario.

El rayo surca, sangriento,
El lóbrego nubarrón:
Echa el barco, ciento a ciento,
Los negros por el portón.

El viento, fiero, quebraba
Los almácigos copudos;
Andaba la hilera, andaba,
De los esclavos desnudos.

El temporal sacudía
Los barracones henchidos;
Una madre con su cría
Pasaba dando alaridos.

Rojo, como en el desierto,
salió el sol al horizonte;
Y alumbró a un esclavo muerto,
Colgado a un seibo del monte.

Un niño lo vio: tembló
De pasión por los que gimen;
¡Y, al pie del muerto, juró
Lavar con su sangre el crimen!

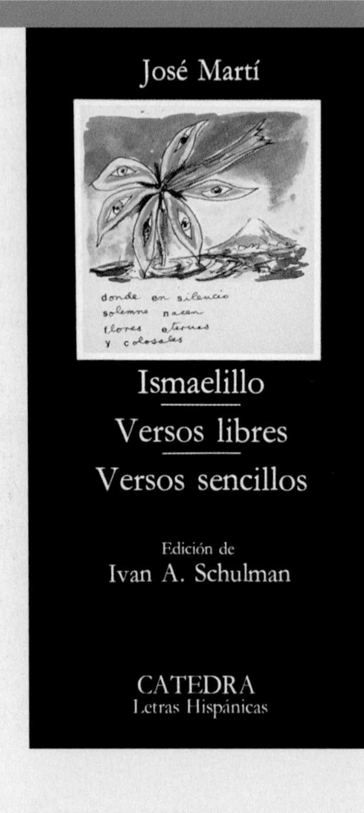

18 | ¿Con qué tema coincidiría este poema y los textos vistos hasta ahora en la unidad?

19 | La canción popular cubana *Guantanamera* tiene parte de su letra basada en un poema de José Martí. Indagad en cuál se basa y en qué sección de la canción se encuentra.

20 | Dividid la clase en dos grupos, uno buscará información sobre las características básicas de Rubén Darío, el otro sobre las de José Martí. Ambos harán un esquema con todas ellas.

21 | Cuando ya están elaborados los esquemas de ambos autores, comprobad en qué aspectos o puntos cumplen esas características los poemas anteriores.

¿Cuánto sabes?

AUTOEVALUACIÓN

Lee y marca verdadero (V) o falso (F).

	V	F
a. El modernismo es un movimiento que influyó mucho en el Romanticismo al ser anterior a este.	☐	☐
b. El modernismo en español se origina en Hispanoamérica.	☐	☐
c. Rubén Darío y José Martí son dos grandes exponentes del modernismo.	☐	☐
d. Rubén Darío nació en 1867 en Honduras.	☐	☐
e. Las obras más conocidas de Rubén Darío son *Azul, Prosas profanas* y *Cantos de vida y esperanza.*	☐	☐
f. Rubén Darío trabajó de fotógrafo para el periódico *La Nación.*	☐	☐
g. En la literatura hispanoamericana del siglo XIX es recurrente el tema de la esclavitud.	☐	☐
h. José Martí murió en la guerra de independencia de Cuba, mientras luchaba por la libertad de su país.	☐	☐
i. José Martí no era partidario de la influencia cultural europea.	☐	☐
j. La sinestesia consiste en la unión de dos sensaciones que se perciben por sentidos similares: *calor cálido.*	☐	☐

JUANA DE IBARBOUROU

01 | En parejas, leed este poema sacado de *Las lenguas de diamante*, de Juana de Ibarbourou.

¡Cómo resbala el agua por mi espalda!
¡Cómo moja mi falda,
y pone en mis mejillas su frescura de nieve!
Llueve, llueve, llueve,
y voy, senda adelante,
con el alma ligera y la cara radiante,
sin sentir, sin soñar,
llena de la voluptuosidad de no pensar.
Un pájaro se baña
en una charca turbia. Mi presencia le extraña,
se detiene... Me mira... Nos sentimos amigos...
¡Los dos amamos muchos cielos, campos y trigos!
Después es el asombro
de un labriego que pasa con su azada en el hombro.
Y la lluvia me cubre de todas las fragancias que a los setos da octubre.
Y es, sobre mi cuerpo por el agua empapado,
como un maravilloso y estupendo tocado
de gotas cristalinas, de flores deshojadas
que vuelcan a mi paso las plantas asombradas.
Y siento, en la vacuidad
del cerebro sin sueños, la voluptuosidad
del placer infinito, dulce y desconocido,
de un minuto de olvido.
Llueve, llueve, llueve,
Y tengo, en alma y carne, como un frescor de nieve.

«Bajo la lluvia»

COMPRENSIÓN LECTORA

02 | ¿Cuál es el tema principal de este poema?

03 | En parejas, resumid las ideas esenciales de este texto.

04 | ¿Os parece que la protagonista de este poema está feliz o preocupada? Justificad la respuesta.

DESARROLLO DE LA LENGUA

05 | ¿Qué signo ortográfico utilizado en este poema indica una pausa temporal o está usado de un modo enfático y expresivo?

06 | En parejas. En el poema la palabra *como* aparece con y sin tilde:

- ¿Cuál era el nombre de este tipo de tilde?
- ¿Por qué lleva tilde *cómo* en este poema?
- Fijaos en los *como* sin tilde del poema, ¿creéis que se usan igual que en la oración *Como comes demasiado, te duele la tripa?*

07 | *El agua fresca de lluvia moja, empapa y resbala.* En parejas o grupos, averiguad por vosotros mismos el significado de estas palabras relacionadas con la lluvia. Luego, comprobadlo en el diccionario: *llovizna, chaparrón* y *empapar.*

08 | En parejas, ¿qué os evocan las siguientes palabras? Divididlas en dos grupos, según un criterio semántico.

lluvioso / estío / soleado / frío / chaparrón / calor / invierno / verano / bochorno / despejado / nublado

____________	____________

09 | En parejas, ¿qué significan *resbalar, senda, radiante, voluptuosidad, tocado* y *vacuidad?* Comprobadlo en el diccionario.

TRABAJO LITERARIO

10 | ¿Recordáis que existen dos tipos de rima: consonante y asonante? Buscad dos ejemplos de ambas rimas y definidlas.

11 | ¿Qué tipo de rima tiene el poema de Juana de Ibarbourou?

12 | En parejas, leed «Verde halago», de **Mariano Brull**. No os preocupéis si no entendéis el poema porque no tiene sentido ni significado ya que se trata de una jitanjáfora.

Por el verde, verde
verdería de verde mar
Rr con Rr.

Viernes, vírgula, virgen
enano verde
verdularia cantárida
Rr con Rr.

Verdor y verdín
verdumbre y verdura
verde, doble verde
de col y lechuga.

Rr con Rr
en mi verde limón
pájara verde.

Por el verde, verde
verdehalago húmedo
extiéndome. —Extiéndete.

Vengo de Mundodolido
y en Verdehalago me estoy.

«Verde halago»

13 | Una jitanjáfora es un poema carente de significado, donde se le da mucha importancia al sonido que producen las palabras, algo muy parecido a los trabalenguas. ¿Sabéis qué es un trabalenguas?, ¿tenéis algo similar en vuestra lengua materna? En parejas, buscad en internet algún trabalenguas en español y leedlo en voz alta en clase.

PRODUCCIÓN LITERARIA

14 | ¿Qué creéis que ha pensado el pájaro al ver aparecer a la protagonista de «Bajo la lluvia» de Juana de Ibarbourou? Escribid una pequeña redacción de veinte palabras en forma de jitanjáfora o trabalenguas utilizando palabras relacionadas con los sentimientos sobre qué podría haber pensado el pájaro.

15 | En parejas, leed las redacciones a vuestros compañeros. ¿Qué redacción utiliza más palabras de sentimientos? Valoradlo del 1 al 3.

INVESTIGACIÓN LITERARIA

16 | No todos los poemas de Mariano Brull son jitanjáforas. Por ejemplo, también escribe sonetos en versos alejandrinos. En parejas, leed este soneto, apuntad y buscad aquellas palabras que no entendáis.

Quise encarnar mi ansia en una sola rosa;
en una forma altiva florecer en belleza;
que tuviera un anhelo sutil de mariposa,
y que fuera la gracia blasón de su nobleza.

Pero en mi vida nada se acerca ya a la rosa:
ni un tono ni un matiz, ¡oh, la otoñal tristeza
que idealizó el ambiente, y ha puesto en cada cosa
el alma pensativa que dentro de mí reza!

Se acerca del rosal la nueva florescencia;
pronto la primavera ha de verter su esencia
mostrándose fecunda la savia del retoño.

Mientras llega, da al viento su exquisita elegancia
la rosa pensativa de mística fragancia
que perfumó escondida mi vieja alma de otoño.

17 | Ya conocéis los sonetos, que suelen estar escritos en versos endecasílabos, y también conocéis los versos alejandrinos. Pero ¿habíais visto alguna vez esta fusión? En parejas, buscad en internet quién fue el autor que introdujo este tipo de estrofa en el español.

18 | En grupos, buscad información sobre la poesía de Mariano Brull (sus diferentes estilos y etapas) para realizar un pequeño esquema para la clase.

19 | En grupos, buscad información sobre Juana de Ibarbourou y realizad una línea cronológica sobre su obra y su vida.

20 | Por grupos, buscad a otros autores hispanoamericanos del siglo XIX y principios del XX. Escoged cada grupo a un autor y preparad una pequeña exposición para la clase. Por ejemplo, los autores colombianos Jorge Isaacs, autor de *María*, José Asunción Silva o Rafael Pombo; el escritor argentino Domingo Faustino Sarmiento; el escritor peruano Manuel González Prada, etc.

21 | Entre todos, haced un gran cartel con toda Hispanoamérica y añadid a los autores que conozcáis dentro de su país correspondiente (da igual la época del autor). En caso de que un país se quede sin ningún autor anotado, buscad entre todos si posee algún autor o autora famosos.

¿Cuánto sabes?

AUTOEVALUACIÓN

Lee y marca verdadero (V) o falso (F).

	V	F
a. Juana de Ibarbourou es también conocida como Juana de América.	☐	☐
b. Juana de Ibarbourou nació en Paraguay en el siglo XIX.	☐	☐
c. *Las lenguas de diamante* es el primer poemario de Juana de Ibarbourou.	☐	☐
d. En la obra poética de Juana de Ibarbourou es importante el erotismo.	☐	☐
e. Mariano Brull nació en Estados Unidos, pero sus padres eran cubanos.	☐	☐
f. Mariano Brull suele ser identificado como escritor simbolista.	☐	☐
g. El soneto en alejandrinos fue introducido en español por Mariano Brull.	☐	☐
h. Una *llovizna* es un tipo de *tormenta* en la que cae mucha agua de forma torrencial.	☐	☐
i. En la oración «No sé como te llamas», el adverbio *como* no debe llevar tilde.	☐	☐
j. Un trabalenguas es un juego de palabras popular donde se unen términos de sonido similar de difícil pronunciación.	☐	☐

unidad

11

Contexto histórico

- **Guerra civil española.** Golpe de Estado contra el gobierno de la Segunda República (1936-1939)
- **Dictadura del general Francisco Franco** (1939-1975)
- **Segunda Guerra Mundial** (1939-1945)
- **Fundación de la ONU** (1945)
- **Creación de la OTAN** (1949)
- **Guerra Fría entre EE. UU. y la URSS,** hasta la caída de la Unión Soviética
- **Triunfo de la Revolución cubana contra Batista:** Fidel Castro toma el poder (1959)
- **Concilio Vaticano II** (1962)
- **Invasión de Vietnam** por parte de las tropas americanas (1965)
- **Revuelta de estudiantes en Francia en el periodo conocido como Mayo francés** (1968)
- **Llegada de Neil Armstrong y Edwin Aldrin a la luna** (1969)
- **Muerte de Franco y fin de la dictadura. Proclamación de Juan Carlos I como rey de España** (1975)
- **Primeras elecciones democráticas en España** (1977)
- **Aprobación de la Constitución Española** (1978)

Gran Vía de Madrid, años 60

El siglo XX

NARRATIVA, POESÍA Y TEATRO DESDE 1939 HASTA LOS 80

Contexto artístico

Pintura

- Pablo Picasso (1881-1973)
- Edward Hopper (1882-1967)
- Francis Bacon (1902-1992)
- Mark Rothko (1903-1970)
- Salvador Dalí (1904-1989)
- Jackson Pollock (1912-1956)
- Antoni Tàpies (1923-2012)
- Antonio López (1936)

Escultura

- Eduardo Chillida (1924-2002)
- Fernando Botero (1932)

Música

- John Cage (1912-1992)
- Leonard Bernstein (1918-1990)
- Pierre Boulez (1925-2016)

Cine

- John Ford (1894-1973)
- Alfred Hitchcock (1899-1980)
- Luis Buñuel (1900-1983)
- Luchino Visconti (1906-1976)
- Roberto Rosellini (1906-1977)
- Orson Welles (1915-1985)
- Ingmar Bergman (1918-2007)
- Federico Fellini (1920-1993)
- Luis García Berlanga (1921-2010)
- Pier Paolo Pasolini (1922-1975)

NARRATIVA

En este periodo en España deja de existir un movimiento único y emergen vías diferentes, a veces muy diversas, pero todas tienen en común el deseo de llenar el inmenso vacío tras la guerra civil. En definitiva, la novela tuvo que empezar desde cero.

Características básicas

- En los años 40 van a coexistir muchas tendencias narrativas:
  - **El tremendismo** representado por *La familia de Pascual Duarte* (1942), de Camilo J. Cela, cuya exposición descarnada y brutal provocó un fuerte impacto en el entorno literario.
  - **La corriente fantástica** que representa *El bosque animado* (1943), de Wenceslao Fernández Flórez.
  - **La novela existencial** que refleja el tema de la angustia existencial, la frustración ante una situación demoledora, la tristeza. Ejemplos representativos son *Nada* (1945), de Carmen Laforet, Miguel Delibes con *La sombra del ciprés es alargada* (1948) y Gonzalo Torrente Ballester con *Javier Mariño* (1943). En ellos no hay una denuncia explícita. Utilizan un narrador en 3.ª persona y el relato es lineal, sin cortes cronológicos.
- Entre 1950 y 1962 se produce un cambio importante en relación con el realismo.
  - Se abandona el realismo tradicional, heredero del realismo del siglo XIX, y se inicia un realismo «compasivo», que quiere reflejar aspectos cotidianos de la vida, poniendo como protagonistas a los olvidados y los marginados dentro de la sociedad: es el **neorrealismo,** que tiene mucho que ver con el desarrollo del cine y sus historias amables.
  - Junto a este, se origina un realismo mucho más enérgico y rompedor, el denominado **realismo social,** que considera la literatura un «instrumento de comunicación». Por eso, las novelas de este grupo de narradores ofrecen un testimonio veraz de la realidad que vive el país. A través de la novela, el escritor asume un compromiso político contra la dictadura franquista.

La colmena (1951), de Camilo J. Cela, marca el inicio del **realismo social.** Posee un personaje colectivo, lo que implica la ausencia de una profundidad psicológica. Mediante el diálogo es posible conocer la situación y el estado de ánimo de esta multitud de personajes.

- Técnicas empleadas en el realismo social:
  - Se tiende a una ordenación lineal y a una sencilla estructuración.
  - Se prefiere un protagonista colectivo, un numeroso grupo de personajes, a un protagonista único.
  - Se utilizan diálogos y expresiones coloquiales, a veces, muy pobres. La realidad retratada no está determinada por la mirada del autor (realismo tradicional), sino por la distancia objetiva de la cámara.

Autores destacables

Carmen Laforet, Camilo J. Cela, Miguel Delibes, Torrente Ballester, Elena Quiroga, Ana María Matute, Juan García Hortelano, Ignacio Aldecoa, Carmen Martín Gaite, Sánchez Ferlosio, Luis Martín Santos y Juan Benet

Manuscrito de Carmen M. Gaite

Cita de C. J. Cela en la plaza de la Hora. Pastrana, Guadalajara

LA GUERRA CIVIL SUPUSO UNA VIOLENTA RUPTURA EN TODOS LOS ASPECTOS DE LA VIDA ESPAÑOLA QUE AFECTÓ A LA LITERATURA Y, EN PARTICULAR, A LA NOVELA.

Café Novelty. Escultura de G. T. Ballester, por Fernando Mayoral

- En las décadas de los 60 y 70 se produce una **renovación de la novela.** Al comienzo de la década de los 60 se inicia una nueva forma de narrar. La aparición, en 1962, de *Tiempo de silencio,* de Luis Martín Santos, fue decisiva.
  - El punto de vista desde el que se enfoca el relato varía, al desaparecer la figura del narrador omnisciente tradicional (3.ª persona). Ahora los mismos personajes son los que hablan de sí mismos y cuentan desde su perspectiva la situación. El lector, además, puede llegar a conocer varias versiones del mismo hecho: el llamado «punto de vista múltiple» o perspectivismo.
  - El diálogo insiste en la definición «desde fuera» y, por tanto, más objetiva de los personajes. También se emplea la 1.ª persona, que puede estar identificada con un personaje. Menos frecuente es la 2.ª persona, aunque también aparece, como en *Cinco horas con Mario* (1966), de Miguel Delibes y *La vida perra de Juanita Narboni* (1976), de Ángel Vázquez.
  - Tal vez, lo más innovador del momento sea la adopción del **monólogo interior,** técnica con la que se pretende reproducir el mundo interior del personaje, el que no ha salido a la luz, no se ha dicho. No se trata de dirigir su forma de pensar, sino dejar que libre –y caóticamente– vaya emergiendo el pensamiento de un personaje, sin ser pronunciado. James Joyce lo utiliza en el *Ulises,* por ejemplo.
  - Sin abandonar la temática social, el foco de atención se traslada ahora a la forma de novelar. Importan más los **aspectos formales,** la estructuración de la narración, y el análisis del lenguaje, materia prima de la narración.

Temática de la novela

- En **la novela existencial** de la década de los 40, los temas giran en torno a la amargura del día a día, la soledad y la incomunicación, la inadaptación, la frustración y la muerte.
- En **el realismo social** los temas tratados fundamentalmente son:
  - La dureza de la vida en el campo *(Dos días de septiembre,* de Caballero Bonald o *Los santos inocentes,* de Miguel Delibes).
  - La clase media trabajadora *(El Jarama,* de Sánchez Ferlosio).
  - La ciudad *(La colmena,* de Cela).
  - La burguesía *(Entre visillos,* de Carmen Martín Gaite).
- Durante el desarrollo de **la novela experimental** se tiende a relegar el tema a un segundo plano.
- A partir de los 70 se recupera el interés por los temas existenciales: el amor, las relaciones humanas, la soledad, la frustración personal, el misterio de la vida y de la muerte.

NARRATIVA

CAMILO JOSÉ CELA

01 | Lee este fragmento de *La colmena.*

El portal de doña María se abre y de él sale una muchachita, casi una niña, que cruza la calle.
—¡Oye, oye! Si parece que ha salido de esta casa.
El guardia Julio García se aparta del sereno, Gumersindo Vega.
—¡Suerte!
—Es lo que hace falta.
El sereno, al quedarse solo, se pone a pensar en el guardia. Después se acuerda de la señorita Pirula. Después del chuzazo que le arreó en los riñones, el verano pasado, a un lila que andaba propasándose. Al sereno le da risa.
—¡Cómo galopaba el condenado!
Doña María bajó la persiana.
—¡Ay qué tiempos!, ¡cómo está todo el mundo!
Después se calló unos instantes.
—¿Qué hora es?
—Son ya cerca de las doce. Anda, vámonos a dormir, será lo mejor.
—¿Nos vamos a acostar?
—Sí, será lo mejor.
Filo recorre las camas de los hijos, dándoles la bendición. Es, ¿cómo diríamos?, una precaución que no deja de tomarse todas las noches.
Don Roberto lava su dentadura postiza y la guarda en un vaso de agua, que cubre con un papel de retrete, al que da unas vueltecitas rizadas por el borde, como las de los cartuchos de almendras. Después se fuma el último pitillo. A don Roberto le gusta fumarse todas las noches un pitillo, ya en la cama y sin dientes puestos.
—No me quemes las sábanas.
—No, mujer.
El guardia se acerca a la chica y la coge de un brazo.
—Pensé que no bajabas.
—¡Ya ves!
—¿Por qué has tardado tanto?
—¡Pues mira! Los niños que no se querían dormir. Y después el señorito: ¡Petrita, tráeme agua! ¡Petrita, tráeme el tabaco del bolsillo de la chaqueta!, ¡Petrita, tráeme el periódico que está en el recibidor! ¡Creí que se iba a estar toda la noche pidiéndome cosas!
Petrita y el guardia desaparecen por una bocacalle, camino de los solares de la plaza de toros. Un vientecillo frío sube a la muchacha por las piernas tibias.

Martín Marco vaga por la ciudad sin querer irse a la cama. No lleva encima ni una perra gorda y prefiere esperar a que acabe el metro, a que se escondan los últimos amarillos y enfermos tranvías de la noche. La ciudad parece más suya, más de los hombres que, como él, marchan sin rumbo fijo con las manos en los vacíos bolsillos, con la cabeza vacía, y en el corazón, sin que nadie se lo explique, un vacío profundo e implacable.
[…]
A Martín le gustan los paseos solitarios, las largas cansadas caminatas por las calles anchas de la ciudad, por las mismas calles que de día, como por un milagro, se llenan —rebosantes como las tazas de los desayunos honestos— con las voces de los vendedores, los ingenuos y descocados cuplés de las criadas de servir, las bocinas de los automóviles, los llantos de los niños pequeños: tiernos, violentos, urbanos lobeznos amaestrados.
Martín Marco se sienta en un banco de madera y enciende una colilla que lleva envuelta, con otras varias, en un sobre que tiene un membrete que dice: Diputación Provincial de Madrid. Negociado de Cédulas Personales.

COMPRENSIÓN LECTORA

02 | En parejas, resumid el fragmento indicando las ideas principales.

03 | En parejas, ¿cómo se estructura este fragmento narrativo? ¿Qué os parece?

DESARROLLO DE LA LENGUA

04 | En parejas, señalad cuatro sustantivos que lleven sufijos.

05 | La palabra *sereno* tiene más de un significado, ¿qué tipo de palabra es entonces? Buscad en el diccionario las distintas acepciones.

06 | En parejas, identificad estas definiciones con las correspondientes palabras en el texto:

a) ______________: que no es natural ni propio, sino agregado, imitado, fingido o sobrepuesto.

b) ______________: dar prisa, estimular.

c) ______________: papel enrollado en forma cónica.

d) ______________: calle secundaria que lleva a otra.

e) ______________: lobo pequeño.

f) ______________: nombre o título de una persona, oficina o corporación, estampado en la parte superior del papel de escribir.

Camilo José Cela

TRABAJO LITERARIO

07 | En parejas, ¿creéis que hay algún protagonista?, ¿cuántos personajes aparecen en este fragmento?, ¿pensáis que podría tratarse de un personaje colectivo?

08 | En estas cuatro secuencias, ¿qué predomina, el espacio interior o el exterior? Justificad la respuesta.

PRODUCCIÓN LITERARIA

09 | En parejas, ¿cómo podríais caracterizar a los personajes? Elegid dos de ellos y describid su carácter y su físico tal y como os los imagináis a partir de los datos del fragmento.

10 | Ahora leedles la descripción a vuestros compañeros. ¿Ha habido coincidencias con la descripción de otra pareja? ¿O han resultado, en general, muy diferentes?

INVESTIGACIÓN LITERARIA

11 | En grupos, buscad información sobre la vida de Camilo José Cela y una de sus obras fundamentales y preparad una presentación para exponerla en clase. Cada grupo ha de elegir una obra diferente.

12 | Camilo José Cela recibió el Premio Nobel de Literatura en 1989. ¿Sabéis qué otros autores de literatura en español han recibido ese premio? Investigad y haced una pequeña reseña sobre ellos.

RAFAEL SÁNCHEZ FERLOSIO

01 | Lee este fragmento de *El Jarama,* de Sánchez Ferlosio.

Levantaron los ojos. Venía muy bajo un avión. Pasaba justamente por encima y parecía que iba a podar con sus alas las puntas de los árboles. El ruido había cubierto el murmullo de toda la arboleda.
—¡Qué cerca pasan! —dijo Mely.
—Es un cuatrimotor.
—Es que ahora aterriza asimismo, según viene —explicaba Fernando—, cogen ahí enseguida la pista de Barajas, nada más que pasar la carretera.
—¡Quién fuera en él!
—En este no, mujer; en uno que despegue.
—¿Te gustaría ir a Río de Janeiro?
—Creo que arman unos carnavales...
—Los carnavales de Río.
—Las fallas de Valencia, como encender una cerilla.
—Allí no queman nada
—Bueno, pero hay follón.
—¿Y aquí por qué no te dejarán ponerte una careta?
—Pues por la cosa de los carteristas, hombre. ¿No comprendes que es darle la gran oportunidad?
—¿Y en Río no los hay?
—¡Allí hay mucho dinero! Figúrate, Brasil, con el café que vende a todas las naciones.
—Ya ves, y un vicio.
—Cuba con el tabaco. Pues igual. Los vicios dan dinero siempre.
—En cambio, produces trigo, y lo de aquí.
—Pues vamos a sembrar café nosotros y a ver si de aquí a un par de años nos dejan que saquemos las caretas.
—¡Las carotas!
—Esas ya las sacamos a diario por la calle —dijo Sebas.
—Luego dicen de Río. ¿Más carnaval?
—Perpetuo. Ya lo sabes, Mely, Río de Janeiro, nada.

—¿Nada, verdad? Ya guardarías hasta cola para ir.
—¿Yo? Sí; la curiosidad...
—Pues todo. Ver Río de Janeiro y ver los Carnavales.
—Hombre, yo creo que con alguna cosita más ya escaparíamos. No iba a ser sola y exclusivamente a base de ración de vista.
—Sí, algún pito de madera que nos tocase en una tómbola.
—¡Qué menos!, ¿verdad?
—¿Y a Bahía?
—Lo mejor de todo, Astorga.
—¡Me troncho de risa, hermano!
—Pues no era un chiste.
—¿No?
—No.
—¿Qué era?
—El billete más largo que yo puedo sacar.
—Ah, bueno. Y en tercera.

COMPRENSIÓN LECTORA

02 | En parejas, haced un resumen del fragmento. ¿Dónde os parece que se desarrolla?

03 | ¿Creéis que hay mucha acción?, ¿existe algún elemento de crítica social? Razonad la respuesta.

DESARROLLO DE LA LENGUA

04 | En parejas, ¿qué tipo de lenguaje utiliza el autor?, señalad algunos términos y expresiones coloquiales.

05 | Buscad al menos tres sinónimos del adjetivo *perpetuo* y decid un antónimo.

06 | Ahora, indicad qué expresa la oración extraída del texto *¡Quién fuera en él!*

TRABAJO LITERARIO

07 | En grupos, estableced las características del diálogo en este texto. Toda la novela está escrita en forma de diálogo, ¿pensáis que se trata de un recurso experimental?

08 | El autor no interviene en los diálogos, está detrás de la actuación de los personajes, ¿de dónde pensáis que ha tomado esta técnica de distanciamiento?

09 | En parejas, ¿qué le interesa más al autor, el tema de la novela o la forma de contar unos hechos?

PRODUCCIÓN LITERARIA

10 | En grupos, redactad una breve narración en donde contéis lo que ocurre en este fragmento, pero sin diálogo. Tened en cuenta los conectores discursivos.

11 | Leedles el texto a vuestros compañeros. ¿Qué grupo se ha ajustado mejor a la historia del texto? Valorad del 1 al 3 las redacciones de vuestros compañeros.

INVESTIGACIÓN LITERARIA

12 | En grupos, buscad información sobre Rafael Sánchez Ferlosio y redactad su biografía.

13 | En grupos. Sánchez Ferlosio escribió antes de la novela *El Jarama,* el libro *Industrias y andanzas de Alfanhuí.* Investigad sobre esta obra para hacer una breve presentación sobre ella y elegid un fragmento de este libro para leerlo en clase.

LUIS MARTÍN SANTOS

01 | Lee este texto extraído de la novela *Tiempo de silencio,* de Martín Santos.

Hay ciudades tan descabaladas, tan faltas de sustancia histórica, tan traídas y llevadas por gobernantes arbitrarios, tan caprichosamente edificadas en desiertos, tan parcamente pobladas por una continuidad aprehensible de familias, tan lejanas de un mar o de un río, tan ostentosas en el reparto de su menguada pobreza, tan favorecidas por un cielo espléndido que hace olvidar casi todos sus defectos, tan ingenuamente contentas de sí mismas al modo de las mozas quinceañeras, tan globalmente adquiridas para el prestigio de una dinastía, tan dotadas de tesoros —por otra parte— que puedan ser olvidados los no realizados a su tiempo, tan proyectadas sin pasión pero con concupiscencia hacia el futuro, tan desasidas de una auténtica nobleza, tan pobladas de un pueblo achulapado, tan heroicas en ocasiones sin que se sepa a ciencia cierta por qué sino de un modo elemental y físico como el del campesino joven que de un salto cruza el río, tan embriagadas de sí mismas aunque en verdad el licor de que están ahítas no tenga nada de embriagador, tan insospechadamente en otro tiempo prepotentes sobre capitales extranjeras dotadas de dos catedrales y de varias colegiatas mayores y de varios palacios encantados —un palacio encantado al menos para cada siglo—, tan incapaces para hablar su idioma con la recta entonación llana que le dan los pueblos situados hacia el norte a doscientos kilómetros de ella, tan sorprendidas por la llegada de un oro que puede convertirse en piedra pero que tal vez se convierta en carrozas y troncos de caballos con gualdrapas doradas sobre fondo negro, tan carentes de una auténtica judería, tan llenas de hombres serios cuando son importantes y simpáticos cuando no son importantes, tan vueltas de espalda a toda naturaleza —por lo menos hasta que en otro sitio se inventaron el tren eléctrico y la telesilla—, tan agitadas por tribunales eclesiásticos con relajación al brazo secular, tan poco visitadas por individuos auténticos de la raza nórdica, tan abundantes de torpes teólogos y faltas de excelentes místicos, tan llenas de tonadilleras y de autores de comedias de costumbres, de comedias de enredo, de comedias de capa y espada, de comedias de café, de comedias de punto de honor, de comedias de linda tapada, de comedias de bajo coturno, de comedias de salón francés, de comedias del café no de *comedia dell'arte,* tan abufaradas de autobuses de dos pisos que echan humo cuanto más negro mejor sobre aceras donde va la gente con gabardina los días de sol frío, que no tienen catedral.

COMPRENSIÓN LECTORA

02 | En parejas, ¿cuál es el tema de este texto? Intentad resumirlo en una sola frase.

03 | ¿Creéis que se trata de un fragmento de una novela realista o experimental? Justificad la respuesta.

DESARROLLO DE LA LENGUA

04 | En parejas, ¿cuántos párrafos hay en este texto?, ¿qué tipo de estructura sintáctica utiliza?

05 | En parejas, en el texto solamente hay una oración principal, señaladla.

06 | Ahora identificad estas definiciones con las correspondientes palabras en el texto:

a) _____________: saciado; cansado de algo o de alguien.

b) _____________: persona que canta o compone tonadillas.

c) _____________: coche de caballos grande, ricamente adornado.

d) _____________: en la antigüedad grecorromana, calzado de suela muy gruesa usado por los actores trágicos para aumentar su estatura.

e) _____________: disperso, desordenado, confuso.

f) _____________: que tiene aspecto de chulapo (tipo popular de Madrid).

TRABAJO Y PRODUCCIÓN LITERARIOS

07 | En grupos, subrayad en el texto estos recursos retóricos: oxímoron, anáfora, paradoja e hipérbole.

08 | En grupos, escribid un texto de diez líneas aproximadamente imitando el estilo del autor repitiendo la estructura sintáctica: *Hay* + sustantivo + *tan* + adjetivo...

09 | Después, leedles el texto a vuestros compañeros. ¿Cuál es el más extraño? ¿Y el más coherente? Debatidlo en clase.

INVESTIGACIÓN LITERARIA

10 | En grupos, investigad sobre la vida y la obra de Luis Martín Santos y elaborad una presentación para exponerla en clase. Haced especial hincapié en su única novela, *Tiempo de silencio*, y explicad por qué supuso una revolución en el panorama de la narrativa española de su momento.

MIGUEL DELIBES

01 | Lee el fragmento de *Cinco horas con Mario,* de Miguel Delibes, publicada en 1966. Con esta novela Delibes se incorpora a la nueva narrativa.

Miguel Delibes

Dejémonos de romanticismo y piensa con la cabeza, cariño, que tú tienes a gala nadar contra corriente, que vivimos una época práctica y eso es hacer el tonto por no decir otra cosa, porque no digo darle la razón, simplemente mostrarte tolerante, sin avasallar. Desengáñate, Mario, mal se puede recoger sin sembrar, que ya lo decía mamá, que en paz descanse, «en la vida vale más una buena amistad que una carrera», que a las pruebas me remito, mira tú, y nunca me cansaré de repetírtelo, hijo, que tú has pretendido ser bueno y solo has conseguido ser tonto, así como suena. «Con la verdad por delante se va a todas partes», ¿qué te parece?, pero ya ves cómo nos ha crecido el pelo con tus teorías, que, por muchas vueltas que le des, en la vida no se puede estar a bien con todos y si te pones a favor de unos, fastidias a los otros, esto no tiene vuelta de hoja, pero si las cosas tienen que ser así porque así han sido siempre, ¿por qué no ponerte al lado de los que pueden corresponderte? Pues no, señor, dale con los desarrapados y los paletos, como si los desarrapados y los paletos fueran siquiera a agradecértelo, que te has pasado de listo, cariño, que cada vez que pienso que por culpa de un guardia, o de un acta o de una historia de esas, seguimos en este tugurio, me descompongo, créeme, que para tanto como eso no merecía la pena vivir. Además, ¡qué perra con los pobres guardias!, la cogisteis modorra, como yo digo, que habría que ver la cara de Solórzano cuando firmasteis el papel aquel porque un guardia pegó con la porra a uno que saltó en el fútbol, ya ves tú qué cosa, que no le gustaría un pelo, eso fijo, si yo misma no podía creerlo, te lo prometo, cuando llamaron de Comisaría, que yo me hartaba de decir «si mi marido no va al fútbol», que luego llegaste y hay que ver cómo te pusiste conmigo, que después de todo no era para tanto, me parece a mí, vamos, que a cualquiera que se lo digas, «¿quién te manda a hablar a ti, di?», bueno, hijo ¡no te pongas así!, me preguntan y contesto, ni más ni menos, que en seguida me di cuenta, por si lo quieres saber, que detrás andaban los de siempre, a ver, una no se chupa el dedo.

COMPRENSIÓN LECTORA

02 | En parejas, resumid brevemente lo que aquí se narra. ¿Cómo describiríais a la persona que habla? ¿Con qué adjetivos?

03 | ¿Creéis que se trataba de una pareja bien avenida o, por el contrario, había choques entre ambos?

DESARROLLO DE LA LENGUA

04 | En parejas, ¿qué características tiene el lenguaje empleado?, ¿es un lenguaje cuidado o coloquial y espontáneo?, ¿creéis que pretende reflejar la forma de hablar de una clase social?

05 | Señalad las expresiones coloquiales, los indicadores expresivos y los refranes que hay en el texto. Elaborad una oración con dos refranes del fragmento.

06 | En la novela no se utiliza el punto y aparte, ¿por qué razón?

TRABAJO Y PRODUCCIÓN LITERARIOS

07 | En parejas, ¿creéis que Delibes está experimentando nuevas técnicas en esta novela?

08 | ¿Se puede hablar de un monólogo interior?, ¿utiliza el estilo directo? Si es así, señala algún ejemplo.

09 | En parejas, escoged un fragmento y transformadlo en estilo indirecto.

INVESTIGACIÓN LITERARIA

10 | En grupos, investigad sobre la obra y la trayectoria literaria de Miguel Delibes. Preparad una presentación para exponerla en clase.

11 | Muchas de sus novelas han sido llevadas al cine. Averiguad cuáles y entre todos elegid una película para visionar en clase. Después, debatid sobre ella.

CARMEN MARTÍN GAITE

01 | Lee este texto de Carmen Martín Gaite, que pertenece a la novela *Retahílas*, publicada en 1974.

© Carmen Martín Gaite, *Retahílas*. Ediciones Siruela, Madrid, 2009

Perderme yo en el monte ese de atrás, por malezas que tenga, por leyendas que le echen al santuario en ruinas de la cumbre y por años que lleve sin venir a pisarlo es algo inconcebible, completamente absurdo; lo he añorado mil veces, lo he querido olvidar, lo he suplido con otros muchos más grandiosos y nombrados, altas cimas a las que se sube en funicular, todo en vano: se superpone inesperadamente a los demás paisajes, aparece en mis sueños, decora mis lecturas, me lo sé palmo a palmo, de la infancia es inútil renegar, es mi tierra, tal vez solo mamá llegó a sentirlo suyo como yo lo siento, igual de montaraces hemos sido las dos.

Me acuerdo que en la guerra fui con ella a escondidas, varias tardes, a llevarles comida a unos rojos del pueblo que andaban escondidos por política, los maquis los llamaban, y yo no lo entendía porque eran el Basilio y el Gaspar, amigos de la infancia de mi madre; se los encontró un día ella por lo intrincado estando de paseo, ya cerca de las ruinas, salieron de repente, se hincaron de rodillas: «Ay, Teresa, por Dios, no digas a nadie que estamos aquí, pero sube otro día y tráenos de comer, nos morimos de hambre». Y a nadie se lo dijo, sólo a mí, ni la familia de ellos, ni nadie sabía en qué lugar paraban, pero a mí me lo dijo, me dijo «es un secreto» y sabía seguro que yo se lo guardaba. «A la niña la traigo para no venir sola, pero ella es como yo», les explicó la primera tarde que fuimos, y a mí me había advertido por el monte arriba que tenían barba de mucho tiempo y la ropa rota y que por eso les llevábamos las mudas además de comida, que vivían en el hueco de una peña con bichos y que casi no los iba a conocer, que no tuviera miedo, pero sí, miedo iba a tener yo, una novela es lo que me parecía tener aquel secreto a medias con mamá y escaparnos las dos al monte en plena tarde y coger cosas de la despensa a espaldas de la abuela; llegábamos arriba con nuestros paquetes, merendábamos con los hombres aquellos del monte, nos preguntaban un poco por mi padre y el tuyo que estaban en Barcelona, o creíamos eso por lo menos: «¿Sabes algo del marido y del niño?», y no, no sabíamos nada, pero me parece que lo preguntaban un poco por cumplir, que mi padre aquí en este pueblo nunca fue simpático a nadie, le llamaban el profesor; suspiraban: «Es que esto es una catástrofe, Teresa, una catástrofe», y ella les daba noticia que yo no entendía de la marcha de la guerra, incluso alguna vez les subió periódicos, y cuando nos íbamos, nos besaban mucho y solían llorar; ni siquiera en el cine había visto llorar yo a hombres así con barba, tan hechos y derechos y soñaba con ellos, inventaba oraciones en la cama para que se salvaran, uno no se salvó, le pillaron de noche aquel invierno unos guardias civiles, merodeando el pueblo y se murió del tiro, ahí bajando a la fuente; Gaspar escapó a Francia me parece, y pasada la guerra su mujer nos mandaba aguardiente de yerbas por la Virgen de Agosto; la primera borrachera que me cogí en la vida fue con ese aguardiente la noche de Santiago, en una fiesta que hubo aquí en casa, fue también la primera vez que me besó un chico, el Genín, un sobrino del maestro, abajo en el parque, luego me daba siempre mucha vergüenza verle y el sabor del aguardiente de yerbas lo aborrecí para toda la vida. Ya ves cuántos recuerdos me trae a mí este monte.

COMPRENSIÓN LECTORA

02 | En parejas, resumid brevemente este texto, indicando el tema tratado y los personajes que aparecen.

03 | ¿Cuál es la actitud de la protagonista-niña que cuenta la historia?

DESARROLLO DE LA LENGUA

04 | En parejas. ¿En qué persona cuenta los hechos el narrador, en primera o en tercera?

05 | En parejas. ¿Martín Gaite utiliza el estilo directo o no? ¿Por qué lo hace?

06 | Localizad la expresión *hechos y derechos* y explicad su significado.

TRABAJO Y PRODUCCIÓN LITERARIOS

07 | En parejas, ¿creéis que al contar este episodio se pierde la linealidad del relato? ¿Se puede considerar como un *flash-back?*

08 | En parejas. El relato del recuerdo se encuentra aislado dentro de la narración. Señalad las secuencias que lo rodean, ¿consideráis que es un hecho alejado del presente de la protagonista?

09 | Después, haced una descripción de los dos hombres que están refugiados en el monte, a partir de los datos del texto.

INVESTIGACIÓN LITERARIA

10 | En parejas. Martín Gaite recuerda aquí uno de los episodios que tuvo lugar en la inmediata posguerra española. Se trata de la existencia de los maquis o «rojos» escondidos en los montes. Investigad sobre este tema y exponed en clase un breve resumen.

11 | En grupos, buscad información sobre la obra de Carmen Martín Gaite y preparad una presentación para exponerla en clase.

Carmen Martín Gaite

¿Cuánto sabes?

AUTOEVALUACIÓN

Lee y marca verdadero (V) o falso (F).

	V	F
a. Rafael Sánchez Ferlosio es el principal representante del *behaviorismo* o *conductismo* en la novela de los 50.	☐	☐
b. Seix Barral fue la editorial que se convirtió en el principal órgano de difusión de la novela social en los años 50.	☐	☐
c. Carmen Martín Gaite no obtuvo nunca el Premio Nadal.	☐	☐
d. Camilo José Cela escribió *La familia de Pascual Duarte*.	☐	☐
e. La novela experimental de los años 60 se produce por el cansancio del realismo social.	☐	☐
f. El tremendismo es una tendencia italiana que no tuvo representantes en la literatura española.	☐	☐
g. Carmen Laforet fue la primera mujer que ganó el Premio Nadal en 1945 por su novela *Nada*.	☐	☐
h. Camilo José Cela nació en el País Vasco.	☐	☐
i. *El hereje*, de Miguel Delibes, es una novela histórica.	☐	☐
j. Luis Martín Santos era psiquiatra.	☐	☐
k. Rafael Sánchez Ferlosio solo ha escrito novela.	☐	☐
l. Carmen Martín Gaite nunca escribió literatura juvenil.	☐	☐
m. Luis Martín Santos está influido por el escritor irlandés James Joyce.	☐	☐
n. Carmen Martín Gaite ganó el Premio Nadal con una de sus obras más importantes: *Entre visillos*.	☐	☐
ñ. *Los santos inocentes* es una novela de Miguel Delibes ambientada en el mundo rural.	☐	☐
o. Miguel Delibes era un novelista amante del mundo urbano y la gran ciudad.	☐	☐

POESÍA

La técnica del *collage* es fundamental para entender la poesía en este contexto. Desaparece el autor omnisciente y se percibe una fragmentación de discursos que se superponen y a los que solo el lector les dará significado en el momento de la lectura.

Características básicas

- El fenómeno de la **intertextualidad** va a ser muy frecuente en la literatura de la segunda mitad del siglo XX. Se trata de incluir, dentro del texto, distintos elementos —frases, temas, citas— ya escritas por otros autores y en otras épocas, es decir, se trasladan fragmentos de un lugar a otro, poniendo en relación ambos textos. Dicho con otras palabras, se elabora un texto con material «reciclado». Así se consigue ampliar el significado de un texto, sorprender al lector y obligarlo a buscar otro significado.
- La **metapoesía** es también un recurso utilizado por algunos poetas. La reflexión sobre la creación poética como asunto que se trata en el propio poema implica abrir dos discursos simultáneos y entremezclados.
- Las mujeres logran ocupar un espacio propio. Las mujeres poetas emprenden un camino paralelo en el que encuentran todo por hacer. Son nuevos sujetos líricos que ofrecen visiones inéditas de temas tradicionales; son nuevas formas de ver las cosas, nuevas imágenes de la vida y la muerte, del amor y el erotismo, de los mitos y leyendas.
- En la década de los 50 la tendencia predominante es la **poesía social**, que pretende convertirse en testimonio de la realidad colectiva. Interesa sobre todo el contenido del poema. La poesía es comunicación que debe llegar a la inmensa mayoría. Se emplea un tono narrativo, sencillo y directo, con un léxico coloquial. Los temas más frecuentes son España, la represión política, las injusticias sociales y la lucha por la libertad. Uno de sus más destacados representantes es Gabriel Celaya.
- En la década de los 60 comienza una nueva generación que se opone a la poesía social. Se denomina la **generación de «los niños de la guerra»**. Estos poetas se preocupan por el lenguaje, por el estilo y por la palabra poética. Para ellos, la poesía es un medio de conocimiento de la realidad y deja de ser comunicación. Esto hace que sea menor el peso de la temática, en beneficio de la forma exterior. Les interesa destacar lo personal, la expresión de lo íntimo. Recurren al humor como medio de distanciamiento de las emociones, y el tono conversacional se impone en los poemas, aunque se cuida mucho el lenguaje.
  - Entre los temas utilizados es el amor, como experiencia personal, el más significativo; también se trata la conciencia del fluir del tiempo, de la transitoriedad de la vida, y además se reflexiona sobre la propia poesía (metapoesía).

en la guerra
llegué a pesar cuarenta kilos.

He estado al borde de la tuberculosis,
al borde de la cárcel,
al borde de la amistad,
al borde del arte,
al borde del suicidio,
al borde de la misericordia,
al borde de la envidia,
al borde de la fama,
al borde del amor,
al borde de la playa,
y poco a poco me fue dando sueño,
y aquí estoy durmiendo al borde,
al borde de despertar.

Autores destacables

Dámaso Alonso, Blas de Otero, Gloria Fuertes, Ángela Figuera, Nuria Parés, José Hierro, Ángel González, Jaime Gil de Biedma y Gabriel Celaya

Exposición sobre Gloria Fuertes

- Al margen de las diferencias inevitables, existen algunos rasgos comunes que, en cierto modo, identifican a los poetas de esta generación. El objetivo es buscar nuevas formas de utilizar el lenguaje. El uso del lenguaje coloquial, mezclado con el poético (dos códigos diferentes que se aproximan) se convierte en un recurso frecuente en sus poemas. Además, suelen adoptar un tono narrativo muy acusado.

◆ La década de los 70 se abre con la antología *Nueve novísimos poetas españoles,* de José M.ª Castellet, publicada en Barcelona en 1970. Aunque fue muy polémica en su momento, dio a conocer la ruptura con la poesía anterior y el surgimiento de una nueva sensibilidad poética. Dentro de esta estética novísima coexisten varias tendencias, entre las que destaca la **estética veneciana**, por el gusto por lo decadente y por lo *camp* que manifiestan. Además, en los poemas aparecen numerosas citas de escritores, famosos, hechos culturales, canciones, películas, que indican su afán por exhibir su bagaje cultural. Es el llamado **culturalismo** de los novísimos. Esta generación se adentra en la década de los 80 y, poco a poco, va evolucionando en otros sentidos.

- La métrica utilizada en este periodo rompe con los modelos rítmicos tradicionales. Aunque se siguen encontrando poemas sujetos a los moldes clásicos (como los excelentes sonetos de Blas de Otero, por ejemplo), la poesía contemporánea adopta otro tipo de ritmo, el de la lectura más que el de la audición, que ya ha desaparecido. Hay que observar la distribución gráfica en la página, porque es significativa. Los poetas tienden al verso libre, a usar versos larguísimos, o muy breves que se escalonan o están partidos. El ritmo se halla también en la repetición de elementos sintácticos. Y es frecuente verificar la ausencia de signos de puntuación, lo que obliga al lector a buscar una interpretación que no surge a primera vista.

LAS MUJERES ENTRAN EN LA LITERATURA Y SE INSTALAN DEFINITIVAMENTE EN UN ESPACIO PROPIO. NO PARTICIPAN DIRECTAMENTE EN LOS GRUPOS POÉTICOS ESTABLECIDOS, SALVO EXCEPCIONES, Y NO SON RECONOCIDAS POR SUS COLEGAS MASCULINOS.

Temas artísticos

◆ Preocupación por España desde un punto de vista político.
◆ La proximidad de la muerte.
◆ El miedo a la existencia.
◆ El carácter absurdo de la existencia.
◆ Presencia de lo irracional frente a lo racional.
◆ Imposibilidad de crear un mundo coherente.
◆ La soledad del ser humano en el mundo.

POESÍA

DÁMASO ALONSO

01 | En parejas, leed el poema «Insomnio» de Dámaso Alonso, extraído de su libro *Hijos de la ira,* de 1944.

Madrid es una ciudad de más de un millón de cadáveres (según las últimas estadísticas).
A veces en la noche yo me revuelvo y me incorporo en este nicho en el que hace 45 años que me pudro,
y paso largas horas oyendo gemir al huracán, o ladrar los perros, o fluir blandamente la luz de la luna.
Y paso largas horas gimiendo como el huracán, ladrando como un perro enfurecido, fluyendo como la leche de la ubre caliente de una gran vaca amarilla.
Y paso largas horas preguntándole a Dios, preguntándole por qué se pudre lentamente mi alma,
por qué se pudren más de un millón de cadáveres en esta ciudad de Madrid,
por qué mil millones de cadáveres se pudren lentamente en el mundo.
Dime, ¿qué huerto quieres abonar con nuestra podredumbre?
¿Temes que se te sequen los grandes rosales del día, las tristes azucenas letales de tus noches?

D. Alonso, interior de la Academia de la Lengua

COMPRENSIÓN LECTORA

02 | En parejas, ¿qué tema trata el poema? ¿Qué sensaciones transmite? ¿Cómo es la visión del poeta?

03 | ¿En qué periodo histórico creéis que se sitúa el poema?, ¿por qué?

DESARROLLO DE LA LENGUA

04 | En parejas, repartíos esta serie de palabras y buscad su significado en el diccionario: *abonar, letales, podredumbre, nicho* y *gemir.*

05 | Ahora, elegid un adjetivo que defina el lenguaje empleado por el poeta: apacible, violento, anodino, apasionado o amable.

06 | En parejas, explicad el uso del paréntesis del primer verso.

TRABAJO Y PRODUCCIÓN LITERARIOS

07 | En parejas, describid la métrica en que está escrito. ¿Hay una estrofa determinada? ¿Cómo se denomina este tipo de versos?, ¿existe la rima?

08 | Hay varias figuras de repetición, señalad algunas y decid cómo se denominan.

09 | Fijaos en el texto y señalad dos personificaciones y las comparaciones que encontréis.

10 | En parejas. En el texto aparecen oraciones interrogativas, ¿son directas o indirectas?, ¿son preguntas retóricas? Justificad vuestra respuesta.

11 | En grupos, elegid un poema de Dámaso Alonso, escribid un comentario literario y exponedlo en clase.

INVESTIGACIÓN LITERARIA

12 | En grupos, buscad información sobre la vida y la obra de Dámaso Alonso. Elaborad una presentación y exponedla en clase.

13 | Dámaso Alonso tradujo a uno de los grandes escritores en lengua inglesa. Investigad de quién se trata y qué obra tradujo.

BLAS DE OTERO

01 | Lee estos tres textos de Blas de Otero e indica el tema que trata cada uno.

I
A LA INMENSA MAYORÍA

Aquí tenéis, en canto y alma, al hombre
aquel que amó, vivió, murió por dentro
y un buen día bajó a la calle: entonces
comprendió: y rompió todos sus versos.

Así es, así fue. Salió una noche
echando espuma por los ojos, ebrio
de amor, huyendo sin saber adónde:
a donde el aire no apestase a muerto.

Tiendas de paz, brizados pabellones,
eran sus brazos, como llama al viento;
olas de sangre contra el pecho, enormes
olas de odio, ved, por todo el cuerpo.

¡Aquí! ¡Llegad! ¡Ay! Ángeles atroces
en vuelo horizontal cruzan el cielo;
horribles peces de metal recorren
las espaldas del mar, de puerto a puerto.

Yo doy todos mis versos por un hombre
en paz. Aquí tenéis, en carne y hueso,
mi última voluntad. Bilbao, a once
de abril, cincuenta y uno.

II
HOMBRE

Luchando, cuerpo a cuerpo, con la muerte
al borde del abismo, estoy clamando
a Dios. Y su silencio, retumbando,
ahoga mi voz en el vacío inerte.

Oh Dios. Si he de morir, quiero tenerte
despierto. Y, noche a noche, no sé cuándo
oirás mi voz. Oh Dios. Estoy hablando
solo. Arañando sombras para verte.

Alzo la mano, y tú me la cercenas.
Abro los ojos: me los sajas vivos.
Sed tengo, y sal se vuelven tus arenas.

Esto es ser hombre: horror a manos llenas.
Ser —y no ser— eternos, fugitivos.
¡Ángel con grandes alas de cadenas!

III

Después del viento y la palabra
viene la nieve
cae
poco
a
copo.

Blas de Otero

COMPRENSIÓN LECTORA

02 | En parejas, resumid las ideas esenciales de cada uno de los poemas.

03 | ¿Cómo define Blas de Otero al hombre en el poema II?

04 | ¿Qué diferencia encontráis entre el texto III y los textos I y II?

DESARROLLO DE LA LENGUA

05 | En grupos, repartíos esta serie de palabras y buscad su significado en el diccionario: *ebrio, inerte, cercenar, sajar, brizados* y *retumbar*.

06 | En parejas. El sintagma *poco a copo* sustituye a una frase adverbial conocida, ¿a cuál? ¿Creéis que está justificado ese cambio?

TRABAJO Y PRODUCCIÓN LITERARIOS

07 | Analizad la métrica de los textos I y II, ¿creéis que forman una estrofa determinada? ¿Cuál?

08 | ¿Consideráis que el último verso del texto I es muy lírico? ¿Con qué intención emplea Blas de Otero este final? Justificad la respuesta.

09 | En parejas. En la estrofa 4 del texto I hay dos imágenes, ¿con qué recurso retórico nos encontramos, y a qué aluden una y otra?

10 | En parejas, ¿cuál de estos textos tiene un sentido narrativo? ¿Por qué?

11 | Después, señalad los encabalgamientos del texto II, ¿de qué tipo son?

12 | ¿A qué época pertenece el texto III dentro de su trayectoria poética?

13 | En grupos, elaborad un poema parecido en contenido y forma al poema III de Blas de Otero. Después, leedlo en clase y decidid entre todos cuál es el mejor.

INVESTIGACIÓN LITERARIA

14 | Ahora, investigad y ordenad los tres poemas que se han estudiado en este tema, según las etapas que atravesó la poesía de Blas de Otero.

15 | En grupos, buscad información sobre la vida y la obra de Blas de Otero. Luego haced una presentación para exponerla en clase. Es importante que elijáis un poema que os haya gustado especialmente y que lo recitéis ante vuestros compañeros.

16 | **José Hierro** es otro de los poetas fundamentales de la posguerra española, representativo de la llamada poesía arraigada. Leed los dos poemas siguientes (solo el I es de Hierro) y comentad el tema del que trata cada uno de ellos. ¿Creéis que hay alguna semejanza entre ambos? Explicadla con ejemplos.

I

Pandereta de siglos para dormir al hombre
preso en el corazón mudo del universo.
Media manzana de oro para que el niño coma
hasta sentirse eterno.

Árboles, puentes, torres, montes, mares, caminos.
Y todo a la deriva se irá desvaneciendo.
Cuando ellos ya no vivan, en el espacio, libre,
tú seguirás viviendo.

Y cuando nos cansemos (porque hemos de cansarnos).
Y cuando nos vayamos (porque te dejaremos).
Cuando nadie recuerde que un día nos morimos
(porque nos moriremos),

pandereta de siglos para dormir al hombre,
media manzana de oro que mide nuestro tiempo,
cuando ya no sintamos, cuando ya no seamos,
tú seguirás viviendo.

«Luna»

II

... Y yo me iré. Y se quedarán los pájaros
cantando;
y se quedará mi huerto, con su verde árbol,
y con su pozo blanco.

Todas las tardes, el cielo será azul y plácido;
y tocarán, como esta tarde están tocando,
las campanas del campanario.

Se morirán aquellos que me amaron;
y el pueblo se hará nuevo cada año;
y en el rincón aquel de mi huerto florido y encalado,
mi espíritu errará, nostáljico...

Y yo me iré; y estaré solo, sin hogar, sin árbol
verde, sin pozo blanco,
sin cielo azul y plácido...
y se quedarán los pájaros cantando.

17 | En parejas, señalad dos metáforas con las que se designa a la luna en el poema I.

18 | Indicad los paralelismos del poema I.

19 | Explicad qué recurso existe en el verso 5 del poema I y por qué razón los sustantivos no llevan artículo.

20 | ¿Quién creéis que es el autor del poema II? Justificad la respuesta.

21 | ¿Os parece que hay un sentimiento de despedida en uno o en ambos poemas?

22 | ¿Cuál de los dos poemas muestra un punto de vista subjetivo? Justificad vuestra respuesta con palabras o frases del texto y comparadlo con el otro.

23 | En parejas, indicad la rima del poema II.

24 | En parejas, ¿en cuál de estos poemas aparece un sentimiento de soledad?

25 | En grupos, investigad sobre la trayectoria literaria de José Hierro. Preparad una presentación para exponerla en clase. Elegid uno de sus poemas y recitadlo delante de vuestros compañeros.

DOS MIRADAS DE MUJER
DE LA REBELDÍA
ÁNGELA FIGUERA

01 | Lee estos dos poemas de Ángela Figuera Aymerich.

I

Ni soy nácar ni azucena:
morena, sólo morena.
Soy tierra oscura y caliente:
la tierra
donde crecen los olivos
el pan y el vino. Morena.

«Morena»

II

Serán las madres las que digan: basta.
Esas mujeres que acarrean siglos
de laboreo dócil, de paciencia,
igual que vacas mansas y seguras
que tristemente alumbran y consienten
con un mugido largo y quejumbroso
el robo y sacrificio de su cría.

Serán las madres todas rehusando
ceder sus vientres al trabajo inútil
de concebir tan solo hacia la fosa.
De dar fruto a la vida cuando saben
que no ha de madurar entre sus ramas.
No más parir abeles y caínes.
Ninguna querrá dar pasto sumiso
al odio que supura incoercible
desde los cuatro puntos cardinales.

[...]

¿Por qué lograr espigas que maduren
para una siega de ametralladoras?
¿Por qué llenar prisiones y cuarteles?
¿Por qué suministrar carne con nervios
al agrio espino de alambradas,
bocas al hambre, sombras al espanto?
¿Es necesario continuar un mundo
en que la sangre más fragante y pura
no vale lo que un litro de petróleo,
y el oro pesa más que la belleza,
y un corazón, un pájaro, una rosa
no tienen la importancia del uranio?

«Rebelión», 1952

COMPRENSIÓN LECTORA

02 | Indica el tema de cada uno de ellos y las ideas fundamentales.

03 | En el poema I, ¿qué actitud muestra aquí la autora? ¿Describir sencillamente cómo es o reivindicar su condición de mujer morena?

04 | En parejas, ¿creéis que el poema II pertenece a la poesía arraigada o a la desarraigada? Justificad vuestra respuesta.

DESARROLLO DE LA LENGUA

05 | En grupos, repartíos esta serie de palabras y buscad su significado en el diccionario: *mugido, fragante, rehusar, supurar* e *incoercible.*

06 | *Agrio* se refiere a un sabor determinado. En grupos, elaborad el campo semántico de los sabores, con sinónimos y derivados.

TRABAJO Y PRODUCCIÓN LITERARIOS

07 | En parejas, ¿qué tipo de versos componen el poema I?, ¿hay rima?

08 | Analizad la métrica del poema II, ¿forman los versos una estrofa determinada?

09 | En parejas, ¿qué recurso retórico se encuentra en este verso? *No más parir abeles y caínes.*

10 | Fijaos en las interrogaciones de la estrofa tercera, ¿creéis que son interrogaciones retóricas?

11 | En grupos, escribid un poema en la misma línea que el poema II. Debe ser de protesta y con un tono duro. Después, leedlo en clase y valorad entre todos cuál es el más duro.

INVESTIGACIÓN LITERARIA

12 | En grupos, buscad información sobre la vida y la obra de Ángela Figuera Aymerich. Después, elaborad una presentación y exponedla en clase.

13 | **GLORIA FUERTES** es una autora coetánea de Ángela Figuera. Lee este poema, titulado «Todo asusta» y establece comparaciones con el de Ángela Figuera.

Asusta que la flor se pase pronto.

Asusta querer mucho y que te quieran.
Asusta ver a un niño cara de hombre,
asusta que la noche...
que se tiemble por nada,
que se ría por nada asusta mucho.
Asusta que la paz por los jardines
asome sus orejas de colores,
asusta porque es mayo y es buen tiempo,
asusta por si pasas sobre todo,
asusta lo completo, lo posible,
la demasiada luz, la cobardía,
la gente que se casa, la tormenta.
los aires que se forman y la lluvia.
Los ruidos que en la noche nadie hace
–la silla vacía siempre cruje–,
asusta la maldad y la alegría,
el dolor, la serpiente, el mar, el libro,
asusta ser feliz, asusta el fuego,
sobrecoge la paz, se teme algo,
asusta todo trigo, todo pobre,
lo mejor no sentarse en una silla.

«Todo asusta»

14 | En parejas. Investigad sobre el estilo poético de Gloria Fuertes, ¿qué rasgo destacaríais de su obra en general?

15 | Ahora, en parejas, elegid un poema de cada una y haced un breve comentario literario y lingüístico sobre ellos.

DE LA IRONÍA
NURIA PARÉS

01 | Lee este poema de Nuria Parés.

Así... con tanta prisa, andando a la carrera.
No sé de qué vestirme...
¿De qué me quieres ver?
¿Me quieres ver de esposa
o me visto de amante... o de poeta?
¿Me disfrazo de artista,
de madre de mis hijos, de perversa...
o me pongo aquel traje de encajes
que tú llamas «de ingenua»?
¿De qué me visto hoy? ¿De qué me visto?
¿Me pongo de encarnado o de violeta?
¿Me quieres ver de duelo
o me visto de fiesta?
Dime de qué me visto.
No vaya a ser que andando a la carrera,
así, con estas prisas, se me olvide vestirme
y salga de tu brazo sin careta.

«Disfraces»

COMPRENSIÓN LECTORA

02 | ¿Cuál crees que es el tema de este texto? Intentad resumirlo en una sola frase.

03 | En parejas, ¿quién es el destinatario del poema, con quién habla la autora?

04 | Explicad qué significado puede tener en el contexto del poema la palabra *careta*.

DESARROLLO DE LA LENGUA

05 | ¿Qué modalidad entonativa domina en el poema?

06 | En parejas, además de las interrogativas, ¿qué otro tipo de oraciones aparecen en el poema?

07 | ¿Qué significado tiene la palabra *duelo* en el poema? ¿Existe otra acepción de esta palabra? En parejas, averiguadlo y escribid un ejemplo con cada uno de esos significados.

TRABAJO Y PRODUCCIÓN LITERARIOS

08 | En parejas, ¿creéis que la poeta utiliza una estrofa determinada?, ¿qué medida tienen los versos?

09 | En el poema se recurre a la repetición como recurso literario. Indicad dos ejemplos de ello.

10 | A partir de los versos del poema, describid el carácter de su protagonista. ¿Qué adjetivos o expresiones utilizáis?

11 | Intentad escribir un poema con un tono irónico y relativo a un tema de actualidad. Después, leedlo ante vuestros compañeros. Entre todos, elegid el más original.

INVESTIGACIÓN LITERARIA

12 | En grupos, ¿puede ser considerado un poema feminista? Debatidlo en clase. Después, comparad este poema con el poema de sor Juana Inés de la Cruz que se trabaja en la unidad 5. Por último, investigad sobre el feminismo y el papel de las mujeres en la literatura y mencionad otros autores o autoras que también traten el tema del feminismo.

13 | En grupos, buscad información sobre la vida y la obra de Nuria Parés. Después, haced una presentación y exponedla en clase. No olvidéis elegir un poema significativo para leerlo ante vuestros compañeros.

ÁNGEL GONZÁLEZ

01 | En parejas, leed este poema de Ángel González.

A mano amada,
cuando la noche impone su costumbre de insomnio
y convierte
cada minuto en el aniversario
de todos los sucesos de una vida;
allí,
en la esquina más negra del desamparo, donde
el nunca y el ayer trazan su cruz de sombras,
los recuerdos me asaltan.
Unos empuñan tu mirada verde,
otros
apoyan en mi espalda
el alma blanca de un lejano sueño,
y con voz inaudible,
con implacables labios silenciosos,
¡el olvido o la vida!,
me reclaman.
Reconozco los rostros.
No hurto el cuerpo.
Cierro los ojos para ver
y siento
que me apuñalan fría,
justamente,
con ese hierro viejo:
la memoria.

«A mano amada»

COMPRENSIÓN LECTORA

02 | Explicad brevemente de qué habla el poema.

03 | En parejas. Todo el poema es una imagen, ¿de qué?, ¿creéis que se trata de un poema de amor? Razonad la respuesta.

DESARROLLO DE LA LENGUA

04 | ¿A qué expresión hecha alude el título del poema «A mano amada»?

05 | En parejas, ¿qué significa *desamparo, inaudible, implacable, empuñar* y *apuñalar* en el texto?

06 | Fijaos en el adjetivo *inaudible*. ¿Para qué se usa el sufijo *-ble?* Indicad al menos otras cinco palabras terminadas en este sufijo.

07 | En parejas. En el poema solo hay una oración en estilo directo; señaladla.

TRABAJO Y PRODUCCIÓN LITERARIOS

08 | Explicad la métrica de «A mano amada».

09 | En parejas, ¿qué figuras retóricas aparecen en *cierro los ojos para ver, labios silenciosos* y *ese hierro viejo: la memoria?*

10 | En parejas, leed ahora este otro poema y decid cuál es su tema y a qué oficio se refiere el autor.

Aborrezco este oficio algunas veces:
espía de palabras, busco,
busco,
el término huidizo,
la expresión inestable
que signifique, exacta, lo que eres.

Inmóvil en la nada, al margen
de la vida (hundido
en un denso silencio roto
por el batir oscuro de mi sangre),
busco,
busco aquellas palabras
que no existen
—quizá me sirvan: *delicia de tu cuello…*—
que te acosan y mueren sin rozarte,
cuando lo que quisiera
es llegar a tu cuello
con mi boca
—… o acaso: *increíble sonrisa que he besado*—,
subir hasta tu boca
con mis labios,
sujetar con mis manos tu cabeza
y ver
allá en el fondo de tus ojos,
instantes antes de cerrar los míos,
paz verde y luz dormida,
clara sombra
—tal vez
fuera mejor decir: *humo en la tarde,*
borrosa música que llueve del otoño,
niebla que cae despacio sobre un valle—
avanzando hacia mí,
girando,
penetrándome,
hasta anegar mi pecho y levantar
mi corazón salvado, ileso, en vilo
sobre la leve espuma de la dicha.

«Las palabras inútiles»

11 | En parejas, ¿por qué aparecen algunos versos y algunas palabras en letra cursiva? ¿Puedes decir cómo se denomina ese recurso?

12 | ¿Qué figura retórica aparece en estos versos: *paz verde y luz dormida, /clara sombra?*

13 | ¿Creéis que se trata de un metapoema? Justificad la respuesta.

14 | En parejas, imaginaos el lugar donde escribe el poeta y describidlo. Después, leedlo en clase. ¿Habéis coincidido en algunos detalles?

INVESTIGACIÓN LITERARIA

15 | En grupos, investigad sobre la vida y la trayectoria literaria de Ángel González. Presentad después en clase una exposición sobre él.

16 | Ahora, en parejas, elegid uno de sus poemas y haced un breve comentario literario y lingüístico de él. Para ello, indagad también sobre el libro en que se incluye el poema y su contexto en la obra de Ángel González.

JAIME GIL DE BIEDMA

01 | En parejas, leed este poema de Jaime Gil de Biedma.

Definitivamente
parece confirmarse que este invierno
que viene, será duro.
Adelantaron
las lluvias, y el Gobierno,
reunido en consejo de ministros,
no se sabe si estudia a estas horas
el subsidio de paro
o el derecho al despido,
o si sencillamente, aislado en un océano,
se limita a esperar que la tormenta pase
y llegue el día, el día en que, por fin,
las cosas dejen de venir mal dadas.

En la noche de octubre,
mientras leo entre líneas el periódico,
me he parado a escuchar el latido
del silencio en mi cuarto, las conversaciones
de los vecinos acostándose,
todos esos rumores
que recobran de pronto una vida
y un significado propio, misterioso.

Y he pensado en los miles de seres humanos,
hombres y mujeres que en este mismo instante,
con el primer escalofrío,
han vuelto a preguntarse por sus preocupaciones,
por su fatiga anticipada,
por su ansiedad para este invierno,

mientras que afuera llueve.

Por todo el litoral de Cataluña llueve
con verdadera crueldad, con humo y nubes bajas,
ennegreciendo muros,
goteando fábricas, filtrándose
en los talleres mal iluminados.
Y el agua arrastra hacia la mar semillas
incipientes, mezcladas en el barro,
árboles, zapatos cojos, utensilios
abandonados y revuelto todo
con las primeras Letras protestadas.

«Noche triste de octubre de 1959»

COMPRENSIÓN LECTORA

02 | En parejas, ¿cuál es el tema de este poema?, ¿a qué poemario pertenece?

03 | Citad al menos dos rasgos característicos de la poesía de Gil de Biedma.

04 | En parejas. Existen dos espacios o ambientes en el poema, ¿cuáles son?

05 | El poeta ha entremezclado dos códigos diferentes en el poema, ¿podrías decir cuáles son?

DESARROLLO DE LA LENGUA

06 | En parejas, ¿qué significan *incipiente* y *subsidio?* Comprobadlo en el diccionario.

07 | En parejas, señalad un ejemplo de ironía en el poema.

08 | En parejas, en el último verso aparece el sintagma *Letras protestadas*, ¿creéis que se hace referencia a los signos gráficos del alfabeto? Investigad y buscad las formas posibles de comprar antes de que aparecieran las tarjetas de crédito y la sociedad del bienestar.

TRABAJO Y PRODUCCIÓN LITERARIOS

09 | En parejas, ¿creéis que Gil de Biedma ha utilizado figuras retóricas? Si es así, señalad algunas.

10 | Los versos de este poema, ¿tienen una medida regular, forman una estrofa?, ¿existe rima?

11 | En grupos, elaborad un poema parecido al de Gil de Biedma. Incluid elementos y noticias cotidianos. Después, leed el poema ante vuestros compañeros y valorad entre todos cuál es el más original.

INVESTIGACIÓN LITERARIA

12 | En grupos, buscad información sobre la vida y la obra de Jaime Gil de Biedma para elaborar una presentación y exponerla en clase. Recomendamos el visionado del programa *Imprenscindibles* dedicado a Gil de Biedma en Radio Televisión Española en www.rtve.es/television/imprenscindibles.

13 | Ahora, elegid uno de sus poemas y haced un breve comentario literario y lingüístico de él. Para ello, indagad también sobre el libro en que se incluye el poema y su contexto en la obra de Gil de Biedma.

¿Cuánto sabes?

AUTOEVALUACIÓN

Lee y marca verdadero (V) o falso (F).

	V	F
a. José Hierro es el autor de *El libro de las alucinaciones*.	☐	☐
b. Dámaso Alonso fue un excelente crítico de literatura.	☐	☐
c. Nuria Parés nació en México.	☐	☐
d. Ángela Figuera había publicado la mayor parte de sus libros antes de la guerra civil española.	☐	☐
e. Todos los integrantes de la generación del 27 se exiliaron durante la guerra civil española.	☐	☐
f. Blas de Otero publicó varios poemas en la revista *Espadaña*.	☐	☐
g. *Hijos de la ira* fue un poemario escrito por Vicente Aleixandre.	☐	☐
h. Blas de Otero junto a Gabriel Celaya y Ángela Figuera forman el llamado triunvirato vasco.	☐	☐
i. José Hierro ganó el Premio Adonais de Poesía en 1947.	☐	☐
j. El primer libro de Ángela Figuera se llama *Mujer de barro*.	☐	☐
k. La obra de Nuria Parés está integrada por tres poemarios.	☐	☐
l. La metapoesía fue cultivada por los poetas de los años 60.	☐	☐
m. La ironía y el sarcasmo son recursos retóricos utilizados por Ángel González.	☐	☐
n. Para los *novísimos* la poesía es comunicación y va dirigida a la inmensa mayoría.	☐	☐
ñ La lira es la estrofa preferida por los poetas *novísimos*.	☐	☐
o. José Mª Castellet es el autor de la antología *Nueve novísimos poetas españoles*.	☐	☐
p. Ángel González y Jaime Gil de Biedma no pertenecen al mismo grupo de poetas.	☐	☐
q. Los motivos recurrentes de la generación de los 60 son la evocación de la infancia, el paso del tiempo, el amor y la amistad.	☐	☐
r. El *culturalismo* afecta sobre todo a los poetas de los años 50.	☐	☐
s. Los poetas venecianos rechazan la poesía social.	☐	☐
t. Los poetas de los 60 recogen imágenes visionarias del surrealismo.	☐	☐
u. La obra de Gloria Fuertes está muy ligada al mundo infantil.	☐	☐

TEATRO

El objetivo del teatro es ser representado, pero también ser publicado. Y la censura, tras la guerra civil, es muy fuerte y no permite que se escape ningún detalle ajeno a la ideología de la dictadura.

Características básicas

- Durante bastante tiempo, se repusieron obras de los clásicos que ensalzaban los grandes valores morales. Obras de Lope de Vega, Calderón, Tirso de Molina, entre otros, encantaban al público, que iba al teatro para evadirse.
- La década de los 40 está condicionada por la sociedad burguesa y las obras teatrales están dirigidas a su ideología. Representa una realidad ficticia y anticuada. Aparecen dos corrientes:

  a) **El teatro cómico,** heredero del sainete y los entremeses, que está lleno de situaciones tópicas y chistes lingüísticos.

  b) **El teatro histórico-político,** que invitaba a olvidar la realidad inmediata y alababa las glorias y a los héroes del pasado.

  Sobresalen autores como Joaquín Calvo Sotelo, Edgar Neville, Enrique Jardiel Poncela, Miguel Mihura o el Premio Nobel Jacinto Benavente.
- En 1949 se estrena *Historia de una escalera,* de Antonio Buero Vallejo, que cambia radicalmente el panorama teatral.

  La década de los 50 manifiesta la tendencia predominante de lo social, que pretende convertirse en testimonio de la realidad colectiva. Interesa sobre todo el contenido de la obra. Se emplea un estilo sencillo y directo y con un léxico coloquial. Los temas más frecuentes son España, la represión política, las injusticias sociales y la lucha por la libertad. Con Buero Vallejo se inicia el **drama realista.** En esta década, también destaca Alfonso Sastre. Sin embargo, ambos dramaturgos tienen posturas contrapuestas. Si Buero camufla su mensaje de protesta y realismo social, Sastre lo expone abiertamente. Por ello, sus obras se censuran y se retiran del teatro a los pocos días de estrenarse por subversivas. Ello implica que su mensaje no logra llegar a toda la sociedad, como sí sucede en el caso de Buero Vallejo.

Cartel de *Historia de una escalera*

Autores destacables

Enrique Jardiel Poncela, Miguel Mihura, Antonio Buero Vallejo, Lauro Olmo, Francisco Nieva, Alfonso Sastre, Fernando Arrabal y Antonio Gala

***El retablo de las maravillas*, de Cervantes. Els Joglars**

- En la década de los 60, comienza una nueva generación que aprende de los errores anteriores. Como el teatro de Sastre, por ejemplo, no había prosperado, se buscan nuevas técnicas, se persiguen lo grotesco, lo onírico o lo esperpéntico, con el fin de envolver el mensaje social que quiere comunicarse. Los autores se preocupan por nuevos recursos de *atrezzo,* de iluminación y se rompe con la división de escenario/patio de butacas. En esta década, hay tres tendencias claras:

  a) **El teatro comercial** con Antonio Gala.

  b) **El teatro experimental** con autores como Francisco Nieva o Fernando Arrabal.

  c) **El teatro independiente** con grupos como Els Joglars, Els Comediants, La Fura dels Baus, TEM, Los Goliardos, Tábano o Teatro Circo.

- En la década de los 70, se inicia una etapa convulsa en los primeros años, para pasar a la libertad al final de la década. No obstante, el teatro debe luchar contra la competencia de la televisión y del cine, que se han instalado plenamente en la sociedad española. El teatro se convierte entonces en un lujo, en una manifestación artística que depende del gusto de unos pocos. Siguen estrenando los grandes autores de décadas anteriores, Buero Vallejo o Sastre, a los que se une una figura que destaca en estos años, Francisco Nieva, que ofrece un teatro más imaginativo, con una escenografía barroca.

EN BASTANTES OCASIONES, LOS AUTORES UTILIZAN SUBTERFUGIOS O METÁFORAS PARA EVITAR LA CENSURA DE SUS TEXTOS.

Temática del teatro

- Primera etapa:
  - Preocupación por España desde un punto de vista político.
  - La proximidad de la muerte.
  - El miedo a la existencia.
  - El carácter absurdo de la existencia.
  - Presencia de lo irracional frente a lo racional.
  - Imposibilidad de crear un mundo coherente.
  - La soledad del ser humano en el mundo.
- Segunda etapa:
  - El realismo social.
  - Relaciones de poder.
  - Crueldad en el trato entre personas.
  - La soledad del ser humano en una sociedad consumista.
  - En ocasiones, se indaga en la realidad histórica y se retoma el pasado, presentando a los personajes desde una perspectiva moderna.

ENRIQUE JARDIEL PONCELA

01 | Lee estos dos fragmentos de *Eloísa está debajo de un almendro* (1940), de E. Jardiel Poncela.

EMPIEZA LA ACCIÓN

I

ESPECTADOR 4.° ¡Vaya mujeres! *(Al otro)*. ¿Has visto?
ESPECTADOR 5.° ¡Ya, ya! ¡Qué mujeres! *(Hacen mutis por el foro lentamente)*.
ESPECTADOR 6.° ¡Vaya mujeres! *(Se va por el foro)*.
ESPECTADOR 1.° ¡Menudas mujeres!
ESPECTADOR 2.° *(Al 1.°)*. ¿Has visto qué dos mujeres?
ESPECTADOR 1.° Eso te iba a decir, que qué dos mujeres... *(Se vuelven hacia el Espectador 3.°, hablando a un tiempo)*.
ESPECTADOR 3.° Me lo habéis quitado de la boca. ¡Qué dos mujeres! *(Se van los tres por el foro)*.
MARIDO. *(Aparte, al amigo, hablándole al oído)*. ¿Se da usted cuenta de qué dos mujeres?
AMIGO. ¡Ya, ya! ¡Vaya dos mujeres!
ACOMODADOR. *(Mirando a las muchachas)*. ¡Mi madre, qué dos mujeres!
ESPECTADOR 7.° *(Pasando ante las muchachas)*. ¡Vaya mujeres! *(Se va por el foro)*.
MUCHACHA 1.ª *(A la 2.ª, con orgullo y satisfacción)*. Digan lo que quieran, la verdad es que la gracia que hay en Madrid para el piropo no la hay en ningún lado...
MUCHACHA 2.ª *(Convencida también)*. En ningún lado, chica, en ningún lado.
[...]

II

SEÑORA. Es lo que yo digo: que hay gente muy mala por el mundo...
AMIGO. Muy mala, señora Gregoria.
SEÑORA. Y que a perro flaco to son pulgas.
AMIGO. También.
MARIDO. Pero, al fin y al cabo, no hay mal que cien años dure, ¿no cree usted?
AMIGO. Eso, desde luego. Como que después de un día viene otro, y Dios aprieta, pero no ahoga.
MARIDO. ¡Ahí le duele! Claro que agua pasá no mueve molino, pero yo me asocié con el Melecio por aquello de que más ven cuatro ojos que dos y porque lo que uno no piensa al otro se le ocurre. Pero de casta le viene al galgo el ser rabilargo; el padre de Melecio siempre ha sido de los que quítate tú pa ponerme yo, y de tal palo tal astilla, y genio y figura hasta la sepultura. Total: que el tal Melecio empezó a asomar la oreja, y yo a darme cuenta, porque por el humo se sabe dónde está el fuego.
AMIGO. Que lo que ca uno vale a la cara le sale.
SEÑORA. Y que antes se pilla a un embustero que a un cojo.
MARIDO. Eso es. Y como no hay que olvidar que de fuera vendrá quien de casa te echará, yo me dije, digo: «Hasta aquí hemos llegao; se acabó lo que se daba; tanto va el cántaro a la fuente, que al fin se rompe; ca uno en su casa y Dios en la de tos; y a mal tiempo buena cara, y pa luego es tarde, que reirá mejor el que ría el último».
SEÑORA. Y los malos ratos, pasarlos pronto.
MARIDO. ¡Cabal! Conque le abordé al Melecio, porque los hombres hablando se entienden, y le dije: «Las cosas claras y el chocolate espeso: esto pasa de castaño oscuro, así que cruz y raya, y tú por un lao y yo por otro; ahí te quedas, mundo amargo, y si te he visto, no me acuerdo». Y ¿qué le parece que hizo él?
AMIGO. ¿El qué?
MARIDO. Pues contestarme con un refrán.
AMIGO. ¿Que le contestó a usté con un refrán?
MARIDO. *(Indignado)*. ¡Con un refrán!
SEÑORA. *(Más indignada aún)*. ¡Con un refrán, señor Eloy!
AMIGO. ¡Ay, qué tío más cínico!
MARIDO. ¿Qué le parece?
SEÑORA. ¿Será sinvergüenza?
AMIGO. ¡Hombre, ese tío es un canalla, capaz de to!

COMPRENSIÓN LECTORA

02 | Establece las ideas que se dan en la primera escena de la obra. Indícalas por los grupos de actores.

03 | En el fragmento I, ¿por qué creéis que las muchachas dicen que las están piropeando? ¿Conocéis el significado de *piropear?* Consultad el diccionario si es necesario. ¿Os gustaría que os piropearan así? Razonad la respuesta.

DESARROLLO DE LA LENGUA

04 | ¿Qué significan las palabras *cabal, cínico* y *espeso?* Utiliza el diccionario en caso necesario.

05 | ¿Crees que es lo mismo un *sinvergüenza* que un *canalla?* Mira el diccionario y razona la respuesta.

06 | ¿Cuántos refranes se citan en el fragmento II? ¿Los conocéis todos? ¿En tu idioma existe alguno parecido?

07 | Marcad todos los elementos vulgares que se encuentran en el fragmento II. ¿Para qué creéis que sirven?

08 | ¿Qué significa la expresión *hacer mutis por el foro* que aparece en el fragmento I? ¿De qué ámbito procede?

TRABAJO Y PRODUCCIÓN LITERARIOS

09 | En grupos. El teatro de Jardiel Poncela se caracterizó por su fino sentido del humor, por los juegos lingüísticos y por pequeños toques de lo absurdo. Señalad en este fragmento, al menos, dos frases que contengan algunas de estas características.

10 | En parejas, preparad una exposición sobre el comportamiento de los hombres hacia las mujeres en los años 40 y en la actualidad (no más de 800 palabras).

INVESTIGACIÓN LITERARIA

11 | En grupos, buscad información sobre la vida y la obra de Enrique Jardiel Poncela y preparad una presentación para toda la clase.

12 | Bastantes obras de Jardiel Poncela se han llevado al cine. Además, Jardiel Poncela fue guionista de películas. En grupos, investigad cuáles de sus obras han sido adaptadas al cine.

ANTONIO BUERO VALLEJO

01 | Lee estos dos fragmentos de *Historia de una escalera,* de Antonio Buero Vallejo.

EMPIEZA LA ACCIÓN

I

(Un tramo de escalera con dos rellanos, en una casa modesta de vecindad. [...] Nada más levantarse el telón, vemos cruzar y subir fatigosamente al Cobrador de la luz, *portando su grasienta cartera. Se detiene unos segundos para respirar y llama después con los nudillos en las cuatro puertas. Vuelve al I, donde le espera ya en el quicio la* Señora Generosa: *una pobre mujer de unos cincuenta y pico años).*

Cobrador. La luz. Dos pesetas. *(Le tiende el recibo. La puerta III se abre y aparece* Paca, *mujer de unos cincuenta años, gorda y de ademanes desenvueltos. El* Cobrador *repite, tendiéndole el recibo).* La luz. Cuatro diez.

Paca. ¡Ya, ya! *(Al* Cobrador*).* ¿Es que no saben hacer otra cosa que elevar la tarifa? ¡Menuda ladronera es la Compañía! ¡Les debía dar vergüenza chuparnos la sangre de esa manera! *(El* Cobrador *se encoje de hombros).* ¡Y todavía se ríe!

Cobrador. No me río, señora. *(A* Elvira *que abrió la puerta II).* Buenos días. La luz. Seis setenta y cinco.

PACA. *(Se ríe por dentro)*. ¡Buenos pájaros son todos ustedes! Esto se arreglaría como dice mi hijo Urbano: tirando a más de cuatro por el hueco de la escalera.
COBRADOR. Mire lo que dice, señora. Y no falte.
PACA. ¡Cochinos!
COBRADOR. Bueno, ¿me paga o no? Tengo prisa.
PACA. ¡Ya va, hombre! Se aprovechan de que una no es nadie, que si no…
(Se mete rezongando. GENEROSA sale y paga al COBRADOR. Después cierra la puerta. El COBRADOR aporrea otra vez el IV, que es abierto inmediatamente por DOÑA ASUNCIÓN, señora de luto, delgada y consumida).
COBRADOR. La luz. Tres veinte.
DOÑA ASUNCIÓN. *(Cogiendo el recibo)*. Sí, claro… Buenos días. Espere un momento, por favor. Voy adentro… *(Se mete. PACA sale refunfuñando, mientras cuenta las monedas)*.
PACA. ¡Ahí, va! *(Se las da de golpe)*.
COBRADOR. *(Después de contarlas)*. Está bien.
PACA. ¡Está muy mal! ¡A ver si hay suerte, hombre, al bajar la escalera! *(Cierra con un portazo)*.

II

FERNANDO. Carmina.
CARMINA. Déjeme…
FERNANDO. No, Carmina. Me huyes constantemente y esta vez tienes que escucharme.
CARMINA. Por favor. Fernando… ¡Suélteme!
FERNANDO. Cuando éramos chicos nos tuteábamos… ¿Por qué no me tuteas ahora? ¿Ya no te acuerdas de aquel tiempo? Yo era tu novio y tú eras mi novia… Mi novia… Y nos sentábamos aquí *(Señalando a los peldaños)*, en ese escalón, cansados de jugar…, a seguir jugando a los novios.
CARMINA. Cállese.
FERNANDO. Entonces me tuteabas y… me querías.
CARMINA. Era una niña… Ya no me acuerdo.
FERNANDO. Eras una mujercita preciosa. Y sigues siéndolo. Y no puedes haber olvidado. ¡Yo no he olvidado! Carmina, aquel tiempo es el único recuerdo maravilloso que conservo en medio de la sordidez en que vivimos. Y quería decirte… que siempre… has sido para mí lo que eras antes.
CARMINA. ¡No te burles de mí!
FERNANDO. ¡Te lo juro!
CARMINA. ¿Y todas… esas con quien has paseado y… que has besado?
FERNANDO. Tienes razón. Comprendo que no me creas. Pero un hombre… Es muy difícil de explicar. A ti, precisamente, no podía hablarte…, ni besarte… ¡Porque te quería, te quería y te quiero!
CARMINA. No puedo creerte. *(Intenta marcharse)*.
FERNANDO. No, no. Te lo suplico. No te marches. Es preciso que me oigas y que me creas. Ven. *(La lleva al primer peldaño)*. Como entonces.
(Con un ligero forcejeo la obliga a sentarse contra la pared y se sienta a su lado. Le quita la lechera y la deja junto a él. Le coge una mano).
CARMINA. ¡Si nos ven!
FERNANDO. ¡Qué nos importa! Carmina, por favor, créeme. No puedo vivir sin ti. Estoy desesperado. Me ahoga la ordinariez que nos rodea. Necesito que me quieras y que me consueles. Si no me ayudas, no podré salir adelante.
CARMINA. ¿Por qué no se lo pides a Elvira? *(Pausa. Él la mira, excitado y alegre)*.
FERNANDO. ¡Me quieres! ¡Lo sabía! ¡Tenías que quererme! *(Le levanta la cabeza. Ella sonríe involuntariamente)*. ¡Carmina, mi Carmina! *(Va a besarla, pero ella le detiene)*.
CARMINA. ¿Y Elvira?
FERNANDO. ¡La detesto! Quiere cazarme con su dinero. ¡No la puedo ver!
CARMINA. *(Con una risita)*. ¡Yo tampoco! *(Ríen, felices)*.
FERNANDO. Ahora tendría que preguntarte yo: ¿Y Urbano?
CARMINA. ¡Es un buen chico! ¡Yo estoy loca por él! *(FERNANDO se enfurruña)*. ¡Tonto!
FERNANDO. *(Abrazándola por el talle)*. Carmina, desde mañana voy a trabajar de firme por ti. Quiero salir de esta pobreza, de este sucio ambiente. Salir y sacarte a ti. Dejar para siempre los chismorreos, las broncas entre vecinos… Acabar con la angustia del dinero escaso, de los favores que abochornan como una bofetada, de los padres que nos abruman con su torpeza y su cariño servil, irracional…
CARMINA. *(Represiva)*. ¡Fernando!
FERNANDO. Sí. Acabar con todo esto. ¡Ayúdame tú! Escucha: voy a estudiar mucho, ¿sabes? Mucho. Primero me haré delineante. ¡Eso es fácil! En un año… Como para entonces ya ganaré bastante, estudiaré para aparejador. Tres años. Dentro de cuatro años seré un aparejador solicitado por todos los arquitectos. Ganaré mucho dinero. Por entonces tú serás mi mujercita, y viviremos en otro barrio, en un pisito limpio y tranquilo. Yo seguiré estudiando. ¿Quién sabe? Puede que para entonces me haga ingeniero. Y como una cosa no es compatible con la otra, publicaré un libro de poesías, un libro que tendrá mucho éxito…
CARMINA. *(Que le ha escuchado extasiada)*. ¡Qué felices seremos!
FERNANDO. ¡Carmina!
(Se inclina para besarla y da un golpe con el pie a la lechera, que se derrama estrepitosamente. Temblorosos, se levantan los dos y miran, asombrados, la gran mancha blanca en el suelo).

COMPRENSIÓN LECTORA

02 | ¿Cuál es la idea esencial de la primera parte? ¿Qué puede significar la escalera, lugar donde se desarrolla la acción de esta obra?

03 | ¿A qué tipo de teatro pertenece esta obra? ¿Qué características aprecias en los dos fragmentos?

04 | El segundo fragmento de Buero Vallejo presenta la conversación (y declaración de amor) de Fernando a Carmina. ¿Consideras que la escalera es el lugar más romántico para ellos? ¿Por qué crees que tiene lugar en la escalera?

DESARROLLO DE LA LENGUA

05 | ¿Cuál es el significado de las palabras *pico, menuda* y *vergüenza* en el contexto en que aparecen? Consulta el diccionario si es necesario.

06 | ¿Por qué dice Paca *buenos pájaros son todos ustedes?* ¿Qué significa *ser un pájaro?* Indica otras tres expresiones con animales para describir a alguien.

07 | Indica qué otro tiempo verbal puede sustituir a *debía* en la oración *Les debía dar vergüenza chuparnos la sangre*, sin cambiar el sentido.

Antonio Buero Vallejo

TRABAJO Y PRODUCCIÓN LITERARIOS

08 | En parejas, los sueños y proyectos que cuenta Fernando se ven interrumpidos por el derramamiento de la leche. Ahí acaba el acto primero. ¿Qué significado tiene que la leche se derrame? ¿Os recuerda a alguna obra que ya habéis estudiado? Hay muchas en la literatura. Citad, al menos, tres.

09 | En grupos, preparad notas sobre la situación social de España de esa época (que puede darse en cualquier otro país) y estableced un decálogo de medidas sociales para salir de la misma.

INVESTIGACIÓN LITERARIA

10 | En grupos, buscad información sobre Antonio Buero Vallejo, preparad su biografía y el resumen de sus obras, para presentarlo a todos vuestros compañeros. Recomendamos el visionado del programa *Imprenscindibles* dedicado a Buero Vallejo en Radio Televisión Española en www.rtve.es/television/imprenscindibles. Indicad qué información sobre él os ha parecido más curiosa.

MIGUEL MIHURA

01 | Lee este fragmento de *Tres sombreros de copa,* de Miguel Mihura.

ACTO TERCERO

DIONISIO. Sí... Ya voy... *(Abre. Entra DON SACRAMENTO, con levita, sombrero de copa y un paraguas)*. ¡Don Sacramento!

DON SACRAMENTO. ¡Caballero! ¡Mi niña está triste! Mi niña, cien veces llamó por teléfono, sin que usted contestase a sus llamadas. La niña está triste y la niña llora. La niña pensó que usted se había muerto. La niña está pálida... ¿Por qué martiriza usted a mi pobre niña?...

DIONISIO. Yo salí a la calle, don Sacramento... Me dolía la cabeza... No podía dormir... Salí a pasear bajo la lluvia. Y en la misma calle, di dos o tres vueltas... Por eso yo no oí que ella me llamaba... ¡Pobre Margarita!... ¡Cómo habrá sufrido!

DON SACRAMENTO. La niña está triste. La niña está triste y la niña llora. La niña está pálida. ¿Por qué martiriza usted a mi pobre niña?

DIONISIO. Don Sacramento... Ya se lo he dicho... Yo salí a la calle... No podía dormir.

DON SACRAMENTO. La niña se desmayó en el sofá malva de la sala rosa... ¡Ella creyó que usted se había muerto! ¿Por qué salió usted a la calle a pasear bajo la lluvia?...

DIONISIO. Me dolía la cabeza, don Sacramento...

DON SACRAMENTO. ¡Las personas decentes no salen por la noche a pasear bajo la lluvia...! ¡Usted es un bohemio, caballero!

DIONISIO. No, señor.

DON SACRAMENTO. ¡Sí! ¡Usted es un bohemio, caballero! ¡Solo los bohemios salen a pasear de noche por las calles!

DIONISIO. ¡Pero es que me dolía mucho la cabeza!

DON SACRAMENTO. Usted debió ponerse dos ruedas de patata en las sienes...

DIONISIO. Yo no tenía patatas...

DON SACRAMENTO. Las personas decentes deben llevar siempre patatas en los bolsillos, caballero... Y también deben llevar tafetán para las heridas... Juraría que usted no lleva tafetán...

DIONISIO. No, señor.

DON SACRAMENTO. ¿Lo está usted viendo? ¡Usted es un bohemio, caballero! Cuando usted se case con la niña, usted no podrá ser tan desordenado en el vivir. ¿Por qué está así este cuarto? ¿Por qué hay lana de colchón en el suelo? ¿Por qué hay papeles? ¿Por qué hay latas de sardinas vacías? [...]

DIONISIO. Los cuartos de los hoteles modestos son así... Y este es un hotel modesto... ¡Usted lo comprenderá, don Sacramento!...

DON SACRAMENTO. Yo no comprendo nada. Yo no he estado nunca en ningún hotel. En los hoteles solo están los grandes estafadores europeos y las vampiresas internacionales. Las personas decentes están en sus casas y reciben a sus visitas en el gabinete azul, en donde hay muebles dorados y antiguos retratos de familia... ¿Por qué no ha puesto usted en este cuarto los retratos de su familia, caballero?

DIONISIO. Yo solo pienso estar aquí esta noche...

DON SACRAMENTO. ¡No importa, caballero! [...] ¡Usted debió poner también el retrato de un niño en traje de primera comunión!

DIONISIO. Pero ¿qué niño iba a poner?

DON SACRAMENTO. ¡Eso no importa! ¡Da lo mismo! Un niño. ¡Un niño cualquiera! ¡Hay muchos niños! ¡El mundo está lleno de niños de primera comunión!... Y también debió usted poner cromos... ¿Por qué no ha puesto usted cromos? ¡Los cromos son preciosos! ¡En todas las casas hay cromos! «Romeo y Julieta hablando por el balcón de su jardín», «Jesús orando en el Huerto de los Olivos», «Napoleón Bonaparte, en su destierro de la isla de Santa Elena» ... *(En otro tono, con admiración)*. Qué gran hombre Napoleón, ¿verdad?

DIONISIO. Sí. Era muy belicoso. ¿Era ese que llevaba siempre así la mano? *(Se mete la mano en el pecho)*.

DON SACRAMENTO. *(Imitando la postura)*. Efectivamente, llevaba siempre así la mano...

DIONISIO. ¡Debía de ser muy difícil!, ¿verdad?

DON SACRAMENTO. *(Con los ojos en blanco)*. ¡Solo un hombre como él podía llevar siempre así la mano!

DIONISIO. *(Poniéndose la otra mano en la espalda)*. Y la otra la llevaba así...

DON SACRAMENTO. *(Haciendo lo mismo)*. Efectivamente, así la llevaba.

DIONISIO. ¡Qué hombre!

DON SACRAMENTO. ¡Napoleón Bonaparte! [...] Usted tendrá que ser ordenado... ¡Usted vivirá en mi casa, y mi casa es una casa honrada! ¡Usted no podrá salir por las noches a pasear bajo la lluvia! Usted, además, tendrá que levantarse a las seis y cuarto para desayunar a las seis y media un huevo frito con pan...

DIONISIO. A mí no me gustan los huevos fritos...

DON SACRAMENTO. ¡A las personas honorables les tienen que gustar los huevos fritos, señor mío! Toda mi familia ha tomado siempre huevos fritos para desayunar... Solo los bohemios toman café con leche y pan con manteca.

DIONISIO. Pero es que a mí me gustan más pasados por agua... ¿No me los podían ustedes hacer a mí pasados por agua?

DON SACRAMENTO. No sé. No sé. Eso lo tendremos que consultar con mi señora. Si ella lo permite, yo no pondré inconveniente alguno. ¡Pero le advierto a usted que mi señora no tolera caprichos con la comida!

DIONISIO. *(Ya casi llorando)*. ¡Pero yo qué le voy a hacer si me gustan más pasados por agua, hombre!

DON SACRAMENTO. Nada de cines, ¿eh? Nada de teatros. Nada de bohemia... A las siete, la cena. [...] La niña los domingos, tocará el piano, Dionisio... Tocará el piano, y quizá, quizá, si estamos en vena, quizá recibamos alguna visita... Personas honradas, desde luego... Por ejemplo, haré que vaya el señor Smith... Usted se hará enseguida amigo suyo y pasará charlando con él muy buenos ratos... El señor Smith es una persona muy conocida... Su retrato ha aparecido en todos los periódicos del mundo... ¡Es el centenario más famoso de la población! Acaba de cumplir ciento veinte años y aún conserva cinco dientes... ¡Usted se pasará hablando con él toda la noche!... Y también irá su señora...

DIONISIO. ¿Y cuántos dientes tiene su señora?

DON SACRAMENTO. ¡Oh, ella no tiene ninguno! Los perdió todos cuando se cayó por aquella escalera y quedó paralítica para toda su vida, sin poderse levantar de su sillón de ruedas... ¡Usted pasará grandes ratos charlando con este matrimonio encantador!

DIONISIO. Pero ¿y si se me mueren cuando estoy hablando con ellos? ¿Qué hago yo, Dios mío?

DON SACRAMENTO. ¡Los centenarios no se mueren nunca! ¡Entonces no tendrían ningún mérito, caballero...

COMPRENSIÓN LECTORA

02 | Señala las características que destacan en este fragmento. ¿Piensas que los diálogos son normales o te parecen un poco ridículos?

03 | ¿Por qué crees que el personaje de don Sacramento insiste tanto en cómo debe ser un hotel decente, una familia decente o una persona decente?

DESARROLLO DE LA LENGUA

04 | ¿Qué significan las palabras *belicoso, destierro* y *orar?* ¿Qué quiere decir la frase *Mi señora no tolera caprichos con la comida?* Consulta el diccionario.

05 | En parejas. ¿Creéis que significan lo mismo *belicoso, combativo* y *beligerante?* Redactad tres frases en las que puedan ser sinónimos y tres frases en las que solo pueda usarse uno de los tres.

06 | *Tafetán* es una tela fina de seda. Indicad otros cuatro tipos de tejido o componente para hacer una prenda de vestir.

TRABAJO Y PRODUCCIÓN LITERARIOS

07 | En parejas, ¿la descripción que realiza don Dionisio de su hija Margarita os recuerda a algunas obras que ya habéis estudiado? Buscad información sobre *una princesa triste ... y una niña llamada Margarita.* Os damos una pista: son del mismo autor.

08 | Después, redactad un diálogo entre un profesor y un alumno que tenga rasgos del teatro del absurdo. Luego, representadlo ante vuestros compañeros. ¿Qué pareja ha sido la más divertida?

INVESTIGACIÓN LITERARIA

09 | Buscad información sobre la vida y la obra de Miguel Mihura, haciendo especial mención a esta obra. Después preparad una presentación para exponerla en clase.

10 | Indagad sobre el teatro del absurdo y redactad una presentación. Hablad de sus autores más representativos, de sus países de origen y de cómo se desarrolló en España.

11 | En grupos, ¿conocéis autores en vuestros países que también cultivaron el teatro del absurdo? Si es así, ¿cuáles?

LAURO OLMO

01 | Lee estos dos fragmentos del acto primero de la obra *La camisa*, de Lauro Olmo.

I

ABUELA. *(Tendiendo)*. ¿Qué pensará hacer este hombre sin camisa? ¡Qué tiempos estos!
AGUSTINILLO. Abuela.
ABUELA. *(Sin hacer caso, sigue monologando)*. Hasta tres cuerdas de ropa llenaba yo. Y es que había brazo, tajo y ganas de arremeterle al mundo.
AGUSTINILLO. Abuela.
ABUELA. *(Igual)*. Sus malos ratos costaba, claro está. Pero los hombres se han hecho pa eso: pa los buenos y pa los malos ratos. [...]
AGUSTINILLO. Abuela.
ABUELA. *(Acabando de tender)*. ¡Abuela! ¡Abuela! ¿Qué quieres?
AGUSTINILLO. Solo dos perrillas, abuela.
ABUELA. ¿Y de dónde quieres que las saque?
AGUSTINILLO. ¿Te lo digo?
ABUELA. ¡Condenao! ¡Ya has vuelto a espiarme!
AGUSTINILLO. No se lo he dicho a nadie. Y si me das las dos perrillas...
ABUELA. *(Furiosa)*. ¡Dos mordiscos en las entrañas te voy a dar yo a ti!
AGUSTINILLO. Escucha, abuela. Solo nos hace falta dos perrillas pa...
ABUELA. *(Enfrentándose)*. ¿Pa qué?
AGUSTINILLO. Pa comprar unos petardos.
ABUELA. *(Indignada)* ¿Petardos? ¿Es que no sabes que tu padre anda sin camisa? Mira, mamarracho *(le señala, una por una, todas las prendas)*, calzoncillos, calcetines, pañuelo y pantalón; pero ¿y la camisa?, ¿dónde está la camisa? ¡Y tú, pensando en comprar petardos!... Reúne, reúne pa la camisa de tu padre, que pueda presentarse ante el capitoste ese. ¡Y déjate de petardos! *(Coge el cubo donde tenía la ropa y se mete en la chabola)*.
AGUSTINILLO. *(A NACHO)*. En un calcetín amarillo guarda su dinero. No da ná a nadie. Dice que es pa su entierro.
NACHO. ¡Vaya una vieja!
AGUSTINILLO. ¿Y sabes dónde los esconde?
NACHO. Debajo de un ladrillo, ¿no?
AGUSTINILLO. No. Lo lleva dentro de ella, sujeto con imperdibles.
NACHO. [...] Oye, ¿es verdad que tu padre no tie camisa?
AGUSTINILLO. Sí tiene, pero son de color. Y dice mi madre que pa ir a ver a no sé quién debe ir con camisa blanca y corbata. ¿Es de marica eso?

II

ABUELA. ¿Qué?
JUAN. De vacío, abuela. ¿Y su hija?
ABUELA. Se ha ido con la niña a por unos tomates.
JUAN. Mañana iré al Rastro a echar un vistazo. Su hija tie razón en lo de la camisa. Hay que aparentar un poco, si no...
ABUELA. ¡Natural, hijo! [...]
JUAN. ¿Ha venío el Sebas por aquí?
ABUELA. No, no ha venido nadie. El que se va es el Manolo, el de la Luisa. Le ha escrito su primo desde Ginebra; le dice que allí hay tajo pa él. Se está yendo mucha gente, ¿sabes? Pa Alemania los más. La que ha mandado una carta entusiasmá es la Reme. Esa se ha ido a servir a Londres y dice que el pan anda tirao. Pue ser... Oye, ¿por qué no embarcas a la Lola? ¡A puños esperan esos países criás pa servir! Primero, ella, y luego una vez instalá, arrancas tú con los chicos. *(Yendo hacia JUAN)*. Pero ¿qué te pasa, Juan? ¿Estás llorando?
JUAN. No es na, abuela.
ABUELA. Hijo.
JUAN. Déjeme, abuela. ¡Déjeme! Esto pasa de vez en cuando.
ABUELA. Escucha...
JUAN. *(Dando un puñetazo sobre la mesa)*. ¡Déjeme en paz!

COMPRENSIÓN LECTORA

02 | Señala qué características de la época observas en estos fragmentos y extrae algunos ejemplos.

03 | ¿Por qué considera la abuela tan importante una camisa blanca?

04 | Leyendo los textos, ¿a qué clase social consideras que pertenecen los personajes? Razona la respuesta.

DESARROLLO DE LA LENGUA

05 | En parejas. En los fragmentos, hay muchos vulgarismos tanto léxicos como relativos a la pronunciación, propios del lenguaje coloquial. Señaladlos. ¿Cómo se diría de forma correcta en un registro estándar o culto?

06 | Indicad el significado de *imperdibles, marica* y *de vacío.* Consultad el diccionario en caso necesario.

07 | En el fragmento II, se dice: *Esa se ha ido a servir a Londres...* ¿A qué se refiere en este contexto el verbo *servir?*

TRABAJO Y PRODUCCIÓN LITERARIOS

08 | En parejas, pensad en una pequeña escena y elaborad un texto imitando el estilo y el lenguaje de los fragmentos extraídos de la obra de Lauro Olmo.

09 | Ahora, representad la escena ante vuestros compañeros. ¿Cuál es la más divertida? ¿Y cuál presenta una situación social más difícil y pobre?

INVESTIGACIÓN LITERARIA

10 | En grupos, buscad información sobre Lauro Olmo y sobre **FERMÍN CABAL**. Redactad sus biografías y comprobad en qué coinciden y en qué se diferencian. Luego preparad una presentación para vuestros compañeros e indicad en ella cuál de los dos autores os parece más interesante y por qué.

11 | Lee ahora este fragmento de la obra *La carroza de plomo candente*, de **Francisco Nieva**, otro autor de la época.

Frasquito. ¡Majestad! ¡Majestad! No se encuentra peor hora en todos los relojes. ¿Tenéis miedo, Majestad?
Luis. ¿Eres tú, Frasquito? Creí que no venías. ¡Ay, qué susto me has dado! ¿Y a qué viene eso de llamarme Majestad? No bromees bajo los truenos, que dicen que con eso se caen las pestañas.
Frasquito. En toda conciencia lo repito, Majestad. Vuestro padre terminará por morirse esta noche, ya es cosa segura.
Luis. Dios tenga piedad de su alma, la pobrecilla. Pero no me lo creo. No me creo nada de lo que me cuentes. Le he visto cenar muy bien, eructar tres veces y hasta reírse mucho por haberse pillado con la puerta la cola del camisón. ¡Ay, Señor, qué noche! ¿Qué está sucediendo en Madrid?
Frasquito. Una Babilonia de nubes que se hunde. El almanaque lo anunciaba y no se ha equivocado: la noche del 40 de mayo un rey muy famoso entregará su alma a Dios, mientras el fantasma de Babilonia reventará en los cielos. Morirán muchos gatos y se hundirán cientos de chimeneas.
Luis. ¡Guasón! ¿Quién te ha visto entrar?
Frasquito. Nadie. Estas llamas de las velas venían tan encogidas, que es como si hubiese venido a oscuras. El temperamento de los aires las tenía achantadas y solo han cobrado algo de valor al entrar en el aposento. Una vela también se asusta en noches como estas. Miradlo si no. *(Pone el candelabro sobre una mesa y hace un aspaviento delante de él)*. ¡Uuuu! ¡Malditas!
(El candelabro casi se apaga y la escena se oscurece).
Luis. ¡Calla! ¡Pues es verdad! Qué impresionables son las llamas. Les sucede lo que a mí. Me siento muy apagado. ¡Tengo miedo! Desde luego, algo espantoso debe suceder esta noche.
Frasquito. Si no ha sucedido ya, Majestad. La muerte ha llegado con todos sus malos intestinos en oleaje y se ha llevado a vuestro padre. Sois rey. Sois Luis III por la gracia y buen detalle de Dios, que tiene esas atenciones.
Luis. Vete al cuerno, Frasquito; los calendarios también se equivocan.
Frasquito. Los españoles siempre hemos creído en los calendarios. No hay que creer en los periódicos. Los calendarios no marran una. Cuando menos, dicen el Santo, cómo va de mordida la Luna, un buen consejo y, a veces, traen copla. Os digo que vuestro padre ha muerto en la oscuridad de la noche sin que nadie le eche una mano. Os deja muy huérfano, Majestad, en los brazos de una madrastra de nación que os va a pedir cuentas de todo. ¡Pobres de nosotros! Se acabó el jolgorio, se acabaron las

juergas con violines con pajaritos mecánicos, el jugar a las prendas [...] *(Un trueno tremendo, las luces se apagan)*.
Luis. ¡Cielos, qué susto! ¡Frasquito! ¡Frasquito! Llevas razón. Esto anuncia una catástrofe.
Frasquito. ¡Si cuando yo lo digo...! Y además nos hemos quedado a oscuras.
Luis. Ay, Frasquito, y ahora, ¿qué hacemos?
Frasquito. Esperar que estas desgraciadas bujías vuelvan en sí. No os preocupéis, que el fuego lo llevan por dentro. ¿Lo veis? Ya empiezan a despuntar.
Luis. *(Santiguándose aterrorizado)*. Esto que sucede no es normal. Lleva razón el calendario.
Frasquito. ¿Y cómo, si no? Lo escribió un faraón rencoroso para divertirse a costa de España. [...] Yo tiemblo de miedo. ¿Sería mucho pedir que Su Majestad me admitiese entre sus sábanas? Así podríamos meditar mejor en las medidas que se han de tomar de aquí a mañana.
Luis. Eres muy fresco, barbero, pero anda, quítate los zapatos y ven a mi lado. Dame un poco de calor, que estoy aterido. *(Frasquito se desprende de los zapatos y entra en la cama)*. ¿Qué tal te encuentras?
Frasquito. *(Extrañado)*. ¡Caramba! ¿Qué hay aquí dentro?
Luis. Mi gata Dominga y sus tres crías. No puedo dormir sin ellos y ellos sin mí.
Frasquito. ¡La Monarquía ideal! Reinar sobre cuatro gatos.
Luis. ¡Si solo fuera eso! Pero la Dominga es fecundativa como ella sola.
Frasquito. Es verdad. ¡Qué fácilmente se preña una gata! ¿Cuántos michos lleva ya repartidos por el mundo?
Luis. Los expulsa con la fuerza y la cantidad del granizo. Se le forman en el vientre verdaderas tempestades de gatos.

12 | Señala qué características de la época ves en este fragmento.

13 | ¿Por qué se sorprende Luis de las palabras de Frasquito y no de que llegue en medio de la noche? ¿Qué sucede con las velas?

14 | Indica el significado de *marrar, almanaque, achantar* y *a costa de.* Compruébalo en el diccionario.

15 | Busca antónimos para las palabras *rencoroso, fresco* e *inocente,* según el significado que tienen en el contexto en el que aparecen en el texto.

16 | ¿Por qué el autor alude a la ciudad de Babilonia en este fragmento? ¿Qué referencias literarias tiene?

17 | ¿Se utiliza alguna figura retórica en este fragmento? Señala algunos ejemplos.

18 | En grupos, buscad información sobre la trayectoria literaria de Francisco Nieva y sobre el Teatro Furioso, denominación de Nieva para algunas de sus obras. Preparad una presentación para exponerla en clase.

19 | En grupos, comparad la producción dramática de Francisco Nieva con la obra de Alfonso Sastre. ¿Creéis que son equiparables?

¿Cuánto sabes?

AUTOEVALUACIÓN

✓ **Lee y marca verdadero (V) o falso (F).**

	V	F
a. Jacinto Benavente siguió estrenando obras de éxito en la década de los 40.	☐	☐
b. Buero Vallejo influyó muy poco en la década de los 40.	☐	☐
c. El teatro de los 40 apenas manifestaba el humor.	☐	☐
d. El público de la década de los 40 quería obras destinadas a reflexionar sobre la sociedad y los problemas del ser humano.	☐	☐
e. Se alababan glorias y héroes pasados en las obras de los años 40.	☐	☐
f. Jardiel Poncela no volvió a estrenar tras la guerra civil española.	☐	☐
g. No había censura en el teatro de los 40.	☐	☐
h. El teatro de la década de los 50 refleja el drama social.	☐	☐
i. En los 70 se inicia la innovación teatral con la intertextualidad.	☐	☐
j. La obra de Miguel Mihura no es muy extensa.	☐	☐
k. En los 40, el teatro se reinventa y surgen grupos renovadores.	☐	☐
l. El teatro compite con el cine y la televisión en la década de los 60.	☐	☐
m. El público de los 60 quería obras innovadoras.	☐	☐
n. Las obras teatrales de los 60 y 70 son costumbristas.	☐	☐
ñ. Buero Vallejo y Jardiel Poncela son coetáneos.	☐	☐
o. Lauro Olmo está dentro de la corriente del realismo social.	☐	☐
p. Los dramaturgos de los 70 son todos, además, teóricos del teatro.	☐	☐
q. Francisco Nieva refleja la influencia de los esperpentos de Valle-Inclán.	☐	☐
r. No había censura en el teatro de los años 60 y 70.	☐	☐

unidad

12

Contexto histórico

- **Década Infame en Argentina** (1930-1943)
- **Guerra del Chaco entre Bolivia y Paraguay** (1932-1935)
- **Guerra civil española** (1936-1939)
- **Dictadura del general Francisco Franco** (1939-1975)
- **Exilio de los republicanos españoles antes, durante y después de la guerra a diversos países hispanoamericanos:** Argentina, Chile, Colombia, Cuba, México o Venezuela
- **Segunda Guerra Mundial** (1939-1945)
- **Primer congreso indigenista interamericano** (1940)
- **Guerra del 41 entre Ecuador y Perú** (1941-1942)
- **Guerra Fría** (1945-1991):
  - Revolución cubana (1953-1959)
  - Fidel Castro toma el poder en Cuba (1959)
  - Guerra civil de Guatemala (1960-1996)
- **Creación de la Organización de los Estados Americanos** (1948)
- **Dictadura en Paraguay tras un golpe de Estado militar** (1954-1989)
- **El primer peronismo en Argentina** (1946-1955)

La lucha de clases, de D. Rivera. Palacio Nacional, México

El siglo xx

LA LITERATURA HISPANOAMERICANA DESDE LOS AÑOS 20 HASTA 1960

Contexto artístico

- **Indigenismo artístico**
- **Muralismo mexicano**
- **Realismo mágico**
- **Pintura y escultura**
  - Diego Rivera (1886-1957)
  - Wilfredo Lam (1902-1982)
  - Antonio Berni (1905-1981)
  - Frida Kahlo (1907-1954)
  - Remedios Varo (1908- 1963)
  - Roberto Matta (1911-2002)
  - Eduardo Kingman (1913-1997)
  - Fernando de Szyszlo (1925-2017)
  - Fernando Botero (1932)
  - Antonio Seguí (1934)
- **Música**
  - Carlos Gardel (1890-1935)
  - Alberto Ginastera (1916-1983)
  - Astor Piazzolla (1921-1992)

Gato, de F. Botero, en Barcelona

Estación de metro de Carlos Gardel en Buenos Aires, Argentina

Museo de Frida Kahlo, en México

LA LITERATURA HISPANOAMERICANA DESDE LOS AÑOS 20 HASTA 1960

Al haber trascurrido casi un siglo de su independencia de España, la producción literaria de los distintos países del ámbito hispánico manifiesta una gran personalidad, aunque hay tendencias comunes.

Características básicas

- A pesar de la influencia de la antigua metrópoli, los escritores hispanoamericanos también vuelven sus ojos a las novedades europeas, que influyen en su producción artística.
- La literatura hispanoamericana de esta época, al igual que en España, sigue las mismas etapas de los principales movimientos europeos. Así, las vanguardias y el posmodernismo se verán reflejados en las primeras obras de la década de los veinte y de los treinta.
- **La poesía** hispanoamericana tendrá tres vertientes muy diferenciadas. Son las siguientes:
  - **Una poesía intimista,** centrada en los sentimientos humanos y caracterizada por la sencillez y la emotividad, como respuesta al movimiento modernista. Destacan autoras como Gabriela Mistral (1889-1975), Alfonsina Storni (1892-1938) o un poco después Julia de Burgos (1914-1953).
  - **Una poesía vanguardista,** deudora de la corriente europea, donde se encuentran Jorge Luis Borges (1899-1986), Pablo Neruda (1904-1973), César Vallejo (1892-1938) o Vicente Huidobro (1893-1948).
  - **Una poesía afroamericana,** que surge en Centroamérica, donde se entremezclan rasgos españoles y folclore africano, llena de ritmo y musicalidad. Destaca Nicolás Guillén (1902-1989).
- **La narrativa** de este periodo muestra 2 etapas:
  - Una etapa con una prosa de índole regionalista (se sigue el modelo del realismo y naturalismo anterior), cuyos temas van desde el indigenismo, costumbrismo y mundo rural hasta la lucha del ser humano con la naturaleza o problemas políticos. Ejemplos de esta prosa son Rómulo Gallegos (1884-1969) o Ricardo Güiraldes (1886-1927).
  - Otra etapa que inicia la renovación de la narrativa, con temas rurales también, pero ya de denuncia social y política y donde se adentra también en temas existenciales. Incluso se entremezclan realidad y fantasía, que dará origen al denominado realismo mágico, cuya influencia posterior será inmensa. En este periodo destacan autores como Miguel Ángel Asturias (1899-1974), Arturo Uslar Pietri (1906-2001), Adolfo Bioy Casares (1914-1999), Juan Rulfo (1917-1986) o Juan Carlos Onetti (1909-1994).
- El **teatro** de esta época muestra las mismas tendencias que la narrativa y la poesía, pero su influencia en Europa o España es menor.

Adolfo Bioy Casares

Autores destacables

Rómulo Gallegos, Jorge Luis Borges, Miguel Ángel Asturias, Alejo Carpentier, Gabriela Mistral, Alfonsina Storni, Pablo Neruda, Julia de Burgos, Juan Rulfo, César Vallejo, Bioy Casares, J. C. Onetti, Vicente Huidobro, Nicolás Guillén y Uslar Pietri

COMO COMPARTEN LA MISMA LENGUA, LOS ESCRITORES HISPANOAMERICANOS NO PUEDEN EVITAR LA INFLUENCIA DE LA TRADICIÓN LITERARIA QUE LES SIRVE DE BASE.

La maestría de la poesía de César Vallejo

◆ Entre los poetas del siglo xx, se encuentra el peruano César Vallejo (1892-1938). Con su obra *Trilce* (1922) aparece un lenguaje poético propio que supone una ruptura en la forma de hacer y entender la poesía y que coincide con la aparición de las vanguardias. La crítica de entonces se burló de la estética de los poemas, pero ahora esta obra está incluida entre los libros de poesía más radicales escritos en español.

◆ En sus dos obras póstumas *Poemas humanos* y *España, aparta de mí este cáliz* (1939), la poesía tiene un carácter más social. Es su etapa de realismo socialista. *Poemas humanos* muestra la solidaridad como eje fundamental para el progreso de la sociedad. La crítica considera esta obra lo mejor de su producción y lo que le da ese carácter universal a la poesía de Vallejo. *España, aparta de mí este cáliz* gira en torno al conflicto de la guerra civil española.

El mundo mágico de *Pedro Páramo*

◆ El escritor mexicano Juan Rulfo (1917-1986) destaca como un gran prosista de la literatura hispanoamericana del siglo xx y se le reconoce su aportación al realismo mágico, gracias a su peculiar universo y su experimentación narrativa. Todo ello lo consiguió con una obra corta, pero impactante, en la que destacan un libro de cuentos, *El llano en llamas* (1953), y una novela corta, *Pedro Páramo* (1959). La novela cuenta cómo el protagonista, Juan Preciado, va en busca de su padre, Pedro Páramo, hasta el pueblo mexicano de Comala, un lugar desierto, misterioso, sin vida. Allí, las voces de los habitantes le hablan y reconstruyen el pasado del pueblo y de su cacique, el temible Pedro Páramo. Pasado un tiempo, Pedro Páramo se da cuenta por fin de que, en realidad, todas las personas están muertas. Él muere también, pero la novela sigue su curso, con nuevos monólogos y conversaciones entre difuntos.

◆ La novela está escrita en forma laberíntica porque hay que ir uniendo hechos ya que se habla de dos mundos: el mundo de Juan Preciado y el de Pedro Páramo que se entrelazan en la narración.

JORGE LUIS BORGES

01 | Lee ahora este poema de Borges llamado «Arte poética».

Mirar el río hecho de tiempo y agua
y recordar que el tiempo es otro río,
saber que nos perdemos como el río
y que los rostros pasan como el agua.

Sentir que la vigilia es otro sueño
que sueña no soñar y que la muerte
que teme nuestra carne es esa muerte
de cada noche, que se llama sueño.

Ver en el día o en el año un símbolo
de los días del hombre y de sus años,
convertir el ultraje de los años
en una música, un rumor y un símbolo,

ver en la muerte el sueño, en el ocaso
un triste oro, tal es la poesía
que es inmortal y pobre. La poesía
vuelve como la aurora y el ocaso.

A veces en las tardes una cara
nos mira desde el fondo de un espejo;
el arte debe ser como ese espejo
que nos revela nuestra propia cara.

Jorge Luis Borges

Cuentan que Ulises, harto de prodigios,
lloró de amor al divisar su Ítaca
verde y humilde. El arte es esa Ítaca
de verde eternidad, no de prodigios.

También es como el río interminable
que pasa y queda y es cristal de un mismo
Heráclito inconstante, que es el mismo
y es otro, como el río interminable.

COMPRENSIÓN LECTORA

02 | ¿Sabes qué es un «arte poética»? ¿Cuál fue la primera escrita en verso? ¿Y en prosa?

03 | Este poema de Borges muestra una aparente simplicidad, ¿por qué crees que es así?

04 | La definición que da de poesía y la estructura con que lo muestra, ¿os recuerda a algún poema del siglo de Oro español que ya habéis leído?

05 | Se menciona aquí a Heráclito (es una mención frecuente en la poesía de Borges), ¿sabes quién es?

06 | Borges también menciona a Ulises; indica quién es y de qué famosa obra clásica es el protagonista. ¿Conocéis otras obras actuales en las que aparezca? ¿Cómo se llamaba su esposa?

DESARROLLO DE LA LENGUA

07 | ¿Cuál es el significado de *vigilia, ultraje, rumor, ocaso* y *prodigio?* Consulta el diccionario en caso necesario.

08 | En parejas, ¿qué tipo de oraciones emplea Borges para la relación de hechos que definen la poesía? Clasificadlas.

09 | En parejas, ¿creéis que se trata de un texto descriptivo o expositivo? Razonad vuestra respuesta.

10 | Buscad los adjetivos que aparecen en el poema. ¿Cuántos hay? Fijaos en su significado, ¿creéis que son evocadores a simple vista? Razonad la respuesta.

TRABAJO LITERARIO

11 | En parejas, estableced el cómputo silábico, la rima y el tipo de estrofa en que está compuesto este poema. ¿Existe alguna peculiaridad en la rima?

12 | El poema cuenta con varias figuras literarias. Indicad cuáles son y poned los ejemplos.

13 | En parejas, el «Arte poética» de Borges usa varios tópicos de la tradición literaria. ¿Cuáles son? Indicad dónde se encuentran.

PRODUCCIÓN LITERARIA

14 | En grupos, estableced las tres características que debe tener un texto poético, según vuestro criterio.

15 | Cread vuestra propia «Arte poética», si es posible, en verso. Luego presentadla a vuestros compañeros. ¿Qué grupo ha sido más creativo? ¿Cuál se ha acercado más a lo que es un poema?

16 | En grupos, redactad un pequeño artículo sobre lo que debe ser la producción literaria. Con los trabajos de vuestros compañeros, preparad una revista digital, para que la conozca todo vuestro centro. Buscad otros poemas que definan lo que es la poesía. ¿Os acordáis de Bécquer?

INVESTIGACIÓN LITERARIA

17 | Lee este fragmento del cuento de Borges titulado «La biblioteca de Babel».

El universo (que otros llaman la Biblioteca) se compone de un número indefinido, y tal vez infinito, de galerías hexagonales, con vastos pozos de ventilación en el medio, cercados por barandas bajísimas. Desde cualquier hexágono se ven los pisos inferiores y superiores: interminablemente. [...] A izquierda y a derecha del zaguán hay dos gabinetes minúsculos. Uno permite dormir de pie; otro, satisfacer las necesidades finales. Por ahí pasa la escalera espiral, que se abisma y se eleva hacia lo remoto. [...]

Como todos los hombres de la Biblioteca, he viajado en mi juventud; he peregrinado en busca de un libro, acaso del catálogo de catálogos; ahora que mis ojos casi no pueden descifrar lo que escribo, me preparo a morir a unas pocas leguas del hexágono en que nací. Muerto, no faltarán manos piadosas que me tiren por la baranda; mi sepultura será el aire insondable; mi cuerpo se hundirá largamente y se corromperá y disolverá en el viento engendrado por la caída, que es infinita. Yo afirmo que la Biblioteca es interminable. [...]

La Biblioteca existe *ab aeterno* [...] El hombre, el imperfecto bibliotecario, puede ser obra del azar o de los demiurgos malévolos. [...] El número de símbolos ortográficos es veinticinco.

Hace quinientos años, el jefe de un hexágono superior dio con un libro tan confuso como los otros, pero que tenía casi dos hojas de líneas homogéneas. Mostró su hallazgo a un descifrador ambulante, que le dijo que estaban redactadas en portugués; otros le dijeron que en yiddish. Antes de un siglo pudo establecerse el idioma: un dialecto samoyedo-lituano del guaraní, con inflexiones de árabe clásico. También se descifró el contenido: nociones de análisis combinatorio, ilustradas por ejemplos de variaciones con repetición ilimitada. Esos ejemplos permitieron que un bibliotecario de genio descubriera la ley fundamental de la Biblioteca. Este pensador observó que todos los libros, por diversos que sean, constan de elementos iguales: el espacio, el punto, la coma, las veintidós letras del alfabeto. También alegó un hecho que todos los viajeros han confirmado: No hay en la vasta Biblioteca dos libros idénticos. De esas premisas incontrovertibles dedujo que la Biblioteca es total y que sus anaqueles registran todas las posibles combinaciones de los veintitantos símbolos ortográficos (número, aunque vastísimo, no infinito) o sea todo lo que es dable expresar: en todos los idiomas.

18 | En grupos, investigad sobre este cuento: fecha de publicación, colección en que apareció y su interpretación. ¿A qué se refiere Babel? ¿Conoces el relato bíblico de la torre de Babel? ¿Crees que esa torre que quería ser infinita tiene relación con el cuento de Borges?

19 | En grupos, buscad información sobre la vida y la trayectoria literaria de Jorge Luis Borges. Después, preparad una presentación para clase. Podéis centraros en su obra en prosa o en verso.

GABRIELA MISTRAL, ALFONSINA STORNI Y JULIA DE BURGOS

01 | En parejas, debatid sobre esta frase, sacada del prólogo del libro que preparó Gabriela Mistral para que las niñas y mujeres mexicanas tuvieran también cultura literaria.

«El maestro verdadero tendrá siempre algo de artista; no podemos aceptar esa especie de «jefe de faena» o de «capataz de hacienda» en que algunos quieren convertir al conductor de los espíritus».

Lecturas para mujeres, destinadas a la enseñanza del lenguaje (1924)

Mural homenaje a Gabriela Mistral en Santiago, Chile

02 | Lee estos poemas de la chilena Gabriela Mistral, la argentina Alfonsina Storni y la puertorriqueña Julia de Burgos.

La Maestra era pura. «Los suaves hortelanos», decía,
«de este predio, que es predio de Jesús,
han de conservar puros los ojos y las manos,
guardar claros sus óleos, para dar clara luz».

La Maestra era pobre. Su reino no es humano.
(Así en el doloroso sembrador de Israel).
Vestía sayas pardas, no enjoyaba su mano
¡y era todo su espíritu un inmenso joyel!

La Maestra era alegre. ¡Pobre mujer herida!
Su sonrisa fue un modo de llorar con bondad.
Por sobre la sandalia rota y enrojecida,
tal sonrisa, la insigne flor de su santidad.

¡Dulce ser! En su río de mieles, caudaloso,
largamente abrevaba sus tigres el dolor.
Los hierros que le abrieron el pecho generoso
¡más anchas le dejaron las cuencas del amor!

¡Oh, labriego, cuyo hijo de su labio aprendía
el himno y la plegaria, nunca viste el fulgor
del lucero cautivo que en sus carnes ardía:
pasaste sin besar su corazón en flor!

Campesina, ¿recuerdas que alguna vez prendiste
su nombre a un comentario brutal o baladí?
Cien veces la miraste, ninguna vez la viste
¡y en el solar de tu hijo, de ella hay más que de ti!

Pasó por él su fina, su delicada esteva,
abriendo surcos donde alojar perfección.
La albada de virtudes de que lento se nieva
es suya. Campesina, ¿no le pides perdón?

Daba sombra por una selva su encina hendida
el día en que la muerte la convidó a partir.
Pensando en que su madre la esperaba dormida,
a La de Ojos Profundos se dio sin resistir.

Y en su Dios se ha dormido, como un cojín de luna;
almohada de sus sienes, una constelación;
canta el Padre para ella sus canciones de cuna
¡y la paz llueve largo sobre su corazón!

Como un henchido vaso, traía el alma hecha
para volcar aljófares sobre la humanidad;
y era su vida humana la dilatada brecha
que suele abrirse el Padre para echar claridad.

Por eso aún el polvo de sus huesos sustenta
púrpura de rosales de violento llamear.
¡Y el cuidador de tumbas, cómo aroma, me cuenta, las
plantas del que huella sus huesos, al pasar!

«La maestra rural», Gabriela Mistral

Con los ojos cerrados
amplia de voces íntimas
me detengo en el siglo de mi pena dormida.
La contemplo en su sueño...
Duerme su noche triste
despegada del suelo donde arranca mi vida.
Ya no turba la mansa carrera de mi alma
ni me sube hasta el rostro el dolor de pupilas.

Encerrada en su forma,
ya no proyecta el filo sensible de sus dedos
tumbándome alegrías,
en la armonía perfecta de mi canción erguida.
Ya no me parte el tiempo...

Duerme su noche triste
desde que tú te anclaste en la luz de mis rimas.
Recuerdo que las horas se rodaban en blanco
sobre mi pena viva,
cuando corría tu sombra por entre extrañas sombras,
adueñado de risas.

Mi emoción esperaba....
Pero tuve momentos de locura suicida.
Un agitado viento de esperanza
parece que me anuncia tu regreso.
Entre el fuego de luna que me invade
alejando crepúsculos te siento.
Estás aquí. Conmigo.
Por mi sueño.

¡A dormir se van ahora mis lágrimas
por donde tú cruzaste entre mi verso!

«Canción de mi pena dormida», Julia de Burgos

Se me va de los dedos la caricia sin causa,
se me va de los dedos... En el viento, al pasar,
la caricia que vaga sin destino ni objeto,
la caricia perdida ¿quién la recogerá?
Pude amar esta noche con piedad infinita,
pude amar al primero que acertara a llegar.
Nadie llega. Están solos los floridos senderos.
La caricia perdida, rodará... rodará...
Si en los ojos te besan esta noche, viajero,
si estremece las ramas un dulce suspirar,
si te oprime los dedos una mano pequeña
que te toma y te deja, que te logra y se va.
Si no ves esa mano, ni esa boca que besa,
si es el aire quien teje la ilusión de besar,
oh, viajero, que tienes como el cielo los ojos,
en el viento fundida, ¿me reconocerás?

«La caricia perdida», Alfonsina Storni

COMPRENSIÓN LECTORA

03 | ¿Cuáles son las ideas esenciales de cada uno de los poemas?

04 | ¿Creéis que se ensalza la figura de la mujer en los tres? Razonad vuestras respuestas.

DESARROLLO DE LA LENGUA

05 | Busca el significado de las palabras *aljófares, predio, joyel, pardo, baladí* y *esteva.* Consulta el diccionario.

06 | ¿Qué significan los dos últimos versos de Gabriela Mistral?
¡Y el cuidador de tumbas, cómo aroma, me cuenta, las plantas del que huella sus huesos, al pasar!

07 | En grupos. *Planta* es una palabra polisémica, ¿qué dos significados tiene aquí? ¿Conocéis otras palabras polisémicas?

TRABAJO LITERARIO

08 | En grupos, estableced la rima y el cómputo silábico de los tres poemas. ¿Podéis indicar la estrofa?

09 | Buscad algunas figuras retóricas en estos tres poemas que os parezcan interesantes. Luego presentadlas a vuestros compañeros. ¿Habéis coincidido todos en las mismas?

PRODUCCIÓN LITERARIA

10 | En grupos, cread un poema que exprese la alegría de vivir o un poema que tenga un tono más triste y melancólico.

11 | A continuación, recitadlo ante vuestros compañeros. ¿Cuál os ha parecido mejor y por qué?

INVESTIGACIÓN LITERARIA

12 | En grupos, buscad información sobre estas tres autoras. Preparad una presentación para vuestros compañeros para exponerla en clase. Valorad qué grupo ha aportado más datos relevantes. No olvidéis que Gabriela Mistral obtuvo el Premio Nobel en 1945 y se convirtió así en la primera escritora de Hispanoamérica en obtenerlo. Además, recitad algunos de los poemas más famosos de cada una. Elegid varios poemas de estas autoras y montad un recital poético con imágenes y sonido. Recitad esos poemas para vuestros compañeros.

PABLO NERUDA

01 | Lee este famoso poema de Pablo Neruda, de su libro *Veinte poemas de amor y una canción desesperada.*

Pablo Neruda

Puedo escribir los versos más tristes esta noche.

Escribir, por ejemplo: «La noche está estrellada,
y tiritan, azules, los astros, a lo lejos.»

El viento de la noche gira en el cielo y canta.

Puedo escribir los versos más tristes esta noche.
Yo la quise, y a veces ella también me quiso. 6

En las noches como esta la tuve entre mis brazos.
La besé tantas veces bajo el cielo infinito.

Ella me quiso, a veces yo también la quería.
Cómo no haber amado sus grandes ojos fijos.

Puedo escribir los versos más tristes esta noche.
Pensar que no la tengo. Sentir que la he perdido. 12

Oír la noche inmensa, más inmensa sin ella.
Y el verso cae al alma como al pasto el rocío.

Qué importa que mi amor no pudiera guardarla.
La noche está estrellada y ella no está conmigo.

Eso es todo. A lo lejos alguien canta. A lo lejos.
Mi alma no se contenta con haberla perdido. 18

Como para acercarla mi mirada la busca.
Mi corazón la busca, y ella no está conmigo.

La misma noche que hace blanquear los mismos árboles.
Nosotros, los de entonces, ya no somos los mismos.

Ya no la quiero, es cierto, pero cuánto la quise.
Mi voz buscaba el viento para tocar su oído. 24

De otro. Será de otro. Como antes de mis besos.
Su voz, su cuerpo claro. Sus ojos infinitos.

Ya no la quiero, es cierto, pero tal vez la quiero.
Es tan corto el amor, y es tan largo el olvido.

Porque en noches como esta la tuve entre mis brazos,
Mi alma no se contenta con haberla perdido. 30

Aunque este sea el último dolor que ella me causa,
y estos sean los últimos versos que yo le escribo.

COMPRENSIÓN LECTORA

02 | ¿Qué ideas o sentimientos reflejan estos versos? Comentadlo con vuestros compañeros. ¿Habéis coincidido?

03 | Enumerad las ideas esenciales del poema y decid con qué adjetivos lo definiríais.

DESARROLLO DE LA LENGUA

04 | El verbo *sentir* del verso 12 tiene doble significado. Señala cuáles.

05 | Indicad el valor que expresa el uso del subjuntivo en el penúltimo verso *(Aunque este sea...)*.

06 | Casi todas las oraciones que componen estos versos están en presente o en pasado. ¿Por qué creéis que juega con estos tiempos el yo poético?

07 | En parejas, en los versos 9, 12 y 25 Neruda usa otras formas verbales, ¿qué valores expresan? Contrastad vuestras respuestas con las de vuestros compañeros. ¿Habéis coincidido?

TRABAJO LITERARIO

08 | En parejas, buscad un símil y una metáfora en el poema.

09 | ¿Cómo se denomina la figura retórica de *Es tan corto el amor, y es tan largo el olvido?*

10 | ¿Se puede *oír la noche inmensa?* ¿Por qué se dice *Oír la noche inmensa, más inmensa sin ella?* ¿Cómo se denomina esta figura retórica?

11 | En parejas, estableced la rima y el cómputo silábico del poema.

PRODUCCIÓN LITERARIA

12 | En grupos, redactad una descripción sobre el lamento por el amor perdido y la ausencia de la persona amada o, si no, sobre la alegría del reencuentro.

13 | A continuación, leedla ante vuestros compañeros. ¿Quién ha sabido reflejar mejor la pérdida o la alegría? ¿Habéis usado alguna figura retórica? ¿Cuáles?

INVESTIGACIÓN LITERARIA

14 | En grupos, buscad información sobre la vida de Pablo Neruda, qué amigos tuvo, dónde vivió, etc. Preparad una presentación sobre este poeta para exponerla en clase.

15 | Visionad en clase el documental titulado *Pablo Neruda, el mago del verso,* en www.rtve.es/alacarta/videos/informe-semanal/pablo-neruda-mago-del-verso. Haced luego una puesta en común sobre los datos que os han parecido más interesantes del autor y su obra.

¿Cuánto sabes?

AUTOEVALUACIÓN

✓ **Lee y marca verdadero (V) o falso (F).**

	V	F
a. Borges fue un poeta argentino, que murió en Buenos Aires.	☐	☐
b. Alfonsina Storni y Gabriela Mistral nacieron a finales del siglo XIX.	☐	☐
c. *Fervor de Buenos Aires* y *El Aleph* son obras de Pablo Neruda.	☐	☐
d. Gabriela Mistral versificó algunos cuentos infantiles.	☐	☐
e. Julia de Burgos nació en Chile.	☐	☐
f. A Pablo Neruda le concedieron el Premio Cervantes en 1971.	☐	☐
g. La *Oda al caldillo de congrio* la escribió Alfonsina Storni.	☐	☐
h. Gabriela Mistral desempeñó varios cargos diplomáticos en representación de Chile.	☐	☐
i. Julia de Burgos escribió *Languidez, El dulce daño* e *Irremediablemente.*	☐	☐
j. Julia de Burgos defendía el movimiento independentista de Puerto Rico.	☐	☐
k. La poesía de estas décadas recibe influencia de los movimientos europeos.	☐	☐
l. Pablo Neruda escribió poemas sobre la guerra civil española.	☐	☐
m. Gabriela Mistral fue la primera mujer hispanoamericana en recibir un Premio Nobel.	☐	☐
n. Borges escribió sus memorias y las tituló *Confieso que he vivido.*	☐	☐
ñ. Gabriela Mistral defendió la educación de las mujeres.	☐	☐
o. Julia de Burgos se suicidó adentrándose en el mar.	☐	☐
p. Las vanguardias europeas influyeron en Borges y Neruda.	☐	☐
q. Borges coincidió con García Lorca en la Residencia de Estudiantes.	☐	☐
r. Borges recibió el único Premio Cervantes compartido de la historia.	☐	☐

RÓMULO GALLEGOS

01 | Lee detenidamente este fragmento de la novela *Doña Bárbara,* de Rómulo Gallegos.

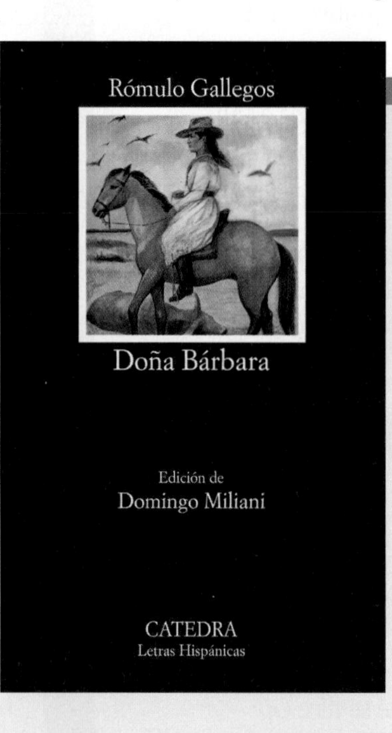

¡De más allá del Cunaviche, de más allá del Cinaruco, de más allá del Meta! De más lejos que más nunca –decían los llaneros del Arauca– [...]. De allá vino la trágica guaricha*. Fruto engendrado por la violencia del blanco aventurero en la sombría sensualidad de la india, su origen se perdía en el dramático misterio de las tierras vírgenes.

En las profundidades de sus tenebrosas memorias, a los primeros destellos de la conciencia, veíase en una piragua* que surcaba los grandes ríos de la selva orinoqueña. Eran seis hombres a bordo, y al capitán lo llamaba «taita»*, pero todos –excepto el viejo piloto Eustaquio– la brutalizaban con idénticas caricias, rudas manotadas, besos que sabían a aguardiente y a chimó*. [...]

Y allá se tropezó con Barbarita, una tarde, cuando de remontada por el Arauca con un cargamento de víveres para La Barquereña, el bongo de Eustaquio atracó en el paso del Bramador, donde él estaba dirigiendo la tirada de un ganado.

Una tormenta llanera, que se prepara y desencadena en obra de instantes, no se desarrolla, sin embargo, con la violencia con que se desataron en el corazón de la mestiza los apetitos reprimidos por el odio; pero este subsistía y ella no lo ocultaba.

–Cuando te vi por primera vez te me pareciste a Asdrúbal –díjole, después de haberle referido el trágico episodio–. Pero ahora me representas a los otros; un día eres el taita, otro día el *Sapo.*

Y como él replicara, poseedor orgulloso:

–Sí. Cada uno de los hombres aborrecibles para ti; pero, representándotelos uno a uno, yo te hago amarlos a todos, a pesar tuyo.

Ella concluyó, rugiente:

–Pero yo los destruiré a todos en ti.

Y este amor salvaje, que en realidad le imprimía cierta originalidad a la aventura con la bonguera*, acabó de pervertir el espíritu ya perturbado de Lorenzo Barquero.

Ni aun la maternidad aplacó el rencor de la devoradora de hombres; por el contrario, se lo exasperó más: un hijo en sus entrañas era para ella una victoria del macho, una nueva violencia sufrida, y bajo el imperio de este sentimiento concibió y dio a luz una niña, que otros pechos tuvieron que amamantar, porque no quiso ni verla siquiera.

Tampoco Lorenzo se ocupó de la hija, súcubo* de la mujer insaciable y víctima del brebaje afrodisíaco que le hacía ingerir, mezclándolo con las comidas y bebidas, y no fue necesario que transcurriera mucho tiempo para que de la gallarda juventud de aquel que parecía destinado a un porvenir brillante, solo quedara un organismo devorado por los vicios más ruines, una voluntad abolida, un espíritu en regresión bestial.

Y mientras el adormecimiento progresivo de las facultades –días enteros sumido en un sopor invencible– lo precipitaba a la horrible miseria de las fuentes vitales agotadas por el veneno de la pusanga*, la obra de la codicia lo despojó de su patrimonio.

La idea la sugirió un tal coronel Apolinar, que apareció por allí en busca de tierras que comprar con el producto de sus rapiñas en la Jefatura Civil de uno de los pueblos de la región. Ducho en argucias de rábulas*, como advirtiese la ruina moral de Lorenzo Barquero, y se diese rápidamente cuenta de que la barragana era conquista fácil, se trazó rápidamente su plan y, a tiempo que empezaba a enamorarla, entre un requiebro y otro le insinuó:

–Hay un procedimiento inmancable* y muy sencillo para que usted se ponga en la propiedad de La Barquereña, sin necesidad de que se case con don Lorenzo, ya que, como dice, le repugna la idea de que un hombre pueda llamarla su mujer. Una venta simulada. Todo está en que él firme el documento; pero eso no es difícil para usted. Si quiere, yo le redacto la escritura de manera que no pueda haber complicaciones con los parientes.

Y la idea encontró fácil asidero.

–Convenido. Redácteme ese documento. Yo se lo hago firmar.

Así se hizo, sin que Lorenzo se resistiera al despojo; pero cuando ya se iba a proceder al registro del documento, descubrió Bárbara que existía una cláusula por la cual reconocía haber recibido de Apolinar la cantidad estipulada como precio de La Barquereña y comprometía la finca en garantía de tal obligación.

Y Apolinar explicó:

–Ha sido menester poner esa cláusula como una tapa contra los parientes de don Lorenzo, que, si descubren que es una venta simulada, pueden pedir su anulación declarándolo entredicho. Para que no haya dudas, yo le entregaré a usted ese dinero en presencia del registrador. Pero no se preocupe. Es una comedia entre los dos. Luego usted me devuelve mis reales y le entrego esta contraescritura que anula la cláusula.

Y le mostró un documento privado cuya invalidez corría de su cuenta.

Ya era tarde para retroceder, y, por otra parte, también ella se había trazado su plan para apoderarse de aquel dinero que Apolinar quería invertir en fincas, y le respondió devolviéndole el contradocumento:

–Está bien. Se hará como tú quieras.

Apolinar comprendió que también se rendía a su amoroso asedio y se complació en sus artes. Por el momento la mujer que se le entregaba con aquel *tú;* luego la finca. Y su dinero intacto.

Días después le comunicó a Lorenzo:

–He resuelto reemplazarte con el coronel. De modo que ya estás de más en esta casa.

A Lorenzo se le ocurrió esta miseria:

–Yo estoy dispuesto a casarme contigo.

Pero ella le respondió con una carcajada, y el ex hombre tuvo que ir a refugiarse junto con su hija, y ahora de veras y para siempre, en un rancho del palmar de La Chusmita. [...] Ni el nombre quedó de La Barquereña, pues Bárbara se lo cambió por El Miedo y este fue el punto de partida del famoso latifundio.

Desatada la codicia dentro del tempestuoso corazón, se propuso ser dueña de todo el cajón del Arauca, y asesorada por las extraordinarias habilidades de litigante de Apolinar, comenzó a meterles pleitos a los vecinos, obteniendo de la venalidad de los jueces lo que la justicia no pudiera reconocerle, y cuando ya nada tenía que aprender del nuevo amante y todo el dinero de este había sido empleado en el fomento de la finca, recuperó su fiera independencia haciendo desaparecer, de una manera misteriosa, a aquel hombre que podía jactarse en llamarla suya.

Cap. III, «La devoradora de hombres»

COMPRENSIÓN LECTORA

02 | Redacta un breve resumen de la historia que se cuenta aquí.

03 | El personaje de Barbarita es llamado por el narrador *devoradora de hombres,* ¿creéis que lo es? ¿Al principio de la novela era así de mala y codiciosa? Indagad sobre el argumento a partir de los dos primeros párrafos del fragmento. ¿Por qué creéis que ella guarda tanto rencor?

DESARROLLO DE LA LENGUA

04 | En grupos, buscad 20 palabras que resuman el significado de *codicia,* entre sinónimos y antónimos.

05 | Ahora redactad un texto con el mayor número de ellas. Luego, enseñádselo a vuestros compañeros, ¿qué grupo lo ha hecho mejor y por qué?

06 | Localiza en el texto las palabras *ducho* y *venalidad.* ¿A qué se refieren?

07 | Según el contexto, ¿qué significa la frase: *la brutalizaban,* que aparece en el segundo párrafo?

TRABAJO LITERARIO

08 | Señalad cuatro características de la novela que correspondan a la época y a la corriente literaria a la que pertenece.

09 | ¿Creéis que el narrador se detiene en descripciones innecesarias o, por el contrario, cuenta la historia con rapidez?

PRODUCCIÓN LITERARIA

10 | Haced una breve descripción de cómo os imagináis físicamente a Doña Bárbara y a Lorenzo Barquero.

11 | Después, leedlas ante vuestros compañeros. ¿En qué aspectos habéis coincidido y en cuáles no? Haced una puesta en común.

INVESTIGACIÓN LITERARIA

12 | ¿Conocéis alguna otra obra literaria de similares características? ¿Y alguna película? Visionad, si podéis, un capítulo de la telenovela venezolana *Doña Bárbara.*

13 | En grupos, investigad quién fue Rómulo Gallegos, qué obras escribió, a qué se dedicó fuera de la literatura, etc. Luego preparad una presentación para vuestros compañeros.

14 | ¿Conocéis a algún otro escritor famoso actual que haya obtenido premios importantes y que también se haya dedicado a la política? Investigad sobre ello.

MIGUEL ÁNGEL ASTURIAS

01 | Lee este fragmento de la novela *El señor Presidente,* de Miguel Ángel Asturias.

Las noches de abril son en el trópico las viudas de los días cálidos de marzo, oscuras, frías, despeinadas, tristes. Cara de Ángel asomó a la esquina del fondín y esquina de la casa de Canales contando las sombras color de aguacate de los policías de línea repartidos aquí y allá, le dio la vuelta a la manzana paso a paso y de regreso colóse en la puertecita de madriguera de El Tus-Tep con el cuerpo cortado: había un gendarme uniformado por puerta en todas las casas vecinas y no se contaba el número de agentes de la policía secreta que se paseaban por las aceras intranquilos. Su impresión fue fatal. «Estoy cooperando a un crimen —se dijo—; a este hombre lo van a asesinar al salir de su casa». [...]

A un hombre sin entrañas como él, no era la bondad lo que le llevaba a sentirse a disgusto en presencia de una emboscada, tendida en pleno corazón de la ciudad contra un ciudadano que, confiado e indefenso, escaparía de su casa sintiéndose protegido por la sombra de un amigo del Señor Presidente, protección que a la postre no pasaba de ser un ardid de refinada crueldad para amargar con el desengaño los últimos y atroces momentos de la víctima al verse burlada, cogida, traicionada, y un medio ingenioso para dar al crimen cariz legal, explicado como extremo recurso de la autoridad, a fin de evitar la fuga de un presunto reo de asesinato que iba a ser capturado el día siguiente. [...]

En la penumbra —por precaución no se encendió la luz eléctrica y seguía como única luz en la estancia la candela ofrecida a la Virgen de Chinquiquirá— proyectaban los cuerpos de los descamisados sombras fantásticas, alargadas como gacelas en los muros de color de pasto seco, y las botellas parecían llamitas de colores en los estantes. Todos seguían la marcha del reloj. Los escupitajos golpeaban el piso como balazos. Cara de Ángel, lejos del grupo, esperaba recostado de espaldas a la pared, muy cerca de la imagen de la Virgen. Sus grandes ojos negros seguían de mueble en mueble el pensamiento que con insistencia de mosca le asaltaba en los instantes decisivos: tener mujer e hijos. Sonrió para su saliva recordando la anécdota de aquel reo político condenado a muerte que, doce horas antes de la ejecución, recibe la visita del Auditor de Guerra, enviado de lo alto para que pida una gracia, incluso la vida, con tal que se reporte en su manera de hablar. «Pues la gracia que pido es dejar un hijo», responde el reo a quemarropa. «Concedida», le dice el Auditor y, tentándoselas de vivo, hace venir una mujer pública. El condenado, sin tocar a la mujer, la despide y al volver aquel le suelta: «¡Para hijos de puta basta con los que hay!...».

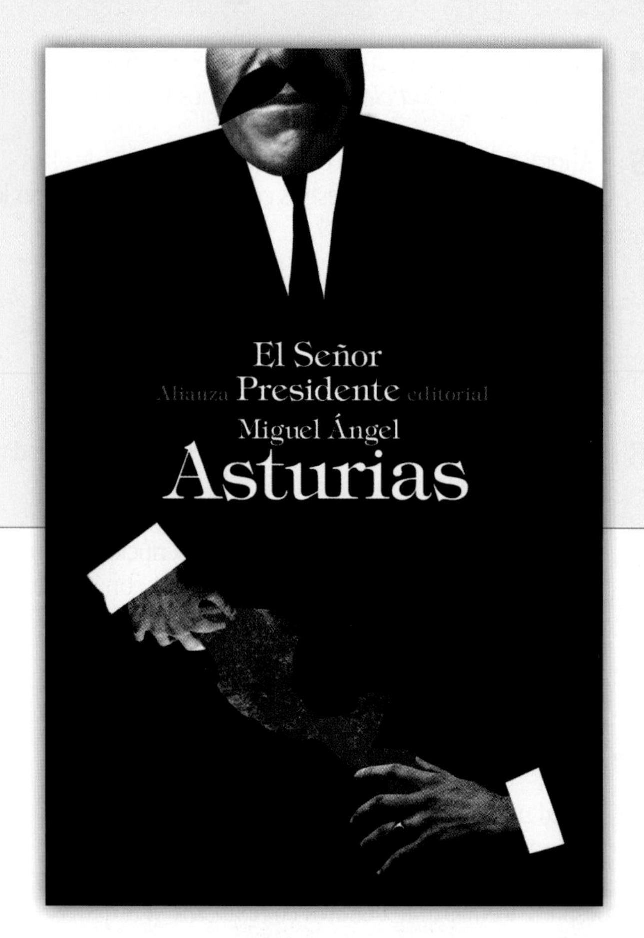

COMPRENSIÓN LECTORA

02 | Redacta un resumen de este fragmento con los hechos fundamentales.

03 | ¿Qué ambiente narra el fragmento? ¿Te parece sombrío? ¿Crees que es un ambiente de traición? ¿Por qué?

DESARROLLO DE LA LENGUA

04 | ¿Conoces el significado de la palabra *entrañas?* ¿Y la expresión *un hombre sin entrañas?*

05 | ¿Qué significa *responder a quemarropa?* Ayudaos del diccionario.

06 | La expresión *a la postre,* ¿creéis que tiene algo que ver con los pasteles o con las comidas? Consultad el diccionario.

07 | Localiza en el texto la conjunción final *a fin de.* Después, en parejas, indicad al menos cinco conectores finales. ¿Qué modo verbal han de llevar? ¿En qué casos?

Miguel Ángel Asturias

TRABAJO LITERARIO

08 | En parejas, ¿qué figura retórica se encuentra en *Las noches de abril son en el trópico las viudas de los días cálidos de marzo, oscuras, frías, despeinadas, tristes?*

09 | Cara de Ángel es un amigo del Señor Presidente y un traidor. ¿Creéis que le conviene el nombre que tiene? ¿Cómo se llama ese recurso lingüístico?

PRODUCCIÓN LITERARIA

10 | En grupos, elaborad un ensayo sobre la figura de Miguel Ángel Asturias como escritor y como personaje público. Destacad los temas que trata en su obra literaria. Luego, presentadlo a vuestros compañeros. ¿Os parece un escritor interesante?

11 | En grupos, ¿advertís características de la novela de esta época? ¿Dónde?

INVESTIGACIÓN LITERARIA

12 | En grupos, buscad información sobre obras literarias que se han dedicado a contar lo que ha sucedido en las dictaduras. Citad, al menos, cinco y exponed información sobre alguna de ellas.

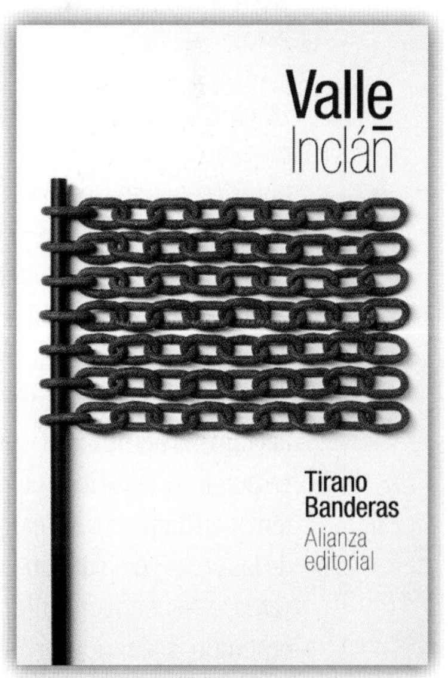

13 | La crítica social ha sido siempre un aspecto recurrente en la literatura. En grupos, buscad al menos tres obras que conozcáis en cualquier idioma donde haya un componente de crítica social. Después, debatid en grupos sobre el tema *¿La literatura debe tener como fin la denuncia social?* Unos deben estar a favor y otros grupos tienen que estar en contra. Buscad argumentos sólidos para defender vuestras ideas.

ALEJO CARPENTIER

01 | Lee este fragmento de la novela *El reino de este mundo.*

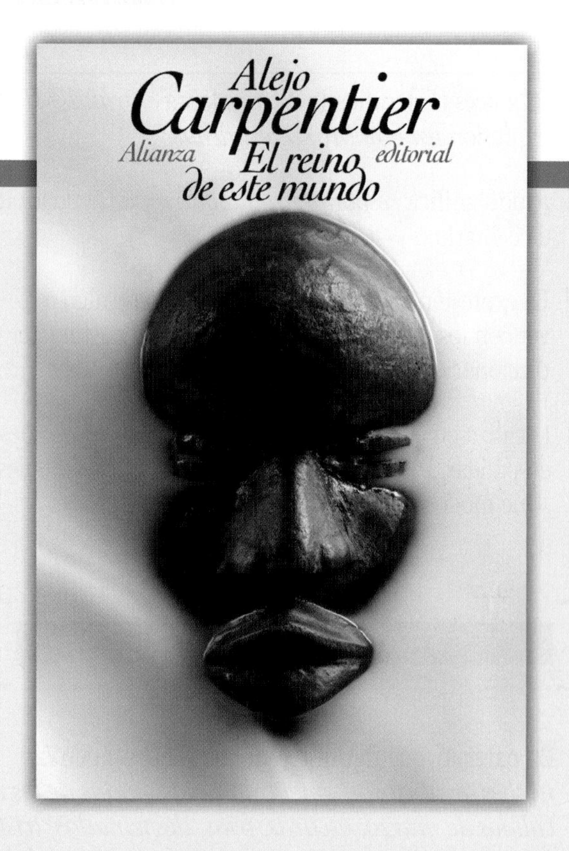

El veneno se arrastraba por la Llanura del Norte, invadiendo los potreros y los establos. No se sabía cómo avanzaba entre las gramas* y alfalfas, cómo se introducía en las pacas de forraje, cómo se subía a los pesebres. El hecho era que las vacas, los bueyes, los novillos, los caballos, las ovejas, reventaban por centenares, cubriendo la comarca entera de un inacabable hedor de carroña. En los crepúsculos se encendían grandes hogueras, que despedían un humo bajo y lardoso*, antes de morir sobre montones de bucráneos* negros, de costillares carbonizados, de pezuñas enrojecidas por la llama. Los más expertos herbolarios del Cabo buscaban en vano la hoja, la resina, la savia, posibles portadoras del azote. Las bestias seguían desplomándose, con los vientres hinchados, envueltas en un zumbido de moscas verdes. Los techos estaban cubiertos de grandes aves negras, de cabeza pelada, que esperaban su hora para dejarse caer y romper los cueros, demasiado tensos, de un picotazo que liberaba nuevas podredumbres.

Pronto se supo, con espanto, que el veneno había entrado en las casas. Una tarde, al merendar una ensaimada, el dueño de la hacienda de Coq-Chante se había caído, súbitamente, sin previas dolencias, arrastrando consigo un reloj de pared al que estaba dando cuerda. Antes de que la noticia fuese llevada a las fincas vecinas, otros propietarios habían sido fulminados por el veneno que acechaba, como agazapado para saltar mejor, en los vasos de los veladores, en las cazuelas de sopa, en los frascos de medicinas, en el pan, en el vino, en la fruta y en la sal. A todas horas escuchábase el siniestro claveteo de los ataúdes. A la vuelta de cada camino aparecía un entierro. En las iglesias del Cabo no se cantaban sino Oficios de Difuntos, y las extremaunciones llegaban siempre demasiado tarde, escoltadas por campanas lejanas que tocaban a muertes nuevas. Los sacerdotes habían tenido que abreviar los latines, para poder cumplir con todas las familias enlutadas. En la Llanura sonaba, lúgubre, el mismo responso funerario, que era el gran himno del terror. Porque el terror enflaquecía las caras y apretaba las gargantas. A la sombra de las cruces de plata que iban y venían por los caminos, el veneno verde, el veneno amarillo, o el veneno que no teñía el agua, seguía reptando, bajando por las chimeneas de las cocinas, colándose por las hendijas de las puertas cerradas, como una incontenible enredadera que buscara las sombras para hacer de los cuerpos sombras. [...]

Exasperados por el miedo, borrachos de vino por no atreverse ya a probar el agua de los pozos, los colonos azotaban y torturaban a sus esclavos, en busca de una explicación. Pero el veneno seguía diezmando las familias, acabando con gentes y crías, sin que las rogativas, los consejos médicos, las promesas a los santos, ni los ensalmos ineficientes de un marinero bretón, nigromante* y curandero, lograran detener la subterránea marcha de la muerte. Con prisa involuntaria por ocupar la última fosa que quedaba en el cementerio, Madame Lenormand de Mezy falleció el domingo de Pentecostés, poco después de probar una naranja particularmente hermosa que una rama, demasiado complaciente, había puesto al alcance de sus manos. Se había proclamado el estado de sitio en la Llanura. Todo el que anduviera por los campos, o en cercanía de las casas después de la puesta del sol, era derribado a tiros de mosquete sin previo aviso. [...] La carroña se había adueñado de toda la comarca.

Cierta tarde en que lo amenazaban con meterle una carga de pólvora en el trasero, el fula* patizambo acabó por hablar. El manco Mackandal, hecho un houngán* del rito Radá, investido de poderes extraordinarios por varias caídas en posesión de dioses mayores, era el Señor del Veneno. Dotado de suprema autoridad por los Mandatarios de la otra orilla, había proclamado la cruzada del exterminio, elegido, como lo estaba, para acabar con los blancos y crear un gran imperio de negros libres en Santo Domingo. Millares de esclavos le eran adictos. Ya nadie detendría la marcha del veneno. Esta revelación levantó una tempestad de trallazos en la hacienda. Y apenas la pólvora, encendida de pura rabia, hubo reventado los intestinos del negro hablador, un mensajero fue despachado al Cabo. Aquella misma tarde se movilizaron todos los hombres disponibles para dar caza a Mackandal. La Llanura —hedionda a carne verde, a pezuñas mal quemadas, a oficio de gusanos— se llenó de ladridos y de blasfemias.

COMPRENSIÓN LECTORA

02 | Indica cuáles son las ideas esenciales que se mencionan en el fragmento. ¿Qué sensaciones te produce?

03 | ¿Creéis que se trata el tema de la esclavitud o solo se habla de racismo? Razonad la respuesta.

04 | ¿Consideras que en el texto se puede hablar de superstición o solo de religiosidad?

DESARROLLO DE LA LENGUA

05 | Indica el significado de las palabras *fulminado, trallazo, despachar, carroña* y *diezmar.* Consulta el diccionario.

06 | En parejas, ¿cuánto léxico religioso encontráis en el fragmento? Haced un listado con ese léxico e indicad si es católico o perteneciente al vudú.

07 | ¿De cuántos animales de granja se habla? ¿Sabéis los nombres del conjunto para cada uno de ellos?

08 | ¿A qué animal se refiere *grandes aves negras, de cabeza pelada, que esperaban su hora para dejarse caer y romper los cueros, demasiado tensos, de un picotazo?*

TRABAJO LITERARIO

09 | En parejas, ¿qué figura retórica se encuentra en *El veneno se arrastraba por la Llanura del Norte, invadiendo los potreros y los establos. No se sabía cómo avanzaba entre las gramas y alfalfas, cómo se introducía en las pacas de forraje, cómo se subía a los pesebres?*

10 | En parejas, ¿qué figura literaria se emplea en *abreviar los latines?* ¿Y en *La carroña se había adueñado de toda la comarca?*

PRODUCCIÓN LITERARIA

11 | En parejas, redactad un texto descriptivo, similar al fragmento anterior, donde se explique cómo avanza en una aldea el olor de las naranjas en flor.

12 | Después, leedles el texto a vuestros compañeros. ¿Cuál es el más original?

13 | Se afirma que con Alejo Carpentier se inicia el denominado «realismo mágico» (presentar como algo común lo que no puede ser verdad). Él hablaba de «lo real maravilloso». ¿Advertís características de ese realismo mágico en este fragmento? ¿Dónde?

INVESTIGACIÓN LITERARIA

14 | En grupos, elaborad una presentación sobre la figura de Alejo Carpentier. Destacad los temas que trata en sus obras literarias. Debéis llamar la atención sobre su estilo, uno de los más cuidados, sorprendentes y espléndidos de la literatura en español. Luego, presentadlo a vuestros compañeros. ¿Os parece un escritor interesante o difícil por su sintaxis?

15 | En grupo, preparad una encuesta para realizarla en el centro. Se trata de obtener información sobre lo que piensan vuestros compañeros sobre *la realidad, la magia* y *la fantasía.* Pedid que os definan cada uno de estos conceptos y luego dadles a leer el fragmento de Carpentier (o contadles de qué trata). Deben catalogarlo como *fantasía, magia* o *realidad.* Luego pedidles que comparen este fragmento con lo que hayan leído de *Harry Potter* o el libro de J. K. Rowling *Animales fantásticos y dónde encontrarlos.* Montad una presentación con los resultados obtenidos, para llevar a clase.

Sombrero seleccionador de *Harry Potter*

16 | Lee este fragmento del principio del *Concierto barroco* del mismo autor.

De plata los delgados cuchillos, los finos tenedores; de plata los platos donde un árbol de plata labrada en la concavidad de sus platas recogía el jugo de los asados; de plata los platos fruteros, de tres bandejas redondas, coronadas por una granada de plata; de plata los jarros de vino amartillados por los trabajadores de la plata; de plata los platos pescaderos con su pargo de plata hinchado sobre un entrelazamiento de algas; de plata los saleros, de plata los cascanueces, de plata los cubiletes, de plata las cucharillas con adorno de iniciales... Y todo esto se iba llevando quedamente, acompasadamente, cuidando de que la plata no topara con la plata, hacia las sordas penumbras de cajas de madera, de huacales en espera, de cofres con fuertes cerrojos, bajo la vigilancia del Amo que, de bata, solo hacía sonar la plata, de cuando en cuando, al orinar magistralmente, con chorro certero, abundoso y percutiente, en una bacinilla de plata, cuyo fondo se ornaba de un malicioso ojo de plata, pronto cegado por una espuma que de tanto reflejar la plata acababa por parecer plateada... —«Aquí lo que se queda —decía el Amo—. Y acá lo que se va». [...] Y tan bien quedaron, a la puesta del sol, los platos y platerías, las chinerías y japonerías, los mantones y las sedas, guardados donde mejor pudieran dormir entre virutas o salir a larguísimo viaje, que el Amo, aún de bata y gorro [...] invitó al sirviente a compartir con él un jarro de vino, al ver que todas las cajas, cofres, huacales y petacas quedaban cerrados. Después, andando despacio, se dio a contemplar, embauladas las cosas, metidos los muebles en sus fundas, los cuadros que quedaban colgados de las paredes y testeros. Aquí, un retrato de la sobrina profesa, de hábito blanco y largo rosario, enjoyada, cubierta de flores —aunque con mirada acaso demasiado ardiente— en el día de sus bodas con el Señor. Enfrente, en negro marco cuadrado, un retrato del dueño de la casa, ejecutado con tan magistral dibujo caligráfico que parecía que el artista lo hubiese logrado de un solo trazo [...] Pero el cuadro de las grandezas estaba allá, en el salón de los bailes y recepciones, de los chocolates y atoles de etiqueta, donde historiábase, por obra de un pintor europeo que de paso hubiese estado en Coyoacán, el máximo acontecimiento de la historia del país. Allí, un Montezuma entre romano y azteca, algo César tocado con plumas de quetzal, aparecía sentado en un trono cuyo estilo era mixto de pontificio y michoacano, bajo un palio levantado por dos partesanas, teniendo a su lado, de pie, un indeciso Cuauhtémoc con cara de joven Telémaco que tuviese los ojos un poco almendrados. Delante de él, Hernán Cortés con toca de terciopelo y espada al cinto —puesta la arrogante bota sobre el primer peldaño del solio imperial— estaba inmovilizado en dramática estampa conquistadora.

17 | Indica las ideas esenciales de este fragmento.

18 | En grupos, ¿por qué creéis que repite tantas veces la palabra *plata?*

19 | En grupos, leedlo en voz alta y fijaos en el ritmo que van marcando las palabras y las repeticiones de sonidos. ¿Cómo se denomina este recurso o figura literaria?

20 | Buscad la música de un concierto barroco y valorad hasta qué punto supo lograr con palabras ese ritmo tan característico.

21 | En grupos, cread un texto de características similares al de Carpentier, pero que refleje el rap o reguetón.

¿Cuánto sabes?

AUTOEVALUACIÓN

Lee y marca verdadero (V) o falso (F).

	V	F
a. *Doña Bárbara, Pobre negro* y *El forastero* son obras de Alejo Carpentier.	☐	☐
b. A Miguel Ángel Asturias le concedieron el Premio Nobel en 1967.	☐	☐
c. La novela *El recurso del método* de Alejo Carpentier pertenece al subgénero de la novela del dictador.	☐	☐
d. La narrativa de los primeros años todavía está influida por el realismo y el naturalismo.	☐	☐
e. Rómulo Gallegos será un escritor muy influyente en el realismo mágico.	☐	☐
f. A Rómulo Gallegos le concedieron el primer Premio Cervantes.	☐	☐
g. Lo real maravilloso se manifiesta en casi toda la obra de Alejo Carpentier.	☐	☐
h. Miguel Ángel Asturias fue el autor de *Mulata de tal, Viernes de dolores* y *El Papa Verde.*	☐	☐
i. El indigenismo es la tendencia principal en toda la narrativa de estas décadas.	☐	☐
j. Las novelas sobre dictadores comienzan con *El Señor Presidente*, de Miguel Ángel Asturias.	☐	☐
k. La denuncia social en la novela empezaría a partir de 1970.	☐	☐
l. Rómulo Gallegos es un escritor venezolano.	☐	☐
m. Miguel Ángel Asturias es un escritor guatemalteco.	☐	☐
n. Alejo Carpentier se considera un escritor cubano, aunque no nació en la isla.	☐	☐
ñ. *El siglo de las luces* y *La consagración de la primavera* son obras de Alejo Carpentier.	☐	☐
o. En la obra de Miguel Ángel Asturias predomina la denuncia social.	☐	☐
p. A Alejo Carpentier no le gustaba la música.	☐	☐
q. *La trilogía bananera* fue escrita por Miguel Ángel Asturias.	☐	☐
r. A Miguel Ángel Asturias le concedieron el Premio Cervantes en 1976.	☐	☐
s. Rómulo Gallegos empezó siendo escritor y luego se dedicó a la política.	☐	☐

unidad

13

Contexto histórico

- **Últimos años de la dictadura franquista en España** (1960-1975)
- **Dictadura en Paraguay** (1954-1989)
- **Conflicto armado en Colombia** desde 1960
- **Construcción del Muro de Berlín** (1961)
- **Invasión de bahía de Cochinos en Cuba para derrocar a Fidel Castro** (1961)
- **Presidencia de John F. Kennedy en Estados Unidos** (1961-1963)
- **Asesinatos de grandes líderes: John F. Kennedy** (1963), **Malcolm X** (1965), **Luther King** (1968) **y Robert F. Kennedy** (1968) **y Salvador Allende** (1973)
- **Revolución cultural china con Mao** (1966-1976)
- **Golpe de Estado de 1966, posterior Revolución argentina y sucesión en el poder de tres dictadores militares** (1966-1973)
- **Mayo francés** (1968)
- **Movimiento *hippie*** a finales de los 60
- **El escándalo Watergate en EE. UU. y la dimisión del presidente Nixon** (1972)
- **Golpe de Estado militar en Chile contra Salvador Allende** (1973)
- **Dictadura militar chilena liderada por Augusto Pinochet** (1973-1990)
- **Retorno a la democracia en diversos países hispanoamericanos** (Chile, Argentina, Uruguay o Paraguay)

Feria Internacional del Libro en Bogotá, 2015

LA LITERATURA HISPANOAMERICANA DESDE EL *BOOM* HASTA LA ACTUALIDAD

Contexto artístico

Música

- Pop
- *Rock*
- Punk
- *Techno*
- Rap, hip-hop

Arte

- **El arte pop:**
  - Richard Hamilton (1922-2011)
  - Roy Lichtenstein (1923-1997)
  - Andy Warhol (1928-1987)
- **Minimalismo**
- **Hiperrealismo**
- El arquitecto brasileño Oscar Niemeyer (1907-2012)

Autorretrato, Andy Warhol. Museo de San Francisco de Arte Moderno

Cabeza de Barcelona, R. Lichtenstein

Catedral metropolitana de Brasilia, por Niemeyer

LA LITERATURA HISPANOAMERICANA DESDE EL *BOOM* HASTA LA ACTUALIDAD

Tras medio siglo de independencia de España, los escritores son conscientes de sus diferencias y de sus similitudes, de la tradición literaria de la que parten, pero también quieren mostrar no solo la realidad en la que viven, sino la capacidad de crear mundos nuevos e historias distintas.

Características básicas

- En este periodo muchos escritores han viajado por España y por otros países de Europa. Sin embargo, comprenden que el mundo latinoamericano posee una riqueza cultural que no se ha manifestado en todo su esplendor.
- Crean obras de una brillantez rotunda, que evidencia la madurez intelectual de las diversas sociedades de las que provienen. La mezcla cultural de Europa y América converge de forma excepcional y surge lo que se ha denominado la literatura del *boom,* que se inicia en 1967 con la publicación y difusión de *Cien años de soledad,* del escritor colombiano Gabriel García Márquez.
- Son numerosos los autores que pertenecen y participan en este «lanzamiento» de la literatura hispanoamericana, pero destacan sobre manera los narradores, con una prosa rica en matices, generadora de nuevas estructuras lingüísticas, de historias irreales, de un realismo mágico (iniciado por Alejo Carpentier) y llevado hasta sus últimas consecuencias.
- La literatura del *boom* influye decisivamente en la literatura de todo el mundo. Se intenta imitar o crear obras paralelas que reflejen realidades distintas. Por ejemplo, las literaturas de la India y Pakistán (recientemente independizadas del Imperio británico), tendrán como modelo la literatura del *boom.* Una buena muestra de ello es *Shame,* del escritor indio Salman Rushdie.
- El teatro de estas décadas muestra las mismas tendencias que la narrativa y la poesía, pero su influencia en Europa es menor.

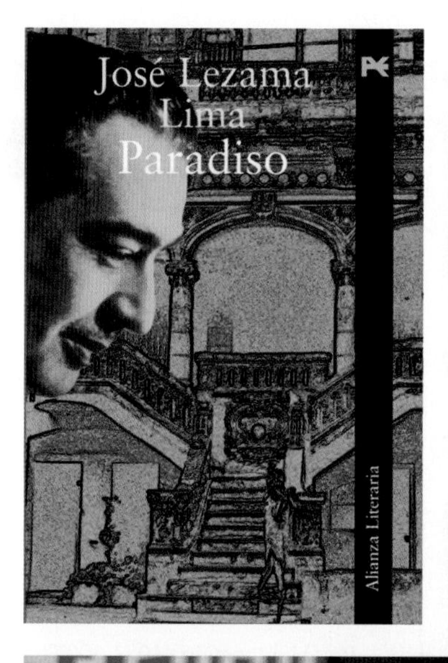

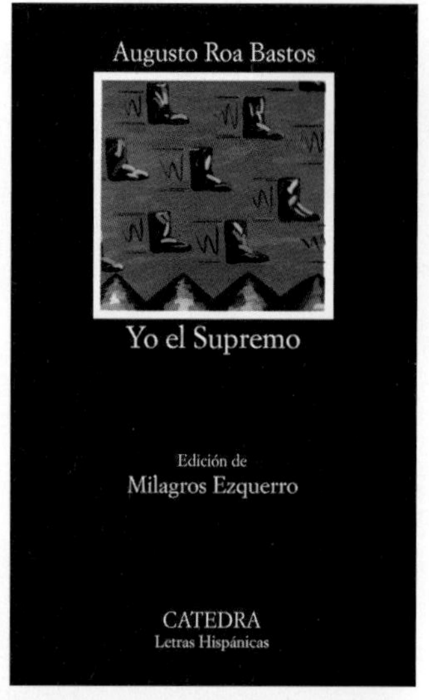

Carlos Fuentes

Autores destacables

Octavio Paz, Gabriel García Márquez, Mario Vargas Llosa, Julio Cortázar, Mario Benedetti, Carlos Fuentes, Augusto Roa Bastos, Ángeles Mastretta, Gioconda Belli, Marcela Serrano, Isabel Allende, Laura Esquivel, Zoe Valdés y Roberto Bolaño

Carlos Barral

EL *BOOM* FUE TAMBIÉN UN FENÓMENO EDITORIAL, YA QUE ESTA INDUSTRIA FUE FUNDAMENTAL PARA LA DIFUSIÓN DE ESTAS OBRAS. DESTACAN ESPECIALMENTE LA EDITORIAL SEIX BARRAL, DIRIGIDA POR CARLOS BARRAL EN BARCELONA, Y LA AGENTE LITERARIA CARMEN BALCELLS, AMBOS CON GRAN PROYECCIÓN EN MERCADOS COMO EL FRANCÉS.

Características de la narrativa

- En cuanto a la narrativa, hay que señalar que existen dos tendencias claras, que son las siguientes:
  - Narrativa experimental, donde se rompe con todo lo establecido. El caso más llamativo es *Rayuela* (1963), del escritor argentino Julio Cortázar, novela que se puede leer como se quiera, saltando de un capítulo a otro y teniendo así múltiples lecturas e interpretaciones. Otra de sus obras más importantes, *Historias de cronopios y de famas,* heredera de la tradición del surrealismo y las vanguardias, fue una de las precursoras del género de la microficción en español.
  - Narrativa más «tradicional», que muestra la realidad social, pero desde una perspectiva irreal, contribuyendo al desarrollo del realismo mágico, llevado hasta sus últimas consecuencias.
- Sin embargo, a pesar de esta distinción, las obras narrativas de este periodo son tan diversas y tan novedosas que resulta difícil establecer características comunes, pues cada obra es en sí misma un arquetipo, donde solo pueden incorporarse las que copian ese estilo.

Características de la poesía

- La poesía hispanoamericana de esta época se caracteriza por tres líneas esenciales, aunque esta producción literaria se ve un poco oscurecida por el éxito de la narrativa (tanto en cuentos como en novelas). Son las siguientes:
  - Continúan escribiendo los grandes poetas, que abandonan las vanguardias, para presentar una poesía más personal, original y creativa. Autores como Jorge Luis Borges (1899-1986) y Pablo Neruda (1904-1973) seguirán siendo referentes que deben tenerse en cuenta. A ellos se suman otros, como Octavio Paz (1914-1998), Nicanor Parra (1914-2018), Ernesto Cardenal (1925--), Álvaro Mutis (1923-2013), Gonzalo Rojas (1916-2011), Juan Gelman (1930-2014), José Emilio Pacheco (1939-2014), Dulce María de Loynaz (1902-1997), Elena Poniatowska (1932--), Mario Benedetti (1920-2009), Miguel Ángel Asturias (1899-1974) y José Lezama Lima (1910-1976), entre otros muchos.
  - Una poesía afroamericana, que surge en Centroamérica, donde se entremezclan rasgos españoles y folclore africano, llena de ritmo y musicalidad. Destaca Nicolás Guillén (1902-1989).
  - Otros escriben poemas para cantarlos. En los años 60 y 70 está de moda la llamada «canción protesta», que evidencia la denuncia social y que permite llegar a los pequeños rincones de cualquier sociedad, como hacían los juglares medievales. Se les ponía música a textos clásicos o a creaciones propias. Destacan Violeta Parra (1917-1967), Mercedes Sosa (1935-2009), Víctor Jara (1932-1973), Silvio Rodríguez (1946--) o Chabuca Granda (1920-1983).

OCTAVIO PAZ

01 | Lee este poema de Octavio Paz, titulado «La poesía».

Octavio Paz

¿Por qué tocas mi pecho nuevamente?
Llegas, silenciosa, secreta, armada,
tal los guerreros a una ciudad dormida;
quemas mi lengua con tus labios, pulpo,
y despiertas los furores, los goces,
y esta angustia sin fin
que enciende lo que toca
y engendra en cada cosa
una avidez sombría.

El mundo cede y se desploma
como metal al fuego.
Entre mis ruinas me levanto,
solo, desnudo, despojado,
sobre la roca inmensa del silencio,
como un solitario combatiente
contra invisibles huestes.

Verdad abrasadora,
¿a qué me empujas?
No quiero tu verdad,
tu insensata pregunta.
¿A qué esta lucha estéril?
No es el hombre criatura capaz de contenerte,
avidez que solo en la sed se sacia,
llama que todos los labios consume,
espíritu que no vive en ninguna forma
mas hace arder todas las formas
con un secreto fuego indestructible.

Pero insistes, lágrima escarnecida,
y alzas en mí tu imperio desolado.

Subes desde lo más hondo de mí,
desde el centro innombrable de mi ser,
ejército, marea.
Creces, tu sed me ahoga,
expulsando, tiránica,
aquello que no cede
a tu espada frenética.
Ya solo tú me habitas,
tú, sin nombre, furiosa sustancia,
avidez subterránea, delirante.

Golpean mi pecho tus fantasmas,
despiertas a mi tacto,
hielas mi frente
y haces proféticos mis ojos.

Percibo el mundo y te toco,
sustancia intocable,
unidad de mi alma y de mi cuerpo,
y contemplo el combate que combato
y mis bodas de tierra.

Nublan mis ojos imágenes opuestas,
y a las mismas imágenes
otras, más profundas, las niegan,
ardiente balbuceo,
aguas que anega un agua más oculta y densa.
En su húmeda tiniebla vida y muerte,
quietud y movimiento, son lo mismo.

Insiste, vencedora,
porque tan solo existo porque existes,
y mi boca y mi lengua se formaron
para decir tan solo tu existencia
y tus secretas sílabas, palabra
impalpable y despótica,
sustancia de mi alma.

Eres tan solo un sueño,
pero en ti sueña el mundo
y su mudez habla con tus palabras.
Rozo al tocar tu pecho
la eléctrica frontera de la vida,
la tiniebla de sangre
donde pacta la boca cruel y enamorada,
ávida aún de destruir lo que ama
y revivir lo que destruye,
con el mundo, impasible
y siempre idéntico a sí mismo,
porque no se detiene en ninguna forma
ni se demora sobre lo que engendra.

Llévame, solitaria,
llévame entre los sueños,
llévame, madre mía,
despiértame del todo,
hazme soñar tu sueño,
unta mis ojos con aceite,
para que al conocerte me conozca.

COMPRENSIÓN LECTORA

02 | Señala las ideas esenciales del poema de Octavio Paz.

03 | ¿Qué crees que quiere decir el último verso *para que al conocerte me conozca?*

04 | Indica qué puede significar el verso *y haces proféticos mis ojos.*

DESARROLLO DE LA LENGUA

05 | En grupos, buscad todos los adjetivos del poema y agrupadlos en campos semánticos. ¿Cuántos habéis encontrado? ¿Coinciden con los de vuestros compañeros?

06 | En parejas, el adjetivo *secreto* se usa en tres oraciones, pero ¿siempre con el mismo significado?

TRABAJO LITERARIO

07 | En parejas, señalad algunas de las múltiples figuras retóricas que contienen estos versos. Después, haced una puesta en común para ver las coincidencias.

08 | En el texto de Octavio Paz no hay rima, pero sí puede considerarse un poema. ¿Por qué?

PRODUCCIÓN LITERARIA

09 | En grupos, comparad este poema de Octavio Paz sobre la poesía con el poema «Arte poética», de Jorge Luis Borges, que vimos en la unidad anterior. Buscad también la rima XXI de Gustavo Adolfo Bécquer que define la poesía. ¿Cuál creéis que es el más acertado? ¿Con cuál de los tres poetas os identificáis? Comentadlo con otros compañeros.

10 | En grupos, redactad un pequeño texto argumentativo (no más de 250 palabras) que explique cómo y qué es la poesía para vosotros.

INVESTIGACIÓN LITERARIA

11 | En grupos, buscad información sobre Octavio Paz y preparad una presentación para toda la clase. ¿Creéis que su valía responde solo a su labor como poeta? Razonad la respuesta. Si es posible, visionad el programa titulado *Octavio Paz, 100 años* en www.rtve.es/alacarta/videos/imprescindibles, donde se hace un repaso de los aspectos más importantes de su vida y su obra.

12 | Octavio Paz y Pablo Neruda tuvieron una relación personal bastante compleja caracterizada por la amistad, la admiración y las diferencias políticas. Investigad sobre ello y presentad en clase vuestras conclusiones.

¿Cuánto sabes? AUTOEVALUACIÓN

Lee y marca verdadero (V) o falso (F).

	V	F
a. Octavio Paz fue diplomático.	☐	☐
b. Obtuvo el Premio Nobel de Literatura.	☐	☐
c. Escribió múltiples ensayos que influyeron en los autores coetáneos.	☐	☐
d. *El laberinto de la soledad* es el título de uno de sus poemas más famosos.	☐	☐
e. Octavio Paz dirigió la revista literaria *Taller*.	☐	☐
f. Conoció al crítico Alfonso Reyes y mantuvo correspondencia con él durante 20 años.	☐	☐
g. Aunque difícil de clasificar, Octavio Paz empezó siendo surrealista.	☐	☐
h. Octavio Paz no apoyó al bando republicano en la guerra civil española.	☐	☐

PROSA

JULIO CORTÁZAR

01 | Lee este fragmento del cuento «La isla a mediodía», del escritor argentino Julio Cortázar.

La primera vez que vio la isla, Marini estaba cortésmente inclinado sobre los asientos de la izquierda, ajustando la mesa de plástico antes de instalar la bandeja del almuerzo. La pasajera lo había mirado varias veces mientras él iba y venía con revistas o vasos de *whisky;* Marini se demoraba ajustando la mesa, preguntándose aburridamente si valdría la pena responder a la mirada insistente de la pasajera, una americana de las muchas, cuando en el óvalo azul de la ventanilla entró el litoral de la isla, la franja dorada de la playa, las colinas que subían hacia la meseta desolada. Corrigiendo la posición defectuosa del vaso de cerveza, Marini sonrió a la pasajera. «Las islas griegas», dijo. «Oh, yes, Greece», repuso la americana con un falso interés. Sonaba brevemente un timbre y el *steward* se enderezó sin que la sonrisa profesional se borrara de su boca de labios finos. Empezó a ocuparse de un matrimonio sirio que quería jugo de tomate, pero en la cola del avión se concedió unos segundos para mirar otra vez hacia abajo; la isla era pequeña y solitaria, y el Egeo la rodeaba con un intenso azul que exaltaba la orla de un blanco deslumbrante y como petrificado, que allá abajo sería espuma rompiendo en los arrecifes y las caletas. Marini vio que las playas desiertas corrían hacia el norte y el oeste, lo demás era la montaña entrando a pique en el mar. Una isla rocosa y desierta, aunque la mancha plomiza cerca de la playa del norte podía ser una casa, quizá un grupo de casas primitivas. Empezó a abrir la lata de jugo, y al enderezarse la isla se borró de la ventanilla; no quedó más que el mar, un verde horizonte interminable. Miró su reloj pulsera sin saber por qué; era exactamente mediodía.

A Marini le gustó que lo hubieran destinado a la línea Roma-Teherán, porque el paisaje era menos lúgubre que en las líneas del norte y las muchachas parecían siempre felices de ir a Oriente o de conocer Italia. Cuatro días después, mientras ayudaba a un niño que había perdido la cuchara y mostraba desconsolado el plato del postre, descubrió otra vez el borde de la isla. Había una diferencia de ocho minutos, pero cuando se inclinó sobre una ventanilla de la cola no le quedaron dudas; la isla tenía una forma inconfundible, como una tortuga que sacara apenas las patas del agua. La miró hasta que lo llamaron, esta vez con la seguridad de que la mancha plomiza era un grupo de casas; alcanzó a distinguir el dibujo de unos pocos campos cultivados que llegaban hasta la playa. Durante la escala de Beirut miró el atlas de la *stewardess,* y se preguntó si la isla no sería Horos. El radiotelegrafista, un francés indiferente, se sorprendió de su interés. «Todas esas islas se parecen, hace dos años que hago la línea y me importan muy poco. Sí, muéstremela la próxima vez». No era Horos sino Xiros, una de las muchas islas al margen de los circuitos turísticos. «No durará ni cinco años», le dijo la *stewardess* mientras bebían una copa en Roma. «Apúrate si piensas ir, las hordas estarán allí en cualquier momento, Gengis Cook vela». Pero Marini siguió pensando en la isla, mirándola cuando se acordaba o había una ventanilla cerca, casi siempre encogiéndose de hombros al final. Nada de eso tenía sentido, volar tres veces por semana a mediodía sobre Xiros era tan irreal como soñar tres veces por semana que volaba a mediodía sobre Xiros. Todo estaba falseado en la visión inútil y recurrente; salvo, quizá, el deseo de repetirla, la consulta al reloj pulsera antes de mediodía, el breve, punzante contacto con la deslumbradora franja blanca al borde de un azul casi negro, y las casas donde los pescadores alzarían apenas los ojos para seguir el paso de esa otra irrealidad.

Ocho o nueve semanas después, cuando le propusieron la línea de Nueva York con todas sus ventajas, Marini se dijo que era la oportunidad de acabar con esa manía inocente y fastidiosa. Tenía en el bolsillo el libro donde un vago geógrafo de nombre levantino daba sobre Xiros más detalles que los habituales en las guías. Contestó negativamente, oyéndose como desde lejos, y después de sortear la sorpresa escandalizada de un jefe y dos secretarias se fue a comer a la cantina de la compañía donde lo esperaba Carla. La desconcertada decepción de Carla no lo inquietó; la costa sur de Xiros era inhabitable, pero hacia el oeste quedaban huellas de una colonia lidia o quizá cretomicénica, y el profesor Goldmann había encontrado dos piedras talladas con jeroglíficos que los pescadores empleaban como pilotes del pequeño muelle. A Carla le dolía la cabeza y se marchó casi enseguida; los pulpos eran el recurso principal del puñado de habitantes, cada cinco días llegaba un barco para cargar la pesca y dejar algunas provisiones y géneros. En la agencia de viajes le dijeron que habría que fletar un barco especial desde Rynos, o quizá se pudiera viajar en la falúa que recogía los pulpos, pero esto último solo lo sabría Marini en Rynos donde la agencia no tenía corresponsal. De todas maneras, la idea de pasar unos días en la isla no era más que un plan para las vacaciones de junio; en las semanas que siguieron hubo que reemplazar a White en la línea de Túnez, y después empezó una huelga y Carla se volvió a casa de sus hermanas en Palermo.

COMPRENSIÓN LECTORA

02 | Ahora señala las ideas esenciales del fragmento de este cuento.

03 | ¿Opináis que Marini está obsesionado con la isla? ¿Por qué tiene tanto interés en ella?

04 | ¿Cuál pensáis que es la profesión de Marini?

05 | ¿Cómo crees que acaba este cuento de Cortázar? ¿Bien? ¿Mal? ¿Un final abierto?

DESARROLLO DE LA LENGUA

06 | Fíjate en esta frase extraída del texto: *La isla tenía una forma inconfundible, como una tortuga que sacara apenas las patas del agua.* ¿Qué significado tiene aquí el adverbio *apenas?* ¿Qué otros significados tiene? Dad ejemplos.

07 | En el texto aparece la palabra *falúa.* ¿A qué tipo de embarcación se refiere? En parejas, indicad otros cuatro tipos de embarcación en español.

TRABAJO Y PRODUCCIÓN LITERARIOS

08 | En parejas, redactad su final en unas 300 palabras. Luego, leedles el final a vuestros compañeros. ¿Quién lo ha hecho más imaginativo? Valorad del 1 al 3 cada uno de los presentados.

09 | Leed el final que encontraréis en **Mi biblioteca**. ¿Qué ha pasado realmente?

10 | En grupos, señalad las características del realismo mágico que hay en el cuento.

11 | ¿Pensáis que el final del cuento puede tener «tintes» de surrealismo? Razonad vuestras respuestas.

INVESTIGACIÓN LITERARIA

12 | En grupos, investigad quién fue Julio Cortázar, indagad sobre su vida y su obra. Averiguad por qué la aparición de *Rayuela* fue tan significativa en el panorama literario y cómo influyó en los escritores posteriores.

13 | Preparad una presentación para vuestros compañeros sobre lo que os parece más extraordinario de Julio Cortázar. Buscad algún microrrelato o cuento de este autor que sirva como ejemplo de vuestras ideas.

MARIO BENEDETTI

01 | Lee el siguiente fragmento del cuento «La muerte», del escritor uruguayo Mario Benedetti.

Mario Benedetti

Conviene que te prepares para lo peor. Así, en la entonación preocupada y amiga de Octavio, no solo médico sino sobre todo ex compañero de liceo, la frase socorrida, casi sin detenerse en el oído de Mariano, había repercutido en su vientre, allí donde el dolor insistía desde hacía cuatro semanas. En aquel instante había disimulado, había sonreído amargamente, y hasta había dicho: «No te preocupes, hace mucho que estoy preparado». Mentira, no lo estaba, no lo había estado nunca. Cuando le había pedido encarecidamente a Octavio que, en mérito a su antigua amistad («te juro que yo sería capaz de hacer lo mismo contigo»), le dijera el diagnóstico verdadero, lo había hecho con la secreta esperanza de que el viejo camarada le dijera la verdad, sí, pero que esa verdad fuera su salvación y no su condena. Pero Octavio había tomado al pie de la letra su apelación al antiguo afecto que los unía, le había consagrado una hora y media de su acosado tiempo para examinarlo y reexaminarlo, y luego, con los ojos inevitablemente húmedos tras los gruesos cristales, había empezado a dorarle la píldora: «Es imposible decirte desde ya de qué se trata. Habrá que hacer análisis, radiografías, una completa historia clínica. Y eso va a demorar un poco. Lo único que podría decirte es que de este primer examen no saco una buena impresión. Te descuidaste mucho. Debías haberme visto no bien sentiste la primera molestia». Y luego el anuncio del primer golpe directo: «Ya que me pedís, en nombre de nuestra amistad, que sea estrictamente sincero contigo, te diría que, por las dudas...». Y se había detenido, se había quitado los anteojos, y los había limpiado con el borde de la túnica. Un gesto escasamente profiláctico, había alcanzado a pensar Mariano en medio de su desgarradora expectativa. «Por las dudas ¿qué? —preguntó, tratando de que el tono fuera sobrio, casi indiferente. Y ahí se desplomó el cielo—: Conviene que te prepares para lo peor». De eso hacía nueve días. Después vino la serie de análisis, radiografías, etcétera. Había aguantado los pinchazos y las propias desnudeces con una entereza de la que no se creía capaz. En una sola ocasión, cuando volvió a casa y se encontró solo (Águeda había salido con los chicos, su padre estaba en el Interior), había perdido todo dominio de sí mismo, y allí, de pie, frente a la ventana abierta de par en par, en su estudio inundado por el más espléndido sol de otoño, había llorado como una criatura, sin molestarse siquiera por enjugar sus lágrimas. Esperanza, esperanzas, hay esperanza, hay esperanzas, unas veces en singular y otras en plural; Octavio se lo había repetido de cien modos distintos, con sonrisas, con bromas, con piedad, con palmadas amistosas, con semiabrazos, con recuerdos del liceo, con saludos a Águeda, con ceño escéptico, con ojos entornados, con tics nerviosos, con preguntas sobre los chicos. Seguramente estaba arrepentido de haber sido brutalmente sincero y quería de algún modo amortiguar los efectos del golpe. Seguramente. Pero ¿y si hubiera esperanzas? O una sola. Alcanzaba con una escueta esperanza, una diminuta esperancita en mínimo singular. ¿Y si los análisis, las placas y otros fastidios decían al fin en su lenguaje esotérico, en su profecía en clave, que la vida tenía permiso para unos años más? No pedía mucho: cinco años, mejor diez. Ahora que atravesaba la Plaza Independencia para encontrarse con Octavio y su dictamen final (condena o aplazamiento o absolución), sentía que esos singulares y plurales de la esperanza habían, pese a todo, germinado en él. Quizá ello se debía a que el dolor había disminuido considerablemente, aunque no se le ocultaba que acaso tuvieran algo que ver con ese alivio las pastillas recetadas por Octavio e ingeridas puntualmente por él. Pero, mientras tanto, al acercarse a la meta, su expectativa se volvía casi insoportable. En determinado momento, se le aflojaron las piernas; se dijo que no podía llegar al consultorio en ese estado, y decidió sentarse en un banco de la plaza. Rechazó con la cabeza la oferta del lustrabotas (no se sentía con fuerzas como para entablar el consabido diálogo sobre el tiempo y la inflación), y esperó a tranquilizarse. Águeda y Susana. Susana y Águeda. ¿Cuál sería el orden preferencial? ¿Ni siquiera en este instante era capaz de decidirlo? Águeda era la comprensión y la incomprensión ya estratificadas; la frontera ya sin litigios; el presente repetido (pero también había una calidez insustituible en la repetición); los años y años de pronosticarse mutuamente, de saberse de memoria; los dos hijos, los dos hijos. Susana era la clandestinidad, la sorpresa (pero también la sorpresa iba evolucionando hacia el hábito), las zonas de vida desconocida, no compartidas, en sombra; la reyerta y la reconciliación conmovedoras; los celos conservadores y los celos revolucionarios; la frontera indecisa, la caricia nueva (que insensiblemente se iba pareciendo al gesto repetido), el no pronosticarse sino adivinarse, el no saberse de memoria sino de intuición. Águeda y Susana, Susana y Águeda. No podía decidirlo. Y no podía (acababa de advertirlo en el preciso instante en que debió saludar con la mano a un antiguo compañero de trabajo), sencillamente porque pensaba en ellas como cosas suyas, como sectores de Mariano Ojeda, y no como vidas independientes, como seres que vivían por cuenta y riesgo propios. Águeda y Susana, Susana y Águeda, eran en este instante partes de su organismo, tan suyas como esa abyecta, fatigada entraña que lo amenazaba.

COMPRENSIÓN LECTORA

02 | Haz un resumen de la historia que cuenta este fragmento.

03 | Valora qué significan las mujeres de su vida para el protagonista del relato. Compara esas figuras femeninas con las del cuento anterior de Julio Cortázar.

04 | ¿Crees que Benedetti en este cuento está tocando el tema de la enfermedad y el temor humano ante ella con delicadeza?

DESARROLLO DE LA LENGUA

05 | El protagonista habla de *esperanzas* y *esperancitas*. ¿Qué creéis que significa el sufijo *-ita* en este caso? ¿Tiene valor cariñoso?

06 | Indica todos los términos técnicos de medicina que se utilizan en el fragmento.

07 | ¿Cuál es el significado de la expresión *dorar la píldora?* ¿Sabrías el verbo al que sustituye? ¿Conoces otras expresiones que signifiquen lo mismo?

08 | ¿Qué quiere decir que el *dictamen final* sea condena, aplazamiento o absolución? ¿A qué registro pertenecen todos ellos?

TRABAJO Y PRODUCCIÓN LITERARIOS

09 | Busca en el texto algún paralelismo y algún pleonasmo.

10 | En parejas, ¿cómo creéis que acaba este cuento de Benedetti? ¿Pensáis que es predecible? Redactad un final para el cuento.

11 | Leed en clase el final que le habéis dado al cuento. ¿Habéis coincidido en algún aspecto? Haced una puesta en común. Después, leed el final del cuento en **Mi biblioteca**. ¿Qué os parece?

INVESTIGACIÓN LITERARIA

12 | En grupos, ¿puede hablarse de realismo mágico en Benedetti, con este cuento?

13 | En grupos, buscad información sobre este autor uruguayo. Preparad una exposición para clase, desde la perspectiva del carácter humano de todos sus textos. Explicadlo a partir de este otro breve cuento de Mario Benedetti.

La sirenita, de E. Eriksen

LA SIRENA VIUDA

A partir de 1980, yo había estado varias veces en Copenhague y siempre había cumplido con el rito de rendir homenaje a la legendaria sirenita de Eriksen. Debo reconocer, sin embargo, que solo en esta última ocasión me pareció advertir en su rostro, y hasta en su postura, una casi imperceptible expresión de viudez. Cierta noche, estimulado tal vez por varias jarras de Calsberg, me atreví a mencionar el tema ante varios amigos latinoamericanos, verdaderamente expertos en exilios daneses. Por las dudas, y a fin de que no me creyeran más borracho de lo que estaba, traté de darle al comentario un ligero tono de autoburla pero, para mi sorpresa, todos se pusieron serios y uno de ellos, un santafecino llamado Alfredo, dijo lentamente, como si estuviera midiendo las sílabas: «No se trata de que solo tenga expresión de viuda: en realidad, es viuda». Ahí nomás se me pasó la borrachera, y entonces fue Julio, exiliado chileno, quien tomó la palabra: «El protagonista de esta historia es compatriota mío. Aunque te parezca mentira, fue Pinochet quien lo empujó hacia la sirenita. Después de soportar castigos y humillaciones en cárceles chilenas, Rodrigo, natural de Concepción, recaló en Copenhague. No habían transcurrido veinticuatro horas desde su llegada (antes aún de cumplir el primero de los trámites complementarios para continuar su estatuto de exiliado), cuando ya estaba perdidamente enamorado de la sirenita. Fue un amor a primera vista, aunque, eso sí, rodeado de imposibles, como ocurre, después de todo, siempre que alguien se enamora de un personaje inalcanzable y célebre. Digamos, de Catherine Deneuve, Ana Belén, Sonia Braga. O también de la sirenita de Copenhague. Es claro que Rodrigo tenía sus rarezas, pero tú, que hasta no hace mucho también fuiste exiliado, bien sabes que en el exilio lo raro es apenas un matiz de lo normal. Por otra parte, Rodrigo hablaba pocas veces de su pasión recién estrenada. Simplemente, reservaba alguna hora de su jornada para contemplar a la sirenita, como una forma de comprobar que en sí mismo iba creciendo un amor, tan desacostumbrado como indestructible. Además, cuando se enteró de que la sirenita, en lejanos y cercanos pretéritos, había sufrido escarnios, castigos y hasta mutilaciones, halló en ese pasado una nueva zona de afinidad con su propia y escarmentada historia. Así hasta que un día resolvió transformar lo imposible en verosímil. Estábamos en pleno invierno (aquí es una estación realmente inhóspita), pero a él no le pareció justo postergar su proyecto hasta la primavera. Por razones obvias, eligió las horas de la madrugada: no quería arriesgarse a que se formara un corrillo de curiosos (incluido algún indiscreto policía) y que decenas o centenares de ojos mancillaran su más gloriosa intimidad. Eran las tres y cuarto de un domingo de enero cuando Rodrigo llegó hasta el objeto de su amor. Ella estaba como siempre, inocentemente desnuda, y Rodrigo pensó que no era lícito que él permaneciera miserablemente vestido. De manera que, a pesar de los 12 grados bajo cero, se fue despojando, una por una, de todas sus prendas, que quedaron dobladas y en orden junto a sus pies descalzos y ateridos. Ahora sí estaban en igualdad de condiciones su amada y él. Castigados, desnudos, estremecidos. A esa altura, Rodrigo debe haber apretado sus dientes para que no castañetearan y por fin debe haber abrazado tiernamente a su sirenita, en el tramo más feliz de su nueva existencia. Que fue breve: claro, porque allí lo hallaron, horas después, dulcemente yerto, sin nueva vida y también sin vida vieja. Y es por eso, ¿entiendes?, por lo que la pobre sirenita tiene esa cara de viuda que le has visto. Más aún, te diré que desde entonces ha pasado a ser una de los nuestros. Una exiliada más, inmóvil junto al mar, que sueña con la vuelta».

MARIO VARGAS LLOSA

Mario Vargas Llosa

01 | Lee este fragmento del escritor peruano-español Mario Vargas Llosa, de su novela *Conversación en la catedral.*

Desde la puerta de La Crónica Santiago mira la avenida Tacna, sin amor: automóviles, edificios desiguales y descoloridos, esqueletos de avisos luminosos flotando en la neblina, el mediodía gris. ¿En qué momento se había jodido el Perú? Los canillitas merodean entre los vehículos detenidos por el semáforo de Wilson voceando los diarios de la tarde y él echa a andar, despacio, hacia la Colmena. Las manos en los bolsillos, cabizbajo, va escoltado por transeúntes que avanzan, también, hacia la Plaza San Martín. Él era como el Perú, Zavalita, se había jodido en algún momento. Piensa: ¿en cuál? Frente al Hotel Crillón un perro viene a lamerle los pies: no vayas a estar rabioso, fuera de aquí. El Perú jodido, piensa, Carlitos jodido, todos jodidos. Piensa: no hay solución. Ve una larga cola en el paradero de los colectivos a Miraflores, cruza la Plaza y ahí está Norwin, hola hermano, en una mesa del Bar Zela, siéntate Zavalita, manoseando un chilcano y haciéndose lustrar los zapatos, le invitaba un trago. No parece borracho todavía y Santiago se sienta, indica al lustrabotas que también le lustre los zapatos a él. Listo jefe, ahoritita jefe, se los dejaría como espejos, jefe.

—Siglos que no se te ve, señor editorialista —dice Norwin—. ¿Estás más contento en la página editorial que en locales?

—Se trabaja menos —alza los hombros, a lo mejor había sido ese día que el director lo llamó, pide una Cristal helada, ¿quería reemplazar a Orgambide, Zavalita?, él había estado en la Universidad y podría escribir editoriales ¿no, Zavalita? Piensa: ahí me jodí—. Vengo temprano, me da mi tema, me tapo la nariz y en dos o tres horas, listo, jalo la cadena y ya está.

—Yo no haría editoriales ni por todo el oro del mundo —dice Norwin—. Estás lejos de la noticia y el periodismo es noticia, Zavalita, Convéncete. Me moriré en policiales, nomás. A propósito, ¿se murió Carlitos?

—Sigue en la clínica, pero le darán de alta pronto —dice Santiago—. Jura que va a dejar el trago esta vez.

—¿Cierto que una noche al acostarse vio cucarachas y arañas? —dice Norwin.

—Levantó la sábana y se le vinieron encima miles de tarántulas, de ratones —dijo Santiago—. Salió calato a la calle dando gritos.

Norwin se ríe y Santiago cierra los ojos: las casas de Chorrillos son cubos con rejas, cuevas agrietadas por temblores, en el interior hormiguean cachivaches y polvorientas viejecillas pútridas, en zapatillas, con varices. Una figurilla corre entre los cubos, sus alaridos estremecen la aceitosa madrugada y enfurecen a las hormigas, alacranes y escorpiones que la persiguen. La consolación por el alcohol; piensa, contra la muerte lenta los diablos azules. Estaba bien, Carlitos, uno se defendía del Perú como podía.

—El día menos pensado yo también me voy a encontrar a los bichitos —Norwin contempla su chilcano con curiosidad, sonríe a medias—. Pero no hay periodista abstemio, Zavalita. El trago inspira, convéncete.

COMPRENSIÓN LECTORA

02 | En parejas, ¿cuál es la idea central del fragmento?

03 | ¿Por qué crees que destaca este fragmento? ¿Resulta difícil entenderlo?

04 | De todo lo que aquí aparece, ¿qué consideráis más sorprendente o extraño?

DESARROLLO DE LA LENGUA

05 | En parejas, buscad todos los americanismos del texto. ¿Creéis que usar estos términos dificulta la lectura de un texto a un lector de otro país? Razonad la respuesta.

06 | Señala qué quiere decir el protagonista cuando dice *jalo la cadena y ya está.*

TRABAJO LITERARIO

07 | En grupos, ¿qué rasgos hay en este fragmento que permiten caracterizarlo como de la época que estudiamos?

08 | ¿Qué figura retórica emplea el autor *en esqueletos de avisos luminosos flotando en la neblina, el mediodía gris?* ¿Qué ambiente describe?

PRODUCCIÓN LITERARIA

09 | En grupos, redactad un texto de unas 1000 palabras, con similares características a las de este fragmento, que describa la clase de literatura en la que estáis y que refleje todo el ambiente que tenéis a vuestro alrededor.

10 | Luego, leédselo a vuestros compañeros. ¿Quién lo ha hecho mejor? ¿Quién ha imitado mejor a Vargas Llosa?

INVESTIGACIÓN LITERARIA

11 | En grupo, buscad información sobre la trayectoria literaria de Mario Vargas Llosa, Premio Cervantes y Premio Nobel de Literatura. ¿Qué caracteriza su obra? ¿Por qué ha destacado? Aparte de la información que encontréis, visionad el programa *Nostromo,* dedicado a la figura de Mario Vargas Llosa, en www.rtve.es/alacarta/videos/nostromo y comentadlo en clase para completar o concretar la información que habéis recogido sobre el autor.

GABRIEL GARCÍA MÁRQUEZ

01 | Lee este fragmento de *Cien años de soledad,* del escritor colombiano Gabriel García Márquez.

Rebeca declaró después que, cuando su marido entró al dormitorio, ella se encerró en el baño y no se dio cuenta de nada. Era una versión difícil de creer, pero no había otra más verosímil, y nadie pudo concebir un motivo para que Rebeca asesinara al hombre que la había hecho feliz. Ese fue tal vez el único misterio que nunca se esclareció en Macondo. Tan pronto como José Arcadio cerró la puerta del dormitorio, el estampido de un pistoletazo retumbó la casa. Un hilo de sangre salió por debajo de la puerta, atravesó la sala, salió a la calle, siguió en un curso directo por los andenes disparejos, descendió escalinatas y subió pretiles, pasó de largo por la calle de los Turcos, dobló una esquina a la derecha y otra a la izquierda, volteó en ángulo recto frente a la casa de los Buendía, pasó por debajo de la puerta cerrada, atravesó la sala de visitas pegado a las paredes para no manchar los tapices, siguió por la otra sala, eludió en una curva amplia la mesa del comedor, avanzó por el corredor de las begonias y pasó sin ser visto por debajo de la silla de Amaranta que daba

Gabriel García Márquez

una lección de aritmética a Aureliano José, y se metió por el granero y apareció en la cocina donde Úrsula se disponía a partir treinta y seis huevos para el pan.

—¡Ave María Purísima! —gritó Úrsula.

Siguió el hilo de sangre en sentido contrario, y en busca de su origen atravesó el granero, pasó por el corredor de las begonias donde Aureliano José cantaba que tres y tres son seis y seis y tres son nueve, y atravesó el comedor y las salas y siguió en línea recta por la calle, y dobló luego a la derecha y después a la izquierda hasta la calle de los Turcos, sin recordar que todavía llevaba puestos el delantal de hornear y las babuchas caseras, y salió a la plaza y se metió por la puerta de una casa donde no había estado nunca, y empujó la puerta del dormitorio y casi se ahogó con el olor a pólvora quemada, y encontró a José Arcadio tirado boca abajo en el suelo sobre las polainas que se acababa de quitar, y vio el cabo original del hilo de sangre que ya había dejado de fluir de su oído derecho. No encontraron ninguna herida en su cuerpo ni pudieron localizar el arma. Tampoco fue posible quitar el penetrante olor a pólvora del cadáver. Primero lo lavaron tres veces con jabón y estropajo, después lo frotaron con sal y vinagre, luego con ceniza y limón, y por último lo metieron en un tonel de lejía y lo dejaron reposar seis horas. Tanto lo restregaron que los arabescos del tatuaje empezaban a decolorarse. Cuando concibieron el recurso desesperado de sazonarlo con pimienta y comino y hojas de laurel y hervirlo un día entero a fuego lento ya había empezado a descomponerse y tuvieron que enterrarlo a las volandas. Lo encerraron herméticamente en un ataúd especial de dos metros y treinta centímetros de largo y un metro y diez centímetros de ancho, reforzado por dentro con planchas de hierro y atornillado con pernos de acero, y aun así se percibía el olor en las calles por donde pasó el entierro. El padre Nicanor, con el hígado hinchado y tenso como un tambor, le echó la bendición desde la cama. Aunque en los meses siguientes reforzaron la tumba con muros superpuestos y echaron entre ellos ceniza apelmazada, aserrín y cal viva, el cementerio siguió oliendo a pólvora hasta muchos años después, cuando los ingenieros de la compañía bananera recubrieron la sepultura con una coraza de hormigón.

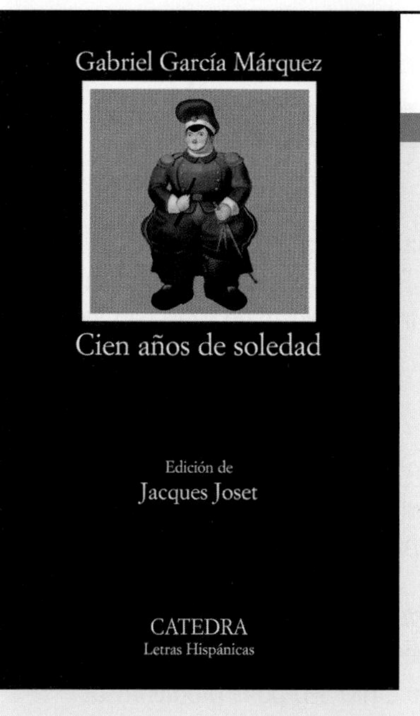

COMPRENSIÓN LECTORA

02 | Resume en pocas líneas lo que se cuenta en este fragmento. ¿Cuál es el problema que hay con el cadáver?

03 | Señala algunos de los hechos sorprendentes que realiza el hilo de sangre en su recorrido.

DESARROLLO DE LA LENGUA

04 | En parejas, buscad los americanismos que hay en el texto.

05 | En parejas, decid sinónimos de las palabras *esclarecer, percibir* y *retumbar.*

06 | Fijaos en las estructuras sintácticas que emplea García Márquez en su descripción. ¿Cuántos tipos de oraciones emplea?

TRABAJO LITERARIO

07 | En parejas, señalad qué características del realismo mágico advertís en este fragmento.

08 | ¿Recordáis otro texto que cuenta de forma similar cómo algo avanza? Mirad la unidad anterior para encontrar uno parecido. ¿Cuál os resulta más inverosímil?

PRODUCCIÓN LITERARIA

09 | En parejas, redactad una descripción similar de un hecho cotidiano, pero debéis plantearlo desde el punto de vista del realismo mágico.

10 | A continuación, leedla a vuestros compañeros. ¿Cuál os parece la más ajustada a las características del realismo mágico? Valoradlas del 1 al 3.

INVESTIGACIÓN LITERARIA

11 | En grupos, buscad información sobre la vida y la obra de Gabriel García Márquez. ¿Por qué rechazó ser candidato al Premio Cervantes? Valorad su aportación a la literatura universal. Haced una exposición en clase con la información obtenida.

12 | En grupos, escoged una de estas tres obras: *Cien años de soledad, El coronel no tiene quien le escriba* y *El amor en los tiempos del cólera;* buscad información sobre ellas para exponerla en clase. Extraed algunos fragmentos para leerlos y comentarlos en una puesta en común.

13 | Visionad la película *Crónica de una muerte anunciada,* basada en la obra homónima de García Márquez. Después, leed el final de la novela en **Mi biblioteca**. ¿Es lógico que siga viviendo tanto tiempo el protagonista tras ser acuchillado brutalmente? ¿Estamos ante un detalle propio del realismo mágico? Indagad sobre ello.

La publicación de *El ingenioso hidalgo Don Quijote de la Mancha* de Miguel de Cervantes supuso un cambio radical en la concepción de la narrativa universal

Tendrían que pasar tres siglos y medio para que otro autor, en español, revolucionara de igual forma la literatura universal. Ese fue **Gabriel García Márquez** con *Cien años de soledad*. En ambos casos, se trata de un protagonista que sale del pueblo, de vidas cotidianas como cualquier persona de cualquier país. Sin embargo, la extraordinaria forma de contar las historias de estos dos escritores ha conseguido que el mundo vuelva sus ojos a ellos y los imiten.

¿Cuánto sabes? AUTOEVALUACIÓN

Lee y marca verdadero (V) o falso (F).

	V	F
a. Julio Cortázar era chileno y vivió bastante tiempo en París.	☐	☐
b. Cortázar fue, además de escritor, un reconocido traductor.	☐	☐
c. Cortázar destaca sobre todo por sus largas novelas.	☐	☐
d. La novela *Rayuela* tiene mucha influencia de la novela clásica del siglo XIX.	☐	☐
e. Mario Benedetti es también muy conocido por su poesía.	☐	☐
f. *La tregua* es una de las novelas más importantes de Vargas Llosa.	☐	☐
g. Benedetti se exilió de Uruguay en 1973 tras el golpe de Estado.	☐	☐
h. Benedetti no escribió ensayo.	☐	☐
i. Mario Vargas Llosa es colombiano.	☐	☐
j. La primera novela de Vargas Llosa es *La ciudad y los perros*.	☐	☐
k. Vargas Llosa ha participado en política.	☐	☐
l. *La guerra del fin del mundo* es una novela histórica de Vargas Llosa.	☐	☐
m. *Conversación en la catedral* tiene como contexto la dictadura peruana.	☐	☐
n. Vargas Llosa ha recibido el Premio Nobel, pero no el Premio Cervantes.	☐	☐
ñ. Gabriel García Márquez trabajó como periodista.	☐	☐
o. García Márquez siempre vivió en Colombia.	☐	☐
p. García Márquez rechazó el Premio Nobel de Literatura.	☐	☐
q. *Crónica de una muerte anunciada* relata la vida de Santiago Nasar durante su juventud.	☐	☐
r. El libro de memorias de García Márquez se llama *Vivir para contarla*.	☐	☐
s. El sobrenombre o apodo de García Márquez era Gabo.	☐	☐

MARCELA SERRANO

01 | Lee este fragmento de Marcela Serrano, de su novela *Nosotras que nos queremos tanto.*

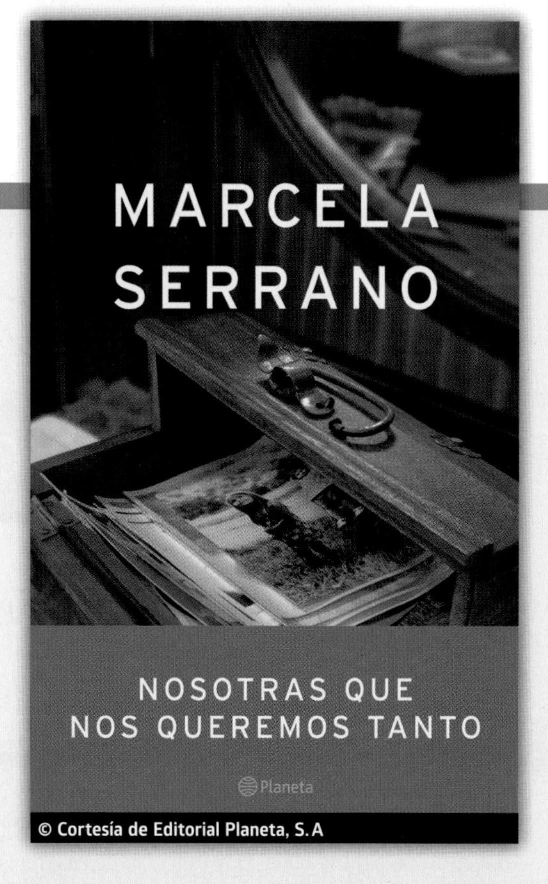

Y aquí estoy yo. Tengo cincuenta y dos años. Un marido estudioso, profesor eterno de la universidad, que decidió tardíamente irse a doctorar a Alemania, siempre en el área de letras, y hoy pasará frío en Heidelberg mientras yo gozo de este esperado veraneo. Tengo tres hijos, dos hombres y una mujer. También tengo tres nietos. Fui profesora por muchos años, y mi tema fue siempre la literatura. Me casé muy joven y aún amo a mi marido. Soy monógama de contextura y establezco relaciones maternales con los hombres. Nunca he sido rica e intuyo que ya no lo seré. Hoy vivo acomodadamente, aunque mi infancia fue más bien difícil. También lo fueron los primeros años de mi matrimonio. La suma de dos profesores no da para enriquecerse, como ustedes saben. Pero aun así me di ciertos lujos, como por ejemplo sacar un Master of Arts en Estados Unidos, ya casada y madre de familia. Isabel me lo ha preguntado tantas veces, ¿cómo dejé a los niños por un año? Pues lo hice y sobreviví. Vengo de la clase media, aquella que podría llamarse «media alta». O sea, ahí. Ni un atisbo que lleve a confusiones. Poca apariencia y mucha austeridad. Funciono bien en condiciones difíciles. Será porque nada me ha sido fácil. No tengo ningún drama, de esos novelescos, a mis espaldas. Mirada desde afuera, mi vida podría parecer gris. Pero no lo es. Estoy siempre atenta. No seré una vieja petrificada. Y hoy estoy escribiendo porque aún a mi edad quiero aceptar todo nuevo desafío. Por nada del mundo me congelaré a retozar en lo que ya formé, o hice. Me interesan miles de cosas. Quizás la literatura y este raro fenómeno de mi género son las que más. No soy bonita ni fea. Ni alta ni baja. Ni gorda ni flaca. Ni muy oscura ni muy clara. Mi apariencia tiene directa relación con mi ser profundo. Ni estridente ni invisible. Una suerte de equilibrio fluye de mí. María diría que eso es terriblemente aburrido. Espero que el tiempo le diga a ella lo contrario. Mi gran conquista es la serenidad. Y eso me resulta bastante.

Quizás se me podría acusar de ser más bien espectadora que gestora de los acontecimientos. Mi defensa consistiría en que los reales gestores son muy pocos, y en que la capacidad de observar –ni siquiera de analizar– está muy mermada hoy en día, cuando todos quieren ser protagonistas. Yo no soy protagonista de estas páginas, si es que existe claramente alguna. Aquí solo hay mujeres, cualquiera de ellas. Somos tan parecidas, todas, es tanto lo que nos hermana. Podríamos decir que cuento una, dos o tres historias, pero da lo mismo. En el fondo, tenemos todas –más o menos– la misma historia que contar.

COMPRENSIÓN LECTORA

02 | ¿Podría definirse a la narradora como «una mujer normal»? ¿Cómo se define ella misma? ¿Creéis que es feliz con su vida?

03 | ¿A quién se dirige la narradora? ¿A hombres y mujeres por igual? Razona la respuesta.

DESARROLLO DE LA LENGUA

04 | En el fragmento anterior dice la narradora *mi vida podría parecer gris.* ¿A qué se refiere? Indica al menos otras dos expresiones donde aparezca un color y explica su significado.

05 | En el texto la narradora se describe físicamente. ¿Qué estructura oracional utiliza para ello?

TRABAJO Y PRODUCCIÓN LITERARIOS

06 | En parejas. ¿A qué tipo de discurso se corresponde el fragmento anterior?

07 | Redacta una descripción de ti mismo(a) siguiendo el modelo y el tipo de discurso del texto de Marcela Serrano. Puedes emplear datos reales o ficticios. Después, léela en clase.

INVESTIGACIÓN LITERARIA

08 | En grupos, buscad información sobre la novela *Nosotras que nos queremos tanto,* su argumento, fecha de publicación y el contexto en que se escribe. Por último, investigad desde qué perspectiva desarrolla sus novelas y por qué defiende que escribir sobre mujeres es muy importante.

09 | Por último, haced una presentación con la información obtenida y exponedla en clase.

GIOCONDA BELLI

01 | Lee ahora este fragmento de la novela *Sofía de los presagios,* de Gioconda Belli.

El noviazgo no dura mucho tiempo. Seis meses y empiezan los preparativos para la boda. Hay urgencia de casar a Sofía en la última semana de abril, antes de las primeras lluvias.

Sofía quiere casarse porque el matrimonio para ella marcará el inicio de su vida adulta en la que ya no será necesaria la inocencia ni la sumisión. No sabe si está enamorada de René, pero desde niña sabe que el amor es engañoso y que lo importante es poder hacer lo que uno quiere.

Fausto, el único sobrino de don Ramón, llega de visita a la hacienda. Hace años que vive en París. El gobierno lo envió con una beca poco después del triunfo de la revolución, cuando sobraban becas para estudiar cualquier cosa, y él decidió quedarse trabajando en un estudio de cine.

Le fue bien como realizador y ahora regresa a la patria pequeña, hecho un francés de pantalones blancos y camisetas de lagartito pegadas al cuerpo. Sentada al lado de su papá Ramón, Sofía lo escucha hablar de Europa, los Campos Elíseos, el boulevard St. Germaine, el Louvre, las estatuas, los museos, la historia de la Revolución Francesa, la Guerra de los Cien Años. Fausto tiene gracia para contar la historia. Mueve las manos acompañando las palabras con delicados gestos de aire.

—Me hubiera gustado ser historiador —dice.

Sofía no necesita prestar atención a los chismes para percatarse de que Fausto tiene el sexo equivocado.

Sabe que por eso don Ramón lo deja hablar con ella hora tras hora por las tardes hasta que da la hora de la visita y René llega en su *jeep* y queda viendo a Fausto con desprecio, pero sin celos.

© Cortesía de Editorial Planeta, S.A

En las noches, Sofía sueña con Europa y el cuento que le contó Fausto de quién era Europa, la mujer raptada por Zeus disfrazado de toro.

Le pide a René que la lleve a Europa de luna de miel y René le dice que es muy lejos, muy caro y ninguno de los dos habla francés, inglés o cualquiera de esos idiomas raros. Sofía argumenta que mirá a Fausto, él no sabía francés y lo aprendió y mirá todo lo que sabe, lo bien que habla, las cosas interesantes que cuenta. René no quiere oír hablar de «mariconadas» y le cambia el tema, le pregunta cómo le fue en Managua, si ya encontró la tela para el vestido de novia.

Sofía se deja llevar por el novio hacia los detalles del casamiento. No le gusta discutir con él, verlo encenderse, verle los nudillos apretados; siente un eco en ella, un doblez de furia asomando en su cara, escurriéndosele entre los dientes que se envilan disimulando espectros iracundos en sonrisas. Es terrible René cuando se enoja y ella prefiere verle contento, verlo reírse, verlo cuando la mira con cara de adoración, no vaya ella también a enfurecerse y estropear todos los planes.

—Así son todos los hombres, mihijita —le dice Eulalia—, no hay que andarlos contrariando. Cuando están viejos se amansan, pero solo hasta que están viejos. Entonces se vuelven como hijos de una. Pero cuando están como René, son dominantes. Esa es su naturaleza y ni candelas a la Virgen se las cambiás.

René es cariñoso y le lleva regalos de Managua. Un día la llevó a la ciudad a almorzar a un restaurante grande y elegante. Ella casi no comió por estar viendo a la gente que entraba, las mujeres de minifaldas, bien arregladas, con las uñas rojas. René casi no comió de lo molesto que estaba porque decía que todos los hombres, en vez de almorzar, se la estaban almorzando a ella con los ojos. Era celosísimo René.

—Es que te quiere mucho —le dice Eulalia—, así son ellos cuando están enamorados.

COMPRENSIÓN LECTORA

02 | En parejas, ¿cómo creéis que es Sofía? ¿Está contenta con su boda? ¿Cómo presentan a René, su futuro marido?

03 | En vuestro país y a vuestro alrededor, ¿conocéis a chicas que se encuentran en esta situación?

ÁNGELES MASTRETTA

01 | Lee el principio de la novela *Mal de amores,* de Ángeles Mastretta.

Diego Sauri nació en una pequeña isla que aún flota en el Caribe mexicano. Una isla audaz y solitaria cuyo aire es un desafío de colores profundos y afortunados. A la mitad del siglo XIX, toda la tierra firme o flotante que hubo en aquel regazo pertenecía al estado de Yucatán. Las islas habían sido abandonadas por temor a los continuos ataques de los piratas que navegaban la paz de aquel mar y sus veinte azules. Solo hasta después de 1847 volvieron los hombres a buscarlas.

La última rebelión de los mayas contra los blancos del territorio fue larga y sangrienta como pocas se han conocido en México. Unidos por el misterioso culto a una cruz que hablaba, usando machetes y rifles ingleses, los mayas se lanzaron contra todos los que habitaban la selva y las costas que habían señoreado sus antepasados. Para huir de ese horror que se llamó la *guerra de castas*, varias familias navegaron hasta la costa blanca y el verde corazón de la Isla de Mujeres.

No bien desembarcaron, sus nuevos moradores, criollos y mestizos, gente que descendía de viajeros encallados y de cruces azarosos, sin nada que defender aparte de sus vidas, acordaron que cada quien sería dueño de la tierra que fuese capaz de chapear. Y así, arrancando la hierba y las espinas, fue como los padres de Diego Sauri se hicieron de un pedazo de playa transparente y de una larga franja de tierra, en mitad de la cual plantaron la palapa bajo la que nacerían sus hijos.

El primer color que vieron los ojos de Diego Sauri fue el azul, porque todo alrededor de su casa era azul o transparente como la gloria misma. Diego creció corriendo entre la selva y rodando sobre la invencible arena, acariciado por el agua de unas olas mansas, como un pez entre peces amarillos y violetas. Creció brillante, pulido, cubierto de sol y heredero de un afán sin explicaciones. Sus padres habían encontrado la paz en aquella isla, pero algo en él tenía una guerra pendiente fuera de ahí. Decía su abuela que sus antepasados habían llegado a la península en su propio bergantín, y varias veces él oyó a su padre responderle entre orgulloso y burlón: «Porque eran piratas».

Quién sabe de qué pasado le vendría, pero el muchacho en que se convirtió Diego Sauri deseaba con todo el cuerpo un horizonte no cercado por el agua. Se le había vuelto ya una pasión la habilidad curandera que su padre le descubrió cuando aún era niño, viéndolo revivir los peces que habían traído medio vivos para la cena. A los trece años, había ayudado en el trasiego del parto más difícil de su madre, y desde entonces mostró una habilidad manual y una sangre fría tales, que empezaron a llamarlo otras mujeres en situación de incertidumbre. No contaba con más ciencia que su instinto, pero tenía la destreza y el aplomo de un sacerdote maya, y lo mismo le pedía auxilio a la Virgen del Carmen que a la diosa Ixchel.

A los diecinueve años sabía todo lo que en la isla podía saberse de yerbas y brebajes, había leído hasta el último libro de los que pudieron caer por aquel rumbo y era el más ardiente enemigo de un hombre que de tanto en tanto irrumpía en la isla cargando un dineral con olor a sangre y pesadillas. Fermín Mundaca y Marechaga traficaba con armas, se favorecía con la interminable guerra de castas y descansaba de sus negocios pescando y fanfarroneando entre los pacíficos moradores de la isla. Con eso hubiera bastado para que Diego lo considerara su enemigo, pero en su condición de joven curandero le sabía otra historia.

Una noche alguien llevó hasta su puerta el rostro devastado de la mujer con quien se había visto llegar a Mundaca. Tenía golpes en todo el cuerpo y de su entraña no salía sonido ni para quejarse. Diego la curó. La tuvo en casa con sus padres hasta que ella pudo volver a caminar sin miedo y a mirarse la cara sin recordar. Entonces la puso en el primer velero que dejó la isla. Antes de subir a la pequeña embarcación, ella escribió sobre la diminuta y brillante arena la palabra *Ah Xoc*, que en maya quiere decir *tiburón*. Así llamaban a Fermín Mundaca, el hombre que a los mayas les vendía las armas, y al gobierno del país los barcos con que los combatía. Luego, aquella pálida y temerosa mujer abrió la boca por primera y última vez para decir: «Gracias».

Esa misma noche cinco hombres sorprendieron a Diego Sauri en la mitad del recorrido que hacía por las casas de sus enfermos. Lo golpearon hasta dejarlo como un montón de trapos, lo ataron de pies y manos y le rompieron la boca con que alcanzó a insultarlos antes de cerrar los ojos que le guardarían para siempre la imagen de una luna inmensa, burlona y amarilla, como la risa de un dios.

© Cortesía de Editorial Planeta, S.A

Cuando pudo volver a preguntarse qué le estaba pasando, sintió temblar el agua bajo la celda que lo encerraba. Iba en un barco, rumbo a quién sabía dónde y en vez de que lo inundara el miedo, lo estremeció la curiosidad. Por mal que le fuera, iba camino al mundo.

Nunca supo cuántos días pasó en aquel encierro. Una curiosidad y otra y otras muchas cosas le cruzaron por encima hasta que perdió el sentido del tiempo. La embarcación había atracado más de cinco veces cuando el hombre que le llevaba todos los días unos mendrugos le abrió la puerta.

–*So here we are* –le dijo un gigante rojo mirándolo con toda la piedad que pudo ser capaz, y lo dejó en libertad.

Here era un helado puerto en el norte de Europa.

Varios años y muchos aprendizajes después, Diego Sauri volvió a México como quien vuelve a sí mismo y no se reconoce. Sabía hablar cuatro idiomas, había vivido en diez países, trabajado como asistente de médicos, investigadores y farmacéuticos, caminado por las calles y los museos hasta memorizar los recovecos de Roma y las plazas de Venecia.

COMPRENSIÓN LECTORA

02 | En parejas, ¿cómo se presentan las figuras femeninas en este fragmento? ¿Creéis que son mujeres «invisibles»?

03 | En parejas, ¿pensáis que Diego Sauri se arrepiente de haber ayudado a la mujer maltratada?

INVESTIGACIÓN LITERARIA

04 | En grupos, investigad sobre Ángeles Mastretta y a qué otra tarea se dedica, además de escribir. ¿Qué premios ha recibido?

05 | En grupos, investigad sobre la vida y la obra de la escritora nicaragüense Gioconda Belli y su actividad como promotora del feminismo en América Latina.

06 | En grupos, con toda la información que habéis recopilado sobre estas tres escritoras, preparad una presentación que muestre las voces femeninas de Hispanoamérica, los temas que tratan, el estilo que desarrollan, la repercusión que tienen en Europa, etcétera.

¿Cuánto sabes? AUTOEVALUACIÓN

Lee y marca verdadero (V) o falso (F).

	V	F
a. La primera novela de Marcela Serrano es *Para que no me olvides.*	☐	☐
b. *Nosotras que nos queremos tanto* trata de la conversación entre cinco mujeres.	☐	☐
c. Gioconda Belli es nicaragüense.	☐	☐
d. Gioconda Belli también escribe poesía.	☐	☐
e. Gracias a la novela *El infinito en la palma de la mano,* Gioconda Belli ganó el Premio Sor Juana Inés de la Cruz.	☐	☐
f. Ángeles Mastretta es también periodista.	☐	☐
g. Ángeles Mastretta no ha escrito poesía.	☐	☐
h. *Arráncame la vida,* de Ángeles Mastretta, se convirtió en un gran fenómeno editorial cuando se publicó en 1992.	☐	☐
i. Ángeles Mastretta es chilena, como Marcela Serrano.	☐	☐

unidad

14

Contexto histórico

- **Dimisión del presidente del Gobierno español Adolfo Suárez** (enero, 1981)
- **Intento de golpe de Estado militar en España** (febrero, 1981)
- **Victoria del Partido Socialista (PSOE) en las elecciones** (1982)
- **Fuerte ofensiva de la organización terrorista ETA** (años 80)
- **Mijaíl Gorbachov impulsa la Perestroika** (reforma económica interna) (1987)
- **Caída del Muro de Berlín** (1989)
- **Guerra del Golfo** (1991)
- **Comienzo de la era de internet** (años 90)
- **Firma del Protocolo de Kioto sobre el cambio climático** (1997)
- **Atentado yihadista en las Torres Gemelas de Nueva York** (2001)
- **Creación de Facebook** (2004) **y de Twitter** (2006)
- **Gran crisis económica mundial** (2008)
- **Primavera Árabe** (2010-2013)
- **Alto el fuego de ETA** (2010-2011)
- **Abdicación del rey Juan Carlos I en favor de su hijo, Felipe VI** (2014)

Mural en una esquina de Salamanca

El siglo XX

LA LITERATURA DESDE LOS 80 HASTA LA ACTUALIDAD

Contexto cultural y artístico

- **Intertextualidad:** mezcla entre literatura y otras artes (fotografía, vídeo, pintura, música, dibujo, videojuego, cómic, etc.)
- **Arte**
  - **Democratización del arte:** se diluyen los límites entre creador y espectador
  - **El arte como activismo y reivindicación:** el grafiti y Banksy
  - **El arte como *performance:*** se conecta con el espectador a través del espectáculo
- **La movida madrileña**: fenómeno artístico social de los primeros años de la transición en España hasta mediados de los 80. Se convirtió en la Edad de Oro de la música española
- **Música:** auge de estilos urbanos como el rap, el hip-hop y el trap
- **Cine:** el cine de la movida madrileña fue la expresión del movimiento contracultural surgido a comienzos de la transición y se impuso a lo largo de los años 80. Pedro Almodóvar fue su máximo exponente

Grafiti satírico en una calle de Londres

LA LITERATURA DESDE LOS 80 HASTA LA ACTUALIDAD

La actualidad se caracteriza por la mezcla de movimientos artísticos: no existe un género determinado o un movimiento predominante, sino un tiempo en el que todos los movimientos de la historia se funden en una perfecta armonía donde cada artista decide a qué sección, estilo o movimiento se quiere acercar más.

Características básicas

◆ **Poesía**

- En la década de los 80 sigue presente el movimiento de los «novísimos», que surge en la década de los 70, con la aparición de la antología de José María Castellet *Nueve novísimos poetas españoles,* publicada en Barcelona en 1970.
- Hay autores muy novedosos, como Antonio Gamoneda, que escribe los «poemas en bloques», con la apariencia de prosa, sin serlo. El poema se configura entonces en «bloques» lingüístico-poéticos separados por pausas y espacios en blanco.

◆ **Teatro**

- En los años 80 y 90, tras los incidentes políticos vividos en España, se inicia una etapa de prosperidad social y de tranquilidad política. Ello da pie para el desarrollo del teatro de forma independiente. Se estrenan obras que habían sido censuradas en el pasado y se juega con nuevas técnicas, temas y tendencias en absoluta libertad.
- Entre los autores más destacados se encuentra José Sanchis Sinisterra, que incorpora a la obra teatral la intertextualidad, de la década anterior, desde tres vertientes:
  - ◊ Desdibuja las fronteras de la teatralidad: incluye lo intertextual, implica al espectador en la ficción teatral, busca la metateatralidad, juega con lo no dicho o con lo desconocido, con el personaje tradicional de la obra teatral, etc.
  - ◊ Desaparecen los elementos que siempre han constituido la obra teatral.
  - ◊ Intenta cambiar la forma de ver y percibir del espectador.

◆ **Narrativa**

En los últimos años del siglo XX se intenta la recuperación de técnicas tradicionales y la vuelta a la narración desnuda, sin artificios de ninguna clase. Al novelista solo le interesa contar historias. La novela ofrece una gran variedad de tendencias.

- **Metanovela:** el autor reflexiona sobre aspectos técnicos de la propia novela, que se convierte en el tema del relato. Un ejemplo es *Juegos de la edad tardía,* de Luis Landero.
- **Novela histórica:** se relatan hechos del pasado fielmente tratados, lo que exige una documentación previa. Algunos ejemplos: *El hereje,* de Miguel Delibes; *Urraca,* de Lourdes Ortiz; *El capitán Alatriste,* de Arturo Pérez-Reverte, o *La noche de los tiempos,* de Antonio Muñoz Molina.
- **Novela de intriga y policíaca:** surge como consecuencia del gran número de traducciones de novelas negras europeas y norteamericanas: *La tabla de Flandes,* de Arturo Pérez-Reverte, *El invierno en Lisboa* y *Plenilunio,* de Antonio Muñoz Molina o *El alquimista impaciente,* de Lorenzo Silva.
- **Novela lírica:** el autor busca sobre todo la perfección formal. Un claro ejemplo es *La lluvia amarilla,* de Julio Llamazares.
- **La reescritura** de obras o de personajes literarios, incluso de mitos clásicos que son interpretados según la mentalidad del escritor o escritora en la actualidad. Un buen ejemplo es la obra de Lourdes Ortiz.

Autores destacables

Antonio Gamoneda, Gloria Fuertes, Ana María Fagundo, M.ª Ángeles Pérez López, Antonio Colinas, García Montero, Sanchis Sinisterra, José Luis Alonso de Santos, Lourdes Ortiz, Paloma Díaz-Mas, Antonio Muñoz Molina, Almudena Grandes, Arturo Pérez-Reverte, Ana Diosdado, Luis Landero y Matilde Asensi

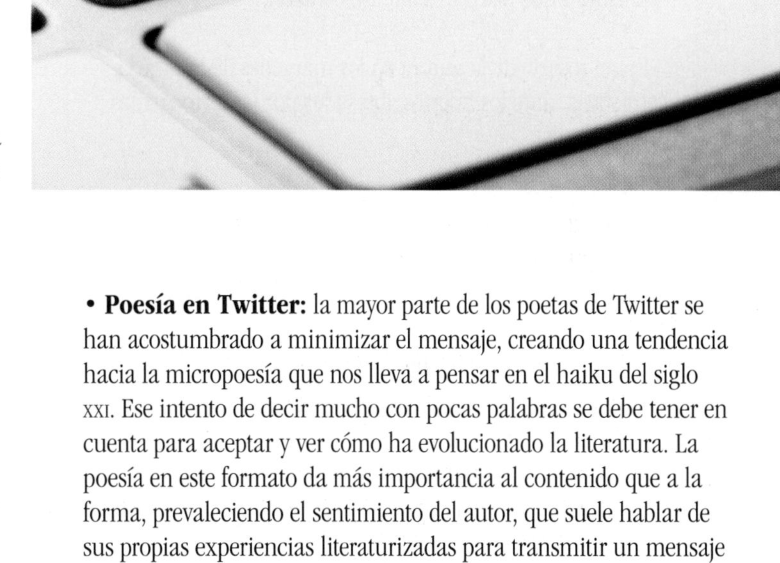

[UNO DE LOS PROBLEMAS DE LA LITERATURA DIGITAL ES QUE ESTÁ MUY MARCADA POR LA INMEDIATEZ, LO EFÍMERO Y EL PLAGIO.]

La literatura en la era de las redes sociales

◆ **Relación con otras artes:** aunque es cierto que históricamente la literatura se ha relacionado con otras artes, como la música, la pintura o la escultura, en la actualidad vivimos una explosión de relaciones transversales entre diferentes plataformas. La intertextualidad ya se ha quedado pequeña y se va más allá mediante el uso digital de la literatura, hecho que permite apoyar la literatura en otros soportes nuevos, como las imágenes en movimiento, los vídeos caseros grabados con un teléfono móvil, el videojuego, etc.

◆ **Contacto directo:** la democratización de las redes sociales ha permitido que el autor pueda estar en contacto directo con sus lectores. Este contacto es inmediato y no diferido, como había sido hasta ahora.

◆ **Normas de cada red social:** el autor tiene que adaptarse a un formato establecido por las normas propias de cada red social y, por tanto, no es lo mismo construir literatura en un blog que para Facebook, Twitter o Instagram. En la actualidad, la red social con mayor fama literaria en español es Twitter, lugar donde se están construyendo los elementos literarios más interesantes.

- **Narrativa en Twitter:** suelen ser microrrelatos o textos muy parecidos a las novelas por entregas del siglo XIX, donde la trama se va desarrollando poco a poco según se van añadiendo nuevos capítulos, secciones o tuits. Estos relatos por entregas en la plataforma Twitter se llaman «hilos» y pueden ser escritos de un modo continuo o espaciado en el tiempo. En 2018 se hizo la primera Feria del Hilo de España, un concurso que buscaba el mejor hilo literario de todo Twitter.
- **Poesía en Twitter:** la mayor parte de los poetas de Twitter se han acostumbrado a minimizar el mensaje, creando una tendencia hacia la micropoesía que nos lleva a pensar en el haiku del siglo XXI. Ese intento de decir mucho con pocas palabras se debe tener en cuenta para aceptar y ver cómo ha evolucionado la literatura. La poesía en este formato da más importancia al contenido que a la forma, prevaleciendo el sentimiento del autor, que suele hablar de sus propias experiencias literaturizadas para transmitir un mensaje de cercanía con sus lectores. El autor vuelve a estar en el centro de la cuestión literaria.

◆ **La inmediatez y lo efímero:** cada día aparecen nuevas páginas web, redes sociales, creadores, artistas o escritores, pero igual desaparecen. En el siglo XXI ser poeta o novelista de éxito en las redes sociales es un arma de doble filo, pues igual que se alcanza la cima se puede desaparecer sin dejar rastro. Tener éxito con un tuit o texto no quiere decir que se vaya a publicar. Solo aquellos autores que se mantienen en la cresta de la ola durante un tiempo prolongado suelen publicar sus obras con alguna editorial. A su vez, en esta literatura digital, el plagio es un elemento también importante: autores que se plagian entre sí, lectores que plagian a autores, textos que se comparten por las redes sin una autoría definida, etc.

ANTONIO GAMONEDA

01 | Lee estos dos poemas de Antonio Gamoneda.

I

Convocada por las mujeres, la madrugada cunde como ramos frescos: cuñadas fértiles, madres marcadas por la persecución. Hay un friso de ortigas en el perfil de la mañana; lienzos retorcidos en exceso por manos encendidas en la lejía y la desesperación.

Y vino el día. Era un rumor bajo los párpados y era el sonido del amanecer. Agua y cristal en los oídos infantiles. Llega una gente traslúcida y sus canciones humedecen las maderas del sueño, humedecen la madera de los dormitorios cerrados a la esperanza.

Siento las oraciones, su lentitud, como serpientes bellísimas que pasaran sobre mi corazón.

(Era el rosario de la aurora en los márgenes de la pureza proletaria, ante los huertos abrasados por los ferrocarriles y los vientos).

Lápidas

II

Desde los balcones, sobre el portal oscuro, yo miraba con el rostro pegado a las barras frías; oculto tras las begonias, espiaba el movimiento de hombres cenceños. Algunos tenían las mejillas labradas por el grisú, dibujadas con terribles tramas azules; otros cantaban acunando una orfandad oculta. Eran hombres lentos, exasperados por la prohibición y el olor de la muerte.

(Mi madre, con los ojos muy abiertos, temerosa del crujido de las tarimas bajo sus pies, se acercó a mi espalda y, con violencia silenciosa, me retrajo hacia el interior de las habitaciones.
Puso el dedo índice de la mano derecha sobre sus labios y cerró las hojas del balcón lentamente).

Lápidas

Antonio Gamoneda

COMPRENSIÓN LECTORA

02 | En parejas, indicad ahora el tema de cada uno de ellos.

03 | ¿Creéis que estos dos textos son poemas o son fragmentos en prosa?, ¿cómo se denomina esta estructura poética empleada por Gamoneda?

04 | ¿Qué ambiente recrea el poeta, de bienestar, de pobreza, de riqueza o de desolación? Busca los términos o las frases que se refieren al ambiente seleccionado.

DESARROLLO DE LA LENGUA

05 | ¿Qué significan *ortiga, crujido, traslúcida, cundir, grisú, orfandad, exasperados, cenceños* y *begonias?* Compruébalo en el diccionario.

06 | ¿Desde qué punto de vista evoca el poeta lo que sucede?, ¿qué significado tiene el uso del paréntesis?

07 | En el primer poema aparece la expresión «el rosario de la aurora». ¿Sabes qué significa? Explícalo y crea un contexto donde se pueda utilizar esta expresión.

TRABAJO LITERARIO

08 | Lee, a continuación, este poema de **Ana María Fagundo,** llamado «El grito».

Llego a la casa.
Abro la puerta.
Grito.

Grito y la voz
la alzan los silencios,
se la llevan por los bordes
donde no hay luz.

Vuelvo a abrir la puerta.
Vuelvo a entrar en la casa.
Vuelvo a gritar.
La voz vibra en mi garganta
cumbres antiguas,
lavas etéreas,
luces de antaño,
rocas
y mar.

Grito. Y mi grito se lo lleva el viento.
Alzo más alto mi gemido,
lo pongo en las púas del tiempo.
Y quiero arañarles a las horas
otras ternuras, otros momentos
que fueron y fueron
que quiero que sigan siendo.

Y el grito se rompe, se da contra el suelo,
se cae, se llora a sí mismo,
se cansa, se duerme, se duerme.

Y llega la luz
y es de noche
y vuelve mi grito a su llanto
y vuelve mi llanto a su grito
y vuelve la puerta a cerrarse
y vuelve la casa a ser hueco de huecos,
vacío de vacíos,
ausencia de ausencias.

Y vuelve mi grito a su grito,
mi grito a su llanto de llantos eternos.

09 | En parejas, explicad la métrica de este poema y señalad una prosopopeya y una hipérbole.

10 | ¿Pensáis que el ritmo del poema es acelerado, pausado, rápido o lento? ¿Cómo lo consigue Fagundo?

11 | ¿Contra qué se rebela la autora?, ¿cuál es su deseo? Señaladlo en el poema.

PRODUCCIÓN LITERARIA

12 | En parejas, escribid un texto breve tomando como referencia el segundo poema de Gamoneda (pero donde sea la madre quien cuente lo que sucede) o el poema de Fagundo (donde veis a una persona gritar).

13 | Leed los textos en clase. ¿Cuál os ha parecido mejor desarrollado? Valoradlo del 1 al 3.

INVESTIGACIÓN LITERARIA

14 | Elegid, por grupos, a uno de los dos poetas: Antonio Gamoneda o Ana María Fagundo y buscad información sobre la trayectoria literaria de cada uno.

15 | Después, haced una presentación ante la clase de los dos poetas. Leed, además, algunos de sus poemas más representativos.

¿Cuánto sabes?

AUTOEVALUACIÓN

Lee y marca verdadero (V) o falso (F).

	V	F
a. Un poema en bloque es un tipo de relato.	☐	☐
b. Antonio Gamoneda es un escritor autodidacta.	☐	☐
c. Gamoneda no ha recibido el Premio Cervantes.	☐	☐
d. *Libro del frío* es una obra poética de Ana María Fagundo.	☐	☐
e. «El grito», de Ana María Fagundo, es un soneto clásico.	☐	☐
f. Ana María Fagundo es una escritora nacida en las islas Canarias.	☐	☐
g. Ana María Fagundo también se dedicó al ensayo.	☐	☐
h. Ana María Fagundo fue catedrática de Literatura Española en EE. UU.	☐	☐

M.ª ÁNGELES PÉREZ LÓPEZ

01 | Lee este poema de M.ª Ángeles Pérez López.

En el vientre impaciente de la lavadora
los colores se mueven por capricho
cuando voltea la máquina, se mece,
contorsiona su línea vertebral
sometida por leyes intrigantes
al ajustado margen del temblor,
la sacudida, el espasmo.

El rojo, el amarillo, el verde menta
se confunden y mezclan, recolocan
la paleta original de los colores,
abigarran al agua con sus tonos,
se exprimen para ofrecerse hermosos y amarrados
al jabón, la lejía abrasadora.
Componen un universo impredecible
y juegan a que tiñen el lino, el algodón,
las telas indefensas en el inquieto espacio,
las telas que se apropian del gris,
azul marengo,
para el forro o la costura primorosa,
aprensivas, temibles en su ira
si el resultado es torpe o irritante.

Hasta que no interrumpo el movimiento
y apago ese artefacto incomprensible,
no vuelve cada prenda con su primera imagen,
con su forma natural, la liberada
del sueño, la fantasía venturosa.

«En el vientre impaciente de la lavadora», *La sola materia*

COMPRENSIÓN LECTORA

02 | Indica cuál es el tema de este poema. ¿Qué proceso está describiendo?

03 | ¿Crees que se trata de un tema poético? Justifica la respuesta.

04 | ¿Consideras que en el poema hay elementos descriptivos? Señálalos.

DESARROLLO DE LA LENGUA

05 | Indicad, en parejas, el significado de *abigarrar, intrigante, contorsionar, lejía, impredecible, primorosa, forro* y *artefacto*. Comprobadlo en el diccionario.

06 | Subrayad los adjetivos prefijados del texto e intentad averiguar la intención con que se utilizan.

07 | Define cómo es el estilo del poema. ¿Crees que la autora emplea un lenguaje muy elaborado?

08 | Fíjate en la palabra *primorosa* del final del segundo párrafo. ¿Sabes qué significa? ¿De qué palabra principal proviene? ¿Qué clase de palabra es? ¿Podrías formar alguna otra palabra a partir de la principal?

TRABAJO LITERARIO

09 | Lee con atención este poema de **Antonio Colinas** e indica cuál es su tema.

Alguien quiso buscarte
en la ciudad en la que tú naciste
y a pesar de allí aún tienes casa y sangre,
no logró dar contigo, le dijeron
que hace años te fuiste a lejanos países.

En tierras de León
dicen que solo escribes
de cosas de Castilla
y en tierras de Castilla
dicen que solo escribes de León.
En el sur andaluz cayeron vida y arte
como un oro fundido en tus dos ojos,
mas sabías que estaban tus raíces
—como el chopo, el álamo y la encina—
allá en las tierras altas.
Y tuviste que irte,
y todavía sufres el exilio
de aquel jardín intenso.

Creíste haber hallado para siempre tu centro
ardiendo en los otoños de Toscana,
cuando un día, asomado al Adriático
desde un balcón de piedra,
una mujer te dijo
que eras muy de otro mundo,
que no era normal que agotaras tu tiempo
entre los pretenciosos mármoles venecianos.

A veces, asomaste un poco el corazón
a las grandes ciudades.
pero en ellas había algunos perros
que con furia cainita
gustaban de morder en tu ternura.
A veces, te despiertas junto al Mediterráneo
de tus sueños profundos y observas asombrado
que ya no existes como ciudadano.
Y te vuelven a hablar, con el dedo alzado, de Castilla,
cuando en Castilla vuelven a decirte
que amas en exceso la luz mediterránea.

Y sin embargo, tú estás tranquilo
pues tienes en las manos una obra que has hecho
con sincera pasión
y universal calor.
Y, en la eterna isla que es tu vida,
atesoras con celo las palabras de Rumi el sufí:
«solo en tu corazón está la dicha».

«Lumbres»

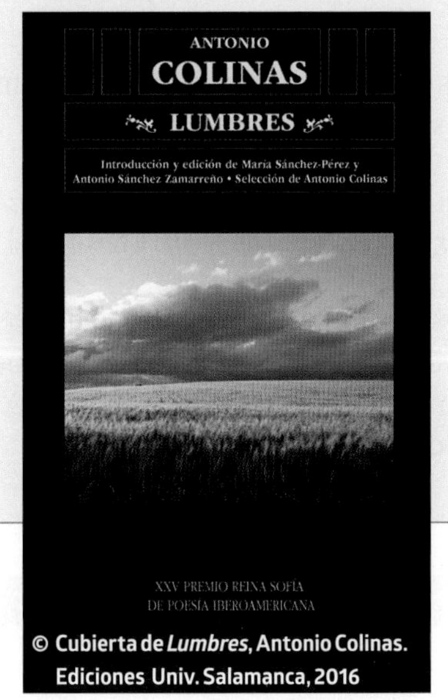

© Cubierta de *Lumbres*, Antonio Colinas. Ediciones Univ. Salamanca, 2016

10 | ¿Con quién habla el autor en este poema?

11 | ¿Piensas que utiliza un lenguaje poético? Justifica la respuesta.

12 | Señala alguna metáfora del poema.

13 | Explicad con vuestras palabras los dos últimos versos.

14 | ¿Consideráis que se puede hablar de acción en el poema?

PRODUCCIÓN LITERARIA

15 | En parejas, escribid un pequeño texto, en prosa o verso, con el mismo título que el poema de M.ª Ángeles Pérez López.

16 | A continuación, leedlos en clase. ¿Qué texto os parece más curioso? Valoradlo del 1 al 3.

INVESTIGACIÓN LITERARIA

17 | En grupos, investigad sobre la biografía y obra de M.ª Ángeles Pérez López. Haced una breve presentación y exponedla en clase.

18 | En parejas, ¿podríais decir a qué grupo de poetas pertenece Antonio Colinas según los datos que se dan en el poema? Explicadlo brevemente.

19 | Entre todos, buscad el listado de miembros pertenecientes al grupo de Antonio Colinas. Después, dividid la clase en varios grupos, elegid cada grupo a un miembro y preparad una brevísima exposición sobre él.

¿Cuánto sabes?

AUTOEVALUACIÓN

✓ **Lee y marca verdadero (V) o falso (F).**

	V	F
a. M.ª Ángeles Pérez López nació en Valladolid.	☐	☐
b. Aunque parezca increíble, el tema del poema «En el vientre impaciente de la lavadora» es doméstico y, por tanto, no es poéticamente clásico.	☐	☐
c. M.ª Ángeles Pérez López recibió el premio Tardor por su obra *La sola materia*.	☐	☐
d. Los «novísimos» tenían un gusto particular por Venecia, lo *kitsch* y lo decadente.	☐	☐
e. Antonio Colinas es andaluz.	☐	☐
f. Antonio Colinas pertenece al grupo conocido como «novísimos».	☐	☐
g. Antonio Colinas ha recibido el Premio Nacional de Literatura.	☐	☐
h. Los «novísimos» rompen con la poesía social.	☐	☐

LUIS GARCÍA MONTERO

01 | Lee el poema «Nube negra» perteneciente a *Vista cansada,* de Luis García Montero.

Cuando busco el verano en un sueño vacío,
cuando te quema el frío si me coges la mano,
cuando la luz cansada tiene sombras de ayer,
cuando el amanecer es otra noche helada,

cuando siento piedad por sentir lo que siento,
cuando no sopla el viento en ninguna ciudad,
cuando ya no se ama ni lo que se celebra,
cuando la nube negra se acomoda en mi cama,

cuando juego mi suerte al verso que no escribo,
cuando solo recibo noticia de la muerte,
cuando corta la espada de lo que ya no existe,
cuando deshojo el triste racimo de la nada,

cuando despierto y voto por el miedo de hoy,
cuando soy lo que soy en un espejo roto,
cuando cierro la casa porque me siento herido,
cuando es tiempo perdido preguntarme qué pasa,

solo puedo pedirte que me esperes
al otro lado de la nube negra,
allá donde no quedan mercaderes
que venden soledades de ginebra,

al otro lado de los apagones,
al otro lado de la luna en quiebra,
allá donde se escriben las canciones
con humo blanco de la nube negra.

Luis García Montero

COMPRENSIÓN LECTORA

02 | Indica cuál es el tema principal de este texto. ¿Qué es lo que quiere el poeta que suceda?

03 | Ahora resume las ideas esenciales del poema de García Montero.

04 | ¿Qué crees que significa *solo puedo pedirte que me esperes / al otro lado de la nube negra?* ¿Piensas que esa *nube negra* es un estado de ánimo o es un elemento real?

DESARROLLO DE LA LENGUA

05 | ¿Cuántos puntos encuentras en todo el poema y de qué tipo son? ¿Y comas? Búscalas y explica para qué las utiliza el autor.

06 | Señala todas las preposiciones de este poema. ¿Qué significa la expresión *en quiebra?*

07 | Indica el significado de las palabras *piedad, acomodarse, deshojar, mercader* y *apagón.* Consulta el diccionario.

08 | Una persona puede estar cansada, fatigada o exhausta, pero ¿cómo va a estarlo *la luz?,* ¿a qué creéis que se refiere García Montero con *luz cansada?* En parejas, discutidlo con vuestro compañero.

TRABAJO LITERARIO

09 | Como puedes comprobar, la palabra *cuando* se repite al inicio de muchos versos del poema. ¿Cómo se llama esa figura literaria?

10 | En parejas, ¿encontráis alguna antítesis o paradoja en el texto? Si la encontráis, explicadla.

11 | En parejas, ¿qué representaría el símbolo del espejo en el verso *cuando soy lo que soy en un espejo roto?*

PRODUCCIÓN LITERARIA

12 | Imaginad que un amigo está pasando una mala época por temas personales o de estudio. Escribidle un par de mensajes para darle ánimos. ¿Os atrevéis con unos versos?

13 | En parejas, leedles los mensajes a vuestros compañeros. ¿Cuál os ha parecido más tierno, animoso o bonito? Valoradlos del 1 al 3.

INVESTIGACIÓN LITERARIA

14 | Luis García Montero escribió este poema como un regalo para su amigo Joaquín Sabina, un cantautor español que en ese momento sufría una grave depresión. Buscad información sobre la relación del escritor y el cantante.

15 | ¿Sabías que Joaquín Sabina tiene una versión cantada de este poema? En parejas, buscadla en internet y comparadla con el poema.

16 | En grupos, elegid cada uno una obra de Luis García Montero, buscad información sobre la misma y preparad una pequeña exposición para explicársela a vuestros compañeros de clase.

17 | Lee este poema escrito por **Gloria Fuertes,** una poeta fallecida justo antes de la llegada del siglo XXI.

... Su más triste tristeza
cambió de pronto en una carcajada
aún más desconcertante
que su fase anterior.

Empezó a gritar: ¡Viva el Mapamundi!
¡Viva la vida! —dándose en el pecho.
¡Todo el mundo es bueno!

(Humildemente creo que no fue para tanto).

«Relato sobre alguien que por fin decidió machacar su depresión»

Gloria Fuertes

18 | ¿Qué puntos en común y qué diferencias encontráis entre el poema de García Montero y el de Gloria Fuertes? Discutidlo con vuestros compañeros.

19 | En grupos, indagad sobre la vida y la trayectoria literaria de Gloria Fuertes. Cada grupo escoge una obra destacada y la explica al resto de la clase.

20 | Elegid entre García Montero y Gloria Fuertes para realizar un cuadro comparativo con los otros poetas vistos en esta unidad.

¿Cuánto sabes?

AUTOEVALUACIÓN

Lee y marca verdadero (V) o falso (F).

	V	F
a. Luis García Montero y Gloria Fuertes pertenecen al movimiento de los «novísimos».	☐	☐
b. Luis García Montero también ha escrito ensayo.	☐	☐
c. Luis García Montero nunca ha sido director del Instituto Cervantes.	☐	☐
d. García Montero pertenece a la corriente de la «poesía de la experiencia».	☐	☐
e. Gloria Fuertes nació y murió en Madrid.	☐	☐
f. Gloria Fuertes es conocida por sus cuentos infantiles, pero ha escrito también poesía y teatro.	☐	☐
g. Gloria Fuertes se hizo famosa por sus colaboraciones en programas de televisión infantiles y juveniles.	☐	☐
h. La obra de Gloria Fuertes no es muy extensa.	☐	☐

JOSÉ SANCHIS SINISTERRA

01 | Lee este fragmento de la obra *Ñaque,* de Sinisterra.

(El escenario está vacío y desierto. [...] Una voz lejana grita: «¡Solano!»... Silencio. Otra voz, también remota: «¡Ríos!»... La primera, más cerca: «¡Solano!»... Y una respuesta más lejana: «¡Ríos!»... Las llamadas se van repitiendo alternativamente desde distintas zonas del teatro. Quienes las emiten son dos cómicos de legua desharrapados que aparecen aquí y allá, fugazmente, como perdidos, buscándose en un espacio extraño. Por fin se encuentran en el escenario: uno de ellos, Ríos, arrastrando un viejo arcón, y el otro, Solano, llevando al hombro dos largos palos, con una capa enrollada al extremo, a modo de hato. Tras abrazarse, alborozados, miran inquietos a su alrededor).

RÍOS. ¿Dónde estamos?
SOLANO. En un teatro...
RÍOS. ¿Seguro?
SOLANO. ... o algo parecido.
RÍOS. ¿Otra vez?
SOLANO. Otra vez.
RÍOS. ¿Esto es el escenario?
SOLANO. Sí.
RÍOS. ¿Y eso es el público?
SOLANO. Sí.
RÍOS. ¿Eso?
SOLANO. ¿Te parece extraño?
RÍOS. Diferente...
SOLANO. ¿Diferente?
RÍOS. ... otra vez.
SOLANO. Yo lo encuentro igual.
RÍOS. ¿Sí?
SOLANO. Sí.
RÍOS. ¿Tú crees?
SOLANO. Mira aquel hombre.
RÍOS. ¿Cuál?
SOLANO. Aquel. El de la barba.
RÍOS. Todos tienen barba.
SOLANO. El de las gafas.
RÍOS. Todos tienen gafas.
SOLANO. El de la nariz.
RÍOS. ¡Ah, sí!
SOLANO. ¿No lo recuerdas?
RÍOS. No sé...
SOLANO. Ya estaba la otra vez.
RÍOS. Sí...
SOLANO. Y todas las otras veces.
RÍOS. Qué fatigoso, ¿no?
SOLANO. Mucho.
RÍOS. ¿Y los demás?
SOLANO. También.
RÍOS. ¿Todos igual?
SOLANO. Más o menos.
RÍOS. ¿Y nosotros? ¿Y nosotros?
SOLANO. De modo que... *(Gesto de poner manos a la obra).*
RÍOS. ¿Tú crees?
SOLANO. Seguro. Están esperando.
RÍOS. Otra vez.
SOLANO. Y habrá más veces.
RÍOS. ¿Y diremos lo mismo?
SOLANO. Lo mismo.
RÍOS. ¿Y haremos lo mismo?
SOLANO. Sí.
RÍOS. ¿Hasta cuándo? ¿Hasta cuándo?
SOLANO. Hay que empezar. *(Ríos toma los palos y Solano se precipita para quitar la capa que está atada a ellos).* ¡Eh! Deja eso...
RÍOS. *(Queda pensativo).* Solano.
SOLANO. ¿Qué?
RÍOS. ¿Les importa?
SOLANO. ¿Qué? *(Trata de quitarse un zapato).*
RÍOS. Lo que decimos, lo que hacemos.
SOLANO. ¿A quién?
RÍOS. *(Por el público).* A ellos.
SOLANO. Han venido, ¿no?
RÍOS. Sí, pero...
SOLANO. Entonces...
RÍOS. Pero no vienen al teatro. Están en él. Somos nosotros quienes venimos. Ellos ya están aquí.
SOLANO. ¿Siempre?
RÍOS. Claro: en el teatro.
SOLANO. ¿Por qué?
RÍOS. Por eso. Porque es el teatro. Y ellos el público.
SOLANO. Entonces, ¿qué importa?
RÍOS. ¿Qué?
SOLANO. Lo que decimos. Lo que hacemos.
RÍOS. No sé; escuchan, miran...
SOLANO. ¿Eso es todo?
RÍOS. Ya es bastante, ¿no?
SOLANO. *(Logra quitarse un zapato).* Escuchan...
RÍOS. Sí.
SOLANO. ... y miran.

[...]

RÍOS. Lo mismo que tú. *(Saca una zanahoria).*
SOLANO. Pero hay que empezar... Están esperando.
RÍOS. ¿Tú no tienes hambre?
SOLANO. Sí, claro...
RÍOS. Entonces... *(Come).*

SOLANO. ¡Tenemos que actuar!
RÍOS. ¿Actuar?
SOLANO. Sí, actuar.
RÍOS. ¿Llamas actuar a esto que hacemos?
SOLANO. ¿Cómo, si no?
RÍOS. *(Deja de comer y piensa)*. ¿Representar?
SOLANO. No.
RÍOS. Recitar...
SOLANO. No.
RÍOS. Relatar.
SOLANO. No... ¿Remedar?
RÍOS. No... ¿Rememorar?
SOLANO. ¿Recordar?
RÍOS. ¿Resucitar?
SOLANO. ¡No! ¿Quién está muerto?
RÍOS. *(Come)*. Todos. Todo aquello.
SOLANO. ¿Nosotros también? ¿Nosotros también?
RÍOS. *(Ofreciéndole la zanahoria)*. ¿Quieres?
SOLANO. No. Hay que empezar. *(Intenta calzarse)*.
RÍOS. *(Sigue comiendo)*. ¿No sería mejor acabar?
SOLANO. ¿Acabar? Es demasiado tarde.
RÍOS. Demasiado tarde...
SOLANO. Debimos haberlo pensado hace una eternidad.
RÍOS. Hacia mil seiscientos...
SOLANO. Hace una eternidad.
RÍOS. Entonces, por lo menos, éramos algo...
SOLANO. Poco.
RÍOS. ... hacíamos algo.
SOLANO. Poco.
RÍOS. Entonces...
SOLANO. Además, no digas «entonces».
RÍOS. ¿No?
SOLANO. Para nosotros es ahora.
RÍOS. Hacia mil seiscientos...
SOLANO. Más o menos.
RÍOS ¿Y cuándo es ahora?
SOLANO. ¿Qué ahora?
RÍOS. El ahora de ahora; el mío, el tuyo, el del público...
SOLANO. ¿Quieres decir... aquí?
RÍOS. Sí: aquí.
SOLANO. No sé. Pregúntalo.
RÍOS. ¿A quién?
SOLANO. Al público.
RÍOS. ¿Puedo hacerlo?
SOLANO. Prueba.
RÍOS. Quiero decir... ¿Está permitido?
SOLANO. ¿Por qué no?
RÍOS. Ay, no sé...
SOLANO. Anda, pregúntalo.
RÍOS. ¿Y si...?
SOLANO. ¿Qué? Nadie nos lo ha prohibido.
RÍOS. No, pero...
SOLANO. ¿Lo pregunto yo?
RÍOS. Sí, por favor.
SOLANO. *(Baja a la sala e interpela a un espectador)*. ¿Cuándo es ahora? ¿Qué día? ¿Qué mes? ¿Qué año?... Gracias. *(Transmite la respuesta a Ríos)*.
RÍOS. ¡Qué barbaridad! *(Repite el año)*. Solano...
SOLANO. ¿Qué?
RÍOS. Solano.
SOLANO. ¿Qué?
RÍOS. ¿Te das cuenta? *(Calcula con los dedos)*. Casi cuatrocientos años...
SOLANO. *(Subiendo precipitadamente a escena)*. Hay que empezar.
RÍOS. Casi cuatrocientos años... ¿Te das cuenta?
SOLANO. Una eternidad, sí.
RÍOS. Anduvimos demasiado.
SOLANO. Demasiados caminos.
RÍOS. Debimos detenernos. Quedarnos.
SOLANO. En un teatro.
RÍOS. El teatro, sí.

[...]

SOLANO. *(Sacando ropas del arcón)*. Hay que empezar.
RÍOS. *(Por el público)*. ¿Están esperando?
SOLANO. ¿Qué otra cosa pueden hacer?
(Ríos queda pensativo mirando al público. De pronto, una idea le ilumina el rostro).
RÍOS. Solano...
SOLANO. ¿Qué?
RÍOS. Solano.
SOLANO. ¿Qué?
RÍOS. ¿Y si cambiamos los papeles?
SOLANO. ¿Quiénes? ¿Tú y yo?
RÍOS. No... Nosotros y ellos.
SOLANO. ¿Te refieres al público?
RÍOS. Sí.
SOLANO. ¿Cambiar?... ¿Cómo?
RÍOS. Ellos actúan y nosotros... miramos y escuchamos.
SOLANO. ¡Vaya una idea!
RÍOS. ¿No te gustaría?
SOLANO. No sé... No creo...
RÍOS. Sería divertido.
SOLANO Sería aburrido.
RÍOS. ¿Aburrido? ¿Por qué? Imagínate: nosotros aquí, mirando, y ellos...
SOLANO. Ellos, ¿qué?
RÍOS. Actuando.
SOLANO. ¿Y si no actúan?
RÍOS. Algo harán...
SOLANO. ¿Y si no hacen nada? ¿Y si no hacen nada?
RÍOS. Vamos a probar.
SOLANO. Será aburrido.
RÍOS. Será divertido.
SOLANO. Si tú lo dices...
RÍOS. Ven, siéntate aquí.
(Se sientan en el borde del escenario y miran al público durante dos minutos largos. Por fin Ríos se impacienta).
SOLANO. ¿Te das cuenta?
RÍOS. *(Decepcionado)*. Me doy cuenta.
SOLANO. *(Incorporándose)*. Entonces, ¿empezamos nosotros?
RÍOS. *(Ídem)*. Sí, empecemos.

COMPRENSIÓN LECTORA

02 | ¿Os parece una obra dinámica o monótona? ¿Qué papel desempeña el público?

03 | Analizando este fragmento, ¿consideráis que es cómico o dramático? Justificad vuestra respuesta.

DESARROLLO DE LA LENGUA

04 | ¿El lenguaje utilizado por ambos personajes es culto o coloquial?

05 | ¿Qué significa el término *ñaque*? ¿Por qué consideras que el autor le ha puesto ese título a la obra?

06 | Busca la palabra *alborozados* en la entradilla del fragmento. ¿Qué significa? Después, busca por lo menos seis términos relacionados con el campo semántico de la alegría.

TRABAJO LITERARIO

07 | En parejas, ¿por qué destaca este fragmento de Sanchis Sinisterra? ¿Pensáis que resulta novedoso todo el planteamiento que hacen los actores? ¿Cómo se llama esa acción?

08 | En parejas, ¿creéis que el teatro ha de ser clásico (los actores en el escenario y el público en el patio de butacas)? ¿Qué pensaríais si fuerais a un teatro y los actores os pidieran subir al escenario y actuar?

09 | En parejas, señalad los fragmentos donde se hace explícita la intertextualidad o el metateatro. ¿Creéis que está bien conseguido?

10 | Lee este fragmento de *Bajarse al moro,* de **José Luis Alonso de Santos.**

José Luis Alonso de Santos

Jaimito. ¿Y yo no? Estoy metido en un fregao también de aquí te espero. Por el tiro. Tuve que firmar que me lo había dado yo; y está muy castigado andar por ahí pegándose uno tiros a lo tonto. ¡Qué follón! ¿Tienes cerillas?
(Ella dice que no con la cabeza. Él va a la cocina. Habla desde allí).
¡Qué mes! ¡De todo! Solo nos ha faltado quedarnos embarazados.
(Ella sonríe tristemente. Él vuelve con las cerillas, la mira. Ella le hace señas a la tripa diciendo que sí con la cabeza).
Jaimito. ¿Qué? ¿Que sí? ¿Que también nos hemos quedado embarazados?
(Ella dice que sí con la cabeza).
¡Hala! Alegría. Y ahora empezarán a caer las bombas atómicas del Rigan ese. Que no falte nada. *(Se ríen los dos).* ¿Pero estás segura?
Chusa. Casi segura. No me he hecho los análisis, pero por los días...
Jaimito. ¿Y de quién es? ¿De Alberto?
Chusa. De Alberto.
Jaimito. ¿Lo sabe ese desgraciado?
Chusa. No.
Jaimito. ¿Por qué no se lo has dicho? Ahora mismo me voy a buscarle, y se lo planto en su cara para que se les joda la boda y se les amargue la luna de miel.
Chusa. No quiero que lo sepa, déjalo.
Jaimito. ¿Pero por qué?
Chusa. Porque no. Primero no es seguro del todo, y él diría que no es fijo que sea de él, que puede ser de cualquiera... Se marcharía igual. Y, además, no es de él. Bueno, sí es de él, pero como si no lo fuera. Yo me entiendo. Él ya no está aquí. Es un problema mío.
Jaimito. Y mío también, ¿no? Así que estamos embarazados. Embarazados. Esto no me había pasado a mí nunca, ya ves. ¿Y qué vamos a hacer?
Chusa. No lo sé. Aún tenemos tiempo de pensarlo, en caso de que sea cierto.
Jaimito. [...] Tampoco estaría mal que tuviéramos un crío; así podíamos bajar juntos al moro. Con el niño en brazos se me quitaría la cara de sospechoso.

11 | ¿Cómo definirías la forma de ser de Chusa: como una buena persona o como una tonta?

12 | ¿Sabes a quién se refiere Jaimito cuando nombra a Rigan?

13 | En parejas, ¿cómo describiríais la reacción de Jaimito ante el embarazo de Chusa?

14 | En parejas, ¿qué significa «bajarse al moro»? ¿En qué ambiente social viven los personajes? Buscad el argumento y haced un resumen de él.

PRODUCCIÓN LITERARIA

15 | En parejas, continuad este diálogo de Ríos y Solano con el que empieza la obra. Cada pareja debe escribir cinco intervenciones más de una manera creativa.

> Ríos. ¿Dónde estamos?
> Solano. En un teatro...
> Ríos. ¿Seguro?
> Solano. ...

16 | Después, representad la continuación que habéis escrito. ¿Qué pareja os ha parecido más divertida? Valoradlo del 1 al 3.

INVESTIGACIÓN LITERARIA

17 | En grupo, buscad información sobre Sanchis Sinisterra. Elaborad un pequeño trabajo sobre sus obras fundamentales y las características de su teatro.

18 | Buscad información sobre José Luis Alonso de Santos y haced una presentación de sus obras más destacadas ante la clase.

19 | En parejas, ¿qué diferencias hay entre ambos fragmentos teatrales?, ¿pueden calificarse como teatro del absurdo los dos? Razonad vuestra respuesta.

20 | En grupo, buscad una obra de los años 80 o 90 que os guste y proponedle a toda la clase representarla para finales de curso.

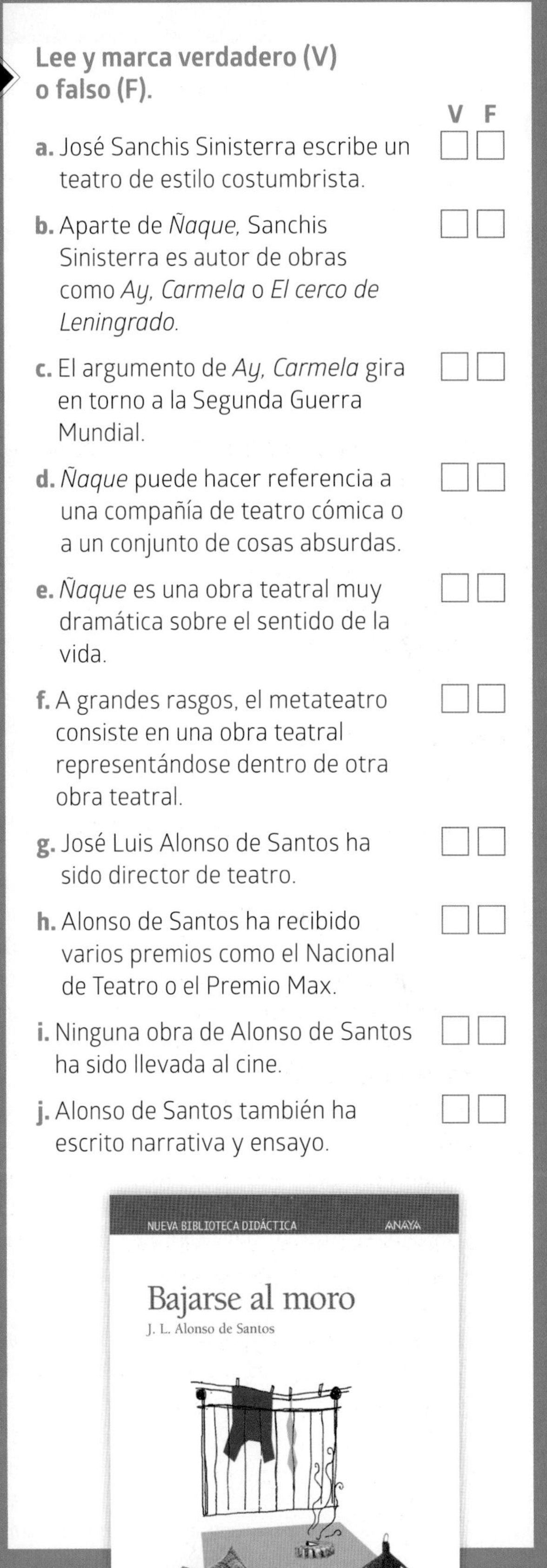

¿Cuánto sabes?

AUTOEVALUACIÓN

Lee y marca verdadero (V) o falso (F).

	V	F
a. José Sanchis Sinisterra escribe un teatro de estilo costumbrista.	☐	☐
b. Aparte de *Ñaque*, Sanchis Sinisterra es autor de obras como *Ay, Carmela* o *El cerco de Leningrado*.	☐	☐
c. El argumento de *Ay, Carmela* gira en torno a la Segunda Guerra Mundial.	☐	☐
d. *Ñaque* puede hacer referencia a una compañía de teatro cómica o a un conjunto de cosas absurdas.	☐	☐
e. *Ñaque* es una obra teatral muy dramática sobre el sentido de la vida.	☐	☐
f. A grandes rasgos, el metateatro consiste en una obra teatral representándose dentro de otra obra teatral.	☐	☐
g. José Luis Alonso de Santos ha sido director de teatro.	☐	☐
h. Alonso de Santos ha recibido varios premios como el Nacional de Teatro o el Premio Max.	☐	☐
i. Ninguna obra de Alonso de Santos ha sido llevada al cine.	☐	☐
j. Alonso de Santos también ha escrito narrativa y ensayo.	☐	☐

NARRATIVA

LOURDES ORTIZ

01 | Lee este texto titulado «Penélope», que se encuentra en la obra *Los motivos de Circe,* de Lourdes Ortiz.

Penélope teje la tela.
Palacio Viejo, Florencia

«Vuélvete a tu habitación. Ocúpate de las labores que te son propias, el telar y la rueca, y ordena a las esclavas que se apliquen al trabajo... y del arco nos ocuparemos los hombres y principalmente yo, de quien es el mando de esta casa».

Son palabras de Telémaco. Ella, Penélope, acata y se repliega: veinte años permitiendo que Atenea, la de los ojos de lechuza, ponga a sus ojos un plácido sueño. Duerme sin cesar... duerme y teje una tela inacabable de deseos insatisfechos. Allá, en lo alto de la magnífica casa, contempla cómo se vence su carne mientras se indigna ante la desvergüenza joven de las esclavas que aprovechan la fiesta y los hombres que acuden al panal siempre oferente de un lecho que se hurta y se brinda. [...] «Vuélvete a tu habitación...». Habitación poblada por los hilos tenues de un sudario, que es sudario de la propia carne; paños mojados de una túnica precursora que deja huellas como de bronce, cinceladas sobre una piel que ya ha olvidado las delicias del abrazo, piel guardada en alcanfor, bañada en la nostalgia... anhelante como una flor de cardo que apenas desprende aroma y recogida, resguardada en un rechazo pertinaz, inútil, que la va convirtiendo en estatua que conserva la calidez sedosa del mármol más pulido.

Ellos, los pretendientes, llenan la casa con sus gritos, sus borracheras y sus modos de hombres. [...] Al anochecer, a la luz de las antorchas, ascienden las voces y la música de agua que no deja de manar de la cítara, sube el olor caliente del sebo quemado, de la grasa chisporreante de la carne recién asada... [...] y mientras se vacían las cubas y se llenan las cráteras, ella puede escuchar aún la melopea lánguida de las canciones. [...] Al anochecer desciende al calor del hogar y aguarda en silencio, sintiéndose observada, admirada, presintiendo... mientras los hombres escuchan la voz templada del aedo que canta las hazañas de aquellos que debieron partir, esa historia oída ya mil veces, donde se narran las aventuras de los héroes, de aquel Odiseo, su esposo, que marchó un día camino del Ilión. Y envuelta en su dolor como en un manto sepulcral vuelve a su alcoba y teje. [...]

Y ahora ha llegado. Dicen que es él, ese hombre anciano sin fuerza en los músculos que viste como un mendigo y trae el polvo de los caminos en las sandalias mal curtidas. Y hay un momento de espanto, una vacilación que la hace renegar de aquel tiempo pasado, y permanece muda, sin despegar los labios porque tiene el corazón estupefacto. Y entonces una vez más Telémaco percibe la vacilación y la reprime con dureza:

«Madre mía... descastada madre, ya que tienes ánimo cruel, ¿por qué te pones tan lejos de mi padre, en vez de sentarte a su lado y hacerle preguntas y enterarte de todo? Ninguna mujer se quedaría así, apartada de su esposo, cuando él después de tantos males, vuelve en el vigésimo año a la patria tierra. Pero tu corazón ha sido siempre más duro que una piedra».

Veinte años esperando y ahora aquel anciano... Porque los años del esposo le han devuelto sus propios años, esas canas que pintaba y repintaba, esa delgadez de la piel que comienza a separarse de la carne, como sudario prematuro. [...] La divina Penélope en aquella cama de olivo que fue su lazo contempla a Ulises que ha regresado y llora, él tiene tras sí una historia que narrar, y ante él una hacienda que reconstruir y un reino que legará a su hijo. Ella, la esposa, que ya no está en edad de volver a ser madre y renunció, cuando era tiempo, al tacto de los cuerpos jóvenes, se refugia en el sueño y deja que los fantasmas de los pretendientes le devuelvan el eco de un goce que ya no puede ser. Y como un lamento percibe desde el fango caliente de la tierra el rugido denso y quejumbroso de las bacantes y la risa dominadora de Atenea que pone lanzas y esculpe sobre los páramos.

COMPRENSIÓN LECTORA

02 | Indica quién narra el relato. ¿Varía el narrador en algún momento?

03 | ¿Cómo parece ser la relación entre Penélope y Telémaco?

04 | ¿Con qué intención Lourdes Ortiz recupera el personaje de Penélope para darle un papel protagonista?

DESARROLLO DE LA LENGUA

05 | ¿Cuál es el significado de las siguientes palabras: *sudario, quejumbroso, cítara, aedo, crátera, cincelado* y *alcanfor?*

06 | Busca al menos tres sinónimos del adjetivo *pertinaz.*

07 | Describe al personaje principal del texto mediante tres adjetivos.

TRABAJO LITERARIO

08 | En parejas, ¿cómo se denomina este tipo de relatos que recobran personajes femeninos silenciados para ofrecer la oportunidad de contar los hechos desde otro punto de vista: el suyo?

09 | ¿Cómo es la Penélope del relato?, ¿está contenta con el regreso de Ulises? ¿Cómo se siente?

10 | En parejas, recordad quién y cómo es Penélope. Para ello, buscad información, leed los cantos XXI y XXIII de la *Odisea* de Homero y en clase haced una presentación con los datos obtenidos.

11 | Ahora lee este cuento de **Paloma Díaz-Mas,** llamado «La dama boba».

El soneto está bien en los que aguardan.
(Lope de Vega, *Arte nuevo de hacer comedias)*

Él dijo:

Aguardad un momento, Lisi bella,
que pronto he de tornar, aunque aquí resto.

[...] y salió de escena dejándome en los labios la miel de su fineza («que pronto he de tornar, aunque aquí resto»), que era tanto como decir que su corazón quedaba conmigo aunque él partiera ansioso de volver, o que su alma quedaba dividida en dos: la que se iba por fuerza y la que me acompañaba por devoción.

Recordé que el soneto está bien en los que aguardan, y comprendí que tenía que decir un soneto, un soneto cualquiera [...] para que él volviese enseguida, aún a tiempo de oír la última rima. Pero yo nunca supe recitar sonetos: me confundo, trueco las rimas y ligo las cesuras, contraigo los hiatos y las diéresis, salteo los acentos, olvido los vocablos y mis esperas son largas y aburridas, en silencio y mano sobre mano.

Esperé horas y horas en un silencio abrumador, lleno de toses y crujidos, y al ver que solo esperando no venía y que el público comenzaba a impacientarse, dije un villancico que no surtió efecto: el galán no aparecía por ninguna parte. Nerviosa ya por el paso del tiempo, que ni vuelve ni tropieza, intenté unas redondillas, con los ojos clavados en el lateral izquierdo por el que tenía que aparecer el caballero con la espada desenvainada gritando:

¡Vencí, mi Lisi!
¡Huyamos luego!

Pero al otro lado de las lonas pintadas del decorado no había más que silencio y no se oían ni la refriega del duelo, ni el entrechocar de las espadas por ver quién de los dos el premio gana, ni los gritos de «¡La justicia! ¡Poneos en salvo!», ni la jubilosa carrera del galán vencedor y vengador que había de venir a buscarme; y el público impaciente comenzó a rebullir en sus asientos y algunos se levantaban y comenzaban un parsimonioso revestirse de abrigos, bufandas, redingotes y gabanes, y yo ataqué unas estancias muy bonitas, pero el caballero seguía sin venir y el público estaba abandonando las localidades entre discretos murmullos de educada indignación y yo –en mi vida me he visto en tal aprieto– me iba quedando sola, aunque intenté salvar la situación con un romance que de nada sirvió: cuando lo acabé el público ya se había marchado, las limpiadoras hacían elevarse nubes de polvo de las adamascadas tapicerías y recogían allí un guante perdido, allá un abanico olvidado y cuando ellas también se fueron y se hubieron apagado bambalinas me quedé en silencio un rato eterno y sentí resbalar, mudos, los años, mientras la oscuridad se poblaba de las inquietantes carreras de las ratas que anidan entre los cestos de los viejos vestuarios desechados, y el papel de los decorados se ajaba en la sombra y las lonas pintadas iban poniéndose mustias y descoloridas en medio de las tinieblas. Empecé a tener miedo cuando me rozaron las alas peludas de las polillas, y traté de llamar a mi salvador con unos pareados angustiosos, pero él seguía sin venir y comenzaba a apolillarse mi vestido de seda [...]. Yo seguía sin recordar ningún soneto y lloraba de rabia pensando que un soneto, un simple soneto podía salvarme, que si decía un soneto se acabaría aquel interminable aguardar y él vendría, entrando justo con la última rima, y me tomaría en sus brazos y entonces se encenderían de nuevo las luces de escena, el público –quizás más viejo– volvería a ocupar sus butacas [...] y el caballero y yo huiríamos a una tierra lejana [...].

Pensé que estaba salvada, porque justo entonces recordé lo que yo creía el principio de un soneto: «Miré los muros de la patria mía». Y me dije, «soy feliz, estoy salvada» y continué:

Miré los muros de la patria mía
y vi que eran de cera
y que la cera se derretía.

Pero aquello no era un soneto: era algo así como una soleá incapaz de hacer venir a mi galán enamorado. Y las polillas habían devorado ya buena parte de los terciopelos de los asientos [...] y las falsas pinturas pompeyanas de los techos se deshacían en una lluvia de cascarilla y la gran araña central se desgranaba en un granizo de cuentas de vidrio sucio. Me acordé entonces del apuntador y pensé en preguntarle. Pero hacía mucho tiempo que el apuntador había muerto en su concha y era ya tierra, humo, polvo, sombra y nada.

12 | Indica cuál es el tema de este cuento. Resúmelo en unas pocas líneas.

13 | ¿Cuántos personajes aparecen en el cuento?

14 | En el texto, la protagonista recita o menciona varias estrofas, ¿cuáles son? Elige dos de ellas y describe su métrica.

PRODUCCIÓN LITERARIA

15 | ¿Con quién os identificáis más, con Penélope o con la dama de *La dama boba?* Explícadlo en un párrafo en prosa.

16 | ¿Qué párrafo de vuestros compañeros os ha resultado más conmovedor? Valoradlo del 1 al 3.

INVESTIGACIÓN LITERARIA

17 | En parejas. El título de este cuento remite a una obra del Barroco, titulada también *La dama boba.* ¿Quién fue su autor? ¿A qué género pertenece?

18 | Hay varias citas de textos anteriores en el cuento. En parejas, señaladlas e investigad sobre ellas. Decid quiénes han sido sus autores.

19 | ¿Creéis que estas citas pueden ser consideradas como intertextualidad? Justificad la respuesta.

20 | En grupos, elegid entre Lourdes Ortiz o Paloma Díaz-Mas y buscad información sobre su obra. Después, preparad una presentación para exponerla en clase.

¿Cuánto sabes?

AUTOEVALUACIÓN

Lee y marca (V) o falso (F).

	V	F
a. Lourdes Ortiz no es solo novelista, también es poeta, dramaturga y ensayista.	☐	☐
b. Lourdes Ortiz también ha escrito *Urraca*, una novela histórica sobre la reina de Castilla y León.	☐	☐
c. Lourdes Ortiz no ha escrito novelas de género policíaco.	☐	☐
d. Paloma Díaz-Mas es una poeta muy conocida por su libro *Lo que aprendemos de los gatos.*	☐	☐
e. Paloma Díaz-Mas es especialista en literatura sefardí.	☐	☐
f. Penélope es un personaje de la *Ilíada* de Homero, esposa de Ulises, rey de Ítaca.	☐	☐
g. Literariamente, Penélope está considerada el símbolo de la fidelidad.	☐	☐
h. La Penélope descrita por Lourdes Ortiz es igual a la de Homero y espera felizmente el regreso de su marido.	☐	☐
i. El título de la obra de Díaz-Mas, *La dama boba*, está tomado de una obra de Calderón de la Barca.	☐	☐
j. El tema principal de *La dama boba* de Díaz-Mas es el paso del tiempo.	☐	☐

ANTONIO MUÑOZ MOLINA

01 | Lee este fragmento de la novela *Plenilunio,* de Muñoz Molina.

Pero en cuanto pasaron los primeros meses de humillación y de soledad lo que hice, sin proponérmelo, fue empezar a disfrutar la vida que me había dejado secuestrar por él, no ya en mis convicciones, que al fin y al cabo son demasiado abstractas para que a mí me importen de verdad, sino en mis costumbres, en mis gustos y en mis aficiones personales. Volví a pintarme los labios, a dejarme largas las uñas y a pintármelas de rojo, me hice un corte chocante de pelo y me lo teñí de un negro muy fuerte, volví a comprarme blusas de seda, faldas cortas, sandalias de tacón y vestidos ajustados, no para conquistar a nadie, y menos todavía para seducirlo a él, que en esas cosas tiene o tenía el gusto tan insípido como en la comida, sino para rescatarme a mí misma, que me había olvidado, para verme en el espejo igual que cuando me probaba ropa nueva a los diecisiete años y empezaba a usar lápiz de labios. Sobreviví así, reconstruyéndome yo sola, es decir, con mi hijo, los dos en esta ciudad que no era la nuestra. Yo lo dejaba con una chica y luego en una guardería y salía corriendo de la escuela para llegar a tiempo de recogerlo, no pensaba más que en él, no quería pensar en nada ni en nadie más. Ahora que lo pienso habría sido una vida perfecta, pero quedaba él, el padre de mi hijo, con su compromiso y su tormento, que se había ido con mi gran amiga, pero a veces volvía, con cara de martirio, o llamaba por teléfono para hablar con el niño, para preguntarle si quería que papá y mamá volvieran a estar juntos, a que sí, los tres igual que antes. Volvía y se marchaba otra vez, con su cruz a cuestas de adúltero coherente, de bígamo de izquierdas, me decía con esa brutalidad que entonces se llamaba sinceridad que ya no me quería, porque había encontrado en Paca las satisfacciones que su relación conmigo no le daba, y después de humillarme con la voz tan suave y de hacerme comprender que yo era más o menos una mierda y que por culpa mía habíamos fallado como pareja —esa palabra la usaba mucho, la pareja, yo pensaba siempre en parejas de bueyes o de guardias civiles—, volvía a llamarme al cabo de una semana y me decía más atormentado que nunca que lo estaba pasando muy mal, mucho peor que yo, desde luego, que ahora se daba cuenta de que su vida éramos nosotros, el niño y yo. Yo ya estaba algo cansada, y si no le contestaba o le daba a entender que no me fiaba mucho, vista la experiencia, se irritaba enseguida conmigo, con esa capacidad que tiene para volverse insultante en un segundo: «¿Qué pasa, que no confías en mí, que crees que estoy jugando contigo o que esto es menos doloroso para mí que para ti?». Eso sí que no lo perdonaba, que alguien pretendiera quitarle el privilegio de quien más sufría, el palmarés de la corona de espinas. Y yo, como una idiota, hipnotizada otra vez, sin dignidad, porque no hay quien sea digno cuando lo han engañado, le permitía que volviera, porque se me partía el corazón cuando el niño, que iba a cumplir tres años, se echaba a llorar preguntando por su padre, todas las noches, a la hora de dormir.

© Cortesía de Seix Barral, Grupo Planeta

COMPRENSIÓN LECTORA

02 | Resume los temas tratados en este fragmento y explícalos brevemente.

03 | Indica quién cuenta el relato. ¿El narrador coincide con la 1.ª persona? ¿Piensas que se trata de un monólogo interior?

ALMUDENA GRANDES

01 | A continuación, lee este fragmento de *Te llamaré Viernes,* de Almudena Grandes.

Almudena Grandes

Las chinelas, su piel tan fina surcada por una multitud de arrugas débiles y tenaces como nervios a la altura del empeine, eran siempre de color azul celeste, y culminaban en una suave barrera de pequeñas plumas teñidas a juego que se agitaban y retorcían sobre sí mismas a la menor corriente de aire. [...] Muchas veces se tiraba al suelo para rodear con los brazos los tobillos de su madre y acercar la mejilla a sus pies. Entonces movía la cabeza lentamente y disfrutaba de la tenue caricia que dibujaba aquella pluma casi invisible cuando se decidía a resbalar sobre su piel. Sonreía y recibía una sonrisa a cambio. Ella, cómplice en aquel juego inocente que su marido desaprobaba con energía, iba luego recogiendo las plumas que se desprendían a su paso y las guardaba para él. [...] Se sentaba en un sillón y embutía sus pies levemente hinchados en el que había resultado ser el único lujo a su alcance de entre todos aquellos con los que soñara de soltera, y antes de haber llegado a dar siquiera un solo paso, lo llamaba para ofrecerle una nueva fiesta de plumas y caricias.

Las chinelas de su madre, sus tobillos siempre al aire sobre los tacones que, según afirmaba con convicción, eran indispensables para parecer arreglada, hasta en los peores momentos de la jornada doméstica, le precedían por la estrecha escalera de la azotea, iluminando para él los aterradores tramos que jamás habría sido capaz de coronar solo. El corazón le saltaba en el pecho, mientras ella, con un enorme barreño de plástico rebosante de ropa húmeda encajado en la cadera izquierda, luchaba contra la puerta atrancada hasta que el hueco de la escalera se llenaba de luz. Más allá, estaba el mundo.

Fiel a la remota mirada de aquel niño pequeño, él siempre querría recordar la azotea como un espacio enorme, el patio del castillo, su reino. [...] Su madre tendía la ropa y cantaba, contaba historias tristes con su delgada voz que se quebraba siempre en los agudos. Cuando comenzaba a trajinar con las sábanas, él se acercaba sigilosamente a la frontera prohibida, y aferrando el muro con los dedos hasta que le dolían, se elevaba sobre las puntas de los pies para inspeccionar sus posesiones. A su altura estaban las nubes. A sus pies, Madrid, un océano de tejados rojos y marrones que llegaban hasta el mar, por allí, en alguna parte. Él ocupaba el centro hasta que los brazos de su madre, precedidos por un débil chillido de alarma, lo rodeaban por la cintura, arrebatándolo bruscamente de su atalaya. Los azotes no le dolían. Habría pagado precios más altos por una diversión tan gratuita, y era agradable de todas formas caminar entre las inmaculadas paredes de tela mojada que se ondulaban con el viento para salpicar su rostro de pequeñas gotas de agua limpia, el cestillo de las pinzas sobre el brazo, en pos de unas chinelas de color azul celeste.

COMPRENSIÓN LECTORA

02 | Indica quién es el narrador de esta secuencia de *Te llamaré Viernes.* ¿Quién es el protagonista de este episodio? ¿Crees que se trata de un recuerdo de la infancia?

03 | ¿Qué piensas que representa la azotea para el personaje?

DESARROLLO DE LA LENGUA

04 | Indica el significado de las siguientes palabras: *insípido, palmarés, plenilunio, trajinar* e *inmaculada* de *Te llamaré Viernes.* Ten en cuenta el contexto en que aparecen.

05 | Al final del primer párrafo de *Te llamaré Viernes* aparece la forma verbal *soñara.* ¿Qué tiempo verbal es? ¿Por qué otro tiempo verbal lo puedes sustituir?

06 | Señala los fragmentos descriptivos del texto de Almudena Grandes.

07 | Identifica estas definiciones con las correspondientes palabras en el texto anterior.

a) _____________: parte del pie que está entre la caña de la pierna y el principio de los dedos.

b) _____________: convencimiento.

c) _____________: calzado a modo de zapato, sin talón, de suela ligera y que por lo común se usa solo dentro de la casa.

d) _____________: vasija de barro, metal o plástico, de bastante capacidad, más ancha por la boca que por la base.

e) _____________: altura desde donde se descubre mucho espacio de tierra o mar.

f) _____________: de una forma silenciosa, con cautela.

g) _____________: cubierta de un edificio más o menos llana, para distintos fines. Es la parte más alta de un edificio.

TRABAJO Y PRODUCCIÓN LITERARIOS

08 | En parejas, subrayad en el texto de Almudena Grandes dos metáforas y explicad las imágenes creadas.

09 | En grupos, escribid un texto argumentativo en donde expliquéis vuestra opinión sobre la separación de la pareja de *Plenilunio* y sus consecuencias. ¿Es necesario reconstruirse como persona?

10 | Leed en clase los textos de vuestros compañeros. ¿Cuál os parece más convincente? Valoradlos del 1 al 3.

INVESTIGACIÓN LITERARIA

11 | En grupos, buscad información sobre la vida y la trayectoria literaria de Antonio Muñoz Molina. Preparad una presentación y exponedla en clase.

12 | En grupos, buscad información sobre Almudena Grandes y entre todos realizad una línea cronológica de su vida y obra.

¿Cuánto sabes?

AUTOEVALUACIÓN

Lee y marca (V) o falso (F).

	V	F
a. Los novelistas de la década de los 80 y 90 mantuvieron vivo el afán experimental de la generación anterior.	☐	☐
b. Antonio Muñoz Molina no ha escrito novelas policíacas o de intriga.	☐	☐
c. Antonio Muñoz Molina nació en Andalucía.	☐	☐
d. Antonio Muñoz Molina no es miembro de la Real Academia Española.	☐	☐
e. *Plenilunio* es una novela que trata de la investigación astronómica de Susana Grey.	☐	☐
f. Almudena Grandes también nació en Andalucía, concretamente en Granada.	☐	☐
g. La especialidad de Almudena Grandes es la novela histórica.	☐	☐
h. Algunas de las obras más conocidas de Almudena Grandes son *Te llamaré Viernes, El corazón helado* o *Las edades de Lulú*.	☐	☐
i. Varias obras de Almudena Grandes han sido adaptadas al cine.	☐	☐
j. Almudena Grandes ha recibido el Premio Nacional de Narrativa.	☐	☐

ARTURO PÉREZ-REVERTE

01 | Lee este fragmento del primer capítulo de *Hombres buenos*, de Arturo Pérez-Reverte.

El caso es que allí estaba esa mañana, en la biblioteca de la Real Academia Española —ocupo el sillón de la letra T desde hace doce años—, parado frente a la obra que compendiaba la mayor aventura intelectual del siglo XVIII: el triunfo de la razón y el progreso sobre las fuerzas oscuras del mundo entonces conocido. Una exposición sistemática en 72 000 artículos, 16 500 páginas y 17 millones de palabras que contenía las ideas más revolucionarias de su tiempo, que llegó a ser condenada por la Iglesia católica y cuyos autores y editores se vieron amenazados con la prisión y la muerte. Me pregunté cómo esa obra, que durante tanto tiempo había estado en el Índice de libros prohibidos, había llegado hasta allí. Cuándo y de qué manera. [...] Lo comenté más tarde con Víctor García de la Concha, el director honorario, con quien me encontré en los percheros del vestíbulo. [...]

—¿Cuándo consiguió la Academia la *Encyclopédie?*

Pareció sorprendido por la pregunta. Luego me cogió del brazo con esa exquisita delicadeza suya. [...]

—No estoy muy al corriente —dijo mientras caminábamos por el pasillo hacia su despacho—. Sé que lleva aquí desde finales del siglo dieciocho.

—¿Quién puede orientarme?

—¿Para qué te interesa, si no es mostrarme indiscreto?

—Todavía no lo sé.

—¿Una novela?

—Es pronto para decir eso.

Clavó en mi pupila su pupila azul, un punto suspicaz. A veces, para inquietar un poco a mis colegas de la Academia, hablo de una novelita que en realidad no tengo intención de escribir, pero en la que amenazo con meterlos a todos. El título es *Limpia, mata y da esplendor:* una historia de crímenes con el fantasma de Cervantes, que vagaría por nuestro edificio haciéndose visible solo a los conserjes. La idea es que los académicos vayan siendo asesinados uno tras otro, empezando por el profesor Francisco Rico, nuestro más conspicuo cervantista. [...]

—No estarás hablando de esa polémica novela de crímenes, ¿verdad? La de...

—No. Tranquilo. [...] ¿No sabes nada más? —pregunté.

Encogió los hombros. [...]

—Creo recordar que don Gregorio Salvador, nuestro académico decano, me habló de ello alguna vez —dijo García de la Concha tras pensarlo un poco—. Un viaje a Francia, o algo así... Para traer esos libros.

—Qué raro —no me salían las cuentas—. Si fue a finales del dieciocho, como dijiste antes, la *Encyclopédie* estaba prohibida en España. Y aún lo estuvo durante cierto tiempo.

Real Academia Española. Sala de reuniones

García de la Concha se había inclinado hasta apoyar los codos en la mesa y me observaba por encima de los dedos entrelazados. Como de costumbre, sus ojos transmitían una exhortación entusiasta a la acción ajena, siempre que no le complicara a él la vida.

—Quizá Sánchez Ron, el bibliotecario, pueda ayudarte —sugirió—. Él maneja los archivos, y allí están las actas de todos los plenos, desde la fundación. Si hubo viaje para traer los libros, habrá constancia. [...]

Fui a ver a José Manuel Sánchez Ron, el bibliotecario: un tipo alto, delgado, con el pelo cano y una mirada inteligente que proyecta sobre el mundo con fría lucidez. [...]

—La *Encyclopédie* llegó a finales del siglo dieciocho —me confirmó—. Eso es seguro. Y, desde luego, estaba prohibida tanto en Francia como en España. Allí solo nominalmente, y aquí de forma absoluta.

—Me interesa saber quién la trajo. Cómo pasó los filtros de la época... Cómo lograron meterla en nuestra biblioteca.

Lo pensó un instante balanceándose en el sillón, medio oculto al otro lado de las pilas de libros que cubrían su mesa de trabajo.

—Supongo que, como todas las decisiones de la Academia, se aprobó en un pleno —dijo al fin—. No creo que algo de tanta trascendencia se hiciera sin el acuerdo de todos los académicos... Así que debe de haber un acta que recoja eso.

Me erguí como un perro de caza que olfatea en el aire un buen rastro.

—¿Podemos buscar en los archivos?

—Claro. Pero las actas no están digitalizadas del todo. Se conservan los originales, tal cual. En papel.

—Si localizamos esas actas, podremos situar el momento. Y las circunstancias.

—¿Por qué te interesa tanto? ¿Otra novela?... ¿Histórica esta vez?

—De momento es curiosidad.

—Pues me pongo a ello. Hablo con la encargada del archivo y te cuento... Y oye, por cierto. ¿Qué es eso de Paco Rico? ¿Cuentas conmigo para ser el asesino?

Me despedí de él y regresé a la biblioteca. [...] Los veintiocho volúmenes de la *Encyclopédie* estaban ahora en penumbra, en sus estantes. El antiguo dorado de las letras de los lomos ya no relucía cuando pasé los dedos por ellos, acariciando la vieja y ajada piel. Entonces, de pronto, supe la historia que deseaba contar. Ocurrió con naturalidad, como a veces suceden estas cosas. Pude verla nítida, estructurada en mi cabeza con planteamiento, nudo y desenlace: una serie de escenas, casillas vacías que estaban por llenar. Había una novela en marcha, y su trama me aguardaba en los rincones de aquella biblioteca. Esa misma tarde, al regresar a casa, empecé a imaginar. A escribir.

Son veinticuatro, pero este jueves solo asisten catorce...

COMPRENSIÓN LECTORA

02 | Resume ahora las ideas esenciales del fragmento.

03 | ¿Cuántos personajes observas en la historia y qué características tiene cada uno? Investigad en internet si estos personajes están basados en personas reales.

04 | ¿Qué tipo de narrador encontramos en el fragmento?, ¿el narrador también es un personaje? Si es así, ¿quién es?

05 | En este fragmento, ¿se habla de la anécdota de la compra de una enciclopedia o de los pasos de creación de una novela?

06 | ¿Qué elementos del texto te llaman la atención?

DESARROLLO DE LA LENGUA

07 | ¿Por qué crees que la frase final del fragmento *Son veinticuatro, pero este jueves solo asisten catorce...* está escrita con letra cursiva?

08 | Seguro que conoces otros usos de la letra cursiva en español. Ofrece algunos ejemplos.

09 | Localiza el adjetivo *conspicuo* e indica su significado y un sinónimo.

10 | ¿Qué quiere decir el narrador cuando manifiesta *No me salían las cuentas?*

11 | ¿A qué crees que hace referencia Pérez-Reverte con el título de la novela inexistente *Limpia, mata y da esplendor?* Consulta en internet.

12 | Subraya todos los verbos del párrafo que comienza *Clavó en mi pupila [...] nuestro más conspicuo cervantista.* ¿Podrías indicar el tiempo verbal de cada uno?

TRABAJO LITERARIO

13 | ¿Qué figura literaria observáis en *clavó en mi pupila su pupila azul, un punto suspicaz?*

14 | ¿Veis alguna relación entre esa frase y el poema *¿Qué es poesía?*, de Gustavo Adolfo Bécquer? Comprobadlo en internet.

15 | En parejas, analizad la frase *me erguí como un perro de caza que olfatea en el aire un buen rastro.* ¿Qué quiere decir y qué figura literaria observáis en la misma?

PRODUCCIÓN LITERARIA

16 | Escribid, en parejas, un relato breve (puede ser un microrrelato) titulado *Limpia, fija y da esplendor* basándoos en los datos de esta novela que proporciona el autor en el fragmento.

17 | En parejas, leed vuestros relatos a los compañeros de clase. ¿Qué relato os parece mejor escrito o más interesante? Valoradlo del 1 al 3.

18 | Lee ahora este fragmento de *El último catón,* de **Matilde Asensi.**

—La hermana Ottavia, monseñor —puntualizó el prefecto, a modo de descargo—, es doctora en Paleografía e Historia del Arte, además de poseer otras muchas titulaciones académicas. Dirige desde hace ocho años el Laboratorio de Restauración y Paleografía del Archivo Secreto Vaticano, es docente de la Escuela Vaticana de Paleografía, Diplomática y Archivística y ha obtenido numerosos premios internacionales por sus trabajos de investigación [...].

—¡Ajá! —exclamó, dejándose convencer, el cardenal secretario de Estado, Sodano, al tiempo que tomaba asiento despreocupadamente junto a Tournier—. Bueno... Pues por eso está usted aquí, hermana, por eso hemos solicitado su presencia en esta reunión.

Todos me miraban con evidente curiosidad, pero yo permanecí en silencio, expectante, no fuera que, por hablar, el arzobispo secretario citara también en mi honor aquel pasaje de san Pablo que dice «Las mujeres cállense en las asambleas, que no les está permitido tomar la palabra». [...]

—Ahora —continuó su eminencia Angelo Sodano—, el arzobispo secretario, monseñor Tournier, le explicará por qué ha sido usted convocada, hermana. [...]

Monseñor Tournier, con esa certidumbre que solo poseen quienes saben que su aspecto físico les allana sin dificultades cualquier camino en esta vida, se incorporó serenamente de su asiento y extendió una mano, sin mirar, hacia el soldado rubio, que le entregó, con ademán disciplinado, un abultado *dossier* de tapas negras. Me dio un vuelco el estómago, y por un momento pensé que, fuera lo que fuera aquello que yo había hecho mal, debía de ser terrible y, con seguridad, saldría de aquel despacho con el finiquito en la mano.

—Hermana Ottavia —empezó monseñor; su voz era grave y nasal, y evitaba mirarme al hablar—, en esta carpeta encontrará usted unas fotografías que podríamos calificar... ¿cómo?, como insólitas, sin duda. Antes de que las examine, debemos informarle de que en ellas aparece el cuerpo de un hombre recientemente fallecido, un etíope sobre cuya identidad todavía no estamos muy seguros. Observará que se trata de ampliaciones de ciertas secciones del cadáver.

¡Ah...! Entonces, ¿no me iban a despedir? [...] Yo estaba paralizada por el estupor. Tenía la profunda sensación de que se habían equivocado de persona.

—Discúlpenme, eminencias —tartamudeé—, pero ¿no sería más correcto que consultaran con un patólogo forense? No consigo comprender en qué puedo ser yo de utilidad.

—Verá, hermana —me atajó Tournier—, el hombre que aparece en las fotografías estaba implicado en un grave delito contra la Iglesia católica y contra las demás iglesias cristianas. Lamentándolo mucho, no podemos darle más detalles. Lo que nosotros queremos es que usted, con la mayor discreción posible, realice un estudio de ciertos signos que, en forma de peculiares cicatrices, fueron descubiertos en su cuerpo al quitarle la ropa para practicar la autopsia. Escarificaciones creo que es la palabra correcta para este tipo de, ¿cómo podríamos decirlo...?, de tatuajes rituales o marcas tribales. Parece ser que ciertas culturas antiguas tenían por costumbre decorar el cuerpo con heridas ceremoniales. En concreto —dijo abriendo la carpeta y echando una ojeada a las fotografías—, las de este pobre desgraciado son realmente curiosas: muestran letras griegas, cruces y otras representaciones igualmente... ¿artísticas? Sí, sin duda la palabra es artísticas.

Escalera espiral del museo del Vaticano

—Lo que monseñor está intentando decirle —interrumpió de pronto su eminencia, el secretario de Estado, con una sonrisa cordial en los labios— es que debe usted analizar todos esos símbolos, estudiarlos y darnos una interpretación lo más completa y exacta posible. Por supuesto, puede utilizar para ello todos los recursos del Archivo Secreto y cualquier otro medio del que disponga el Vaticano. [...]

—Eminencias...

Era mi voz temblorosa la que se había escuchado. [...]

—Eminencias —repetí con toda la humildad de la que fui capaz—, les agradezco infinitamente que hayan pensado en mí para un asunto tan importante, pero me temo que no voy a poder encargarme de llevarlo a cabo —suavicé aún más la inflexión de mis palabras antes de continuar—, no solo porque en este momento no puedo abandonar el trabajo que estoy haciendo, que ocupa por completo mi tiempo, sino porque, además, carezco de los conocimientos elementales para manejar las bases de datos del Archivo Secreto y necesitaría también la ayuda de un antropólogo para poder centrar los aspectos más destacados de la investigación. Lo que quiero decir… eminencias…, es que no me siento capaz de cumplir el encargo.

Monseñor Tournier fue el único que dio señales de estar vivo cuando terminé de hablar. Mientras los demás permanecían mudos por la sorpresa, él inició una sonrisilla sarcástica que me hizo sospechar su manifiesta oposición a utilizar mis servicios antes de que yo entrara en el gabinete. Podía oírlo diciendo despectivamente: «¿Una mujer?». De manera que fue su actitud socarrona y mordaz la que me hizo dar un giro de ciento ochenta grados y decir:

—… Aunque, bien pensado, quizá sí podría realizarlo, siempre y cuando me dieran el tiempo suficiente para ello.

La mueca burlona de monseñor Tournier desapareció como por encanto y los demás relajaron súbitamente sus expresiones tensas, manifestando su alivio con grandes suspiros de satisfacción. Uno de mis grandes pecados es el orgullo, lo reconozco, el orgullo en todas sus variaciones de arrogancia, vanidad, soberbia… Nunca me arrepentiré lo suficiente ni haré la suficiente penitencia, pero soy incapaz de rechazar un desafío o de amilanarme ante una provocación que ponga en duda mi inteligencia o mis conocimientos.

19 | ¿De qué se habla en este fragmento? Haz un listado con los puntos más destacables del texto.

20 | ¿Qué tipo de narrador tiene?, ¿observas alguna diferencia con el narrador de *Hombres buenos?*

21 | En parejas, redactad una breve descripción de la escena con la caracterización con la que os imagináis a los personajes. Después, leedla en clase y valorad cuál es la mejor.

INVESTIGACIÓN LITERARIA

22 | En parejas. Angelo Sodano está basado en una persona real, cuyo cargo se ve reflejado en el fragmento, ¿cuál era este cargo? Averiguad qué papa estaba en el Vaticano en esa época sabiendo que Sodano y su cargo son reales.

23 | Buscad en internet la sinopsis de *Hombres buenos* y de *El último catón.* ¿Observáis alguna relación entre ambas obras? ¿Os parece que el subgénero de estas novelas sería el de la novela de aventuras, de suspense, de misterio, del *thriller* o de todas las nombradas? Justificad la respuesta.

24 | Dividid la clase en dos grupos y buscad información en internet sobre la vida y obra de Arturo Pérez-Reverte y Matilde Asensi. Después, haced una presentación para exponerla en clase.

25 | En grupos, elegid una obra de Arturo Pérez-Reverte o Matilde Asensi para investigarla y redactad su sinopsis.

¿Cuánto sabes? AUTOEVALUACIÓN

Lee y marca verdadero (V) o falso (F).

	V	F
a. Arturo Pérez-Reverte es académico de la Real Academia Española y ocupa la silla T.	☐	☐
b. Arturo Pérez-Reverte fue corresponsal de guerra.	☐	☐
c. Ninguna obra de Pérez-Reverte ha sido adaptada de momento al cine.	☐	☐
d. La serie de *Las aventuras del capitán Alatriste* es de Pérez-Reverte.	☐	☐
e. Matilde Asensi nació en Cataluña.	☐	☐
f. En *El último catón* se muestran las investigaciones de Ottavia Salina.	☐	☐
g. Matilde Asensi ha trabajado como periodista.	☐	☐
h. Matilde Asensi también ha escrito novela romántica.	☐	☐

LA LITERATURA DESDE LOS 80 HASTA LA ACTUALIDAD

LITERATURA EN LA ERA DE LAS REDES SOCIALES

Una de las características más curiosas de la literatura en el siglo XXI es su capacidad para amoldarse a los nuevos medios narrativos o a las nuevas expectativas de los lectores: desde videojuegos o cómics inspirados en obras literarias clásicas, como *El Quijote*, hasta series de televisión basadas en libros superventas como *La catedral del mar*, de Ildefonso Falcones, *El tiempo entre costuras,* de María Dueñas, o *Fariña*, de Nacho Carretero. Todo ello sin olvidar cómo internet ha supuesto una herramienta de creación literaria y artística digital donde nuevos poetas, escritores o dramaturgos han encontrado su modo de creación, difusión y promoción.

01 | Lee estos dos fragmentos de artículos periodísticos.

I

El festival literario Getafe Negro, que se celebra estos días en esta población cercana a Madrid, ha dado un paso original y valiente al incorporar en su programa el mundo del ocio electrónico. El plato fuerte ha sido una mesa redonda en la que cinco escritores españoles han estudiado la estructura narrativa de algunos de los videojuegos de última generación y la comparan a grandes autores de la literatura universal. «Es un modelo narrativo contemporáneo y no podemos seguir dejándolo al margen», ha asegurado David Conte, profesor de Teoría Literaria y Literatura Comparada de la Universidad Carlos III, quien ha levantado una bandera a favor de que el ocio electrónico se incorpore dentro de los estudios académicos. «Lo que ahora llamamos séptimo arte también nació como una atracción de feria para ir derivando con el paso de los años a una forma de narración: no podemos ignorar eso», ha mantenido Conte. Este profesor ha hecho un repaso de la evolución de los videojuegos. En los primeros tiempos, los juegos carecían de historia y el jugador ejercía de simple «matamarcianos». Poco a poco se fueron incorporando elementos narrativos: escenas entre pantalla y pantalla que desarrollaban un argumento *(Donkey Kong,* 1981), un guion trabajado y una forma de trabajar con los planos similar al cine *(The Legend of Zelda: Ocarina of Time,* 1998) o rasgos literarios propios del mismísimo Luigi Pirandello como el metalenguaje que domina la historia de juegos como *Super Smash Bros Brawl,* según el análisis de Conde.

«Los videojuegos aprenden de la literatura», www.elpais.com (2008)

II

¿Son los videojuegos un tipo de literatura?

Queda claro que durante los últimos años los videojuegos y la literatura se han nutrido unos de otros. La narrativa más clásica ha influido en la forma de hacer videojuegos, en sus tramas y en sus personajes, pero de alguna forma esto también ha ocurrido a la inversa. Las grandes tramas de algunos videojuegos, con sus nuevas estructuras narrativas, han influido en la mentalidad de algunos escritores, mostrándoles una nueva forma de presentar sus historias. La narrativa siempre está evolucionando y, al igual que los videojuegos, han aprendido de la literatura, pero también ocurre a la inversa. Obviamente las novelas son novelas, y los videojuegos son videojuegos. La forma de narrar en un medio audiovisual no puede compararse a la palabra escrita, por lo que siempre habrá diferencias entre ambos. Son muchos los que reniegan de la relación mencionada, debido al desprestigio que los videojuegos siguen teniendo entre las ramas «más cultas» de la sociedad. Todavía son muchos los que consideran los videojuegos una tontería de niños, lucecitas en una pantalla que deja tontos a quienes juegan. Sin embargo, parece que poco a poco estas opiniones van cambiando.

[...]

Otros llegan un punto más allá, y se atreven a afirmar que los videojuegos son un nuevo tipo de literatura. Una afirmación arriesgada si tenemos en cuenta que otros medios audiovisuales como el cine o las series de televisión, con una carga narrativa fundamental, no son considerados literatura. A día de hoy el debate sigue sobre la mesa, y seguirá estándolo mientras no se reconozca a los videojuegos como lo que son, plataformas de entretenimiento con una narrativa muy respetable, que cuentan historias tan o más potentes que las de otros medios.

Álvaro Alonso, «Videojuegos y literatura: ¿dos caras de la misma moneda?», www.eldiario.es (2014)

COMPRENSIÓN LECTORA

02 | ¿Cuál es el tema principal de ambos textos periodísticos?

03 | Elabora un listado de las ideas que defienden los dos artículos anteriores.

DESARROLLO DE LA LENGUA

04 | ¿Sabes para qué se utiliza este elemento [...] que aparece en el texto? Busca qué significado tienen los tres puntos suspensivos entre dos corchetes o paréntesis. ¿Es igual en vuestro idioma?

05 | Busca las comillas en estos dos fragmentos y explica su uso.

06 | Las palabras *matamarcianos, audiovisual, videojuego* o *videoconsola* son compuestas. ¿Qué términos componen estas palabras y qué significan por separado? Después, da otros cinco ejemplos de palabras compuestas.

07 | ¿Qué significan *mesa redonda* y *dejar tontos* según el contexto en el que aparecen en los artículos?

08 | En la era digital muchos sentimientos o palabras se transmiten por la mensajería instantánea en forma de *emoji* o emoticonos. ¿Puedes asociar sentimientos, palabras o frases con cada una de estas imágenes?

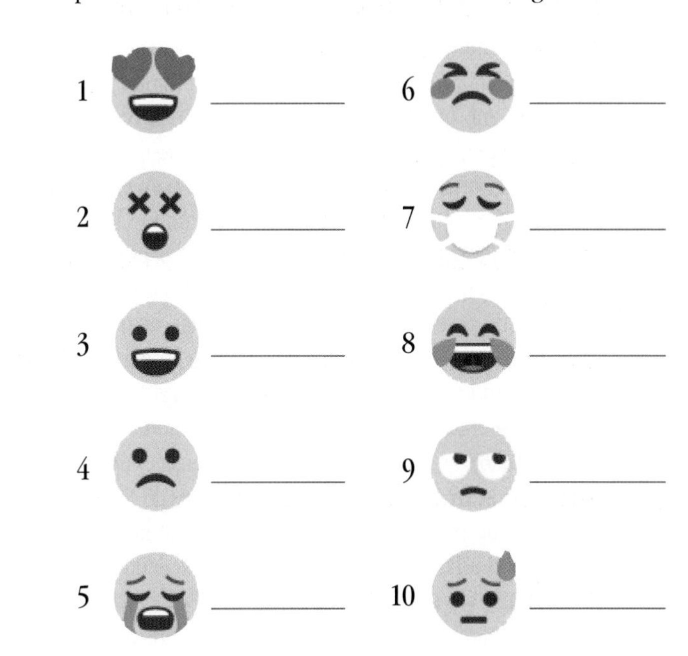

TRABAJO LITERARIO

09 | Lee este artículo sobre la poesía en la era de las redes sociales.

Miles de jóvenes se apuntan a un género que ha encontrado una nueva forma de difusión fuera de los salones. La nueva poesía vive entre tatuajes y YouTube. No son cantantes, ni presentadores de televisión, sino poetas. Es el último domingo de la Feria del Libro de Madrid, y las vallas están fuera para ordenar la fila, que apenas empieza a formarse junto a la caseta donde firmarán. Cristina, de 17 años, descubrió los versos de Escandar Algeet en un vídeo de YouTube —«es romántico y ha sufrido por amor, pero no es ñoño», dice para explicarse—, ha venido temprano, a pesar del calor, con su amiga Silvia, esa que busca poemas para descargar — «incluidos Bécquer y Neruda»—. La cola frente a la caseta crece, la mayoría son chicas, *groupies* poéticas que con sus móviles y a través de las redes diseminan y comparten versos y fotos. Silvia y Cristina han logrado sacarse una con el autor de *Alas de mar y prosa*, un palestino que estudió cine y arrancó escribiendo en un foro del grupo Extremoduro de forma anónima, antes de caer en un bar de Malasaña, Bukowski, donde el propietario, Carlos Salem, organizaba lecturas de poesía a las que cualquiera podía sumarse. [...]

Batania Neorrabioso, cuyas pintadas poéticas han quedado recogidas en *La poesía ha vuelto y yo no tengo la culpa* [...] y el cantautor Marwan Abu-Tahoun Recio con *La triste historia de tu cuerpo sobre el mío*, forman también parte de este fenómeno que se expande por la web a través de blogs, tuits, YouTube..., y llega a las librerías mucho después. [...]

«A los 15 años no es raro escribir poesía, pero en la era de Facebook, eso se comparte», apunta el peruano Leo Zelada, que acude a esta red social para conectar con poetas a los que invita a las lecturas que organiza en Madrid. En una de ellas, el pasado junio, en el estrecho bar Diablos Azules, no quedaba un sitio libre mientras Zelada ofrecía una lección rápida de análisis de textos a modo de presentación, hilando en una misma frase los términos churrigueresco, neobarroco y metapoesía, palabras que no apelan, en principio, al público de masas y que a duras penas se ajustan al límite de los 140 caracteres de Twitter. Pero da igual, hay un público joven receptivo ante la poesía, sin miedo a fórmulas híbridas y experimentales, deudoras de las vanguardias. ¿Es este un fenómeno juvenil? «Es joven porque esa es la generación que entiende la Red y ha crecido con ella, pero no van a desaparecer cuando cumplan años. Hay muy buenos jóvenes premiados, que empezaron en internet como Berta García Faet o Guillermo Morales», dice Carlos Pardo, poeta que puso en marcha en 2004 el festival de Cosmopoética, convocatoria que demostró que era posible llenar los bares y plazas de Córdoba con el reclamo poético.

[...]

Ante las voces que hablan de la democratización de la poesía y de la rotura del *statu quo*, sobran los ejemplos de poetas que eran desconocidos y muy jóvenes antes de ser conocidos: ahí está Claudio Rodríguez, que con *Don de la ebriedad* se alzó con el Adonis con 19 años, o Neruda, que con 20 sacó sus *Veinte poemas de amor y una canción desesperada*. Pero [la editora Luna Miguel] aporta un matiz importante: «Antes el reconocimiento que recibían los poetas que despuntaban venía de los que ya estaban. Hoy la poesía está llegando a otros sitios, es una especie de fenómeno». A ella la pararon en el festival Sónar unos anónimos seguidores de Instagram, y reconoce que saber que un post lo leerán 20 000 personas le da cierto vértigo: «No es que los textos sean mejores, es que es un gran megáfono. Antes, los movimientos de renovación no llegaban al público de forma tan bestia».

Andrea Aguilar, «La poesía estalla en las redes», www.elpais.com (2014)

10 | ¿Qué ideas básicas encuentras en el texto? Haz un resumen con ellas.

11 | Después de leer varios artículos en esta misma sección, ¿notas alguna diferencia con los otros géneros literarios vistos hasta ahora? Razona la respuesta.

PRODUCCIÓN LITERARIA

12 | En grupos o en parejas, escoged cinco emoticonos de la siguiente lista y escribid con ellos un breve relato coherente y con sentido.

Por ejemplo: *La niña (👧) se estaba comiendo tranquilamente una piruleta (😋) cuando un león (🦁) la asustó (😨). Menos mal que se despertó y se dio cuenta de que aún era de noche (🌜).*

13 | En parejas, ¿qué relato os ha parecido más divertido? Valorad los relatos de vuestros compañeros del 1 al 3.

INVESTIGACIÓN LITERARIA

14 | En parejas, buscad información sobre las características del género periodístico y las diferentes variantes que posee (noticia, reportaje, editorial, artículo, etc.).

15 | En parejas, buscad información sobre esta nueva oleada de autores hispanohablantes jóvenes, en prosa o verso, elegid a uno de ellos y haced una pequeña exposición para la clase.

16 | En la actualidad la literatura sigue teniendo un lugar destacado dentro de la cultura, por ello no es de extrañar que se utilice incluso para el humor. Diversos monólogos o cortos humorísticos relacionados con el lenguaje y la literatura son «Eufemismos» o «Lenguaje no verbal», de Eva Hache; «El macarra y las rimas de Bécquer» o «Heavy en un programa de literatura», de Cruz y Raya; o «Bartolo en el Ministerio del tiempo», de José Mota. Buscad en internet algún monólogo o corto del estilo, intentad entenderlo y comentadlo con vuestros compañeros. Podéis basaros en los sugeridos.

17 | ¿Os gustan los videojuegos? En grupo, realizad un debate en clase sobre la posible calidad narrativa de este nuevo formato. Para ello, debéis dividir la clase en dos grupos: uno estará a favor de los videojuegos y el otro, en contra. Antes del debate podéis buscar información en internet o palabras en el diccionario para reforzar vuestros argumentos.

18 | En parejas, elegid uno de estos inicios, investigad de qué obra se trata e indicad el autor. Después, continuad el relato un renglón más. Una vez hecho esto, pasad la hoja al compañero de la derecha, tomad el de vuestra izquierda y continuad la historia otro renglón más. Repetid el proceso cinco veces y luego leed los resultados.

- *Pues sepa Vuestra Merced, ante todas cosas, que a mí me llaman Lázaro...*
- *Entrando Calisto en una huerta tras un halcón suyo, encontró a Melibea...*
- *En un lugar de la Mancha, de cuyo nombre no quiero acordarme...*
- *Las muchachas del lugar volvían de la fuente con sus cántaros...*
- *Una fosca media noche, cuando en tristes reflexiones me inclinaba...*
- *Cuando Gregor Samsa despertó una mañana de un sueño inquieto...*
- *Platero es pequeño, peludo, suave; tan blando por fuera...*
- *¿Encontraría a la Maga? Tantas veces me había bastado asomarme...*
- *El señor y la señora Dursley, que vivían en el número 4 de Privet Drive...*
- *En la calle 24 se ha cometido un asesinato. Una vieja mató a un gato...*

¿Cuánto sabes?

AUTOEVALUACIÓN

Lee y marca verdadero (V) o falso (F).

	V	F
a. Muchos videojuegos son un tipo de narración.	☐	☐
b. Twitter permite crear una literatura mezclada con otros medios como la música, el vídeo, las imágenes, los GIF, etc.	☐	☐
c. La literatura solo se puede encontrar escrita en los libros.	☐	☐
d. El género periodístico puede estar escrito desde un punto de vista general y objetivo o desde un punto de vista personal y subjetivo.	☐	☐
e. Los escritores en las redes no suelen tener muchos seguidores.	☐	☐
f. El equivalente español de la palabra japonesa *emoji* es *emoticono*.	☐	☐
g. Ahora los jóvenes, a diferencia del pasado, sí escriben poesía gracias a las redes sociales.	☐	☐

LOS PREMIOS CERVANTES

El Premio de Literatura en Lengua Castellana Miguel de Cervantes (conocido popularmente como Premio Cervantes) es el mayor galardón literario en lengua española. Lo concede el Ministerio de Cultura a aquellos escritores que han ayudado a enriquecer el amplio patrimonio literario en lengua española. Se creó en 1976 y lo entrega el rey en el paraninfo de la Universidad de Alcalá en Madrid. Tradicionalmente, la elección se alterna cada año entre un escritor español y un escritor hispanoamericano. La dotación del premio es de 125 000 euros.

Galardón del Premio Cervantes

01 | Lee este fragmento del discurso del escritor mexicano **Octavio Paz,** galardonado con el Premio Cervantes en 1981.

Si yo dejase hablar a mis sentimientos únicamente, estas palabras serían una larga, interminable, frase de gratitud. Pero mi emoción es ciega. Bien sé que la realidad simbólica de este acto es más real que la fugaz realidad de mi persona. Soy apenas un episodio en la historia de nuestra literatura, la transitoria y fortuita encarnación de un momento de la lengua española. El Premio Cervantes, al escoger a este o aquel escritor de nuestro idioma, sin distinción de nacionalidad, afirma cada año la realidad de nuestra literatura. ¿Y qué es una literatura? No es una colección de autores y de libros, sino una sociedad de obras. Las novelas, los poemas, los relatos, las comedias y los ensayos se convierten en obras por la complicidad creadora de los lectores. La obra es obra gracias al lector. Monumento instantáneo, perpetuamente levantado y perpetuamente demolido, pues está sujeto a la crítica del tiempo: las generaciones sucesivas de lectores. La obra nace de la conjunción del autor y el lector; por esto la literatura es una sociedad dentro de la sociedad: una comunidad de obras que, simultáneamente, crean un público de lectores y son recreadas por esos lectores. Se dice que las ideologías, las clases, las estructuras económicas, las técnicas y las ciencias, por naturaleza internacionales, son las realidades básicas y determinantes de la historia. El tema es tan antiguo como la reflexión histórica misma, y no puedo detenerme en él; observo, sin embargo, que igualmente determinantes, si no más, son las lenguas, las creencias, los mitos y las costumbres y tradiciones de cada grupo social. El Premio Cervantes, justamente, nos recuerda que la lengua que hablamos es una realidad no menos decisiva que las ideas que profesamos o que el oficio que ejercemos. Decir lengua es decir civilización: comunidad de valores, símbolos, usos, creencias, visiones, preguntas sobre el pasado, el presente, el porvenir. Al hablar no hablamos únicamente con los que tenemos cerca: hablamos también con los muertos y con los que aún no nacen, con los árboles y las ciudades, los ríos y las ruinas, los animales y las cosas. Hablamos con el mundo animado y con el inanimado, con lo visible y con lo invisible. Hablamos con nosotros mismos. Hablar es convivir, vivir en un mundo que es este mundo y sus trasmundos, este tiempo y los otros: una civilización. [...]

COMPRENSIÓN LECTORA

02 | Indica cuáles son las ideas esenciales que destaca Octavio Paz en su discurso.

03 | ¿Consideras que la literatura no existiría si no hubiera lectores? Razona la respuesta.

04 | ¿Qué quiere decir Octavio Paz cuando afirma que la obra literaria es un *Monumento instantáneo, perpetuamente levantado y perpetuamente demolido?*

DESARROLLO DE LA LENGUA

05 | En parejas, estableced la diferencia entre *ideología y creencia.* Consultad el diccionario si es necesario.

06 | ¿Pensáis que ser escritor es un «oficio»? ¿Qué significa la expresión *es un escritor con mucho oficio?* A continuación, escribid dos expresiones hechas con la palabra «oficio».

TRABAJO Y PRODUCCIÓN LITERARIOS

07 | Octavio Paz dice en su discurso: *La literatura es una sociedad dentro de la sociedad: una comunidad de obras que, simultáneamente, crean un público de lectores y son recreadas por esos lectores.* ¿Qué clase de imagen literaria ha empleado?

08 | Lee de nuevo el texto y localiza alguna metáfora.

09 | En parejas, elaborad un breve discurso sobre vuestro concepto de la literatura. Después, leedlo en clase y haced una puesta en común para concluir en qué visiones o conceptos habéis coincidido.

INVESTIGACIÓN LITERARIA

10 | En grupos, buscad información sobre Octavio Paz (obras y distinciones).

11 | Comparad la producción literaria de Octavio Paz con la de otros poetas que también han recibido el Premio Cervantes. ¿Creéis que son equiparables?

12 | En grupos, buscad información sobre los ganadores de los Premios Cervantes. ¿Qué países no tienen ninguno? ¿Cuántos tienen más de dos, exceptuando España? ¿Cuántas mujeres lo han recibido? Luego, preparad una presentación en la que destaquéis el aspecto más relevante de este premio en vuestra opinión.

Paraninfo de la Universidad de Alcalá

AUTOEVALUACIÓN FINAL

01 | ¿Recordáis a los autores y las autoras que hemos visto durante todo el curso? Intentad unir estos retratos con sus respectivos nombres, movimientos o época y una obra destacable.

1

2

3

4

5

6

7

8

9

10

- **a.** Miguel de Cervantes
- **b.** Antonio Gamoneda
- **c.** Francisco de Quevedo
- **d.** Sor Juana Inés de la Cruz
- **e.** Gustavo Adolfo Bécquer
- **f.** Mario Benedetti
- **g.** Mario Vargas Llosa
- **h.** Gloria Fuertes
- **i.** Carmen Martín Gaite
- **j.** Gómez de Avellaneda

- ◆ Romanticismo
- ◆ *Boom* hispanoamericano
- ◆ Siglo XIX
- ◆ Barroco
- ◆ Generación del 50
- ◆ Poesía actual
- ◆ Siglo de Oro

- ◆ *Rimas*
- ◆ *Conversación en la catedral*
- ◆ *Entre visillos*
- ◆ *Hombres necios que acusáis*
- ◆ *Érase un hombre a una nariz pegado*
- ◆ *Sab*
- ◆ *El coloquio de los perros*
- ◆ *La tregua*
- ◆ *Isla ignorada*
- ◆ *Libro del frío*

Esto se termina... Hagamos un repaso de todo lo visto.

02 | Seguro que te acuerdas de muchos datos sobre estos autores. Elige los dos que mejor recuerdes y escribe dos líneas sobre ellos.

03 | En parejas, comparad la información que habéis escrito con la de vuestros compañeros.

04 | En grupos. Dividid un folio en pequeñas tarjetas y coged cada uno tres. Apuntad en cada tarjeta el nombre de un autor que recordéis, un movimiento y una obra. Mezcladlas todas, id tomando una por turnos e intentad explicar a vuestros compañeros el autor, movimiento u obra que os haya correspondido.

05 | ¿Qué autor o época os ha parecido más interesante, excitante o divertida? Haced una votación en la clase para averiguarlo. Tenéis que explicar el porqué de vuestra elección y tratar de compararlo con alguna otra figura literaria de vuestro país.

06 | Vamos a debatir: dividid la clase en cuatro o cinco grupos y seleccionad cada grupo un movimiento para defender frente a vuestros compañeros. Antes de comenzar el debate, podéis apoyaros en este libro para realizar vuestros argumentos buscando información en las unidades.

07 | A lo largo de este Curso de Literatura se han tratado temas diversos: feminismo, amor, religión, lucha social… y se han trabajado comparando distintos autores y obras. Establece una comparación literaria entre sor Juana Inés de la Cruz y Gloria Fuertes. Trata de ver su punto de vista literario y estilo. ¿Qué tienen en común?

08 | Muchas escritoras y poetas españolas de la generación del 27 no tuvieron el eco y la resonancia que sus compañeros de profesión. Investiga sobre aquellas mujeres de la generación del 27 cuya obra ha quedado silenciada en la historia de la literatura. Aquí tenéis un enlace que os llevará a conocer la importancia de escritoras y poetas de gran influencia en su momento: https://cadenaser.com/programa/2015/10/08/la_script/1444288990_684693.html

También lo podéis buscar con el título de «Olvidadas y silenciadas. Las mujeres de la generación del 27 que debes conocer».

¿Habéis oído hablar alguna vez de "Las Sinsombrero"? Investigad sobre ellas y citad el nombre de las protagonistas de este inusual movimiento.

09 | ¿Qué autores o autoras destacarías en la historia de la literatura de tu país? Escribe sobre dos de ellos, un escritor o poeta y una escritora o poeta.

¿Cuánto sabes?

AUTOEVALUACIÓN

✓ **Lee y marca verdadero (V) o falso (F).**

	V	F
a. Durante la Edad Media se escribía mucha novela en español.	☐	☐
b. En la Edad Media los monasterios tuvieron un papel fundamental en la conservación de la cultura clásica.	☐	☐
c. Fray Luis de León es un gran místico del Renacimiento.	☐	☐
d. Miguel de Cervantes Saavedra no escribió teatro.	☐	☐
e. El Barroco es un movimiento literario que destaca por sus ensayos.	☐	☐
f. Sor Juana Inés de la Cruz es una escritora nacida en el Virreinato de la Nueva España, lo que hoy en día es México.	☐	☐
g. Benito Pérez Galdós escribió *La Regenta* en el siglo XIX.	☐	☐
h. Federico García Lorca nació en Granada y es el autor de *La casa de Bernarda Alba*.	☐	☐
i. El autor de *Cien años de soledad* es Julio Cortázar, autor que pertenece al *boom* hispanoamericano.	☐	☐
j. El título de las memorias de Pablo Neruda es *Confieso que he vivido*.	☐	☐

PREMIOS CERVANTES

1976 Jorge Guillén → (español)
1977 Alejo Carpentier → (cubano)
1978 Dámaso Alonso → (español)
1979 Gerardo Diego → (español)
1979 Jorge Luis Borges → (argentino)
1980 Juan Carlos Onetti → (uruguayo)
1981 Octavio Paz → (mexicano)
1982 Luis Rosales → (español)
1983 Rafael Alberti → (español)
1984 Ernesto Sábato → (argentino)
1985 Gonzalo Torrente Ballester → (español)
1986 Antonio Buero Vallejo → (español)
1987 Carlos Fuentes → (mexicano)
1988 María Zambrano → (española)
1989 Augusto Roa Bastos → (paraguayo)
1990 Adolfo Bioy Casares → (argentino)
1991 Francisco Ayala → (español)
1992 Dulce María Loynaz → (cubana)
1993 Miguel Delibes → (español)
1994 Mario Vargas Llosa → (peruano y español)
1995 Camilo José Cela → (español)
1996 José García Nieto → (español)
1997 Guillermo Cabrera Infante → (cubano)
1998 José Hierro → (español)
1999 Jorge Edwards → (chileno)
2000 Francisco Umbral → (español)
2001 Álvaro Mutis → (colombiano)
2002 José Jiménez Lozano → (español)
2003 Gonzalo Rojas → (chileno)
2004 Rafael Sánchez Ferlosio → (español)
2005 Sergio Pitol → (mexicano)
2006 Antonio Gamoneda → (español)
2007 Juan Gelman → (argentino)
2008 Juan Marsé → (español)
2009 José Emilio Pacheco → (mexicano)
2010 Ana María Matute → (española)
2011 Nicanor Parra → (chileno)
2012 José Manuel Caballero Bonald → (español)
2013 Elena Poniatowska → (mexicana)
2014 Juan Goytisolo → (español)
2015 Fernando del Paso → (mexicano)
2016 Eduardo Mendoza → (español)
2017 Sergio Ramírez → (nicaragüense y español)
2018 Ida Vitale → (uruguaya)

PREMIOS PRINCESA DE ASTURIAS DE LAS LETRAS

El Premio Princesa de Asturias de las Letras (Premio Príncipe de Asturias de las Letras hasta 2014) se concede desde 1981 a la persona, grupo de personas o institución cuya labor creadora o de investigación represente una contribución relevante a la cultura universal en los campos de la Literatura o de la Lingüística.

1981 José Hierro → (español)

1982 Gonzalo Torrente Ballester → (español)
Miguel Delibes → (español)

1983 Juan Rulfo → (mexicano)

1984 Pablo García Baena → (español)

1985 Ángel González → (español)

1986 Mario Vargas Llosa → (peruano y español)
Rafael Lapesa → (español)

1987 Camilo José Cela → (español)

1988 Carmen Martín Gaite → (española)
José Ángel Valente → (español)

1989 Ricardo Gullón → (español)

1990 Arturo Uslar Pietri → (venezolano)

1991 Pueblo de Puerto Rico

1992 Francisco Nieva → (español)

1993 Claudio Rodríguez → (español)

1994 Carlos Fuentes → (mexicano)

1995 Carlos Bousoño → (español)

1996 Francisco Umbral → (español)

1997 Álvaro Mutis → (colombiano)

1998 Francisco Ayala → (español)

1999 Günter Grass → (alemán)

2000 Augusto Monterroso → (guatemalteco)

2001 Doris Lessing → (británica)

2002 Arthur Miller → (estadounidense)

2003 Fatema Mernissi → (marroquí)
Susan Sontag → (estadounidense)

2004 Claudio Magris → (italiano)

2005 Nélida Piñón → (brasileña)

2006 Paul Auster → (estadounidense)

2007 Amos Oz → (israelí)

2008 Margaret Atwood → (canadiense)

2009 Ismaíl Kadaré → (albanés)

2010 Amin Maalouf → (libanés)

2011 Leonard Cohen → (canadiense)

2012 Philip Roth → (estadounidense)

2013 Antonio Muñoz Molina → (español)

2014 John Banville → (irlandés)

2015 Leonardo Padura → (cubano)

2016 Richard Ford → (estadounidense)

2017 Adam Zagajewski → (polaco)

2018 Fred Vargas → (francesa)

MUJERES PREMIOS NOBEL DE LITERATURA

01 Selma O. Lovisa Lagerlöf (sueca) → 1909

«Por la noche todo toma su verdadera forma y su verdadero aspecto. Al igual que sólo de noche se distinguen las estrellas del cielo, entonces se perciben sobre la tierra muchas cosas que no se ven de día».

02 Grazia Deledda (italiana) → 1927

«Cambiamos todos, de un día a otro, por lentas e inconscientes evoluciones, ganadas por aquella ley ineluctable del tiempo que ahora deja de borrar lo que escribió ayer en las misteriosas tablas del corazón humano».

03 Sigrid Undset (noruega) → 1928

«La paciencia es una virtud calumniada, quizá porque es la más difícil de poner en práctica».

04 Pearl Buck (estadounidense) → 1938

«No puedes obligarte a ti mismo a sentir algo que no sientes, pero si puedes obligarte a hacer el bien, a pesar de lo que sientes».

05 Gabriela Mistral (chilena) → 1945

«La enseñanza de los niños es tal vez la forma más alta de buscar a Dios; pero es también la más terrible en el sentido de tremenda responsabilidad».

06 Nelly Sachs (alemana) → 1966

«Si no hubiera podido escribir acerca de la Shoá, no habría podido sobrevivir».

07 Nadine Gordimer (sudafricana) → 1991

«Escribir es lo que da sentido a la vida. Trabajas tu vida entera y quizás consigas entender una pequeña parte».

08 Toni Morrison (estadounidense) → 1993

«Llega un momento en la vida en que la belleza del mundo ya basta por sí sola. Una no necesita fotografiarla, ni pintarla, ni siquiera recordarla. Ya basta por sí sola. No es preciso registrarla y no necesita a nadie para compartirla».

09 Wislawa Szymborska (polaca) → 1996

«Todo es mío y nada me pertenece, nada pertenece a la memoria, todo es mío mientras lo contemplo».

10 Elfriede Jelinek (austriaca) → 2004

«El poeta es un rey en su reino. Su imperio es la imaginación, en la que hay mansiones ilimitadas».

11 Doris Lessing (británica) → 2007

«La biblioteca es la más democrática de las instituciones, porque nadie en absoluto puede decirnos qué leer, cuándo y cómo».

12 Herta Müller (rumano-alemana) → 2009

«No sé si no puedo dormir porque estoy tratando de recordar, o si me cuesta recordar porque no puedo dormir».

13 Alice Munro (canadiense) → 2013

«La vida de la gente es suficientemente interesante si tú consigues captarla tal cual es, monótona, sencilla, increíble, insondable».

14 Svetlana Alexiévich (ucraniana) → 2015

«Vivo con el sentimiento de derrota, de pertenecer a una generación que no supo llevar a cabo sus ideas».

culturizando.com